Biographie

Collection dirigée par
Anne-Marie Villeneuve

ANDRÉ MATHIEU

Biographie

Catalogage avant publication de Bibliothèque et Archives nationales du Québec et Bibliothèque et Archives Canada

Nicholson, Georges
André Mathieu
(Biographie)
ISBN 978-2-7644-0753-0
1. Mathieu, André, 1929-1968. 2. Compositeurs – Québec (Province) – Biographies. 3. Pianistes – Québec (Province) – Biographies.
I. Titre. II. Collection: Biographie (Éditions Québec Amérique).
ML417.M38N52 2010 786.2092 C2010-940050-X

Nous reconnaissons l'aide financière du gouvernement du Canada par l'entremise du Fonds du livres du Canada pour nos activités d'édition.

Gouvernement du Québec – Programme de crédit d'impôt pour l'édition de livres – Gestion SODEC.

Les Éditions Québec Amérique bénéficient du programme de subvention globale du Conseil des Arts du Canada. Elles tiennent également à remercier la SODEC pour son appui financier.

Québec Amérique
329, rue de la Commune Ouest, 3e étage
Montréal (Québec) Canada H2Y 2E1
Téléphone : 514 499-3000, télécopieur : 514 499-3010

Dépôt légal : 2e trimestre 2010
Bibliothèque nationale du Québec
Bibliothèque nationale du Canada

Projet dirigé par Anne-Marie Villeneuve
Révision linguistique : Luc Baranger
Traductions : Luc Baranger, William Messier et Michel Saint-Germain
Conception graphique : Nathalie Caron
Montage : André Vallée – Atelier typo Jane
Photographie en couverture : Archives Éric Le Reste

www.quebec-amerique.com

Imprimé au Canada

GEORGES NICHOLSON

ANDRÉ MATHIEU

Biographie

Précédée d'un entretien avec Alain Lefèvre

QUÉBEC AMÉRIQUE

Il y a des enfants prodiges qui manquent à jamais leur destin, des rêveurs auxquels la contrainte seule arrache des chefs-d'œuvre. Admettre avec une compréhension parfaite les faiblesses, et même les perversités qui sont la rançon du génie, ce n'est pas s'interdire de lutter contre elles.

Simone de Beauvoir

TABLE DES MATIÈRES

AVANT-PROPOS

Accepter d'aller à la rencontre d'André Mathieu s'est avéré être un voyage extraordinaire et exténuant. Pour remonter dans le temps et retrouver le vrai visage du compositeur-pianiste, il a fallu soulever des couches de légendes, entendre et vérifier les rumeurs, séparer les faits des affirmations sans fondement et, finalement, découvrir une vérité encore plus passionnante et tragique que toutes les affabulations sous lesquelles on l'avait enseveli. Pour apercevoir Mathieu, il a aussi été nécessaire d'assimiler pêle-mêle toutes les informations accumulées depuis un demi-siècle. L'écueil le plus sérieux est rapidement apparu dès le départ. La plupart des témoins de sa vie encore vivants avaient fini par incorporer dans leurs propres souvenirs ces licences poétiques, ces embellissements, ces ragots de bas-étage si excitants, qui stimulent certains types d'imagination au détriment de la vérité, toujours. Avec le temps, une invention répétée pendant des années gagne un semblant de vérité et finit par avoir la résonance d'un fait réel. Il devient donc d'autant plus épineux de reconstituer la logique interne et de reconnaître la cohérence sous le chaos apparent d'une vie déjà riche en paradoxes.

Ayant fait nôtre la réflexion de Nietzsche : « sans musique, la vie serait une erreur », en fait, la vie serait impossible, le moteur qui nous a permis de mener à terme ce projet a été de donner au Québec, au Canada français, au monde, notre vision d'un romantisme qui n'a pas eu ici de représentants marquants, et surtout d'imposer à la conscience collective un nom, un représentant, un artiste, un créateur en musique classique.

Le Québécois est un animal particulier qui n'aime rien tant que se retourner contre ses semblables et les réduire en charpie avec une rage qui parfois fait peur. Pour le citoyen de ce pays, seule une reconnaissance internationale lui fera lever son veto spontané à toutes velléités d'excellence et provoquera alors un raz-de-marée d'amour et de fierté. Si on demande à l'honnête femme et à l'honnête homme d'ici de nommer les peintres qui font la renommée du Québec, les noms de Jean-Paul Riopelle et de Jean-Paul Lemieux risquent de se présenter. Pour le cinéma, Denys Arcand et Claude Jutra s'imposent. En littérature et en théâtre, Michel Tremblay, Dany Laferrière, Wajdi Mouawad, Robert Lepage font l'unanimité alors qu'Oscar Peterson, l'OSM, Alain Lefèvre et Yannick Nézet Séguin occupent le créneau du jazz et des interprètes de musique classique. Mais s'il faut nommer trois compositeurs, quels sont les noms qui viennent à l'esprit ? Gilles Vigneault, Leonard Cohen, François Dompierre, oui, bien sûr, mais les créateurs de vastes paysages sonores, de symphonies, de sonates, qui sont-ils, qui peut-on nommer ? Eh bien, si le nom d'André Mathieu pouvait spontanément jaillir aux lèvres et s'insérer dans la conscience collective, et sa musique faire partie de notre patrimoine, et simultanément être entendue à travers le monde, ce livre n'aura pas été inutile.

La gratitude étant un mot en voie d'obsolescence, il nous apparaît impérieux de remercier et de reconnaître l'apport de celles et ceux sans qui ce livre n'aurait pu exister dans sa forme actuelle. Chronologiquement, le premier à avoir accepté de raconter ses souvenirs fut Roger Rolland, compagnon d'armes d'André Mathieu et de Pierre Elliott Trudeau à la fin des années 40, à la Maison des étudiants canadiens à Paris. Puis, pêle-mêle, parce qu'ils sont si nombreuses et nombreux, la femme d'André Mathieu, Marie-Ange Massicotte, qui a mis de grands pans de sa mémoire à notre disposition. Marcel Turgeon, de Québec, le fidèle et touchant Pierre Gasse, la famille LeBel, qui nous a confié des documents précieux et uniques, qui attendent un fonds d'archives pour les accueillir. Messieurs Leclerc et de Luca nous ont éclairé sur la sévérité et l'intransigeance de Rodolphe. La curiosité du juge François Godbout a aussi été un atout précieux. Marcelle Martin-Gratton, la fille du premier professeur de Rodolphe, a évoqué le New York de la guerre de façon passionnante. La rencontre avec la poétesse et auteure Denise Boucher a été un des plus beaux moments de toute cette aventure, parce que la générosité alliée à l'intelligence est un véritable baume à l'âme. Jean-Claude Lallonger, Claude Lefebvre, Maurice Dumas, Gilles Gagnon, Clémence Lord, André Bachand, Laurent Chapdelaine et Gilles Gagnon ont tous apporté une pierre à l'édifice. Madame Monique Oligny et Monsieur Jean-Louis Roux ont consenti à évoquer une période essentielle dans notre récit. Marion Beauchemin, témoin privilégié de la naissance du *Concerto de Québec* a aussi mis à notre disposition les images de son passé. Marie-Claude Langlois, la fille de Wilfrid Mathieu, nièce de Rodolphe et cousine d'André, nous a permis de préciser certains faits et d'éclairer les souvenirs de famille. Pierre Audet, dès le départ, a été un allié précieux pour toute la période 45-50 où son père, André Audet, a littéralement sauvé la vie d'André Mathieu. Les pianistes André Asselin et Michel Dussault ont mis leur incomparable mémoire à notre disposition. Rachel Gagnon, de Matane, a ravivé l'été et l'automne 1945 avec son cœur. Pierre Mercier Gouin et René Isabel ont tenté d'expliquer ce qui rendait André Mathieu unique. L'historienne Mireille Barrière nous a sans doute livré l'épisode le plus navrant de toute la biographie. Madeleine Lemieux Lemaire et Denise Massé ont partagé leur adolescence dont Mathieu a fait partie. Grâce à Madeleine Lemaire, nous avons ainsi pu mettre au jour une partition inconnue d'une des œuvres majeures André Mathieu, la *Fantaisie Romantique*, déposée, par ses soins, à la Bibliothèque et Archives du Canada à Ottawa.

L'auteur Jean-Claude Germain a eu l'incroyable bonté de nous donner un enregistrement qui nous montre sous un jour inattendu le héros de notre biographie. L'infirmière Anna Landry a éclairci l'état de santé de Mathieu qui était resté dans l'ombre. Jean-Pierre Wilhelmy a bien voulu nous ouvrir ses archives considérables sur André Mathieu et partager avec nous certains documents uniques. Le légendaire Jacques Languirand a mis la richesse de son intelligence à bien vouloir se souvenir de l'homme qu'il avait tant protégé et aimé. Enfin, les femmes auxquelles Mathieu a offert son cœur, ou dont il a occupé le cœur, que ce soit Huguette Oligny, Lise Descheneaux ou Jeanne Moquin, ont toutes généreusement contribué à évoquer la silhouette de l'homme qui les avait aimées. Une femme qu'André Mathieu a aimée comme on aime une sœur, et qui, à ce jour, est le dernier témoin vivant de toute sa vie, de sa naissance à ses funérailles, Madeleine Langevin Lippens, a accepté pendant plus de trente heures de partager ses souvenirs. Grâce à son pouvoir d'évocation elle a réussi à faire surgir du passé les visages, les lieux et même les odeurs de ces temps lointains. Qu'elle en soit ici humblement remerciée. Une autre contribution unique nous est venue de Jacques Prénovost, qui ayant partagé lui aussi le quotidien des Mathieu, a pu nous transmettre ses perceptions, essentielles à la compréhension du Mathieu des dernières années. Normand Pigeon a partagé les moments les plus noirs de la vie d'André Mathieu. C'est lui qui a défini les limites de sa déchéance.

Grâce au cinéaste Jean-Claude Labrecque et à Francine Laurendeau, nous avons pu avoir accès à une banque de témoins aujourd'hui disparus, mais qui grâce à lui nous ont transmis leurs confidences. Jean-Claude Labrecque a aussi mis à notre disposition un spicilège inestimable qu'André Morin avait fait assembler au moment de la rédaction de la première biographie consacrée à André Mathieu par Joseph Rudel-Tessier. Ce « scrapbook » est la manifestation la plus voyante du sauvetage de toutes les archives, de tous les documents, de toutes les photographies, et surtout, de tous les manuscrits d'André Mathieu. Grâce à André Morin, ils ont été sauvegardés, préservés, et déposés à la Bibliothèque et Archives Nationales à Ottawa. Sans lui, sans son travail, vous ne seriez pas en train de lire ce livre.

Les comédiens Roland Laroche et Edgar Fruitier, à la mémoire proprement stupéfiante, se sont souvenus de la pièce *Les Insolites* de 1956. Gérard Binet, Suzanne Gravel et le baryton Marcel Tessier ont relaté les traces du passage d'André Mathieu dans leurs vies. Jean-Paul Jeanotte a partagé ses souvenirs de collège, où il a connu personnellement André Mathieu, ainsi que les souvenirs des répétitions du récital de décembre 1950. Nous avons aussi eu le privilège d'avoir comme lien et contact avec la famille Massicotte, le neveu de Madame Marie-Ange Mathieu, Richard Massicotte, qui a prouvé inlassablement son intérêt et son soutien tout au long de la de rédaction de l'ouvrage.

La vie nous a aussi permis d'user et d'abuser des talents de chercheur, de recherchiste et de dépisteur d'Olivier Dumas. Sa capacité à débusquer les documents les plus rares s'est révélée être une bénédiction. C'est aussi lui qui a trouvé le texte mis en exergue.

L'exploration des fonds de la famille Mathieu et de Gilles Lefebvre aux Archives Nationales à Ottawa, la mise au point du catalogue des œuvres et la nomenclature des concerts auraient été impossibles sans la célérité et la rigueur du musicologue David Lapierre.

Quel privilège de pouvoir discuter pendant des heures, littéralement, en ayant la certitude de ne pas abuser de la patience d'un interlocuteur. Le cinéaste Luc

Dionne a partagé toutes nos découvertes et nos frustrations et cet échange constant autour d'André Mathieu a été un cadeau incomparable.

Enfin, le neveu d'André Mathieu, Éric Le Reste, a eu la patience et la bonté de suivre pas à pas toutes les étapes de la reconstitution de l'histoire de sa famille à travers André Mathieu. Il a mis à notre entière disposition toutes les archives dont il est le dépositaire et a soutenu nos recherches de toutes les façons. Il est rarissime de croiser des gens habités d'une telle lumière.

Sans Annick de la Perrière, cet ouvrage n'aurait jamais vu le jour. Elle a su apprivoiser les démons et les peurs qui ont permis de passer de la pensée à l'oral, de l'oral à l'écrit et aux images mises en mots. Elle a aussi su dépister les blessures qui ont fissuré la personnalité de l'enfant-adulte et l'ont finalement englouti.

Enfin, pour la révision finale, Thérèse Desjardins a passé au crible de sa vaste expérience littéraire le manuscrit entier. Son élégance et son intelligence nous ont permis de contourner d'innombrables écueils.

Tout au long de la rédaction de cette biographie, le regard posé sur le manuscrit par-dessus notre épaule fut celui de la musicologue Marie-Thérèse Lefebvre qui a réinventé et redéfini pour nous le mot et le concept de générosité. Du début à la fin de ce projet, ses conseils, ses suggestions, sa rigueur et son enthousiasme ont été les paramètres qui ont guidé notre approche. Si on ajoute qu'elle a mis à notre entière disposition toutes ses recherches sur la famille Mathieu qu'elle a accumulées au cours des dernières décennies, vous mesurerez la part qui est la sienne dans cet ouvrage. Notre dette et notre reconnaissance sont infinies…

Il m'apparaît inconcevable de commencer un ouvrage consacré au compositeur-pianiste André Mathieu sans aller à la rencontre de celui qui, presque à lui seul, a réussi à ressusciter la mémoire et la musique de ce personnage, de cette personnalité plus grande que nature.

Alain Lefèvre a voulu rendre à sa patrie d'adoption ce qu'elle lui a offert en redonnant à l'œuvre d'André Mathieu ses lettres de noblesse. Déjà, pour les cérémonies d'ouverture et de clôture des Jeux Olympiques d'été 1976, on avait utilisé des thèmes de ses œuvres pour accompagner les athlètes et faire connaître au monde entier la musique de ce grand oublié. Il aura fallu la sagacité et la ténacité de cet autre pianiste-compositeur, pour qu'enfin le nom et l'œuvre d'André Mathieu s'imposent définitivement, espérons-le, au reste du monde.

C'est à son invitation que nous avons écrit cette biographie ; qu'il en soit ici-même, du fond cœur, remercié publiquement.

Il était donc tout à fait naturel de retrouver Alain Lefèvre pour remonter aux sources de son amour pour la musique de ce « chaînon manquant » de notre jeune histoire musicale.

ENTRETIEN AVEC ALAIN LEFÈVRE

Georges Nicholson – Alain Lefèvre, quand avez-vous entendu la musique et le nom d'André Mathieu pour la première fois ?

Alain Lefèvre – Précisément en 1977.

G. N. — Vous voulez dire que vous ignoriez tout de la controverse autour de la musique des Jeux olympiques et du nom d'André Mathieu ?

A. L. — Georges, à cette époque de ma vie, je pratiquais mon piano, j'élargissais mon répertoire j'apprenais la musique, un point c'est tout. J'avais le privilège d'étudier à l'école de musique Marguerite Bourgeoys. J'étais l'élève de sœur Antoinette Massicotte, sœur Sainte Berthe de son nom de communauté. Cette institution comptait trois étages de studios où on pouvait travailler son piano et aussi, à un de ces étages, se trouvait le studio des professeurs. Un soir, je marche dans un corridor, j'entends à travers la porte d'un studio une musique qui m'interpelle par sa beauté. Le même motif revenait souvent et la personne qui jouait était probablement tellement troublée qu'elle n'arrivait jamais au développement et reprenait constamment le même thème… Je frappe à la porte, une religieuse que je reconnais m'ouvre et je lui demande : « Qu'est-ce que vous jouez ? C'est beau, ça me rend fou ! » Devant mon enthousiasme, la religieuse me dit : « Ah oui ! La pièce s'appelle *Prélude Romantique*, c'est un compositeur d'ici qui l'a écrite. » Toutefois, j'ai senti que sa réponse ne contenait aucune admiration, sûrement à cause de l'alcoolisme de Mathieu… Et la discussion en est restée là.

Je lui ai tout de même demandé de me faire une photocopie de sa propre photocopie de la partition, puis j'en ai parlé à sœur

Sainte Berthe, qui avait connu Mathieu. Elle non plus ne semblait pas avoir une opinion très favorable de cet individu. Il y a donc eu deux déclencheurs : d'abord cette espèce de fascination pour le thème : pour moi, écrire un thème comme celui-là, c'était déjà être un grand artiste. Ensuite, l'agacement dans la réponse des religieuses ne me convenait pas. Devant la beauté du thème, je trouvais leurs réticences injustifiées. Et l'injustice, je l'ai vécue pour avoir été battu quotidiennement pendant dix ans. En 1977, j'avais quinze ans et j'étais encore battu et intimidé à l'école Saint-Luc.

G. N. — Mais Alain, qu'est-ce que vous voulez dire par « battu » ?

A. L. — J'étais battu par des jeunes de mon école ! Je ne correspondais pas à ce qu'ils pouvaient supporter. J'avais un accent français, j'étais pianiste, j'étais blême, j'adorais le parfum, j'aimais bien m'habiller, même si on n'était pas très riches. Je recherchais tout ce qui pouvait être une forme de raffinement et je ne fréquentais pas des écoles où c'était nécessairement glorifié. Alors, ils avaient décidé que j'étais « tapette » et il fallait me tasser dans un coin.

G. N. — Mais, vous avez dû vous plaindre… Vos parents…

A. L. — À quinze ans, on ne se plaint pas ! Alors, j'ai eu ce premier choc et j'ai demandé à sœur Sainte Berthe la permission de jouer le « Prélude Romantique » d'André Mathieu et elle-même est tombée amoureuse de cette pièce. Je l'ai jouée une première fois à Marguerite Bourgeoys dans un concert d'étudiants. Par la suite, je l'ai toujours gardée à mon répertoire.

À l'époque, angle Ontario et St-Denis, il y avait un Café qui s'appelait « La Chaconne », où on présentait des concerts. Un jour, sur les conseils de mon frère Philippe, pianiste lui aussi, j'ai mis sur pied un programme où j'avais bien sûr inclus le *Prélude Romantique*. Pourtant, chaque fois que je le jouais, je ne connaissais toujours rien de Mathieu. J'ai participé au « Concours du Canada » et avec mes parents nous avons étudié la possibilité pour moi d'aller aux États-Unis. Mais je n'étais pas boursier, mes parents étaient des gens modestes et il y avait quatre garçons à la maison qui faisaient des études... Mon frère Gilles, qui était déjà entré au Conservatoire de Paris dans la classe du violoniste Christian Ferras, m'a dit : « Il faudrait que tu viennes à l'académie d'été de Nice et que tu rencontres Pierre Sancan (1916-2008) ». (Pierre Sancan était un des pédagogues français les plus respectés. Toute une génération de pianistes est sortie de sa classe du Conservatoire.) » Une quantité énorme de pianistes voulait travailler avec lui. Toutefois, il n'y avait qu'une place pour un Français et une place pour un étranger. J'ai donc joué pour Sancan, à Nice, et il faut dire que c'était une période très difficile pour moi parce que je sentais que j'allais quitter mes parents. J'avais dix-sept ans, j'étais toujours très sensible et je manquais d'assurance. Je suis rentré de Nice avec la promesse que Sancan m'accepterait à l'automne si j'arrivais à passer le prix d'entrée du Conservatoire de Paris. De retour à Montréal, mon frère Gilles et moi avons donné un petit récital à Marguerite Bourgeoys, quelqu'un avait organisé quelque chose pour ramasser un peu d'argent puisque mes parents n'en avaient pas.

G. N. — Et André Mathieu dans tout ça ?

A. L. — J'y viens. Avant de partir pour Paris, je joue donc à nouveau le *Prélude Romantique* et, bizarrement, je comprends davantage cette musique. Il y avait déjà là quelque chose qui s'approchait de ma douleur. Pourtant je jouais toujours sans savoir qui était Mathieu. Après le récital, un monsieur est venu me voir à l'arrière-scène et m'a dit : « Écoutez, puisque Mathieu vous intéresse, j'aimerais vous apporter des choses. » Cet homme, un jour de pluie assez froid, a sonné chez nous pour me parler. Il m'a alors dit trois choses. D'abord, que d'interpréter Mathieu, c'était merveilleux, et il m'a félicité d'en jouer. La deuxième chose qu'il m'a dite, c'est que toucher à André Mathieu pouvait porter malheur. Quand je lui ai demandé pourquoi, il a parlé de manière très discrète, très délicate, je m'en souviens parce que sa réponse devait longtemps nourrir mon imagination : « Vous savez, même aujourd'hui, on ne sait pas de quelle manière il est mort et il y a plein de choses dont personne ne veut parler. » Je me rappelle, c'était comme un précipice qui s'était ouvert devant moi et au lieu de l'éviter, je me suis juré d'y plonger.

G. N. — Déjà, ce premier contact avait tout pour stimuler l'imagination hyper romantique d'un jeune artiste...

A. L. — D'autant plus qu'à dix-sept ans, j'étais en conflit avec mes parents. Plus jeune, même si j'avais déjà gagné huit fois le prix du Concours de Musique du Canada, au grand désespoir de mes parents, je voulais devenir journaliste. Pourquoi ? Parce que j'ai toujours été beaucoup plus intéressé par la vie des autres que par la mienne. J'avais l'impression qu'en sachant comment les autres vivaient, ça allait m'aider à soulager cette espèce de mal de vivre dont je souffrais. Il ne faut pas oublier ce drame constant pour moi : j'étais rejeté à l'école où on me battait. C'est cet état de fait qui allait me mener à cette frénésie pour André Mathieu.

Quand je suis arrivé à Paris à l'automne 1979, j'ai découvert un monde terrible pour moi, celui de la pauvreté. Je vivais dans une indescriptible chambre de bonne. C'était plus qu'épouvantable : c'était l'horreur de la vie parisienne, l'horreur de la pauvreté, l'horreur de l'éducation que je pressentais au Conservatoire de Paris, et enfin, c'était la solitude. À cette époque, j'ai vraiment pensé vouloir mourir parce que c'était trop en même temps. J'habitais au huitième étage. Les deux derniers comportaient des chambres de bonne où résidait une majorité de travailleurs immigrés adorables, mais qui avaient une vie atroce. Dans cette chambre de bonne, je me rappelle que la décoration se résumait en de grands posters de films de Walt Disney. Il fallait que je me sauve de ça, que je me protège. J'avais quand même apporté mes petits flacons de parfum que j'avais disposés dans un petit coin.

Je n'avais que deux ou trois semaines pour passer le premier examen du Prix de Paris. On nous avait imposé les *Variations Abegg*, de Schumann, à apprendre en sept jours, et en plus je devais jouer les *Variations sur un thème de Paganini*, de Brahms, deuxième volume. Pour connaître les résultats, nous étions tous réunis dans l'immense hall d'entrée du Conservatoire de la rue de Madrid. Les dix professeurs du Conservatoire de Paris attendaient eux aussi les résultats afin de savoir qui était accepté ou refusé. Je me rappellerai toujours Sancan marchant dans le grand hall d'entrée pour venir me serrer la main. Ça aurait dû me remplir de bonheur, mais j'avais juste envie de pleurer. Je raconte tout ça parce que Mathieu a toujours quelque chose à voir là-dedans et vous allez voir pourquoi. Donc, à l'automne 1979, j'ai écrit à mes parents pour leur annoncer que j'étais accepté. Mauvaise nouvelle pour moi, puisque c'était la confirmation que j'allais quitter le cocon familial.

G. N. — Mais, étant d'origine française, n'y avait-il pas de la famille, des amis, n'y avait-il pas un milieu à retrouver ? Après tout, vous n'étiez à Montréal que depuis une dizaine d'années seulement.

A. L. — Non, je débarquais à Paris comme en terre étrangère. La famille de ma mère vivait dans le Nord de la France et la famille de mon père était complètement disparate. Quand je suis arrivé, deux phénomènes se sont produits. D'abord, j'étais allergique à Paris et au système d'éducation. Ensuite, ce qui est apparu, pour devenir une grande maladie, c'était l'amour du Québec. Je ne pensais qu'au Québec. Je ne pouvais pas entendre parler québécois sans me mettre à pleurer. Le Québec était devenu la « terre promise », c'était la terre inestimable.

G. N. — Mais Alain, c'est un peu paradoxal ce que vous dites. D'une part, pendant toutes vos années à l'école, vous étiez rejeté et battu, et d'autre part vos parents vous soumettaient à une discipline quasi militaire quant à l'étude de votre instrument. Alors, revenir au Québec, retrouver la famille et que cela représente un idéal…

A. L. — On comprendra que ces contradictions sont propres à ce que l'on pourrait appeler un tempérament romantique qui, quelque part, peut être empreint de tristesse. J'avais des collègues très heureux d'avoir quitté le giron familial, heureux de pouvoir prendre leur première cuite, de pouvoir sortir avec les filles pour faire des choses. Moi, je n'avais envie de rien. Pour moi, la liberté c'était une prison. J'aimais – finalement j'ai toujours aimé – l'encadrement. Alors, en arrivant à Paris, je me suis encadré d'une manière complètement folle. En novembre, j'avais appris cinq sonates de Beethoven, le premier recueil des études de Chopin et deux concertos. Sancan m'a regardé et m'a dit : « Alain, tu as l'air fatigué. » C'était la première parole tendre qu'il m'adressait et je me suis trouvé mal et on m'a emmené à l'hôpital. Mes parents m'avaient dit qu'ils connaissaient des gens à Paris et que s'il m'arrivait un coup dur je pouvais leur téléphoner. Je me rappelle, c'était un vendredi après-midi. Je les ai appelés, ils sont venus tout de suite ; ils s'appelaient Monsieur Kito et Madame Ginette Barouch. Ils m'ont emmené chez eux et ils ont tout de suite compris. Moi j'ai compris, mais après qu'eux aient compris. Je ne souffrais de rien de sérieux en particulier. Je manquais simplement de tout, de nourriture, de sommeil, etc. et j'avais travaillé comme un cheval.

G. N. — Vous aviez dix-sept ans, vous étiez libre, vous étiez libre à Paris et pourtant vous vous rendez malade à travailler !

A. L. — Je vais vous expliquer. Quand tu arrives dans une grande école française on t'apprend une seule chose, c'est que t'es un petit con et que tu n'y connais rien. Ça, c'est ce qu'on essaie de t'apprendre. Et le soir où je me suis endormi, quand j'ai réalisé que j'étais dans une maison, au chaud, dans une famille, et je suis un homme de famille, alors je me suis mis à pleurer et j'ai pleuré une bonne partie de la nuit. Le lendemain matin, ces gens m'ont dit : « Si tu veux, tu peux rester à la maison, tu seras comme notre fils. » Et c'est à ce moment là que j'ai été « adopté » par cette famille d'israélites qui m'ont ouvert à un univers extraordinaire. C'est peut-être la plus belle chance que j'ai eue. Cela a aussi été le signe que ma carrière ne se ferait jamais par des connexions et des contacts, mais se bâtirait toujours avec des pierres d'amour. Alors je suis revenu au Conservatoire de Paris, avec la même folie de travail mais avec une meilleure santé.

G. N. — Est-ce Ginette Barouch et sa famille qui sont venus vous entendre jouer le concerto d'André Mathieu au théâtre des Champs-Élysées en octobre 2008 ?

A. L. — Exactement ! Ils sont fidèles. À un moment donné, Sancan devait voir que je faisais des progrès mais il ne me le disait pas. Cependant, à la fin de l'hiver, il m'a lancé : « Écoute, il y a un concours international qui aura lieu en avril 1980, et je voudrais que tu t'y présentes, que tu représentes ma classe. » Moi, encore une fois, je le comprends aujourd'hui, mais à l'époque je ne réalisais rien de ce qui se passait : c'était un honneur incroyable que de représenter la classe. Il y avait quinze étudiants par classe, dont des étudiants qui étaient là depuis deux ou trois ans et des pianistes qui sont devenus de grands noms. Il ne faut pas oublier que Sancan, c'était Jean-Bernard Pommier, c'était Argerich, qui lui téléphonait tout le temps, Pollini qui venait chercher des conseils, c'était Jean-Philippe Collard, c'était Michel Béroff, c'était el Bacha… J'en passe et des meilleurs. Je me suis donc présenté au concours international Alfred Cortot à Milan. J'ai gagné la première audition et passé toutes les éliminatoires. Bref, j'étais parmi les lauréats du concours et j'ai donné un récital à la Piccola Scala de Milan en avril, avec Brahms, Prokofieff, Ravel et Schumann. Tout de suite après j'ai reçu un coup de téléphone de François Serrette, un producteur très important de Radio France. Il donnait aux musiciens quarante-cinq minutes de musique et quinze minutes d'entretien. J'ai alors eu une grande discussion avec Sancan. Il m'a demandé ce que je voulais jouer en me suggérant *Cinq Études tableau opus 39* de Rachmaninoff et le *Thème et Variations* de Gabriel Fauré. Ensuite il m'a dit : « Tu sais, t'es un p'tit Canadien » et d'ailleurs il trouvait que j'avais un très fort accent, ce qui était quand même assez extraordinaire. J'ai tout de suite répondu : « Ah ! Mais je connais une pièce d'André Mathieu ! » Et je lui ai joué, le *Prélude Romantique.* Il a trouvé ça superbe et il l'a lui-même joué. J'ai donc fait cette émission en jouant la pièce de Mathieu.

G. N. — Je vois d'ici venir le malaise; puisque Serrette entend sans doute le nom d'André Mathieu pour la première fois…

A. L. — Je me suis aperçu que j'étais un parfait imbécile parce que je ne savais rien, je ne pouvais pas parler de lui. Je ne savais pas pour les olympiques, mais je savais qu'il avait écrit le *Concerto de*

Québec. Je m'en rappelais bien parce que l'homme venu me voir après « La Chaconne » m'avait remis une photocopie du *Concerto de Québec.* Le lendemain de l'émission, mon frère Gilles m'a téléphoné : « Alain je ne sais pas si tu réalises ce qui t'arrive. » J'étais vraiment naïf… J'étais déconnecté parce que je n'avais pas confiance, je doutais beaucoup. J'ai demandé à Gilles : « Mais qu'est-ce qui m'arrive ? » Il m'a répondu : « Ferras a écouté ton émission, et il veut absolument que tu sois son prochain pianiste ! » Quand je l'ai annoncé à Sancan, il en avait les larmes aux yeux. Il m'a dit : « Alain, te rends-tu compte ? ». Mais moi je ne me rendais toujours pas compte, je ne savais pas. Sincèrement, je ne savais pas.

G. N. — Mais vous saviez que Christian Ferras était un des plus grands violonistes du monde, que c'était un honneur incroyable d'être sollicité pour être son partenaire de musique de chambre ?

A. L. — Bien sûr que je savais qui il était, mais je ne voulais pas, je ne pouvais pas m'en rendre compte. Ferras est venu me rencontrer dans ma petite chambre de bonne. C'était fantastique, Ferras est arrivé avec sa grosse Ford et est monté au huitième étage sans ascenseur dans cette pièce où on pouvait à peine mettre un piano droit et une chaise. On a joué ensemble la sonate de Franck, la sonate de Lekeu et la sonate de Grieg en lecture à vue et il m'a dit : « Absolument, je veux que ce soit toi, je t'ai entendu l'autre jour. »Et il a ajouté : « J'adore la pièce de Mathieu. A-t-il fait quelque chose pour le violon ? » J'ai alors décidé qu'il fallait vraiment que j'en sache plus au sujet d'André Mathieu. J'ai commencé à travailler avec Ferras, nous avons fait quelques récitals, puis, on connaît malheureusement la suite, Ferras a mis fin à ses jours.

J'ai reçu mon premier Prix de Paris et j'ai donné des concerts en Belgique, en Allemagne et en Italie. Après avoir fait San Remo, j'ai vraiment commencé à tourner. Et partout, dans tous ces récitals, j'ai toujours mis le *Prélude Romantique* au programme. J'ai toujours du succès avec le *Prélude Romantique.* Je suis rentré à Montréal…

G. N. — Et c'est à ce moment-là que je vous ai entendu pour la première fois avec l'Orchestre de chambre McGill…

A. L. — C'est vrai, je m'en souviens comme si c'était hier. Entre-temps j'ai signé avec une maison de disques, Koch, avec laquelle j'ai enregistré le *Concerto* de Corigliano et plusieurs autres disques solo. À un moment donné, j'étais moins content de ce qui se passait et je voulais absolument commencer une autre aventure. Je me rappelle que Mario Labbé m'avait dit qu'il aimerait bien travailler avec moi. Je lui ai téléphoné en 2002 et il m'a demandé si j'avais envie de faire un disque de concertos. J'avais déjà enregistré deux disques avec orchestre et je savais que le marché du disque n'était pas simple. Il m'a dit : « Pense à quelque chose d'intéressant ». Et ce qui m'intéressait, c'était André Mathieu. Puisque j'avais connu le succès en Europe avec une de ses pièces, il était toujours là. Je suis revenu et j'ai annoncé à Mario que j'aimerais mettre en évidence le *Concerto de Québec.* Malheureusement, Analekta avait déjà réédité l'enregistrement de Philippe Entremont et Michel Plasson, mais je l'ignorais. Finalement, j'ai écouté le disque et j'ai senti qu'il avait été fait rapidement, et surtout qu'il n'y avait aucune conviction de la part du soliste. J'avais quand même assez de métier à l'époque pour comprendre que ces personnes n'avaient aucune envie de jouer cette pièce et cette constatation renforçait mon sentiment d'injustice, nourrissait cette passion qui était née à mes quinze ans. J'ai demandé au Centre de Musique Canadienne de me faire parvenir le *Concerto de Québec*, parce que la partition photocopiée que m'avait remise mon mystérieux visiteur n'était pas très lisible. J'ai commencé à travailler l'œuvre et c'est vraiment à ce moment-là qu'est apparue la folie : je jouais et je pleurais. Je comprenais tout sans rien savoir. J'ai proposé un concept à Mario : « Je vais faire trois concertos associés à trois villes : le *Concerto en fa* de Gershwin, pour New York, le *Concerto de Varsovie* d'Addinsell, parce que j'adore cette musique, et le *Concerto de Québec* d'André Mathieu. »

G. N. — Cette identification à André Mathieu se développait au fur et à mesure que vous découvriez les œuvres. Mais comment vous êtes-vous débrouillé pour entrer plus avant dans l'univers d'un compositeur qui, à ce moment-là, était complètement oublié ?

A. L. — J'ai trouvé un merveilleux correspondant, Éric Le Reste, qui m'a nourri de photocopies de partitions très utiles quand j'ai voulu enregistrer les pièces pour piano solo. J'ai aussi eu la chance de rencontrer plusieurs personnes qui se sont battues pour André Mathieu, dont le juge François Godbout, qui m'a apporté d'autres documents. Bizarrement, cette époque a été le début de ce que j'appellerais « l'anonyme nourrissant ». Des gens m'écrivaient, me téléphonaient ou m'envoyaient des trucs, des lettres bizarres, tout en désirant garder l'anonymat. Même si j'étais déjà adulte, j'étais toujours un enfant par mon romantisme. J'étais toujours habité par les romans que j'avais le plus aimés : *L'homme qui rit*, *Han d'Islande* de Victor Hugo, *Les Contes de la main gauche* de Maupassant. Pour moi, Mathieu était en train de devenir le héros que j'aimais. Plus j'en apprenais à son sujet, plus je sentais une force me dire : « Ça va marcher ! ». (J'en parle et j'en ai des frissons.) Une fois que cette machine s'est mise en marche, et jusqu'à aujourd'hui, je n'ai jamais arrêté. Des gens extraordinaires m'ont apporté des documents qui ont nourri mon imagination. J'ai aussi été le dépositaire d'énormités et de légendes.

Le projet a commencé à prendre forme lorsque l'Orchestre symphonique de Québec a inscrit à sa programmation de saison les trois concertos. Sur la scène du Grand théâtre de Québec, dans la salle Louis Fréchette, j'ai joué avec tout mon corps, toute mon âme. J'éprouvais un phénomène assez extraordinaire en entrant sur scène, l'impression que Mathieu était avec moi. J'imaginais qu'il ne voulait pas qu'il m'arrive quelque chose, qu'il me protégeait. C'était complètement fou, mais c'est la vérité, car je savais qu'avec Mathieu, tout pouvait être difficile.

G. N. — C'est moi qui commence à avoir des frissons maintenant.

A. L. — Ce n'est rien, écoutez la suite. La veille de l'enregistrement, qui se faisait à la salle Françoys Bernier du Domaine Forget, on a annoncé la pire tempête, une autre tempête du siècle. J'ai commencé à me pénétrer de l'idée que Mathieu était maudit.

J'ai dit aux gens de Québec : « Écoutez, même s'il faut réquisitionner l'armée, on ira. » Effectivement, un camion de l'armée nous a ouvert la route entre Québec et St-Irénée. Résultat : c'est probablement dans l'histoire du disque au Canada l'un des plus grands succès commerciaux pour un disque classique. J'ai été invité à parler de Mathieu partout à la radio et à la télévision, et c'est un peu comme ça que tout a commencé. Par la suite, Mario Labbé a mis un deuxième projet en marche : les œuvres pour piano solo d'André Mathieu.

G. N. — Le pire obstacle pour l'exécution d'une œuvre, c'est la disponibilité d'une édition claire et précise de la partition d'orchestre pour le chef et de chacune des parties pour tous les instrumentistes. Dans le cas des œuvres d'André Mathieu, non seulement n'y a-t-il pas d'édition, mais les partitions manuscrites sont plus souvent qu'autrement entachées d'erreurs de notation, ce qui rend l'exécution de ces œuvres périlleuse, voire impossible. Comment vous êtes-vous débrouillés pour le *Concerto de Québec*?

A. L. — Le *Concerto de Québec* est fabuleux. Pourtant il ne peut être aimé que partiellement, car il y a un travail colossal à faire au niveau de la partition et de l'orchestration à partir des manuscrits de Mathieu. Pour l'enregistrement, nous avons passé des heures et des heures à corriger des erreurs de notation, à fluidifier des transitions d'un passage à un autre, en fait, à partir des partitions qui avaient servi à l'enregistrement d'Entremont et Plasson, nous avons réussi à présenter une œuvre cohérente, mais il aurait fallu retourner aux sources.

Plus j'avançais dans Mathieu, plus je jouais Mathieu, plus je parlais de Mathieu, plus tout s'éclairait et, simultanément, plus j'avançais, et moins c'était clair. À l'évidence, pour moi Mathieu était un génie. Mais ce qui était de plus en plus mêlant, c'était toutes les informations dont on me bombardait. Pour remettre les choses en perspective, il faut préciser que je n'étais pas le premier à avoir joué les œuvres de Mathieu. Il y avait eu, entre autres, André Asselin, le créateur du *Prélude Romantique*, qui jouait du Mathieu depuis plus d'un demi-siècle. Le pianiste André-Sébastien Savoie et le chef d'orchestre Raymond

Dessaints l'avaient beaucoup joué, jusqu'en Tunisie ! Il y avait André Morin, qui avait été le gardien de la mémoire et avait accompli un travail historique, en plus d'imposer le choix d'André Mathieu pour la musique des Jeux olympiques de 1976. Sans oublier le documentaire *André Mathieu, musicien*, de Jean-Claude Labrecque, qui avait rallumé le flambeau après les Jeux olympiques. Il y avait enfin l'enregistrement de la *Sonate pour violon et piano* avec Angèle Dubeau, chez Analekta.

G. N. — Quelque chose m'échappe. Comment se fait-il qu'autant de musiciens se soient intéressés à Mathieu et que pourtant on a l'impression que vous, Alain, soyez le premier à le découvrir ?

A. L. — Pour une foule de raisons nous sommes toujours revenus au point de départ. Ce qui a peut-être fait la différence avec moi, et c'est pour cette raison que j'ai parlé de ma jeunesse, c'est que j'ai appris à survivre envers et contre tous. Pour moi, une réponse négative n'est pas une bonne réponse. J'ai reçu des lettres et des coups de téléphone anonymes suite à ma découverte de Mathieu. Des gens ont pris le temps de me dire que j'étais fou, que Mathieu c'était de la m… On aurait dit que si tout avait été facile avec Mathieu, rien n'aurait été pire pour moi. J'ai participé à des émissions, à des lignes ouvertes. Puis, la télé de Radio-Canada a fait un reportage, CBC s'est emparé de l'histoire, le Canada au complet a commencé à bouger. Pourtant, plus j'avançais, plus je sentais des forces se mobiliser contre Mathieu. Néanmoins, c'est à cette époque que j'ai véritablement gagné l'amour du public.

Le compte rendu de Monsieur Claude Gingras nous a donné des ailes parce que cet homme a été profondément ému par la musique. Ce qu'il a écrit après avoir entendu le disque a été déterminant, autant pour nous que pour les autres critiques. Cette reconnaissance a aussi déclenché une agressivité incroyable. Je me rappelle avoir donné des concerts des œuvres de Mathieu et avoir reçu des gens dans ma loge qui me disaient : « Mais quand est-ce que vous allez arrêter de perdre votre temps avec cette musique, un grand musicien comme vous ? »

G. N. — Alain Lefèvre, il est plutôt rare qu'un compositeur de musique classique provoque des réactions aussi extrêmes, des attaques aussi violentes. Au cours de toutes ces années, quelle a été la chose la plus difficile à accepter ? ou à comprendre ?

A. L. — Ce qui m'a profondément dégoûté dans toute l'aventure Mathieu, c'est le parti pris très malhonnête de certaines personnes qui ont dit que c'était de la musique passéiste, facile, quétaine ou mal composée. Ce n'est pas vrai ! Je n'ai jamais compris ce mépris, parfois même chez de grands esprits du Québec, à l'égard d'un compositeur de chez nous. Quand on écoute l'œuvre orchestrale de Liszt, les concertos de MacDowell ou même de Saint-Saëns, je peux vous dire qu'il y a beaucoup de choses vraiment inintéressantes. Aujourd'hui, dans la plupart des grandes études publiées, les critiques spécialisés, les « spécificiteux » sont tombés d'accord pour dire que Rachmaninoff était un petit maître. Pourquoi ? Parce que quand un thème est adoré du grand public, le thème et son compositeur deviennent suspects aux yeux et aux oreilles des spécialistes. Et quand on lit les articles consacrés à Rachmaninoff dans certains grands dictionnaires, il n'a jamais droit au crédit qui lui est dû. En fait, Georges, on aurait dit que Mathieu était uniquement critiqué parce qu'il était Québécois. Parallèlement, ces mêmes personnes qui critiquaient l'œuvre de Mathieu semblaient m'en vouloir parce que je tentais de lui rendre hommage et que j'avais du succès.

Avec le recul, je crois que c'était la meilleure chose qui pouvait m'arriver. Tout cela m'a préparé pour la deuxième étape. Pour que Mathieu survive, il fallait qu'il sorte du Québec, il fallait l'exporter. C'était un pari risqué, parce que je n'étais pas à une période de ma carrière où je pouvais « imposer » Mathieu. Alors, pour préparer le terrain, j'ai commencé à jouer le *Concerto de Québec*, version piano solo, en Chine, en Turquie, en Grèce, en Allemagne, en Libye, en Angleterre, en France, en Italie, au Liban et en Bosnie. Le *Concerto de Québec* a dû être joué quatre cents ou cinq cents fois, et chaque fois que je le jouais, je prenais le micro et je parlais du Québec. Je pouvais revivre la pénible année de mes dix-sept ans à Paris et dire aux Français : « Le Québec est un pays extraordinaire ». Et voilà mon obsession, encore aujourd'hui. Enfin, les ventes du deuxième disque, *Hommage à Mathieu*, ont été incroyables. Pour le troisième enregistrement – *Mathieu, la Rhapsodie Romantique avec l'OSM*, ce fut la même chose. Tranquillement, de plus en plus de gens se sont dit qu'il faudrait en savoir davantage sur André Mathieu. Ce fut une étape cruciale, déterminante. Je devais agrandir mon équipe et donner la possibilité à des Québécois de m'aider à la construction de cette réhabilitation. Pourquoi était-ce si important de le faire ? Je ne le sais pas. Ça provenait probablement d'une histoire commencée il y a très longtemps... Peut-être que c'est moi, à huit ans, dans un abribus, couché dans la neige, en sang, parce que je venais juste d'être battu pendant une heure, c'est peut-être ça qui m'a animé... C'est peut-être à cause de cette rage que rien ni personne n'aurait pu m'arrêter. J'étais *inarrêtable*.

G. N. — Je pense que je sais quelle direction vous allez prendre. Puisqu'il n'est pas accepté chez lui, allons chercher l'approbation ailleurs, à l'extérieur ; c'est encore la meilleure façon de convaincre les Québécois de leur valeur...

A. L. — Oui, c'est vrai, cet angle d'attaque faisait partie du plan. Mais il fallait d'abord obtenir des partitions qui se tiennent parce que je savais que c'était la plus grosse lacune : j'en avais déjà fait l'expérience avec le *Concerto de Québec*. Une fois cette étape franchie, imposer à des orchestres étrangers les œuvres concertantes de Mathieu, c'était la deuxième. Pour la troisième, je devais absolument trouver quelqu'un qui ait la force, le courage, le tempérament et l'abnégation pour écrire une biographie, et aussi, l'intégrité nécessaire pour dire toute la vérité. Parce que cette vérité est celle d'un survivant, d'un résistant, d'un fou du Québec.

Ce grand projet a mûri tranquillement. Dans un premier temps, nous avons présenté le *Concerto de Québec* à Trois-Rivières avec Gilles Bellemare, que j'avais convaincu (la musique étant mon meilleur argument) de réaliser la partition de la *Rhapsodie Romantique*. Gilles Bellemare s'est avéré être un partenaire extraordinaire, un artiste passionné et un vrai gentleman. Ensuite, il fallait absolument que le *Concerto de*

Québec soit joué à l'étranger. J'ai commencé à faire des démarches auprès d'orchestres américains et ça a été difficile. J'ai enfin pu trouver un chef d'orchestre américain avec qui j'avais déjà travaillé en Allemagne : George Hanson. Il m'a engagé pour jouer le *Concerto en fa* de Gershwin. J'ai accepté à la condition de pouvoir aussi jouer le *Concerto de Québec.* C'est ainsi que l'aventure a pris forme. Bien sûr, jouer Mathieu en récital, c'est une chose, mais qu'un orchestre accepte de le mettre à son programme… J'ai parlé de Mathieu à plusieurs chefs d'orchestre, notamment à Mathias Bamert et Jeffrey Tate, et j'ai fait aimer Mathieu à tous ces gens, toujours sans partition. Et je me répétais encore que si un jour des journalistes ou des musicologues me posaient des questions au sujet de Mathieu, je ne saurais toujours pas quoi leur dire. J'avais beaucoup de certitudes, mais elles étaient uniquement artistiques. De ce point de vue, je n'avais aucun doute quant au génie de Mathieu.

Mais j'en revenais toujours au même point, il nous fallait une équipe solide. Gilles Bellemare en tête s'est engagé dans le projet. Au même moment, suite à une émission avec Paul Arcand, j'ai commencé à recevoir beaucoup de propositions pour tirer un film de la vie de Mathieu. J'ai alors réalisé que, seul, je ne pouvais plus m'occuper de ce projet. Le film se profilait, nous avons eu cinq propositions. Parmi les intéressés, il y avait Réjean Tremblay et notre amie du Théâtre du Nouveau Monde, Lorraine Pintal. Nous nous sommes finalement entendus avec Luc Dionne. C'était génial, mais ça devenait très lourd. J'ai donc demandé l'aide de Mario Labbé. Toutefois, je devais m'assurer que les gens qui allaient s'associer à ce projet entretenaient une passion égale à la mienne pour Mathieu. J'arrive à la troisième étape.

Un jour, j'apprends que Georges Nicholson n'était pas bien. Je lui ai téléphoné et j'ai réfléchi à la possibilité d'en faire le biographe de Mathieu. J'en ai parlé avec Jojo, mon épouse, et naturellement les choses se sont mises en place. Il ne faut pas oublier que trois personnes étaient en lice et aucune n'était du Québec. Il y avait un anglophone de Toronto, un Allemand, ami de longue date, et un monsieur d'origine française. Nous

nous sommes entendus pour que Georges Nicholson devienne le biographe d'André Mathieu. Je me suis senti aussitôt beaucoup plus fort parce que c'était très important pour moi que cette biographie soit honnête. Il fallait aussi qu'elle soit écrite par quelqu'un qui connaisse l'Histoire du Québec, qui connaisse la musique et le milieu musical de l'époque et qui comprenne les musiques du 20e siècle.

Je connaissais un succès triomphal avec les disques, il faut le dire. Aux États-Unis et en Grande-Bretagne je commençais à recueillir des critiques de tous bords. *Fanfare*, *American Record Guide*, *BBC Magazine* et *The Gramophone*, tous ces magazines disaient qu'il fallait écouter la *Rhapsodie Romantique*. En même temps, je voyais des gens qui persistaient à écrire et à expliquer pourquoi André Mathieu était sans intérêt. Évidemment, j'avais les réponses à ça, je savais qu'André Mathieu avait eu la chance d'être très talentueux et la malchance de ne pas être un gros travailleur. Aussi je pressentais beaucoup de drames dans sa vie. Ce qui m'animait, et ce qui m'anime toujours, c'est que musicalement qu'on soit en 1400, en 2000, ou en 2130, quand on peut écrire un thème comme il en était capable, la discussion est close. Pour moi Mathieu c'était la possibilité d'un romantisme effréné, d'un romantisme puissant et d'un romantisme immaculé, celui de la blancheur de la neige du Québec, ce blanc du vent du Québec et de la naïveté d'un peuple qui s'est fait humilier. Et tout ce romantisme de Mathieu devenait pour moi un petit peu ma vie, c'était ridicule de ma part, mais c'était comme ça. Aujourd'hui, je n'ai pas la prétention de savoir grand-chose, mais je sais que Mathieu aura une destinée qui va dépasser nos frontières. En 2010, 2011, 2012, nous avons quarante possibilités de jouer le *Concerto no 4* à travers la planète. Et ce n'est qu'un début, le film n'est même pas encore sorti.

G. N. — Dans toute l'aventure Mathieu, et je pense que vous êtes le mieux placé pour savoir de quoi je parle, il y a un aspect qui a galvanisé la curiosité du public et fait rugir les musicologues. Déjà en 1992, dans le documentaire de Jean-Claude Labrecque, *André Mathieu, musicien*, quand Vic Vogel déclarait que le père d'André donnait une petite « shot » de cognac à son enfant de huit ou neuf ans avant d'entrer en scène, on voyait bien qu'Aurore, l'enfant martyr, avait eu une descendance...

A. L. — Mon cher Georges, vous abordez là un des aspects les plus troublants et, n'ayons pas peur des mots, un des aspects les plus délirants de toute la saga Mathieu. Concernant l'alcool, je n'ai pas vraiment reçu de témoignages qui parlent de l'attitude des parents. Comme je le disais plus tôt, j'ai été bombardé d'histoires dont certaines m'ont laissé perplexe. J'ai reçu entre dix et quinze témoignages différents qui affirmaient que le père était très dur avec son fils, qu'il aurait même été jaloux du succès de son fils. Un autre témoignage troublant laissait entendre que ce dernier avait été abusé par sa famille, que...

G. N. — Abusé physiquement ?...

A. L. — Non, non ! Abusé financièrement, comme quoi André aurait été une vache à lait pour sa famille. Un autre homme dont la sincérité était évidente m'a assuré avoir les preuves que Rodolphe battait André. Quand on a commencé à me rapporter toutes ces histoires, j'ai eu un petit peu peur. C'est la part d'ombre de toute l'affaire ; toutes ces histoires sont restées difficilement vérifiables. Cette même personne m'a affirmé que la situation avait dégénéré au point où la police avait dû intervenir et qu'un policier aurait dit à Rodolphe : « la prochaine fois que tu touches André, je te jette en bas du balcon. » J'ai entendu cette horreur à l'époque du *Concerto de Québec.* Il est évident que les histoires comme celles-là m'ont troublé et ont aussi nourri mon désir d'avoir quelqu'un qui pourrait vraiment faire la lumière sur la vie de Mathieu. Je devais être très prudent. Je tenais en quelque sorte la vie de cet homme entre mes mains. Ce compositeur était au purgatoire ou, mieux encore, en enfer. Et je vous rappelle que quand j'ai commencé à jouer Mathieu, les gens riaient et ne nous prenaient ni lui ni moi au sérieux.

G. N. — Est-ce que ce n'est pas dangereux de devenir le dépositaire de confidences bouleversantes dont la véracité est quasiment impossible à vérifier ?

A. L. — Bien sûr. Quand je me retrouvais face à un journaliste qui avait glané bien des choses, j'étais inquiet, parce que j'intervenais par suppositions. Je passais à une émission de radio ou de télé et je rapportais ce que des témoins vivants m'avaient dit, en évitant de porter un jugement. Je n'en avais ni le mandat, ni le temps, ni l'énergie… Je ne suis ni historien, ni musicologue. Si j'entendais une histoire qu'une seule fois, je ne la racontais pas. J'ai entendu des histoires que je ne pourrais même pas répéter aujourd'hui, des choses incroyables.

G. N. — Vous vous êtes sûrement posé des questions, à savoir pourquoi des gens vous raconteraient de telles histoires ?

A. L. — J'ai du mal à croire que des gens puissent inventer autant d'histoires pour se donner de l'importance où se rendre intéressants. Maintenant, connaissant la nature humaine, on ne prête qu'aux riches, et la position d'André Mathieu dans l'imaginaire québécois a vraiment été très forte. Est-ce que des amis intimes d'André ont voulu excuser ses beuveries en inventant une enfance malheureuse ? C'est certain qu'il est beaucoup plus vendeur de raconter une telle histoire aux médias. Mais j'étais surtout troublé, quand, par exemple, des gens de Sherbrooke, Rouyn Noranda, New York ou Montréal me livraient le même témoignage. J'ai alors consciemment dû faire naître la possibilité d'une grande histoire autour de Mathieu. Le mot légende serait un peu lourd de conséquences, mais, Mathieu, c'est certainement une grande histoire. Voilà pourquoi, quand j'ai commencé à en parler, je sentais qu'il fallait vraiment éveiller les esprits.

G. N. — Mon cher Alain, à vous écouter renouer les fils qui ont tissé la trame de la légende d'André Mathieu, il y a un tel écart entre les faits et leur récit que je me demande si les espoirs qu'il a fait naître et le rôle de porte-étendard du Canada français dont on l'a chargé n'ont pas complètement déformé la réalité.

A. L. — Oh ! Nous ne sommes pas au bout de nos peines. Parmi toutes les légendes répandues sur l'homme, voici la pire, la plus pernicieuse : André Mathieu n'aurait pas composé ses œuvres ! C'est son père qui les aurait écrites. Pour vérifier et pouvoir démentir cela, il a fallu que j'étudie la composition des accords, l'harmonie, les traits pianistiques caractéristiques chez André Mathieu. En peinture, on peut peindre à la manière de, et il en est de même pour la musique. En revanche, ce qui est impossible, c'est d'imiter les accords qu'André Mathieu avait lui seul la possibilité d'inventer, conformément à la morphologie de sa main, des accords qui ne sont pas de son père, et qui sont la signature d'une main immense, de doigts extrêmement longs et inimitables. Il est impossible qu'un autre compositeur ait pu inventer un moule, et ici je suis formel. L'œuvre est comme un gant, elle porte l'empreinte de la main qui la compose. Pour Mathieu, c'est la même chose : son écriture porte sa signature.

On m'a raconté bien des choses sur André Mathieu. Je pourrais vous en raconter pendant des heures. On pourrait même éventuellement penser qu'il a été très habile de ma part de ressusciter les légendes entourant Mathieu pour aiguiser la curiosité des gens. J'arrêterai d'un coup toutes ces spéculations en disant que les ennuis que j'ai eus avec ce projet ont été bien plus lourds que les récompenses. J'ai travaillé pendant vingt ans sur Mathieu, et plus particulièrement ces dix dernières années. Cet engagement s'est incarné de façon presque quotidienne. Je n'ai jamais reçu un seul dollar de qui que ce soit pour rémunérer mon travail de recherche. Je me suis battu pour la reconnaissance d'un compositeur, car si je ne suis sûr de rien dans ce que fut la vie d'André Mathieu, je suis sûr de son génie. Il serait évidemment plus facile et profitable de jouer les œuvres des compositeurs qu'on me propose… Je n'ai jamais accepté de participation financière, même quand j'ai préparé l'édition des pièces pour piano seul ou la révision du *Concerto de Québec.* Bien sûr, quand je joue en concert, je touche un cachet. Mais quand Berlin m'approche pour jouer un concerto, on ne va pas me demander de jouer André Mathieu. Quand je leur propose son concerto et que j'insiste et que je doive attendre la réponse de l'orchestre pendant deux ou trois semaines, dans de tels cas, j'ai les nerfs à fleur de peau parce que je peux perdre un contrat très important pour ma carrière. Mais je veux que Mathieu soit joué. Et aujourd'hui j'ai gagné mon pari : le vendredi 8 octobre 2010, le *Concerto no 4* d'André

Mathieu sera donné à Berlin. De plus, le concert sera enregistré et distribué en DVD à travers le monde. Voilà les risques que je prends pour qu'un grand artiste reçoive au moins symboliquement ce qui lui est dû.

G. N. — Mon cher Alain, en terminant, je vous demande de me dire, avec vos mots, avec les mots d'Alain Lefèvre, ce qu'est l'essence de la musique d'André Mathieu, ce qui en fait un compositeur unique. Faites-moi comprendre ce qu'il y a dans cette musique qui vous fait vous battre et vous motive à l'imposer.

A. L. — Quand je joue le *Concerto de Québec* et que j'arrive au deuxième thème du deuxième mouvement, c'est d'une simplicité bouleversante. En sachant qu'il avait à peine quatorze ans quand il a écrit ce concerto, je n'ai besoin de rien d'autre pour être convaincu : il y a chez cet homme un génie mélodique que personne ne peut comprendre et que personne ne pourra jamais lui enlever. Toutes ses erreurs d'écriture, ses maladresses, ses fins de phrases et ses enchaînements abrupts n'ont pas d'importance. Si on écoute *Les Mouettes, l'Été Canadien*, si on pénètre les secrets du mouvement lent du *Concertino no 2*, on ne peut qu'être touché par la profondeur de l'émotion.

Il est si facile de refaire le monde avec des « si » : s'il avait travaillé, s'il était né ailleurs, si la guerre n'avait pas éclaté, s'il avait continué avec Honegger, s'il avait accepté l'offre de Cortot... Eh bien ça ne serait plus André Mathieu et ce qu'il nous a laissé n'existerait peut-être pas. Pour répondre à votre question, je vous dirais qu'André Mathieu est un des compositeurs qui parle le mieux de nous. Nous pouvons nous reconnaître dans ses thèmes et c'est ce qui le rend universel. Mathieu parle au cœur, et ça, ça ne se discute pas !

CHAPITRE I
GENÈSE, ORIGINES ET RÉVÉLATIONS

La biographie de n'importe quel personnage célèbre ou inconnu jette toujours sur l'enfance un regard global qui balise les pistes pour l'avenir. Puisque c'est un musicien qui nous intéresse, jetons un œil sur la jeunesse de certains de ses pairs. Jean-Sébastien Bach par exemple. Orphelin à dix ans, il est recueilli par son frère aîné. Son idéal paternel est plutôt écrasant, puisqu'à vingt ans il fait le voyage à pied d'Arnstadt à Lübeck (soit 400 km) pour entendre improviser et rencontrer le grand Buxtehude. C'est l'âge auquel sa vie et sa carrière commencent. Un regard sur les années d'apprentissage de Beethoven nous apprend que son père était ténor, son grand-père maître de chapelle et que sa grand-mère était alcoolique. Son père lui enseigne le piano, le violon et l'orgue. Il n'a pas vingt-deux ans quand ses parents disparaissent et n'a encore rien écrit qui mériterait de passer à la postérité. Quant à Richard Wagner, il n'a que six mois quand son père meurt du typhus, son beau-père Geyer disparaît quand l'enfant en a huit. Son seul ancrage permanent est une mère « émotive, enthousiaste et un peu mystique »[1]. En fait, le schéma biographique qui ressemble le plus à celui d'André Mathieu, c'est celui du musicien à qui, dès sa plus tendre enfance, on l'a associé, comparé et à l'aune duquel on a jugé et juge encore ses œuvres : Mozart. La précocité n'est pas le seul facteur de rapprochement des deux compositeurs. Mis à part le clan Bach pour lequel la musique est un monopole transmis de façon héréditaire, les pères qui élèvent leurs enfants et leur impartissent – et dans le cas de Rodolphe[2], presque malgré eux – une maîtrise comme par osmose, d'un métier qu'ils ont prémâché pour ce réceptacle malléable, ne sont pas légions.

---

1. Roland de Candé, *Dictionnaire des Musiciens*, Éditions du Seuil, Paris, 1964, p. 268.
2. Rodolphe Mathieu (1890-1962), compositeur lui-même. Quelques mois après la naissance d'André, il prendra en charge la formation et la carrière de son fils.

Léopold Mozart et Rodolphe Mathieu ont été bénis et maudits à la fois en étant responsables et tenus responsables de mener au bout de leurs œuvres et de leurs vies ces phénomènes un peu monstrueux. Les enfants prodiges sont fascinants et dérangeants en ce qu'ils accomplissent ce qu'un adulte met des décennies à accomplir ou à maîtriser. Il est impossible de parler de Mozart sans inclure à chaque pas, à chaque étape, la présence écrasante de Léopold. Même si Wolfgang quitte le giron familial à vingt-cinq ans, Mozart reste sous la coupe paternelle et d'innombrables lettres illustrent les rapports amour/haine, révolte/soumission qui sous-tendent la relation des deux hommes. Quand Léopold meurt, Mozart a trente et un ans. Quand Rodolphe disparaît, André en a trente-trois. Amadeus quitte le giron familial à vingt-cinq ans. André Mathieu arrivera au 4519 Berri à l'âge de quatre ans et il ne quittera la maison familiale qu'à trente et un ans passés, et bien malgré lui. Sans doute aurait-il préféré rester encore autour du nid mais Wilhelmine, sa mère, privilégie enfin le bien-être de Rodolphe qui a plus de soixante-dix ans au moment où André se met en ménage avec sa femme, Marie-Ange Massicotte. Leur petit appartement bric-à-brac, un garage réaménagé en logis, sera comme l'extension du 4519 Berri, avec ses exigences et ses indulgences[3], inchangées et inchangeables. Camillette, sa sœur, se sera déjà envolée du logis à vingt et un ans.

Il est donc impossible d'aller à la rencontre d'André Mathieu sans connaître ceux qui, les premiers, ont réalisé et compris qui il était et ce qu'il pouvait faire et qui ont pressenti l'importance de sa contribution au Canada français et au reste du monde. Impensable également de ne pas tenter de comprendre la dynamique familiale en situant les personnages et le milieu, en essayant de retracer leurs rêves, leurs ambitions, les sacrifices et les avantages qu'ils ont consentis ou retirés, grâce à ce « miraculeux garçonnet ».

RODOLPHE MATHIEU

Rodolphe naît « aux Grondines », pour parler à la façon du pays, sur le Chemin du Roy, le 10 juillet 1890. C'est le dixième de treize enfants. Les prénoms des filles sont plus pittoresques les uns que les autres : Clorinthe, Florida, Rose-Emma, Marie-Emma, Rose-Alma, Blanche-Dorina... Mis

3. Voir lettre de Marie-Ange Massicotte Mathieu, chapitre X, p. 432 à 434.

à part Lactance, ceux des garçons sont encore réutilisables de nos jours : Georges, Arthur, Alfred, Wilfrid...

Les parents de Rodolphe, Octave Mathieu (1849-1925) et Olivina Arcand (1855-1939) se sont mariés en 1875. Au bord du fleuve Saint-Laurent, les agriculteurs sont aussi marins et Octave Mathieu s'inscrit dans la lignée familiale en cultivant la terre et en naviguant sur le fleuve. Des treize enfants d'Octave et d'Olivina, quatre des filles, sœurs de Rodolphe, vont entrer en religion. Rodolphe disait que c'était comme une épidémie qui avait frappé la famille. Rodolphe a sûrement reçu ses premières leçons de musique de ses sœurs. Mais, comment a pu lui venir l'idée de vouloir être musicien, compositeur, et de gagner sa vie avec la musique ? Quand il atteint ses seize ans, il annonce à son père qu'il part pour la ville, pour Montréal. Octave lui fait ses recommandations : « Emporte ton chapelet, mon p'tit gars, et fais attention aux tramways ! »[4]

L'APPRENTISSAGE D'UN JEUNE MAÎTRE

En « arrivant en ville », Rodolphe prend des cours de piano d'Alphonse Martin (1884-1947), dont les sept filles seront toutes musiciennes, et s'inscrit également au cours de chant de Céline Marier (1871-1940). C'est dans sa classe qu'il rencontre Sarah Fischer (1896-1975), Cédia (1894-1972) et Victor Brault (1899-1963), Arthur Laurendeau (1880-1963), qui tous deviennent des alliés précieux et des amis. Rodolphe va aussi chercher les conseils d'Alexis Contant (1858-1918) dont il sera le dernier élève. Le style de Contant, ancré dans la tradition, a dû servir de repoussoir à Rodolphe qui déjà est attiré par la musique de son temps. Pour gagner sa vie, il devient organiste en 1908 à la toute fraîchement construite église Saint-Jean Berchmans. Il accompagne la classe de chant de son professeur, Céline Marier, et en 1914, alors qu'il n'a que vingt-quatre ans, il se sent suffisamment solide pour fonder une école préparatoire de composition où il enseigne l'harmonie, le contrepoint et le solfège. Si on se fie à la liste de ses élèves qui ont fait carrière, il semble que dès le départ il ait été un excellent professeur. Jean Dansereau (1891-1974), Wilfrid Pelletier (1896-1982), Auguste Descarries (1896-1958), Georges Émile Tanguay (1893-1964),

4. Camille Lavoie, entretien du 28 avril 1977.

Cédia et Victor Brault et le fils de son ami Arthur, André Laurendeau, *le* André Laurendeau[5], comptent parmi ses élèves.

Nous ne pouvons qu'être étonnés devant la modernité que Rodolphe manifeste dès ses premières œuvres. Ces quatre mélodies *Larmes* (1909), *Vos yeux* (1910), *Les yeux noirs* (1911) ou la magnifique *Un peu d'ombre* (1913) dénotent une connaissance approfondie, entre autres, des œuvres de Debussy et de Ravel. Il écrit également sa *Chevauchée* (1911) qui lui servira de cheval de bataille pendant toute sa carrière et les *Trois préludes* (1912-1915), son œuvre la plus connue et la plus enregistrée. Si on survole la production musicale de l'époque, Rodolphe Mathieu est celui par qui la modernité arrive au Canada français.

Mais la curiosité de Mathieu est protéiforme ; non seulement explore-t-il les nouvelles tendances esthétiques musicales du début du siècle, mais, chose vraiment étonnante et qui nous donne la mesure de l'intelligence de cet homme, Rodolphe va s'intéresser, pêle-mêle, à la psychologie, à la parapsychologie, à l'hérédité, il va également se pencher sur les mécanismes de la pensée et de la création. En fait, sa soif de savoir et son besoin de comprendre sont insatiables. Depuis 1910 il s'est installé avec son frère Arthur au 254 de la rue Mentana. Un an avant, le Cercle Alpha-Oméga[6] a ouvert ses portes et sans doute Rodolphe dévore-t-il la bibliothèque mise à la disposition des membres. Comme le Cercle loge à quelques portes de chez Rodolphe, au 171 Mentana, Rodolphe avale goulûment tout ce qu'il juge susceptible d'éclairer les rouages de la pensée et de l'univers. Cet esprit supérieur, qui n'a pas pu dépasser une « cinquième année » ne croit pas de toute façon à l'instruction scolaire.

Colombe Rivard, la femme de son frère Wilfrid, dira des années plus tard : « Rodolphe n'était pas instruit. Il avait beaucoup lu mais il lui manquait une base. Rodolphe disait : "Ça sert à rien l'instruction". André était un petit

5. André Laurendeau (1912-1968). Romancier, dramaturge, essayiste, journaliste et homme politique, il fonde « Jeune Canada » en 1933. Il dirige le journal *L'Action Nationale* fondée par Esdras Minville, de 1937 à 1943, puis de 1949 à1953. Il est élu député provincial du Bloc populaire Canadien de 1944 à 1948. Rédacteur en chef au journal *Le Devoir* de 1957 à sa mort, il a donné son nom à la commission Laurendeau-Dunton, sur le bilinguisme.

6. Le Cercle Alpha Oméga disposait d'une bibliothèque composée d'ouvrages philosophiques, scientifiques, psychologiques, à la fine pointe de la recherche.

garçon qui n'a pas eu de fond. Mimi[7]disait : "On est trop intelligent pour s'accorder nous autres. Aller à l'école, ça sert à rien." "Aller à l'école, c'est pas nécessaire" d'ajouter Rodolphe. André n'était pas instruit et Rodolphe non plus. »[8] L'instruction, à l'époque, c'était le « cours classique ». Arthur Laurendeau[9] avait fait son « cours classique » au Séminaire de Joliette. Il avait donc reçu cette base et c'est à partir de ces critères qu'Arthur s'impatiente de ce qu'il perçoit chez Rodolphe comme étant des divagations d'un esprit qui s'étourdit de sa propre force. À travers ses écrits plus théoriques, Rodolphe, effectivement, semble parfois dépassé. Mais la puissance de son désir de connaître reste proprement stupéfiante.

C'est sûrement après une rencontre avec Rodolphe où les opinions avaient fusé de tous côtés qu'Arthur Laurendeau écrit à sa femme Blanche Hardy, qui séjourne en Europe à ce moment-là, ses impressions sur Rodolphe : « Mathieu lit des choses qui l'enivrent sans qu'il les comprenne et il se gave de matérialisme [...]. Il se grise dans les nuages et le vent [...]. Je m'amusais à lui faire expliquer la valeur d'un mot qu'il emploie dans ses prémices matérialistes et il s'embourbait dans des définitions insensées. Ce qui m'exaspère, c'est la mauvaise culture, la déformation de l'intelligence par des concepts creux et dangereux [...]. »[10]

Il est d'autant plus facile de suivre les développements de la pensée de Rodolphe qu'il nous a laissé des centaines de pages de réflexions sur autant de sujets. Marie-Thérèse Lefebvre a publié un *Choix de textes inédits* chez Guérin en 2000. Pour arriver à bien cerner le moule intellectuel qui a formé la pensée et amené à la création André Mathieu, il nous apparaît essentiel de citer un extrait de son premier livre *Problèmes-Aperception*, réflexions rédigées entre 1915 et 1930 :

> Comment se produisent les agrégations d'apparence nouvelle dans les conduites des êtres et dans l'exécution de la création ? En

---

7. Wilhelmine Gagnon (1907-1976), épouse de Rodolphe Mathieu (1928) et mère d'André Mathieu.
8. Colombe Rivard, épouse de Wilfrid Mathieu, entretien du 18 mai 1978, interview de Danielle Chiasson.
9. Arthur Laurendeau (1880-1963). Musicien, bien qu'avocat reçu, il sera maître de chapelle à la cathédrale Marie reine du monde jusqu'en 1952. Il sera un ami précieux et se fera le champion de Rodolphe Mathieu. Époux de Blanche Hardy.
10. Arthur Laurendeau, lettre du 29 décembre 1919 à Blanche Hardy, Fonds Famille Laurendeau, Centre de recherche Lionel-Groulx.

> se plaçant dans les différents domaines de l'activité des êtres, nous trouvons que bien peu d'actions expressives sont essentiellement nouvelles. Si nous pouvions découvrir l'origine de tous nos mouvements expressifs, de tout notre savoir, de toutes nos opinions, et enfin, de tout ce que nous formulons en langage, en œuvres artistiques, scientifiques aussi bien qu'en travaux usuels et industriels, nous serions surpris peut-être de voir comment tout cela se ressemble en réalité, non seulement d'un individu à l'autre, mais d'une génération à l'autre. En effet, la majorité des êtres humains vivent pour ainsi dire les mêmes choses de la même manière et sont amenés, de ce fait, à s'imiter constamment. Dans chaque sphère ci-haut mentionnée où s'exercent les passions et les goûts d'une collectivité plus ou moins ambitieuse, (et contradictoire dans ses parties) existent des individus qui, de temps en temps, perdent le rythme d'imitation et tombent dans le désaccord social, si on peut ainsi s'exprimer. De cette rupture d'équilibre entre ces individus et leur entourage résulte, ce que nous pourrions appeler, une circonvolution. C'est de cet événement bien insignifiant parfois que se produit l'évolution en général. L'individu qui ne peut plus suivre le rythme d'une collectivité est donc un déséquilibré par rapport à la masse obéissante de ses semblables ; il voit autrement parce qu'il est tout d'abord variable, altérable : les mœurs et les lois auxquelles on l'a habitué à obéir ne sont pas stables en lui ; c'est pourquoi il est porté à se conduire différemment des autres. C'est donc chez ces individus qu'il faut étudier le mécanisme des agrégations nouvelles dans les actions expressives, pour comprendre et discerner les véritables créations humaines, puisque les autres individus agissent plus particulièrement d'après un modèle.[11]

À partir de ce texte, on peut comprendre les impatiences d'Arthur Laurendeau et saisir, malgré les tournures sibyllines, le fondement de sa réflexion.

L'ATHÉISME

« La croyance pour lui est un signe d'infériorité et il croit superstitieusement à ces balivernes d'enfant »[12]. Autre trait caractéristique de la personnalité de Rodolphe Mathieu : toute sa vie durant, il va professer un athéisme

11. Marie-Thérèse Lefebvre, *Choix de textes inédits de Rodolphe Mathieu*, Guérin, 2000, p. 27.
12. Arthur Laurendeau, lettre du 29 décembre 1919, fonds Famille Laurendeau, Centre de recherche Lionel-Groulx.

virulent doublé d'un anticléricalisme décapant et étonnant pour l'époque. Sa désaffection, sa haine de Rome, de l'Église de Rome et de tout ce qui porte soutane est passionnée. Il voit dans cette organisation une façon de contrôler le monde, de tétaniser la conscience des hommes et dans le Québec de l'époque, de les maintenir soumis et courbés, de les garder abrutis et sots. Comme il a dû trouver étrange et surprenant de voir la chair de sa chair, son fils André, être croyant et faire ses prières matin et soir. Pour bien saisir la virulence anticléricale de Rodolphe, voici quelques citations.

« Il y a quatre sortes de rackets mystiques : le péché, le purgatoire, le miracle et le pauvre ! »[13] Rodolphe apporte une réponse à une question toujours d'actualité :

> Le chrétien ne peut pas concevoir qu'un homme sans religion, qu'un athée puisse avoir une conduite morale, franche, honnête et juste. L'homme sans religion a pourtant un sentiment d'honneur humain, inconnu de ceux qui vont chaque mois porter leurs sacs de linge sale à leur confesseur pour se débarrasser de leur fardeau, afin de pouvoir recommencer leurs mensonges, leurs restrictions mentales, leurs médisances et leur haine. Au contraire, l'homme sans religion porte seul le poids de ses abus et de ses défaillances. Il sait que le mensonge est toujours découvert, que les abus sont toujours punis, soit par la maladie ou la société, que les défaillances entraînent toujours une perte de la dignité.[14]

On peut commencer à prendre la mesure de cet intellectuel de premier plan avec une réflexion comme celle-ci :

> C'est une erreur de dire que la masse du peuple est réfractaire au progrès. Au contraire, la masse s'adapte très facilement à toutes nouvelles conditions d'existence. Ceux qui sont réfractaires au progrès (c'est un petit nombre) sont toujours ceux qui ont intérêt à ce que les choses demeurent comme elles sont. Par exemple, le pape qui força Galilée à se mettre à genoux et à renier ses idées sur la rotondité de la terre, avait intérêt à ce que l'on continue à

---

13. Lange A.Tomik, *Le Dernier Testament ou les Vérités révélées par les faits*, inédit, 1945-1953, 132 p. Le nom de plume qu'il choisit à cette occasion est déjà tout un programme.
14. *Idem.*

> croire que la terre était plate : que le ciel était en haut et l'enfer en bas, sous la terre ![15]

Dans un Québec qui se protège et se perpétue encore par la nostalgie d'un monde qui n'a jamais vraiment existé, une réflexion comme la suivante devait beaucoup déranger :

« Devant la conduite de l'humanité qui n'a pas changé pour la peine depuis deux mille ans, on se demande à quoi a pu servir à Jésus de Nazareth de se laisser crucifier. Le père s'étant déjà trompé dans la fabrication inférieure de ses créatures ; le fils, de toute évidence, s'est également trompé en les rachetant à un prix trop élevé. »[16] Enfin, cette réflexion de Rodolphe qui nous porte à l'aimer :

> Si j'avais été Dieu, capable de rebâtir un temple en trois jours, de mourir à trente-trois ans, à trois heures de l'après-midi et de ressusciter au bout de trois jours – ce qui fait bien des trois –, je serais apparu trois fois à mes juges et bourreaux, en chair et en os, et je leur aurais dit : « C'est bien moi ; touchez-moi ; vous me reconnaissez ? Recrucifiez-moi de nouveau si c'est votre désir. » Ainsi, après la troisième crucification [sic], je serais de nouveau apparu à mes juges et bourreaux et je leur aurais dit : « Maintenant, sortez de votre temple ». Ceci fait, j'aurais détruit ce temple en trois secondes et j'aurais demandé ensuite à mes juges et bourreaux : « Voulez-vous ravoir votre temple ? » Et alors, j'aurais rebâti ce temple en trois secondes. Et je serais demeuré sur la terre pour m'occuper uniquement de construction rapide, puisque tout le monde aurait été converti. En 1950, je continuerais encore à vivre et à construire des maisons-appartements et des gratte-ciel, en trois secondes (plus de crise du logement). Si j'avais été Dieu, je serais resté homme jusqu'à la fin des temps pour sauver mes petites créatures humaines, que j'avais moi-même créées, lorsque j'étais encore mon père et que je ne connaissais pas encore la douleur.[17]

Marie-Thérèse Lefebvre en a publié de larges extraits dans son ouvrage précité. « Cet apprentissage intellectuel autodidacte hors des sentiers battus qu'il puise dans ses lectures à la bibliothèque du Cercle, son penchant

15. *Idem.*
16. *Idem.*
17. *Idem.*

naturel à fréquenter le milieu libéral et l'athéisme qu'il professe ouvertement sont autant de causes qui marginalisent de plus en plus Mathieu. »[18]

Deux autres personnages vont encore élargir les horizons de Rodolphe en l'exposant à deux courants, qui sont déjà instinctivement et naturellement son langage, tous deux pianistes et compositeurs à leurs heures perdues : Alfred Laliberté (1882-1953) et Léo-Pol Morin (1892-1941).

Bien qu'il ait étudié le piano pendant quatre ans à Berlin, Laliberté se fait le champion de Scriabine qu'il rencontre à New York en 1907 et retrouve ensuite à Bruxelles. Revenu définitivement à Montréal en 1911, Laliberté se dira l'élève et le disciple de Scriabine en propageant ses idées et en jouant ses œuvres. Il deviendra ensuite l'ami de Rachmaninoff (1873-1943) et, pour finir, fera de Nicolas Medtner (1880-1951) sa nouvelle idole. Rodolphe ira le rencontrer à son studio et aura la révélation des œuvres de Scriabine que « le maître » lui présente, « magnifiquement exécutées. L'art raffiné qui se dégageait des œuvres de Scriabine m'avait complètement bouleversé ».[19] Mais les personnalités des deux hommes n'étaient pas faites pour s'accorder. Par la suite, ils s'ignoreront sans trop se nuire.

Léo-Pol Morin, lui, a été l'élève à Paris des pianistes Isidor Philipp, Raoul Pugno et enfin Ricardo Vinès, celui-là même qui a créé plusieurs œuvres de Ravel et de Debussy. Morin assiste à la création du *Sacre du printemps* de Stravinsky au théâtre des Champs-Élysées en 1913. Revenu à Montréal en 1914 à cause de la guerre, il présente ses découvertes et participe à la fondation de la première revue d'art du Canada français : *Le Nigog*, en 1918. Un an après il retourne à Paris. Cet homme extraordinaire, merveilleux interprète de surcroît, va présenter les *Trois préludes* de Rodolphe Mathieu à la salle Pleyel, au programme du même récital où il donne, en création française, la sonate de Berg. Il part avec Ravel en tournée en Angleterre, en Belgique et en Hollande. Léo-Pol Morin, reviendra à Montréal en 1925. Passionnément attaché à Debussy et à Ravel, il présentera inlassablement leurs œuvres. Il lui fallait une tribune pour défendre la musique, il collaborera au journal *La Patrie* de 1926 à 1929, puis *La Presse* en fera son chroniqueur musical de 1929 à 1931. Mais c'est le journal *Le Canada* qui publiera ses chroniques hebdomadaires de 1933 à sa mort. De plus, il

18. Marie-Thérèse Lefebvre, *Rodolphe Mathieu*, Septentrion, 2004, p. 31.
19. Rodolphe Mathieu, *Souvenirs*, 1952, non édité.

sera choisi pour être le soliste invité du premier concert de la Société des Concerts symphoniques de Montréal, le 14 janvier 1935, société qui prendra le nom d'Orchestre symphonique de Montréal, l'OSM, en 1954. Rodolphe trouvera non seulement en Léo-Pol Morin un partenaire d'exploration, mais aussi un ardent défenseur. Dès leur rencontre, Morin s'attache à ce jeune compositeur et présente le 15 mai 1916, avec d'autres œuvres canadiennes, le deuxième prélude pour piano de Rodolphe, *Vague à l'âme*; le 17 avril 1917, avec la voix d'Arthur Laurendeau, Morin présente en création officielle *Vos yeux*, *Un peu d'ombre* et les deux autres préludes pour piano, *Sur un nom*, *J'écoute une muse qui me fuit* et *Chevauchée.*

Quant à l'amitié avec Arthur Laurendeau, qui l'admire et qu'il exaspère à la fois, elle traversera les décennies. Malgré les différences, pour ne pas dire des oppositions de points de vue sur le rôle de la musique, Arthur, maître de chapelle de la cathédrale Saint-Jacques, conservateur, mais brillamment indulgent et pressentant la grandeur de Rodolphe Mathieu, Laurendeau mettra toute son influence au service de Mathieu : « Aimer son pays, cela veut dire qu'on doit être capable de poser des actes patriotiques, même s'ils coûtent à notre amour-propre et à notre orgueil blessé. Or, Mathieu a un talent de créateur en musique, c'est incontestable. Autant je le trouve inintelligent sur certains sujets, autant je lui sais de l'originalité comme compositeur. Alors le devoir de tout homme conscient n'est-il pas de faire tout son possible pour développer les talents de sa race... Ce que je fais pour lui vient de ce que notre société pourrait se glorifier d'avoir un artiste dont le talent n'a pas avorté. » [20]

Mais la grande affaire, le projet primordial pour Mathieu, c'est de partir, partir pour Paris parachever sa formation, trouver des maîtres qui peaufineront ses outils et lui permettront de se mesurer à la capitale mondiale de la culture et de s'y faire une place. S'il a besoin de soutien pour réaliser ses rêves, Mathieu n'est pas démuni pour autant. Il publie régulièrement et il se fait tant bien que mal sa place au soleil. Des articles dans *Le Devoir*, *Le Canada* et ses cours privés lui assurent le quotidien. Il accompagne au piano Sarah Fischer le 21 février 1918, puis Victor Brault le 30 décembre 1918, et enfin Léo-Pol Morin joue les *Trois Préludes* de Mathieu quatre

20. Arthur Laurendeau, lettre du 11 décembre 1920 à Blanche Hardy, Fonds Famille Laurendeau, Centre de recherche Lionel-Groulx.

jours avant son départ pour l'Europe. De peine et de misère, Mathieu réussit à acheter son passage et quitte New York à bord du *Touraine* le 25 avril 1920, alors que Cédia et Victor Brault, Sarah Fischer, Léo-Pol Morin, Blanche Hardy, la femme d'Arthur Laurendeau, tout son milieu est déjà parti pour la « Ville Lumière ».

RODOLPHE MATHIEU À PARIS

Quand il débarque à Paris début mai 1920, Debussy est mort depuis deux ans, Ravel est à son apogée, le critique musical Henri Collet vient de réunir Auric, Durey, Honegger, Milhaud, Poulenc et Tailleferre et de baptiser son bouquet : « Le Groupe des Six ». Pendant son séjour, Saint-Saëns (1921), Fauré (1924) et Satie (1925) vont mourir et toute une époque avec eux. En fait, Paris apparaît à Rodolphe comme un modèle inatteignable. « Le statut de compositeur est reconnu par un milieu qui le soutient et qui profite de la présence d'institutions prestigieuses, tant dans les orchestres, les maisons d'édition qui gèrent rigoureusement les droits d'auteur, que dans les lieux de formation : la Schola Cantorum, le Conservatoire de Paris, l'École normale de musique et l'École américaine de Fontainebleau, qui font cruellement défaut au Québec. »[21] Pour Mathieu, Paris est une fête. Il finira en 1923 par obtenir une bourse provinciale, la première jamais accordée pour la composition. Bourse de trois ans obtenue après des grenouillages de bénitier et des magouilles d'antichambre dignes d'un roman du terroir. Dans les faits, il ne recevra d'aide qu'en 1923 et 1924, et rien pour la troisième année.

Dès son arrivée dans ce qui lui paraît être la plus belle ville du monde, Rodolphe s'installe à la pension Servandoni, logement qu'Arthur Laurendeau lui a recommandé. Située entre l'église Saint-Sulpice et les jardins du Luxembourg, en plein cœur de Paris, Rodolphe, conseillé par Léo-Pol Morin, rencontre Albert Roussel (1869-1937) qui lui suggère d'étudier avec Vincent d'Indy (1851-1931). Il s'inscrira en auditeur libre au cours d'analyse de d'Indy et pourra donc avec une certaine légitimité se réclamer son élève. Mais c'est avec Louis Aubert (1877-1968) qu'il travaille vraiment la composition et l'orchestration. Il élargira son champ d'exploration jusqu'à étudier la direction d'orchestre avec Vladimir Golschmann

21. Marie-Thérèse Lefebvre, *Rodolphe Mathieu*, Septentrion, 2004, p. 64.

(1893-1962). Pour la petite histoire, Aubert a été l'élève de Gabriel Fauré et, à onze ans, avec sa voix de soprano, c'est lui qui était le soliste de la création du Requiem de son maître en 1888. Superbe orchestrateur, Aubert transmet son savoir à ce jeune loup. Rodolphe achève de poser ses jalons esthétiques en allant entendre deux œuvres capitales de Scriabine que dirige Koussevitsky : *Le Poème de l'Extase*, le 27 avril 1921, et *Prométhée*, le 6 mai suivant.

Rodolphe n'est pas seul à Paris. Claire Fauteux (1890-1988), une artiste peintre qu'il a rencontrée dans un vernissage à Montréal en 1915 le rejoint le 6 octobre 1920. Quelques mois avant son départ, Rodolphe avait annoncé ses fiançailles avec cette femme, mais l'octroi d'une bourse d'études de 300$ de la Société Saint-Jean Baptiste lui fait réaliser qu'il compose mieux dans la solitude ! Il semble que la relation se soit interrompue en 1923. Enfin, pour l'instant il a trente ans, et il est temps pour Mathieu de mettre à profit son charme considérable. À Paris, Mathieu n'est pas complètement inconnu puisqu'on salue son arrivée avec un entrefilet prometteur : « L'espoir du Canada vient de débarquer, il achèvera son éducation musicale avec Albert Roussel. »[22] De plus, Léo-Pol Morin a déjà inscrit à deux reprises les *Trois préludes* de Rodolphe dans ses programmes. Moins d'un an après son arrivée, Rodolphe assiste à la création de son *Quatuor à cordes* le 2 avril 1921 par le célèbre Quatuor Krettly, l'ensemble auquel Fauré a confié la création de son œuvre. Un mois plus tard, le 10 mai 1921, dans le même récital où il offre au public parisien la création française de la sonate de Berg, Léo-Pol Morin présente aussi des œuvres de Rodolphe. Enfin, le 2 juin 1922, Morin accompagne Victor Brault, son amant, dans un récital de mélodies. Fauré, Sévérac, Ravel, Milhaud, Roland-Manuel, Roussel; Alexandre Tansman et Honegger accompagnent eux-mêmes Brault dans leurs propres mélodies. Il est plus que vraisemblable que Rodolphe Mathieu et Arthur Honegger se soient rencontrés à cette occasion. Preuve définitive de l'intégration de Mathieu dans la vie musicale parisienne, l'éditeur Hérelle publie ses *Trois préludes* pour piano et son *Lied* pour violon et piano. Enfin, consécration et aboutissement, Mathieu réussit à faire entendre une de ses œuvres par un des orchestres les plus célèbres et les mieux établis de la capitale française. C'est une chose d'être joué et chanté en récital, mais d'avoir orchestre, chef et soliste

22. Le Guide du Concert, Paris, le 20 mai 1920.

mettre votre œuvre à l'affiche est une indication que les choses vont très bien. Le mercredi 6 février 1924, présenté par l'imprésario Marcel de Valmalète à la salle Gaveau, le soprano Marguerite Bériza avec l'Orchestre de l'Association des Concerts Lamoureux, sous la direction de Paul Paray (1886-1979), interprète *Un peu d'ombre,* tandis qu'en mai le quatuor Krettly reprend son *Quatuor à cordes.* Rodolphe Mathieu est joué, il compose et, élément capital pour cerner la personnalité du père d'André Mathieu, il poursuit ses recherches en assistant aux conférences du « Groupe d'études philosophiques et scientifiques pour l'examen des idées nouvelles » données dans les locaux de la Sorbonne. Que ce soient les travaux de Pierre Jannet sur l'inconscient, Adler qui explique la psychologie individuelle, Otto Rank qui explore le rôle de l'inconscient dans la production artistique ou Jean Piaget qui éclaire le monde de l'enfant, Rodolphe trouve ici pâture pour sa curiosité. Enfin, pendant son séjour parisien, Mathieu finit son *Trio* et compose douze *Études modernes pour violon seul.* Il commence également une série de vingt-deux *Dialogues pour violon et violoncelle,* une mélodie pour voix, violon et orchestre, *Harmonie du soir* et le premier volet d'une *Symphonie-Ballet.* Toujours en 1924, il rencontre la harpiste Marie Miller pour qui il écrit et à qui il dédie deux *Préludes* pour son instrument. Mais le 10 juillet 1925, Octave, le père de Rodolphe, meurt aux Grondines. Mathieu doit quitter la France et rentrer au pays. Il s'embarque pour Montréal le 5 novembre 1925. Il sera resté à Paris cinq ans et demi.

La mort de son père n'explique qu'en partie son retour à Montréal. À Paris, il avait retrouvé ses amis, Léo-Pol Morin, Victor Brault, Sarah Fischer, il va rencontrer d'autres « canayens » comme Corinne Dupuis, Adrienne Roy, Marcel Dugas et Philippe Panneton[23], qui note dans son journal du 2 décembre 1920 : « grandes discussions phisio-chemico-biologico-mathematico-religioso-exégétiques... », genre de malaxage et de brassage d'idées qui ne pouvaient que plaire à Rodolphe. La fin de l'octroi de sa bourse d'études du gouvernement du Québec et l'impossibilité d'occuper un poste dans une institution parisienne sans diplôme français auront sans doute eu raison de ses rêves.

---

23. Philippe Panneton (1895-1960). En 1938, sous le nom de plume « Ringuet », il publiera un roman resté célèbre : *Trente Arpents.*

RETOUR À MONTRÉAL

À peine rentré, Rodolphe doit assurer sa survie. Auréolé de l'éclat de ce séjour « dans les vieux pays », en septembre 1926 il est engagé à l'École normale de musique qui vient d'ouvrir ses portes dans le cadre de l'institut pédagogique de Westmount. L'école est dirigée par les Dames de la Congrégation Notre-Dame, où trois des quatre sœurs de Rodolphe se sont données à Dieu. Ce compositeur-professeur présente dans le cadre d'un concert au Monument National, le 13 avril 1926, son *Quatuor à cordes* avec le quatuor Chamberland. Rodolphe Plamondon (1876-1940), le ténor à qui Saint-Saëns a confié la création de son cycle de mélodies *Cendre Rouge*, et auquel il a dédié sa dernière œuvre, la mélodie *À Saint-Blaise*, est le soliste invité à interpréter la mélodie *Un peu d'Ombre* avec un orchestre dirigé par J.-J. Gagnier (1885-1949). Léo-Pol Morin, qui collabore maintenant au journal *La Patrie* comme chroniqueur musical, écrit : « Il est significatif que parmi les compositeurs canadiens, Rodolphe Mathieu soit à la fois le plus attaqué et le moins compris. Et moins il est connu et compris, plus il est attaqué avec véhémence… On reproche à ce musicien, précisément, sa personnalité […] Il est le seul de sa génération qui possède une manière aussi personnelle de faire de la musique et qui s'exprime avec une parfaite aisance dans la langue de son temps dont il a pénétré le sens dès le jour où il pensa à la composition. »[24] Léo-Pol Morin, cet allié infatigable, crée au Ritz Carlton la *Sonate* pour piano de son ami Rodolphe, le 20 avril 1927. Dans un pays jeune, où la survie est la préoccupation principale, l'enracinement des institutions vitales est forcément une priorité; dans une société où le transport, l'habitation, les mœurs politiques et le développement d'un ordre social s'improvisent et se modifient au gré de l'économie et des caprices des saisons, être compositeur-interprète est perçu comme un luxe plus que dispensable et superflu. Est-il étonnant que ce jeune homme de près de quarante ans en soit à faire le bilan de ses derniers vingt ans et mesure l'inutilité de lutter pour s'imposer et convaincre un public, non seulement indifférent, mais quasi inexistant? Nous comprendrons que le voilà prêt à s'incarner d'une tout autre façon.

24. Léo-Pol Morin, « Les compositeurs canadiens : Monsieur Rodolphe Mathieu », *La Patrie*, le 1er mai 1926.

WILHELMINE GAGNON

On peut imaginer qu'il fait un temps radieux ce vendredi 3 juin 1927. Une ravissante jeune femme de presque vingt ans prend le tramway pour répondre à l'invitation de son père, le docteur J. A. Gagnon. Il a choisi un des restaurants les plus cotés de Montréal, le Kerhulu, angle Saint-Denis et Sainte-Catherine pour voir sa fille cadette. Ce n'est l'anniversaire ni de J.A. ni de Wilhelmine, alors pourquoi ce rendez-vous au restaurant? C'est que depuis quelque temps, les Gagnon vivent une situation inconcevable à l'époque mais bel et bien réelle et douloureuse : la mère Albina est séparée de son mari qui a pignon sur rue au parc Lafontaine, où il vit à demeure avec une infirmière qui le seconde, semble-t-il, dans sa pratique et dans sa vie. Son cabinet est attaché à son lieu d'habitation comme c'était largement la norme à l'époque, et Albina passe ses étés dans leur demeure bourgeoise de Saint-Constant et ses hivers avec sa sœur Alphonsine qui vient de fêter ses soixante-dix ans et loue un appartement rue St-Denis à Montréal.

Albina Proulx s'est mariée avec Joseph-Arthur Gagnon le 21 janvier 1899. De ses huit grossesses, elle a mené à terme quatre enfants, dont deux mourront en bas âge. Sa fille aînée, Camille, « la grande Camille », est née le 3 février 1900. Wilhelmine, fière et coquette jusqu'à sa mort, ira jusqu'à interdire qu'on divulgue sa date de naissance dans un de ses nombreux testaments : « … sans dire mon âge quand on écrira ma chronique nécrologique… ». En fait, par déduction et recherche, Wilhelmine serait née le 23 juillet 1907 au 919 de la rue Saint-Hubert, entre les rues Napoléon et Roy. Selon sa sœur Camille, elle serait née à Saint-Constant. Fille de la bonne bourgeoisie canadienne-française, elle fait ses études chez les sœurs de la Congrégation. La musique fait partie intégrante de la vie familiale; J. A. possède une jolie voix et se retrouve maître de chapelle à Saint-Constant où toute la famille a déménagé, la santé d'Albina nécessitant l'air et le calme de la campagne. La formation des jeunes filles bien nées comprend le dessin, la broderie, la musique, en plus de la couture, de la cuisine et de l'art de tenir maison convenablement. Wilhelmine, que tout le monde appelle Mimi (et à partir d'ici nous ferons comme tout le monde), étudie sérieusement le violon avec Alfred De Sève (1858-1927) et souhaite faire carrière. Elle est, semble-t-il, douée, (les avis sont partagés) mais sa mère s'oppose férocement à ce qu'une de ses filles se déclasse et s'exhibe sur scène, fût-ce derrière un violon. Être artiste à l'époque, aussi célèbre soit-on, c'est mener une vie à la limite de la débauche et du déshonneur. Pour Albina, être artiste, c'est être un monstre. Son point de vue n'est pas exceptionnel pour l'époque. Cependant, les circonstances de la vie l'ont peut-être amenée à une intransigeance un peu plus prononcée. Sa fille aînée, la grande Camille, trace le portrait de sa mère, vingt et un ans après sa mort : « C'était une belle femme, elle avait un beau corps de femme. Cheveux noirs, yeux pers, elle avait une belle stature. Généreuse, elle donnait tout. Elle s'occupait des gens seuls, elle nettoyait les malades, elle était très dévouée. Elle était assez autoritaire mais elle n'était pas prompte. Superbe cuisinière elle tenait bien maison et se mêlait de ses affaires. »[25] Vingt ans auparavant, en 1912, Albina a trente-cinq ans et son dernier-né, son fils chéri, Proulx, est emporté par une méningite. À partir de ce moment, elle se tourne vers la religion et la prière ; bien que très intelligente, elle devient bigote. Elle va même s'intéresser au spiritisme, espérant entrer en contact avec Proulx. Elle installe un reposoir dans lequel elle place ses souliers et ses vêtements et elle portera le deuil bien au-delà du temps prescrit par les mœurs de l'époque. Qu'elle ait trouvé consolation dans la religion et qu'Albina, vivant séparée de son mari, ait cru devoir être plus catholique que le pape découle aussi du fait que sa fille aînée, depuis qu'ils ont quitté Saint-Constant, vit dans le péché.

En effet, depuis sept ans, la « grande Camille », cette fille de bonne famille, est amoureuse d'un avocat, homme marié et père de quelques enfants : Adélard Lachapelle, qui sera son compagnon de vie jusqu'en 1949. Les premières années, la marraine de la grande Camille, la tante Alphonsine (1857-1950) abritera leurs amours illicites. La grande Camille[26] est un personnage haut en couleurs qui sera la marraine d'André et volera toujours au secours des Mathieu dans les nombreux moments où ils auront besoin d'aide. Cette femme privilégiée, mise au ban de la société à cause d'une relation amoureuse avec un homme marié qui l'entretient, redressera l'opprobre qui l'entache en se montrant serviable et généreuse.

Si Albina a cherché consolation dans la religion et la prière, Joseph-Arthur a trouvé refuge dans l'alcool. Et Albina, selon la chronique familiale, l'a laissé parce que c'était un grand alcoolique. L'alcoolisme était considéré

25. Camille Lavoie, Entretien du 26 avril 1977, interview de Claude Morin.
26. Camille Gagnon Lavoie (1900-1983) est la sœur et le souffre-douleur de Mimi, et on la surnomme « la grande Camille » pour la différencier de Camille, dite « Camillette », la sœur d'André.

comme la maladie des médecins. Chirurgien réputé, mince, arborant la barbichette à la Henri IV, du haut de ses cinq pieds neuf pouces et demi, c'est un bel homme, vif et alerte, peut-être un peu prompt, mais très bon, très humain, très généreux. La famille a dû quitter Saint-Constant parce que le curé François-Xavier Rabeau se serait acharné à vilipender les Gagnon, demandant à ses paroissiens de ne pas se faire soigner par un homme qui envoyait ses filles et sa femme en ville, au théâtre, au concert et même au cinéma. Albina, ayant également refusé de faire partie des comités pour les bonnes œuvres de la paroisse, l'acrimonie du curé réussit à les chasser de Saint-Constant. Quelques mois à peine séparent Albina, né le 14 février 1874 et J.-A., né le 20 juillet de la même année, mais la mort de Proulx, l'alcoolisme du père et l'intransigeance de la mère ont réussi à faire voler en éclats leur ménage.

Ce 3 juin 1927, au moment de descendre du tramway, la plate-forme en treillis métallique qui sert de marchepied retient dans ses mailles le talon haut de la chaussure de Mimi Gagnon. Elle perd l'équilibre et est secourue par un homme, qui a toujours aimé les femmes, et qui décide que cette splendeur, que le sort lui jette littéralement dans les bras, est une manifestation de la volonté de l'univers et que cette Mimi, qu'il appellera « Minou » tout au long des trente-cinq ans qu'ils vont partager, est la réponse inconsciente et éblouissante de la vie à ses désirs. Elle est confuse, elle s'excuse. Elle racontera pendant tellement d'années cette aventure qui change sa vie qu'on pourrait croire à une ruse. Lui, passé le choc électrique du corps minuscule mais ravissant à qui il épargne une chute, libère cette cheville qu'elle a failli se luxer. Il ne peut s'empêcher d'en admirer la finesse et d'en apprécier le galbe. Au moment de la remettre sur pattes, il lui donne sa carte et il lui communique son émoi. Selon Mimi, Rodolphe l'aurait suivie et aurait découvert son nom auprès d'un employé de la pharmacie au-dessus de laquelle se situait le restaurant Kerhulu où, rappelez-vous, elle allait retrouver son père. Après le repas, elle court chez sa tante Alphonsine, plus souple, plus compréhensive, et elle pousse ce cri du cœur : « J'ai rencontré mon idéal ! J'ai rencontré l'homme de ma vie. » À force de cajoleries et de supplications, Mimi obtient de sa tante qu'elle reçoive Rodolphe et qu'elle serve de chaperon pour cette rencontre. Rodolphe s'amène au 4461 rue St-Denis, chez Alphonsine. Mis à part l'émoi qu'il lui cause, Mimi ne sait rien de cet homme de trente-six ans, bien mis, portant l'habit, chemise crème, qui arrive sans doute avec des fleurs. Comme dans toutes les bonnes maisons, il y a au salon un piano sur lequel sont empilées des partitions. Le violon de Mimi n'est pas loin et Rodolphe lui propose de l'accompagner dans une sonate de Mozart. Mimi est interloquée. Ensuite, pour poursuivre sa cour, Rodolphe se lance dans *Prélude, Chorale et Fugue* de César Franck, et là, Mimi est renversée. Il achève de la conquérir en jouant *Pavane pour une infante défunte* de Ravel, qu'il lui dit avoir rencontré à Paris lors de son séjour d'études. Il lui apprend enfin qu'il est pianiste-compositeur ou compositeur-pianiste, c'est comme on veut. Sous le prétexte de lui donner des leçons d'harmonie, ils se revoient, ils se fréquentent, ils se fiancent secrètement. Mais Mimi, toute amoureuse qu'elle soit, n'est peut-être pas prête à suivre son homme dans le rejet des conventions et des croyances. Si Rodolphe a pu vivre au grand jour avec Claire Fauteux, c'est parce que c'est une artiste qui, sans doute, comme lui, défie les conventions et s'assume comme femme indépendante. Si elle se veut artiste, si elle a pu rêver d'une carrière glorieuse de violoniste, si sa propre sœur vit « dans le péché » en briseuse de ménage, Mimi, vingt ans, même si le corps réclame son exultation, reste une fille de famille bourgeoise qui craint l'ire de sa mère.

Il faut dire que la première rencontre entre Rodolphe et Albina ne s'est pas faite sous les meilleurs auspices. Rentrée inopinément d'une partie de cartes, Albina trouve chez elle cet homme, qui pourrait être le père de sa fille, caché dans un placard. Prise de panique en entendant revenir sa mère, Mimi a sans doute poussé Rodolphe à se réfugier dans une garde-robe... Rodolphe ne va pas y échapper, s'il veut vivre avec Mimi, il faudra la demander en mariage à Albina. On peut facilement imaginer l'interrogatoire mené par cette force de la nature. À la question : « Êtes-vous croyant? » Il se condamne lui-même en répondant avec franchise : « Je vous mentirais si je vous disais que je vais à la messe tous les dimanches. » Albina s'oppose de toutes ses forces à Rodolphe et au mariage de sa fille. Rodolphe va plaider sa cause auprès de Joseph-Arthur. Les deux hommes dînent ensemble et, pour rassurer son futur beau-père, il lui déclare : « J'ai eu une maîtresse pendant huit ans et je lui ai été fidèle ! Vous pouvez avoir confiance en moi. »[27] Joseph-Arthur, qui a dû sourire, accepte de donner la main de sa fille à cet homme qui a seize ans de moins que lui !

---

27. Camile Lavoie, entretien du 27 avril 1977.

Mais Rodolphe, tout épris qu'il soit, ne veut pas renier pour autant ses principes et son anticléricalisme virulent. Le 10 mai 1928, dans son salon du 300 rue Sherbrooke Est, un ami prêtre à la mode, le père Maurice, vient unir les deux amoureux. Ce mariage célébré privément par un prêtre autorise les tourtereaux à emménager ensemble dans le studio de Rodolphe au coin de Sherbrooke et Sanguinet. Coin de rue intéressant et historique, l'écrivain Louis Fréchette a habité un temps dans l'immeuble voisin. Selon les souvenirs de la grande Camille, « c'est un appartement très joli, avec piano à queue et bibliothèques, fauteuils sculptés, tapis et divan. C'est un grand studio. »[28] À peine installée avec Rodolphe, Mimi tombe enceinte. Quand il devient impossible de dissimuler son état, Albina, poussée à la limite de ses principes, quitte Montréal. C'en est trop. Sa fille aînée entretenue par un homme marié, père de famille, sa cadette acoquinée à un artiste, qui pourrait être son père, elle-même, mariée à un alcoolique vivant en concubinage avec son infirmière... Albina aura ces mots terribles avant de disparaître pour toute une année sans donner signe de vie : « Je ne compte pas ! » L'enfant qu'elle porte, pour expier sa faute, pour panser la blessure faite à sa mère, Mimi le voudra doué, exceptionnel, génial. Sa renommée devra être si éclatante qu'elle fera disparaître et effacera les chemins tortueux qui ont véritablement fait éclater la cellule familiale, déjà passablement treillissée.

La mère partie, les deux sœurs, comme « les deux orphelines », se rapprochent, et c'est sans doute la grande Camille qui annonce à Mimi que son mariage privé, enregistré nulle part, sinon dans le cœur des amoureux, n'est absolument pas légal et qu'elle vit, elle aussi, Wilhelmine Gagnon, dans le péché. Rodolphe, bon prince, va céder, et Mimi racontera souvent elle-même son deuxième mariage à la cathédrale Saint-Jacques, maintenant cathédrale Marie reine du Monde, célébré par le chanoine Arbour. L'après-midi du lundi 10 décembre 1928, Rodolphe téléphone à Mimi et lui annonce qu'ils vont se marier le soir même. À l'heure dite, Mimi se présente et Rodolphe, distrait comme toujours, (Albina disait : « Mimi a marié la lune... »), Rodolphe attrape les deux balayeurs de la cathédrale pour être les témoins de leur mariage. Deux mois avant la naissance de

28. *Idem.*

l'enfant, Wilhelmine Gagnon devient officiellement aux yeux de Dieu et des hommes, Madame Rodolphe Mathieu.[29]

Mimi et Rodolphe mènent une vie de bohème, digne de l'opéra ; ils voient des amis de Rodolphe, un milieu plus libre-penseur que celui dans lequel Mimi a évolué. Justement, ses amies prennent mal qu'une fille de médecin-chirurgien se soit mariée « obligée », quelques mois avant la naissance de ce « miraculeux garçonnet ». Mimi a trahi les valeurs de sa classe et s'est doublement déclassée en mariant un musicien qui, de son propre aveu, tire le diable par la queue et, qui plus est, est athée.

NAISSANCE D'ANDRÉ MATHIEU

Selon la légende familiale, dans la soirée du dimanche 17 février 1929, il fait tempête à Montréal. Le travail commence vers dix heures du soir et jusqu'à sa mort, Mimi soutiendra que c'est son père, J.-A., qui a mis André au monde. Mais une infirmière, garde Nadeau, s'amènera d'abord, puis vers minuit ce sera au tour du docteur Georges Millette. Mimi et la grande Camille sont formelles, le docteur Millette se présente avant que J.-A. ne se pointe vers deux heures du matin. Autant la grossesse avait été un charme, autant l'accouchement sera douloureux. André n'acceptera de naître qu'avec l'aide des forceps et ce gros bébé que, pour sauver la face, Mimi déclare prématuré, pèse neuf livres à la naissance. André Mathieu se donne la peine de venir au monde le 18 février 1929 au coin des rues Sherbrooke et Sanguinet à Montréal. Le lendemain, Rodolphe lui-même court faire enregistrer la naissance de son fils à l'État civil. Les noms inscrits au registre sont : « René, André, Rodolphe ». Selon Mimi, Rodolphe a voulu que leur fils porte les noms des trois hommes qui avaient traversé son horizon affectif : René Vallerand, avec qui elle joue au tennis et qui a été davantage un gentil compagnon qu'un amoureux, André Massue, le fils du seigneur de Varennes, que la grande Camille décrira comme « plus âgé que Mimi et plutôt prétentieux, » et Rodolphe lui-même, bien sûr.

Moins d'un mois plus tard, alors que Rodolphe est parti enseigner, le grand-père d'André, J.-A. Gagnon, et sa fille aînée, la grande Camille, vont faire baptiser André à l'église Saint-Jacques le Majeur. C'est le curé

29. C'est la seule et unique fois où les prénoms de Mimi sont tous réunis : Anne-Marie-Eloïse-Wilhelmine. Sans sa date de naissance !

Henri Gauthier qui signe le registre. Rodolphe, décidément original et excentrique, ne voulait pas faire baptiser André pour tout l'or du monde. C'est Mimi qui prend la décision de défier son mari. Quand Rodolphe rentre, voyant les lys blancs et le champagne, il s'écrie : « Ça sent le baptême ! » et le parrain et la marraine décident qu'ils en ont assez fait pour la journée et laissent ce nouveau chrétien et ses parents seuls. Mimi se remet péniblement de l'accouchement, elle est faible et garde le lit, elle devra même aller s'installer chez sa tante Alphonsine en attendant que Rodolphe, pour se rapprocher de son travail, installe sa nouvelle famille en mai 1929 au 3446 Décarie, à proximité de l'Institut Pédagogique. Toute la famille demeure sans nouvelles d'Albina alors que son mari, Joseph-Arthur, se meurt d'un cancer de l'œsophage. La légende familiale veut que le jour même de la mort de son mari, le 28 août 1929, Albina soit rentrée à Montréal. André ne connaîtra aucun de ses deux grands-pères. Mimi, mère depuis six mois, présente son fils à l'aïeule qui craque pour le petit et jure de ne plus jamais repartir. À la fin de l'année scolaire, Rodolphe apprend que « ses services ne sont plus requis ». C'est un coup dur, puisque c'est le seul revenu stable de la jeune famille.

Les spéculations sont allées bon train et les causes réelles de ce non-renouvellement de contrat ne seront sans doute jamais éclaircies. Une jeune religieuse se serait éprise de Rodolphe et s'en serait confessé. Pour éviter toute complication et la multiplication des rumeurs, sœur Sainte-Anne aurait jugé plus simple de licencier Rodolphe. Une autre version veut que le curé Gauthier, qui a baptisé André sans la présence du père, en ait touché un mot à la directrice de l'Institut à l'effet qu'un athée avoué enseignait à ses religieuses... La version la plus atroce est qu'au retour de son long voyage, Albina aurait elle-même dénoncé son gendre comme athée non pratiquant, et donc indigne de transmettre son savoir à des filles qui avaient consacré leur vie au Sauveur.

Quelle que soit la cause, Rodolphe se retrouve à quarante ans, sans le sou, père d'un enfant d'un an, avec un deuxième en route, car Mimi est à nouveau enceinte. Commence alors la saga des déménagements. En mai 1930, les Mathieu emménagent au 4071 rue Tupper, à Wesmount. Il semble que Rodolphe se soit associé à une autre musicienne, Blanche Lippens Ricard, pour ouvrir un studio d'enseignement. Mimi le déclarera sans ambages : « Nous avons fait notre argent avec les Juifs et les Anglais »[30]. Le crash du jeudi 24 octobre 1929 ayant plongé le monde entier dans une misère terrible, seuls les mieux nantis peuvent continuer à s'offrir le luxe de cours de musique. Pour les Mathieu, qui seront plus riches d'une petite fille, assurer le quotidien tient du prodige, car Camille, le deuxième enfant, voit le jour le mercredi 22 avril 1931. Pour la différencier de la grande Camille, la petite Camille sera surnommée Camillette. Pour des raisons qui jusqu'ici restent mystérieuses, (est-ce lié à la mort de Blanche Lippens Ricard en mai 1931 ?), les Mathieu se réfugient au 4555 de la rue Resther, sur le Plateau-Mont-Royal, avec la tatante[31] Alphonsine qui a pris deux pensionnaires, Marie Langevin et sa fille Madeleine. Albina va reprendre son bâton de pèlerine entre Saint-Constant et, cette année-là, la rue Resther. Aussi fier soit-il, Rodolphe en est réduit à vivre avec sa belle-famille, à subir quotidiennement son mépris et les invasions de sa vie privée, impossibles à éviter, dans cet espace qui force à la promiscuité. Peut-être est-ce plus pour sauver la face qu'il lancera son « Vous m'avez obligé à me marier, maintenant vous allez me faire vivre ! », qui laisserait croire que c'est par esprit de revanche et non par nécessité qu'il se résout à vivre avec la femme qui gardera intacte toute l'inimitié qu'elle lui porte jusqu'à sa mort. Dès janvier 1932, Madame Langevin et sa fille Madeleine s'installeront rue Mont-Royal : cinq adultes et trois enfants excédant largement la capacité du logement.

En mai 1932, Rodolphe redéménage sa tribu au 4071 rue Tupper. Enfin, Rodolphe et Mimi doivent se résigner : au début de juin 1933, ils débarquent au 4519 rue Berri où la tatante Alphonsine vient de s'installer et où Marie Langevin et sa fille Madeleine sont venues la rejoindre. Cette fois, la famille Mathieu restera dans cette maison jusqu'en 1960. Ce n'est que lorsque les Pères de Sainte-Croix vendront l'immeuble, que Rodolphe, Mimi et André, devront prendre pour la première fois des chemins séparés. Rodolphe aura 70 ans, Mimi, 53 et André 31. Ainsi, entre la naissance d'André le 18 février 1929 et l'installation rue Berri en juin 1933, la famille s'est promenée de Décarie à Tupper, de Tupper à Resther, de Resther,

---

30. Mimi Mathieu, entretien du 10 décembre 1975, interview Rudel Tessier, qui rédigera en 1976 la première biographie consacrée André Mathieu : *André Mathieu – Un Génie*, éditions Héritage.
31. « La Tatante » : appellation affectueuse d'Alphonsine Proulx (1857-1950).

retour à Tupper, et enfin, la maison de la rue Berri, surnommée affectueusement par toute la famille « la cabane à sucre ». Les Mathieu suivent la tradition associée aux Canadiens français qui vivent les déménagements comme un sport national ou une loterie. Longtemps, le 1er mai a été associé à la fin officielle de l'hiver et à l'espoir d'un renouveau et d'une vie meilleure et plus confortable. Entre le Plateau-Mont-Royal et Westmount, les Mathieu auront cherché un ancrage, une stabilité, une sécurité.

LA « CABANE À SUCRE »

Puisque nous allons partager cette maison avec les Mathieu pendant vingt-sept ans, il n'est pas inutile de faire le tour du propriétaire et de se familiariser avec cet espace qui, à part ses œuvres parisiennes, a vu naître toute la musique d'André Mathieu. La tatante Alphonsine Proulx (1857-1950) est la sœur aînée d'Albina. Elle a été institutrice et est maintenant à la retraite. Albina, la mère de Mimi et de Camille, a hérité de la maison de St-Constant à la mort de son mari et s'y installe tous les étés, mais vient passer tous ses hivers « en ville » chez sa sœur. Les Langevin, Marie (1893-1982) et sa fille Madeleine née en 1926, viennent d'emménager à nouveau avec elle, plus par altruisme que par nécessité. Marie Langevin, le 20 mai 1926, a mis au monde une fille, Madeleine, née hors mariage. À l'époque, le stigmate de la fille-mère est aussi lourd à porter que la lettre écarlate ou bientôt l'étoile jaune. Au moment où Rodolphe, Mimi, André et Camillette arrivent au 4519 de la rue Berri, trois femmes et une enfant de sept ans y sont déjà installées. Au rez-de-chaussée, il y a un vestibule d'entrée et un escalier qui mène à l'étage. À gauche, un salon avec portes coulissantes qui ouvrent sur une salle à manger avec cuisine attenante et une galerie qui donne sur la ruelle. Si nous montons à l'étage, la porte située devant l'escalier donne sur une grande chambre. Dans le couloir parallèle à l'escalier, il y a la salle de bains à gauche et une autre chambre à coucher du côté droit du corridor, au bout duquel se trouve un petit boudoir, qui sera immédiatement transformé en chambre à coucher et qui débouche lui-même sur un petit balcon, situé au-dessus de la porte d'entrée. Malgré l'exiguïté des lieux, Marie Langevin et sa fille Madeleine resteront rue Berri et feront partie de la famille. Marie Langevin voulait que sa fille évolue dans un milieu de connaissances et de culture. La tatante Alphonsine et la femme d'un médecin fournissaient un pedigree intéressant à sa fille et maintenant, avec l'arrivée d'un compositeur reconnu, le 4519 Berri prenait des allures bohèmes irrésistibles.

Rodolphe, à peine remis du choc d'être devenu mari et père en quelques mois, a mis sur pied, après la naissance de son fils, le « Canadian Institute of Music », qui éventuellement, deviendra « l'Institut Canadien de Musique »[32]. Rodolphe a senti avant la tempête qu'il valait mieux être son propre patron que de dépendre des caprices d'un milieu ecclésiastique qui préfère la soumission à la compétence. Il n'y a aucun doute, et tous les témoignages recueillis sont unanimes, que Rodolphe Mathieu était un excellent professeur. « The Institute » décerne différents prix dont un « Prix de virtuosité » qui permet aux lauréats/es de donner un récital, et un « Prix de Paris » qui assure au gagnant le séjour d'un an dans cette ville pour parfaire son apprentissage. Le prix de virtuosité est sponsorisé par le parrain de Camillette, Adélard Lachapelle, le compagnon de la grande Camille ! Comme Rodolphe s'est bâti une solide réputation, l'école fonctionne bien.

LES SOIRÉES MATHIEU

Pour assurer le rayonnement de l'école, les lauréats du « Canadian Institute of Music » doivent se produire, et tout naturellement Rodolphe va lancer une société de concerts qui présente également, au même programme, des conférences ou des débats contradictoires, comme il en avait fait l'expérience avec le Cercle Alpha-Oméga près de vingt ans plus tôt. Les Soirées Mathieu (la postérité s'en souvient sous cette appellation) nous permettent de prendre la mesure des champs d'intérêt de Rodolphe, de retracer les réseaux politiques, universitaires, artistiques et musicaux qu'il a développés et de cerner les préoccupations de l'intelligentsia canadienne-française du début des années 30.

Les Soirées Mathieu sont restées légendaires. Les formules conférence/récital ou débat contradictoire/récital n'ont rien de nouveau, mais le choix des musiques et des musiciens que Rodolphe invite, et surtout la variété et la pertinence des sujets et la qualité des invités, nous font rêver. En fait, les Soirées Mathieu première période présentent, entre le 27 février 1930 et

---

32. L'institut Canadien de Musique trouvera à se loger suivant les aléas de fortune de Rodolphe. Il s'installera au 180 boul. Décarie, 510 rue Sainte-Catherine Est, 1265 rue Stanley, 3446 boul. Décarie, 4071 rue Tupper et 1220, rue Sainte-Catherine ouest.

le 25 février 1935, vingt-six événements qui sont le reflet des préoccupations de l'honnête femme et de l'honnête homme de l'époque. Est-ce pour venger la carrière avortée de sa femme que Rodolphe Mathieu lance la série avec un concert d'œuvres de ses élèves, vingt-cinq œuvres de quelques pièces. C'est le seul événement public pour la première année d'existence de l'Institut. Les circonstances poussent évidemment Rodolphe à transformer les concerts-vitrine pour l'Institut en saison régulière de concerts/conférences. Le répertoire le plus varié et le plus éclectique est présenté, les interprètes sont choisis parmi ce que Montréal a de plus prestigieux. Mais le spectre des sujets de conférence ou des débats et la sélection des invités étonnent encore. On retrouve universitaires, journalistes, avocats, éditeurs, diplomates, politiciens, écrivains, auteurs dramatiques, directeurs de théâtre, poètes, et tous ces invités définissent par les sujets abordés l'incroyable curiosité intellectuelle de Rodolphe Mathieu.

Il faut dire que Rodolphe a mis en place un comité d'honneur qui, par exemple pour la saison 1932-1933, a réuni entre autres l'honorable Athanase David, qui l'année suivante mettra sur pied la Société des Concerts Symphoniques de Montréal, l'honorable sénateur Béique, son honneur le maire de Montréal l'honorable Fernand Rinfret, suit une série de juges, puis la diplomatie apporte son prestige. Wesley Frost, consul général des États-Unis, Ludwig Kempff, consul général d'Allemagne, Georges Adamkiewicz, consul général de Pologne, Massimo Zanotti Bianco, consul d'Italie, puis ceux dont les noms résonnent encore aujourd'hui dans notre histoire : celui qui avant d'être une avenue a été le défenseur du Canada français, Édouard-Montpetit, le futur ambassadeur Victor Doré, l'historien Robert Rumilly, français amoureux du Québec, le merveilleux Victor Barbeau, le pianiste Arthur Letondal, le fidèle Arthur Laurendeau, le chef d'orchestre J.-J. Gagnier, le Docteur J.E. Dubé, à qui André dédiera une pièce quelques années plus tard, l'homme de lettres, historien et diplomate Jean Bruchési, l'architecte de l'Université de Montréal, Ernest Cormier, le docteur Georges Millette, qui a mis André au monde, l'écrivain diplomate Robert Choquette, Adélard Lachapelle, l'ami avocat, les peintres Georges Delfosse et Adrien Hébert et ainsi de suite. Il est évident que les soirées Mathieu sont soutenues par une élite du pouvoir et une élite intellectuelle qui se lit comme le WHO'S WHO de Montréal.

À la soirée du dimanche 10 janvier 1932, le professeur de philosophie chinoise à l'Université McGill, Kiang Kang Hu, parle de la « Situation politique actuelle en Chine », conférence qui colle à l'actualité puisque moins d'un mois plus tard le Japon pousse plus avant son invasion de la Mandchourie. Le dimanche 31 janvier, c'est au tour du grand historien Robert Rumilly de se pencher sur « Les héroïnes de Pierre Benoît ». Le consul d'Italie, qui est aussi compositeur, présente ses œuvres et celles de ses contemporains, alors que le consul américain entretient l'auditoire de poésie française ! Le consul général de Pologne vient démêler les « Relations entre la Pologne et la Russie soviétique ». La présidente de la Ligue des droits de la femme, Madame Thérèse F. Casgrain, aurait vu sa conférence annulée, mais le 5 novembre 1933, les Soirées Mathieu se demandent : « Le féminisme a-t-il donné des résultats ? » avec Jovette Bernier, l'auteure de radio-romans bien connue et le docteur Anatole Plante, un homme rose avant l'heure. Question audacieuse pour l'époque si l'on considère que les femmes ne pourront voter qu'à partir d'avril 1940, un des bons coups du premier ministre Adélard Godbout. Le dimanche, 3 avril 1932, Rodolphe invite deux avocats à débattre de « L'étatisation de la radio ». La question est d'autant plus d'actualité que des stations américaines envahissent (déjà) le paysage radiophonique de l'époque et que les stations privées relaient souvent leurs émissions. Pour définir cette « identité canadienne », il faudrait un outil, qui change l'axe nord-sud contre une latitude est-ouest, « A mari usque ad mare ». Très rapidement, le gouvernement fédéral va comprendre l'utilité des ondes pour essayer de souder ces deux solitudes.

C'est le 20 mai 1920 que la Canadian Marconi Company (CMC) diffuse sur les ondes de la station XWA la première émission radiophonique en Amérique du Nord. En 1922, le journal *La Presse* ouvre la station de radio CKAC qui présente en 1925 une trentaine d'émissions consacrées à des cours de piano et à des cours théoriques donnés par Émiliano Renaud, qui deviendra d'ailleurs un défenseur d'André Mathieu. Enfin, de 1929 à 1938, CKAC diffuse une émission commanditée par la Province de Québec : *L'Heure provinciale*. Elle avait pour mandat de présenter principalement des compositeurs et des interprètes québécois (on croit rêver). Très rapidement, une multitude de stations privées envahissent le marché et la question de créer une « radio publique » suscite bien des débats ; Radio-Canada verra le jour quatre ans plus tard, en 1936. L'étatisation de la radio est donc un sujet d'actualité. Les Soirées Mathieu remettent la radio sur la sellette le dimanche 13 janvier 1935 en invitant Louis Francœur et Henri Letondal à se demander « La Radio est-elle utile ? ». Autre sujet brûlant, le dimanche 3 décembre 1933, le célèbre Adrien Arcand, journaliste et écrivain antisémite pro-nazi (parent de Rodolphe par sa mère), qui va fonder l'année suivante le Parti National Social Chrétien, et l'éditeur Albert Lévesque s'affrontent à savoir ce « Que vaut le fascisme ? ». Hitler ayant été appelé au pouvoir le 30 janvier 1933, Arcand était le mieux placé pour en débattre. Enfin, le dimanche 4 février 1934, Odette Oligny, la mère d'Huguette, le futur grand amour d'André Mathieu, et le critique musical Jean Dufresne (son nom de plume est Marcel Valois) vont charmer leur auditoire avec la question : « L'homme aime-t-il plus que la femme ? » Le dimanche 4 mars suivant, Rodolphe lui-même met la main à la pâte et se demande : « La musique moderne est-elle supérieure à la musique ancienne ? » Le 8 avril 1934, Jean Bruchési et le grand poète Alfred DesRochers (le père de Clémence) débattent pour savoir si : « Sommes-nous encore Français ? » Ces questions se posaient déjà en 1934.

Enfin, la Soirée Mathieu du 25 février 1935, dont le sujet pourrait résumer à lui seul une grande partie des questionnements des soirées précédentes : « La situation des Canadiens français dans tous les domaines légitime-t-elle une attitude pessimiste ou optimiste ? » André Laurendeau et le journaliste et romancier Berthelot Brunet vont s'affronter pour répondre à cette question qu'on pourrait croire éternelle. Dans un de ces entretiens, Mimi Mathieu elle-même brosse un portrait de Berthelot Brunet qui vaut d'être cité : « Il était sale, très sale, et très intelligent. Il parlait tout le temps. Et il était laid et repoussant. Il buvait, il était vicieux et il critiquait tout. Il était de bonne famille cependant, son père était notaire. Pour faire l'amour, il devait louer un avion, l'altitude l'excitait… »[33] Berthelot Brunet étant malade, c'est Ernest Palascio-Morin qui va lire son texte et donner la réplique à André Laurendeau. Mais la réponse la plus pertinente à la question posée par le débat contradictoire, c'est sur scène qu'on la trouve et qu'on l'entend. Rodolphe a invité son fils André, qui a eu six ans une semaine avant, non seulement à donner un récital, mais un récital composé de ses œuvres, ses propres œuvres.

33. Wilhelmine Mathieu, entretien du 3 décembre 1975, interview de Rudel-Tessier.

LES DÉBUTS D'ANDRÉ MATHIEU

Selon la légende familiale, selon la chronique entretenue par Mimi, André aurait été un enfant extrêmement précoce. Apparemment il a eu des dents avant tout le monde, il a marché avant tout le monde, il a parlé, il a tout fait avant tout le monde et, en vérité, la suite des événements semble donner raison à Mimi. André Mathieu a vécu sa vie en accéléré, et mourir à trente-neuf ans, c'est un peu disparaître avant tout le monde. Il y a une chose qui est certaine, puisque les dates de concerts sont là pour le prouver et que les œuvres éditées nous sont parvenues, André Mathieu a fait de la musique avant tout le monde et surtout il a composé avant tout le monde. Pour bien nous prouver qu'André a une oreille infaillible, Mimi narrera avec délectation comment André a reproduit au piano avec un doigt le *Ô Canada* ou, les versions diffèrent, le *Lève-toi, Canadien !* de son père Rodolphe, à l'oreille.

Mimi raconte comment André, dès sa tendre enfance, réagit aux bruits, écoute les leçons que donne son père. Elle rapporte aussi cette anecdote : un soir, André l'amène au piano et lui dit qu'il veut lui raconter une histoire « pas avec des mots comme toi », mais avec des sons… et il lui « montre » « les petits canards » qu'il a vus glisser sur l'eau du bassin du parc Lafontaine. Mimi qui rêve pour son fils d'une carrière glorieuse court dire la chose à Rodolphe. Mais Rodolphe trouve parfaitement logique et naturel qu'André évoque *Les Petits Canards*, *Les Gros Chars*, ou décrive une *Danse sauvage* ou une *Processions d'éléphants* avec des rythmes et qu'il illustre ses petites histoires avec des sons, des images sonores, par mimétisme et imitation. Rodolphe sourit. Bien sûr que son fils a de l'oreille, évidemment qu'il a de l'imagination et le sens du rythme, et qu'il veut jouer du piano, tous les enfants font leur apprentissage à travers leurs parents. André est l'extension normale de son milieu. Sa mère joue du violon, son père joue du piano, compose et enseigne, sa tante, la grande Camille, chante joliment. Cependant, Rodolphe s'est juré de ne pas former un autre crève-la-faim : « Un musicien dans la famille, c'est bien assez ». Mais, un événement relaté dans la chronique familiale et confirmé en détails par Rodolphe lui-même va faire voler en éclats sa résolution.

DANS LA NUIT

Une nuit, André se lève, va au piano et improvise une pièce qui n'a plus rien à voir avec une imitation ou une traduction sonore d'événements réels. Non, cette nuit-là, André assemble des sons qui viennent du fond de lui. On imagine cet enfant de cinq ans, les jambes pendantes au bout du banc, la main gauche qui alterne ses battements de quinte et module avec l'assurance d'un compositeur chevronné et cette main droite qui interroge une ligne mélodique, glissant d'une tonalité à l'autre avec un chromatisme digne d'un maître. Rodolphe se rend à l'évidence : André est exceptionnel et sa mission est de livrer intact ce que la vie lui a confié. Lui qui a toujours été fasciné par la psychologie, l'hérédité, la création, voilà l'incarnation vivante de ses quarante ans de recherches devant ses yeux et dans ses oreilles. *Dans la nuit* est le chemin de Damas de Rodolphe qui est simultanément ébloui et pétrifié. Rodolphe se sent aussi investi de responsabilités : entretenir la capacité d'émerveillement de son fils et en même temps lui fournir tous les outils pour mener à terme ce potentiel hallucinant. En plus de la technique pianistique, il va lui apprendre les rudiments de l'harmonie qu'André semble comprendre d'instinct de toute façon. Rodolphe sera aussi le premier à comprendre que la musique jaillit chez André comme une source intarissable. Au 4519 Berri, on a disposé un piano de chaque côté de la porte d'arche qui sépare le salon de la salle à manger, le *Gingras* de Leleine[34] et le *Willis* d'André. André ou Rodolphe lance un thème que l'autre rattrape, développe, renvoie à l'autre et ces deux musiciens se parlent et se répondent par la musique mieux qu'avec les mots. Pour André, la musique, le piano, sont un langage et, comme tout enfant qui pose des questions et babille, il s'enivre de son nouveau jouet. André improvise, il invente et raconte des histoires. Quand il répète la même histoire, qu'il ne la modifie plus et qu'il n'y ajoute ni n'en retranche plus rien, l'œuvre est « fixe », comme dit Mimi, et Rodolphe la note et la transcrit pour son fils. Rodolphe va même lui tendre des pièges : il va ajouter une note à un accord, il va changer un rythme, il va modifier une mélodie et André le reprend et le rappelle à l'ordre : « Non papa, vous vous trompez, ce n'est pas ce que je vous ai joué. » Une fois les œuvres

34. Leleine ou Lelène, prononciation enfantine d'André Mathieu pour Marie Langevin (née en 1923), qui fera partie, comme une sœur, de la famille d'André.

recueillies et notées, André en peu de temps se retrouve avec un catalogue impressionnant.

Rodolphe a souhaité pousser le jeu plus loin et soumettre son fils à l'épreuve du récital public. Il est relativement commun d'avoir du génie dans son salon, mais franchir la rampe, se lancer sans filet est un moment de vérité révélateur. Le 13 février 1934, il a quatre ans, André appose un X à un contrat, son premier :

> *Je soussigné, m'engage à exécuter au concert de l'Académie Notre-Dame de Grâce devant avoir lieu le 13 février 1934, trois pièces intitulées :*
>
> *1 – Le Père Noël* *André Mathieu*
> *2 – Étude sur les Noires* *André Mathieu*
> *3 – Les Gros Chars* *André Mathieu*
>
> *Je consens également au cachet de cinq dollars offerts par la révérende mère supérieure de ladite Académie.*
>
> *Signé X*
> *André Mathieu, quatre ans.*

Avant d'aller plus avant et de se mettre à rêver, pour juger, pour qu'une autre oreille se prononce, Rodolphe soumet André au test de l'audition publique. Quelques visages familiers, des amis sûrs dont on respecte le jugement, des religieuses qui connaissent la musique, pour ce premier récital, le public a été rassemblé et trié sur le volet. André joue les trois œuvres annoncées, tout le monde applaudit, puis Rodolphe lui propose des thèmes et André improvise pendant plus d'une demi-heure. Et le miracle se produit, Rodolphe n'a plus le choix. D'une part, André joue en public comme s'il était chez lui, il a cet aplomb, il a ce charisme nécessaire pour captiver l'attention des autres, et en plus il est capable d'improviser, de transformer la réalité en sons et de s'adapter et de réagir aux réactions des autres. Son fils se révèle donc sous trois aspects essentiels qui sont les fondements mêmes du musicien : il est créateur, il est interprète, il peut transformer la matière à vue en improvisant. Rodolphe est complètement abasourdi et ce récital qu'il lui imposait comme un test, un banc d'essai, une épreuve où tout passe ou tout casse, André ne s'est même pas rendu compte que de sa victoire dépendait l'avenir.

Quelques mois plus tard, un autre enchaînement de circonstances va mener Rodolphe à prendre une décision, à faire un choix aussi douloureux que silencieux : il va renoncer à créer, il va poser la plume, il va ranger son papier à musique. Lui qui compose depuis plus d'un quart de siècle connaîtra pourtant cette même année un succès inespéré avec une œuvre de circonstance, un chant patriotique qu'on lui commande à l'occasion du quatrième centenaire de l'arrivée de Jacques Cartier. À part ses *Trois Préludes* pour piano et le *Lied* pour violon et piano, édités chez Hérelle pendant son séjour parisien, *Lève-Toi, Canadien*, édité aux Éditions Exclusives de Musique Canadienne est sa seule œuvre qui connaîtra une diffusion tant soit peu conséquente au Canada.

Lève-toi Canadien, c'est l'heure du destin!
Nous voulons ta victoire éclatante!
Lève-toi! Canadien, lève-toi!
Si tu veux justice, si tu veux la paix,
Marche avec nous! Marche avec nous!
Vers le sommet de ta gloire!
Laisse-nous te sauver de la mort imminente
Laisse-nous t'assurer le respect pour tes fils
Lève-toi! Canadien, lève-toi

Ce nouveau chant patriotique n'exclut personne, un texte anglais original différent est aussi proposé. Rodolphe présente l'œuvre le dimanche 4 février à la fin du programme de la Soirée Mathieu avec un quatuor vocal dont les noms nous sont parvenus : Jean Brunet, baryton, Antonio Dupras, basse, et les ténors J. H. Goyer et Ernest Thibault. Rodolphe lui-même est au piano. L'œuvre semble connaître un tel succès que Rodolphe la présente à nouveau le 8 avril suivant, toujours au Ritz Carlton, avec un quatuor vocal choisi parmi les voix de l'Orphéon qui, quatre jours plus tard, le jeudi 12 avril 1934, au Monument National, donnera l'œuvre dans sa version pour chœur avec Arthur Laurendeau, l'indéfectible ami, qui va diriger *Lève-toi, Canadien!* avec une ferveur qui galvanisera tous les cœurs. Rodolphe pourra donc publier sa partition et pour apporter la preuve définitive du succès de l'œuvre, la Société des Concerts Symphoniques de Montréal inscrit la pièce dans sa version pour orchestre à son quatrième concert, le dimanche 17 mars 1935 à l'Auditorium de l'école du Plateau. Le chef invité pour le concert, Eugène Chartier, cède la baguette à Rodolphe Mathieu lui-même. « Tout le monde connaissait déjà le *Lève-toi, Canadien!* de Monsieur Rodolphe Mathieu qu'avait popularisé l'Orphéon de Montréal. Nous étions curieux de voir l'œuvre orchestrée. L'auteur lui-même était au pupitre pour diriger son chant, qui en est un d'enthousiasme aussi. L'interprétation fut entraînante et en Monsieur Mathieu le public a applaudi le chef d'orchestre autant que l'auteur [...].»[35] Le critique musical du journal *L'Ordre*, qui rédige les notes de programme, situe et Rodolphe et l'œuvre : « Monsieur Rodolphe Mathieu a été si longtemps chez nous le champion de la dissonance à la moderne qu'on doutait qu'il pût s'exprimer autrement. Mais voulant faire de son *Lève-toi, Canadien !* un air populaire, il est revenu, ou plutôt, il est venu à l'accord parfait, au grand étonnement de ses amis. Cette œuvre est simple au point d'en être déconcertante. Mais les deux thèmes principaux se prêtent à tous les développements imaginables, depuis la nudité de l'unisson qui permet de les confier au soliste ou à la foule, jusqu'aux plus savantes complications polyphoniques qui les adapteront aux formules de l'orphéon ou de l'orchestre [...].»[36] Même l'inénarrable Frédéric Pelletier (1870-1944), critique musical au quotidien *Le Devoir*, et dont la suffisance n'a d'égale que le mépris qu'il porte à Rodolphe depuis des décennies (il est arrivé au *Devoir* en 1916), aura ces mots acidulés : « Il a enfin mis de côté toutes les ressources ou toutes les faiblesses, cela dépend du point de vue, de l'impressionnisme, de ce bitonisme [sic] où le chromatisme s'exaspère en dissonances volontaires ou étourdies. C'est là une veine nouvelle dont Mathieu inaugure l'ascension à l'âge mûr.»[37] Consécration de Rodolphe Mathieu, le public s'exalte dans les élans convenus de ce *Lève-toi, Canadien !*

Est-ce trop pour cet homme de voir reconnue la seule œuvre qui ne lui ressemble pas ? En 1931, il avait bien commis, lui, l'anticlérical et athée à temps plein, un *Sanctus* et un *Benedictus* qui avaient plu, mais c'était des pastiches alimentaires. Mais qu'on accorde une ovation à une œuvre qu'il considère comme une imposture et une pose et qui, s'il devait continuer à écrire dans ce langage passéiste et pompeux, le forcerait à se trahir, l'ironie est par trop amère. D'autre part, le triomphe d'André lui laisse entrevoir que sa plus belle contribution à la musique d'ici pourrait reposer dans son fils. Rodolphe choisit de se taire, de canaliser à travers son fils ses énergies créatrices et dépose les armes. Mimi se reprochera jusqu'à sa mort le sacrifice qu'elle a cru exiger de son mari. Mais Rodolphe n'avait-il pas simplement atteint la limite de ses forces et fait le tour de son jardin ?

---

35. Dominique Laberge, « L'Enthousiasme au 4e des concerts symphoniques », *La Patrie*, le 18 mars 1935.
36. Georges Langlois, Commentaires sur le programme du concert du dimanche 17 mars 1935, p. 9.
37. Frédéric Pelletier, Notes de programme, concert du 12 avril 1934.

LE RÉCITAL D'ANDRÉ / LA DERNIÈRE SOIRÉE MATHIEU

Depuis son retour de Paris, Rodolphe Mathieu a développé des réseaux dans tous les milieux : intellectuels, musicaux, universitaires, politiques, journalistiques. Les rapports qu'il a établis grâce aux Soirées Mathieu lui ont ouvert bien des portes et lui assurent une certaine influence. Pour annoncer le grand début officiel de son fils, le lundi 25 février 1935, à l'hôtel Ritz Carlton de Montréal, Rodolphe alerte tous les journaux. *L'Illustration* du 22 février annonce en première page le récital et le débat avec la belle photo d'André du Studio Albert Dumas. Dans un court article, un autre journaliste annonce que « son père tient à le présenter au public avant son départ pour New York, où il ira poursuivre ses études. » Surprise, le projet New York est déjà dans l'air ! *La Presse* met l'épaule à la roue et un autre journaliste conclut son communiqué avec photo sur les mots : « Il tient de race, et d'ailleurs bon sang ne peut mentir. »

Le lundi 25 février, la légende familiale veut qu'il y ait une tempête de neige, que le public se soit présenté en retard et qu'André, dépité devant la maigre assistance, menace de ne pas jouer. Mimi et la grande Camille ont mis au point son costume de scène : pull, pantalons courts, chaussettes et chaussures d'un blanc immaculé. Rodolphe, lui, porte le frac et suit André sur scène où trônent déjà les deux pianos à queue. La première œuvre inscrite au programme est le *Concertino no 1.* André enchaîne avec toute une série de pièces qu'il jouera, inlassablement, pendant les décennies à venir. Le programme se conclut avec le retour d'André et de Rodolphe sur scène pour offrir le premier mouvement du *Concertino no 2.* Le lendemain, Marcel Valois donne le ton : « Extraordinaire récital d'André Mathieu… Le plus merveilleux, c'est que l'enfant doué d'un instinct musical qui pourrait devenir du génie, possède le sens du rythme et de la mesure… »[38] « Ce qu'il y a de remarquable, c'est que cette précocité n'est pas une maturité prématurée et inquiétante, mais simplement l'irrésistible inclination vers la musique d'un enfant à l'esprit éveillé […]. On ne peut nier à cet enfant des dons extraordinaires, un sens du rythme et de la mesure […]. Si André Mathieu venait de l'étranger, s'il portait un nom de trois lignes impossible à articuler, s'il nous était présenté par une importante agence de New York ou d'ailleurs, on crierait au prodige en se

38. Marcel Valois, *La Presse*, le 26 février 1935.

pâmant d'admiration »[39]. Francine joint sa voix au chœur des louanges : « Il déploie pour exprimer ses idées toute la force de son petit être, de telle sorte que cette force musculaire supplée à la pédale qu'il ne peut utiliser. Tout cela est de l'intuition, de lá science infuse, de l'atavisme qui fait d'André Mathieu un enfant prodigieux, génial [...]. Cet enfant fera non seulement un compositeur, mais encore un pianiste qui fera honneur à sa race. »[40] Même la Némésis de Rodolphe devra à son corps défendant lui reconnaître des dons indéniables mais en minimisant la portée de l'événement. « André Mathieu est-il un enfant prodige parce qu'à quatre ans il compose de petits morceaux et qu'à cinq ans il les présente gentiment au public ? Non : il est ce qui vaut beaucoup mieux, un enfant précoce, qui possède, comme si pareille chose était possible, le sentiment impeccable du rythme ancré dans son petit cerveau [...]. Rythmes, imagination et facilité de les rendre au piano. Et voilà, c'est tout ce qu'il y a dans sa présentation d'hier soir »[41]. Si on sent grincer sous le commentaire acide l'aumône d'une reconnaissance avare de louanges, Pelletier, même en circonscrivant le phénomène ne peut que le reconnaître. H. P. Bell du *Montreal Star* est beaucoup plus modéré : « André Mathieu a beaucoup de force pour sa taille et possède une très bonne mémoire ; il a correctement interprété les pièces et semblait généralement tomber sur les bonnes notes. Pour le reste, ce joli et brillant petit garçon s'est bien amusé au clavier... et a été récompensé à la fin avec des fleurs, comme une prima donna. Ce fut une demi-heure divertissante. »[42] Dès cette première apparition publique, les attitudes sont partagées : les enthousiastes et les sceptiques. D'un côté, on crie au génie, de l'autre, une appréciation précautionneuse et condescendante du phénomène prétend garder la tête froide et ne pas prendre des vessies pour des lanternes.

Il y a deux choses à retenir de ce moment crucial, où Rodolphe présente son fils en public pour la première fois, le produit de son enseignement,

39. Georges Langlois, *L'Ordre*, février 1935.
40. Francine, (nom de plume d'Adrienne Roy Villandré), *Le Jour*, février 1935.
41. Frédéric Pelletier, *Le Devoir*, le 26 février 1935.
42. H. P. Bell, *The Montreal Star*, le 26 février 1935. « Andre Mathieu has plenty of strength for his size and quite a good memory ; he repeated tunes correctly and generally seemed to hit the notes which he wanted. For the rest, a nice bright little boy enjoyed himself at the keyboard... and was rewarded at the end with flowers like a primadonna. It was amusing for the half hour it lasted. »

de ses méthodes. André est l'incarnation, la manifestation tangible de toutes les recherches de Rodolphe. C'est son « produit ». Et dès cette première manifestation publique le ton est donné pour les décennies à venir. Mais, chose capitale, personne n'est indifférent et ce coup d'essai se révèle être un coup de maître. Ce succès confirme pour Rodolphe la nécessité de partir et de confier André aux meilleures écoles et aux meilleurs professeurs. Le centre musical le plus proche, c'est New York.

LE DÉPART POUR NEW YORK

Comme ils le font chaque année, les Mathieu vont passer une partie de l'été à la maison d'Albina, à Saint-Constant, puis aux Grondines, chez Madame Mathieu, mère. Grâce à la renommée naissante d'André, Rodolphe a obtenu un récital à la radio de CKAC et le 1er octobre 1935, le nom d'André Mathieu se répand soudainement à travers toute la province. Sans doute l'annonceur a-t-il cité quelques extraits des critiques du récital de février, il n'en faut pas plus pour que la curiosité populaire prenne des dimensions nationales. À son récital de février, André avait donné en rappel *La Marche des petits soldats* de Schumann. Pour son récital radiophonique, il continue d'élargir son répertoire ; il joue une *Bourrée* de Jean-Sébastien Bach et *Le Petit Berger* de Debussy[43]. Cette radiodiffusion du mardi 1er octobre 1935 a un impact extraordinaire. CKAC couvre tout le territoire et presque toutes les familles possèdent un poste de radio et écoutent les programmes.

Le mardi 12 novembre 1935, André Mathieu donne un récital à la salle du patronage des jeunes filles de Notre-Dame-du-Bon-Conseil de St-Hyacinthe, à l'invitation de Germaine Daigle. La critique du *Courrier* de St-Hyacinthe du vendredi 15 novembre 1935 vaut vraiment la peine d'être citée : « Les compositions du jeune André Mathieu sont toutes dignes d'être entendues. Quelques pièces imitatives : *Les Abeilles piquantes, Les Gros Chars, Procession d'éléphants, La Cloche et le Concertino numéro 2 Opus 13* (*Galop à la recherche de la caravane, La Caravane en marche dans le désert, L'Orage électrique s'apaisant petit à petit et suivi d'un plein rayon de soleil*) ont été particulièrement appréciées par l'auditoire... » À quelqu'un qui lui

43. Le titre exact est *The Little Shepherd*, cinquième pièce de la suite *Children's Corner* de Debussy.

demandait : « Mais tu ne sais pas l'harmonie, toi, mon bonhomme : comment fais-tu pour composer ? » Il répondit : « Non, je ne la sais pas, mais je la sens. » À une personne de St-Hyacinthe qui s'informait si la main du pianiste était assez grande pour toucher l'octave, André, indigné, répliqua : « Mais vous n'avez donc pas entendu *La Marche Funèbre* de Beethoven, elle en est remplie. » Et ici, Conrad Letendre[44] fait écho aux rumeurs qui circulent dans le milieu musical, à savoir que les œuvres d'André ne seraient pas de lui, que c'est son père qui les écrirait, et conséquemment que toute l'aventure Mathieu ne serait qu'une immense imposture. Letendre poursuit : « Mais enfin, dans quelle mesure les compositions du jeune André Mathieu doivent-elles lui être attribuées ? J'ai eu l'avantage de passer quelques heures en compagnie de Monsieur et Madame Rodolphe Mathieu et de leur enfant. J'ai observé, questionné et, grâce à la bienveillance dont ils m'ont gratifié, je crois pouvoir affirmer que les compositions du jeune Mathieu lui sont dues à peu près au même titre et dans la même mesure que le sont aux étudiants de dix-huit à vingt ans leurs propres compositions commencées, élaborées et terminées sous la direction et les conseils du maître, et qu'ils signent volontiers et bien légitimement d'ailleurs. En somme, et c'est bien compréhensible, la différence dans les deux cas ne réside que dans les moyens à prendre, ou dans les procédés à adopter pour corriger les erreurs, déterminer la marche à suivre et diriger le travail de l'élève. Ces idées musicales sont des idées d'enfants ; il les dit simplement, mais il les dit bien. Les plus grands compositeurs n'ont-ils pas commencé comme lui ? »[45] C'est ainsi que Conrad Letendre clôt le chapitre de cette spéculation, de ce doute, de ce ver dans la pomme qui aujourd'hui encore ronge la crédibilité d'André Mathieu et prête à la famille des visées opportunistes basées sur une gigantesque fumisterie qui, évidemment, blessent André et sa famille.

Autre indice fascinant qui nous met sur la piste de la méthode de composition d'André, cette image « de la caravane dans le désert et du rayon de soleil », qui est le prolongement de sa « méthode » de mettre en musique sa réalité et son cinéma imaginaire. On peut ainsi suivre les cheminements de son apprentissage : d'une part son catalogue ajoute les titres les uns

44. Conrad Letendre (1904-1977), il s'agit bien du célèbre organiste et pédagogue.
45. Conrad Letendre, « André Mathieu : pianiste et compositeur », *Le Courrier de St-Hyacinthe*, le 15 novembre 1935.

après les autres ; d'autre part, à sept ans, il a non seulement appris mais joue en récital la *Marche funèbre*, l'andante de la sonate opus 26 de Beethoven. Pianiste compositeur, compositeur pianiste, le chemin est tracé. André suit sa routine, école le matin, retour à la maison pour le repas du midi, retour à l'école, retour à la maison, puis une heure de piano, ensuite dîner, ensuite travail avec Rodolphe et au lit. Dans une maison si désordonnée, on peut croire que la discipline est sans doute observée de façon très souple et très personnelle. Chouchouté par sa grand-mère, sa grand-tante, sa tante « Manille »[46] et marraine, adulé par sa mère, sa sœur Camillette et « Leleine » lui servant de repoussoir et de faire-valoir, le petit prince règne sur ce gynécée qui est à mettre en place une structure dont il ne s'échappera plus.

Pendant qu'André suit sa routine, Rodolphe, lui, a repris contact avec son ancien élève, Wilfrid Pelletier, Prix d'Europe en 1915, qui s'est installé à New York où, grâce au grand chef d'orchestre français Pierre Monteux, il a pu entrer au célèbre Metropolitan Opera comme répétiteur pour le répertoire français. Le 21 mai 1920, Pelletier a dirigé un opéra pour la première fois avec la troupe du Met en tournée à Memphis, au Tennessee, *Il Trovatore* de Verdi. En 1922 il devient chef adjoint de la compagnie et il est enfin nommé chef régulier le 28 février 1929. Il va rester au Met jusqu'en 1950. C'est au cours de cette période que les familles Béique et David, avec le concours de Jean C. Lallemand, vont collaborer à la création d'un orchestre symphonique à Montréal dont Wilfrid Pelletier devient le premier directeur artistique, cette SCSM, la Société des Concerts Symphoniques de Montréal, qui, on l'a dit, en 1954 est devenue l'OSM.

Rodolphe lui parle d'André, mais Pelletier, qui dispose d'un formidable réseau d'informations à Montréal, a déjà vraisemblablement entendu parler du petit. Et voilà qu'il va s'intéresser à lui. Bien que confortablement installé à New York, jouissant d'une position qui, sans le mettre au premier plan, lui assure un rayonnement important, Pelletier rêve pour le Québec, enfin… le Canada français, d'un conservatoire, d'un orchestre, et de voir se développer une école de composition. Entre la fin de 1935 et le début de l'année 1936, une correspondance plutôt passionnante met

46. Tante « Manille ». Il s'agit de sa tante Camille Gagnon, dont André déforme le prénom.

aux prises Madame Antonia David, le docteur Stephen Langevin, Wilfrid Pelletier et Rodolphe Mathieu.

En novembre 1935, Wilfrid Pelletier écrit à Madame Athanase David qui, bien sûr, est au conseil d'administration de la Société des Concerts Symphoniques de Montréal, puisque c'est son mari qui a obtenu les fonds pour lancer l'orchestre, il écrit à Madame David avec laquelle il collabore à titre de premier directeur musical de l'orchestre : « Mathieu n'est pas venu me voir à la gare le soir de mon départ. Il m'écrira probablement ce qu'il voulait me dire. »[47] Mathieu a donc contacté Pelletier et il a dû oublier qu'il devait le rencontrer à la gare, distrait comme il est. Sans doute Rodolphe est-il venu solliciter l'aide de Pelletier pour organiser des auditions pour André à New York, puisque le directeur musical écrit à Madame David quelques jours plus tard : « Je ne sais quoi vous conseiller à propos de Mathieu, avec un enfant pareil, le père et la mère suffisent à peine pour le contrôler. »[48] Il a donc rencontré André et il a tout de suite vu le potentiel et saisit la personnalité déjà très bien définie du petit prodige. Évidemment « gâté pourri » par son entourage, sentant bien le pouvoir qu'il exerce sur les siens et avec ses récitals sur les autres, lisant dans le regard étonné et un peu narquois de son père l'admiration qu'il lui porte, André est sans doute un enfant qu'on médicamenterait aujourd'hui. Le 19 novembre, il câble de New York pour annoncer que les auditions pour André et Germaine Malépart sont arrangées pour le début décembre, le 3 précisément, et qu'Arthur Judson lui demande d'être présent. Pour l'occasion, Pelletier a vraiment rassemblé un aréopage exceptionnel pour cette audition à l'école Juilliard. Joseph Szigeti est présent. C'est un des plus grands violonistes de l'histoire et un des grands artistes du moment. Il y a aussi le directeur général de la station de radio NBC, Erno Rapée, et l'imprésario Siegfried Hearst de la NBC. Ernest Schelling, le chef des matinées symphoniques de l'Orchestre de Philadelphie a aussi été invité. Pelletier n'a rien négligé et a également convié Ernest Hutcheson, le nouveau directeur de l'école de musique Juilliard à New York, et finalement, le directeur général de la Philharmonie de New York, Arthur Judson, qui est aussi actionnaire de la station radiophonique CBS, et sans doute l'imprésario

47. Wilfrid Pelletier, lettre à Madame Antonia David, le 23 octobre 1935, Fonds Wilfrid Pelletier, BANQ, Montréal.

48. Wilfrid Pelletier, lettre à Madame Antonia David, le 1er novembre 1935, Fonds Wilfrid Pelletier, BANQ, Montréal.

le plus important et le plus influent des USA. L'audition semble avoir été plus que concluante, puisque Ernest Hutcheson, après les vacances de Noël, écrit à Pelletier : « Vous m'obligeriez beaucoup en me donnant confidentiellement votre opinion sur le talent de ce garçon. Récemment à Montréal, je l'ai entendu jouer l'une de ses compositions. Il était difficile de déterminer dans quelle mesure le père était intervenu et M. Mathieu s'est montré plutôt évasif à cet égard. Néanmoins, le talent d'André me semble bien réel. En effet, bien que le père ait sûrement beaucoup aidé à réaliser ces idées, je doute qu'elles soient de lui. »[49] Cette lettre nous apprend donc que Hutcheson est venu à Montréal et qu'il a réentendu André. La grande question qui plane au-dessus des Mathieu, Hutcheson l'a posée. L'intérêt est manifeste, le projet prend forme.

Mais une lettre datée du 14 janvier 1936 va faire imploser tout le projet. À partir de ce moment, la correspondance Pelletier-Mathieu se lit comme un match où tous les coups sont permis.

> *Mon cher Pelletier,*
>
> *Étant donné la situation déplorable dans laquelle certains ministres de la province ont été mis à la suite des récentes élections, je dois te dire que la Dame, (que tu connais) qui voulait s'occuper d'André est incapable de faire quoi que ce soit. Je l'ai d'ailleurs mise à son aise en lui disant que je m'occuperai désormais moi-même de mon fils. Elle a semblé mieux respirer après cela.*
>
> *Je comprends sa situation humiliante actuelle.*
>
> *De ton côté, si tu désires encore aider André je ne peux te demander qu'une chose, c'est comme d'abord c'était ton projet, lui faire jouer son concerto avec orchestre, et un groupe de ses pièces en solo. C'est là le seul moyen, je crois, d'attendre quelqu'un qui pourrait s'en intéresser.*

---

49. Ernest Hutcheson, lettre à Wilfrid Pelletier, le 15 janvier 1936, Fonds Wilfrid Pelletier, BANQ, Montréal. « It would oblige me very much if you could give me your confidential opinion of this boy's talent. I heard him play his compositions recently when I was in Montreal. It was difficult to estimate how much of the work had been done by the father and Monsieur Mathieu was rather evasive on this point. Even making ample allowances for this factor, however, there seemed sufficient evidence of Andre's real talent. Indeed, I doubted if the father could have originated the ideas, however useful he might have been in working them out ».

Je te serais donc infiniment reconnaissant si tu pouvais lui donner cette occasion, vu que tu as manifesté le désir d'être le premier à le faire jouer sous ta direction cet hiver.

En attendant de tes nouvelles, je te prie de me croire toujours ton très dévoué,

Rodolphe Mathieu
4519 Berri Montréal[50]

La réponse de Wilfrid Pelletier est absolument étonnante. A-t-il été offensé par le ton léger et bon enfant que Rodolphe emploie pour parler de la femme d'un ministre et de sa principale collaboratrice ? La réponse faite à Rodolphe deux jours plus tard est catastrophique.

Le 16 janvier 1936,
Monsieur Rodolphe Mathieu,
Montréal, Que,

Monsieur,

Votre lettre du 14 me surprend pour cette raison-ci : c'est que cette dame dont vous osez parler en faisant allusion à « la situation humiliante dans laquelle elle se trouve », (situation qui est loin d'être humiliante – mais plutôt noble) a donné tout un après-midi de son temps pour s'occuper de l'avenir musical de votre fils André.

J'ai moi-même sacrifié de mon temps pour étudier le problème d'André qui serait très simple à régler si on n'avait affaire qu'à l'enfant. Malheureusement votre attitude est des plus déconcertantes et, au point où en sont les choses, il est préférable que, dorénavant, vous vous occupiez vous-même des problèmes de votre fils. Je vais conseiller à Madame David, ainsi qu'à toutes les personnes influentes que j'ai approchées, de faire de même.

J'envoie une copie de cette lettre à Madame David.

Je n'aime pas vos insinuations et les marques d'ingratitude dont votre lettre fait preuve, pour ne rien dire de votre ignorance en ce qui concerne l'avenir de votre fils.

Par une étrange coïncidence je reçois en même temps que votre lettre une lettre de Monsieur Hutcheson faisant suite à son entrevue d'hier avec Madame David.

---

50. Rodolphe Mathieu, lettre à Wilfrid Pelletier, le 14 janvier 1936, Fonds Wilfrid Pelletier, BANQ, Montréal.

Je suis très heureux que votre lettre me soit parvenue maintenant plutôt que dans six mois, car je sais à quoi m'en tenir sur votre façon d'agir, votre façon de penser, et il vaut mieux en finir là et éviter ainsi des suites qui pourraient devenir, plus tard, irréparables et ennuyeuses pour moi.

Wilfrid Pelletier[51]

Le lundi 20 janvier, Wilfrid Pelletier annonce à Madame David qu'il a rendez-vous avec Ernest Hutcheson à midi, le jeudi 23, et qu'il voudrait bien savoir à quoi s'en tenir au sujet d'André Mathieu. Madame David lui envoie un télégramme lui disant : « Enverrai télégramme de nuit après la rencontre avec mon mari, Langevin et Mathieu – Nous étudions la question très sérieusement, compte tenu de la situation délicate que pourrait provoquer l'attitude du père. »[52] En soirée, Antonia David annonce à Pelletier qu'il vaut mieux laisser tomber le projet André Mathieu, « l'attitude du père étant très décevante »[53]. Mais Wilfrid Pelletier se rend néanmoins à son rendez-vous avec Hutcheson et envoie une longue lettre à Madame Antonia David à l'issue de la rencontre.

Madame Antonia David, *Le 24 janvier, 1936*
1455 rue Drummond,
Montreal, Can.

Chère Madame,

J'ai remis votre lettre à Monsieur Hutcheson et nous avons discuté longuement de l'avenir d'André.

Notre devoir à tous est de forcer le père, par tous les moyens possibles, à accepter nos conditions. Hutcheson, comme moi, nous avons foi en l'avenir d'André, et c'est à nous de trouver la solution de ce problème.

Je conseillerais au Docteur Langevin, ainsi qu'à Monsieur David et à vous de cesser tout secours financier à Mathieu, temporairement. Il est certain que Rodolphe Mathieu ne peut rien faire de lui-même

51. Wilfrid Pelletier, lettre à Rodolphe Mathieu, le 16 janvier 1936, Fonds Wilfrid Pelletier, BANQ, Montréal

52. Antonia David, télégramme à Wilfrid Pelletier, le 20 janvier 1936, Fonds Wilfrid Pelletier, BANQ, Montréal. « Will send nightletter after meeting with my husband Langevin and Mathieu – We are studying matter most seriously realizing what awkward situation might result of father's attitude. »

53. Antonia David, télégramme à Wilfrid Pelletier, le 20 janvier 1936, Fonds Wilfrid Pelletier, BANQ, Montréal.

et je crois que personne ne s'aventurerait de lui venir en aide, surtout sachant que nous les avons abandonnés à cause du caractère obstiné du père.

Au cas où Mathieu accepterait nos conditions, Monsieur Hutcheson n'entreprendrait pas la carrière d'André sans obtenir du père d'abord un contrat, signé par lui, acceptant les conditions de Monsieur Hutcheson : que l'enfant ne jouera pas en public dans le but de spéculer ou toutes autres fins commerciales avant au moins cinq ans ; que le professeur ici aura la responsabilité de l'éducation d'André, et que le cas étant exceptionnel – l'enfant ne pouvant se soumettre à la routine d'une classe ou de n'importe lequel maître [sic] – Monsieur Hutcheson organisera un comité ici de trois ou quatre personnes – tous artistes musiciens – spécialement dans le but de surveiller l'éducation musicale de l'enfant.

Vous voyez, comme moi, qu'il est de la plus haute importance que nous faisions tout en notre pouvoir pour convaincre le père de notre sincérité et de notre entier dévouement en ce qui concerne l'éducation musicale de l'enfant. Je sais que vous pouvez sortir de la situation la plus embarrassante d'une façon toujours très élégante, je compte donc sur votre tact habituel pour résoudre ce problème [...].

Mes meilleurs souhaits à toute la famille « and the gang »

Toujours votre très dévoué, Wilfrid Pelletier.[54]

Quel hommage et quelle reconnaissance implicite de l'incroyable talent d'André sont sous-entendus dans cette bataille et ces tiraillements pour assurer le développement maximal de ces dons et d'interprète et de compositeur !

L'entente, l'arrangement que Pelletier veut imposer aux Mathieu, semble idéale. La formulation le laisse supposer, André jouirait d'une bourse d'études complète pour les cinq prochaines années de l'école Juilliard à New York, une des écoles de musique les plus prestigieuses au monde, son éducation académique serait confiée à des tuteurs privés et sans doute serait-il logé en plein cœur de Manhattan, en résidence privée. Il n'y a qu'une faille dans ce plan, et aux yeux de Mimi et de Rodolphe, elle est de taille : André leur serait arraché, séparé de son milieu et, nous allons le voir, sans doute assimilé par la culture américaine et sa machine à prodiges.

54. Wilfrid Pelletier, lettre à Madame Antonia David, le 24 janvier 1936, Fonds Wilfrid Pelletier, BANQ, Montréal.

Malgré toute la pression que les David, Hutcheson et Pelletier vont exercer sur les Mathieu, les démarches n'aboutiront pas et il faudra échafauder d'autres rêves. Après tout, aussi doué soit-il, cet enfant a six ans, André a six ans !

Laissons le mot de la fin à notre ami Rodolphe

> *Docteur Stephen Langevin,* *Montréal, le 5 février 1936.*
> *360 Sherbrooke Est,*
> *Montréal*
>
> *Cher Docteur,*
>
> *Je vous remercie d'avoir bien voulu vous intéresser au sort de mon petit André. Je vous remercie aussi de m'avoir procuré l'occasion d'aller me rendre compte définitivement à New York que le plan de Pelletier était un enfantillage, et inacceptable pour des gens qui ont encore leur raison.*
>
> *Notre jeune maestro dont le piédestal me semble être suspendu par des ficelles, n'avait qu'à dire à Monsieur David qu'il était incompétent en cette affaire, et tout se serait arrangé avec bon sens.*
>
> *Ce n'est pas pour rien que je me suis décidé il y a plus d'un an d'entreprendre André, les quelques séjours que j'ai fait[s] à New York l'hiver dernier étaient pour me rendre compte de la situation pédagogique chez nos voisins.*
>
> *Maintenant je suis déterminé plus que jamais à diriger les études de mon fils, jusqu'à l'âge de douze ans au moins.*
>
> *Les résultats que j'ai obtenu[s] d'ailleurs dans un an sont plus que suffisants pour me donner raison. Les gens qui sont intéressés en ce moment à la question d'André n'ont qu'à chercher dans le monde entier et dans l'Histoire s'ils trouveront un enfant à peine âgé de six ans pouvant faire ce qu'il a déjà fait.*
>
> *Par exemple, pour ne citer qu'un fait, l'audition qu'a donnée André vendredi dernier de son concerto avec orchestre symphonique au poste de Radio-État, quoiqu'aurait pu faire MM. Hutcheson et Schelling à son âge, ce fait est sans précédent dans l'histoire. Et ces derniers, y compris Pelletier qui ne jouait que du tambour à cet âge comme la plupart des écoliers. [sic]*
>
> *Qu'on me trouve des cas semblables en Amérique et je m'inclinerai. Jusque-là les propositions que l'on pourrait me faire seront considérées comme déplacées et humiliantes pour ceux qui les proposent.*

J'ai non seulement le sentiment d'orgueil du père, mais aussi le sentiment national. Pour une fois, il sortira quelqu'un de chez nous, formé chez nous. C'est dans ce sens que je désirerais qu'on m'aide, mais on ne l'a pas compris. Tant pis pour ceux qui passeront à l'égard d'André pour des enfants pendant que lui se classe déjà parmi les adultes.

Mon cher Docteur, celui qui m'aura le plus aidé dans le début d'André, c'est encore vous – lorsque vous êtes resté vous-même.

Nous le reconnaissons tous, et rien ne sera perdu – soyez-en assuré.

Votre tout dévoué,
Rodolphe Mathieu[55]

Le lendemain, Wilfrid Pelletier écrit à Madame David.

Madame A. David, *Le 6 février, 1936*
1455 rue Drummond,
Montreal, Que. Can.

Chère Madame et Amie,

Oubliez l'incident Mathieu. Sa lettre n'a fait aucune impression sur moi. Ce n'est pas la première fois que je suis en contact avec des individus de ce calibre. Je n'ai même pas songé à lui répondre; mes instants sont trop précieux pour les lui consacrer [...].[56]

Que Pelletier ait pu ajouter une pierre à sa couronne en offrant ce joyau à l'école Juilliard n'est pas à écarter, mais en survolant l'ensemble de sa carrière il est évident que Pelletier a toujours, en toutes circonstances, soutenu ses compatriotes et tout fait pour implanter des structures durables qui soutiennent la culture et la pratique de la Musique : la création de l'OSM, les Matinées symphoniques pour les jeunes, les festivals de Montréal, le Conservatoire de musique et d'art dramatique du Québec à Montréal. Wilfrid Pelletier, quelques années plus tard, mènera à bien son projet d'offrir une formation académique complète à l'un de ses compatriotes en soutenant le jeune Clermont Pépin qui réalisera le plan de carrière que Pelletier avait imaginé pour André Mathieu. Sauf qu'au moment où les

55. Rodolphe Mathieu, lettre au Dr. Stephen Langevin, le 5 février 1936, Fonds Wilfrid Pelletier, BANQ, Montréal.
56. Wilfrid Pelletier, lettre à Madame Antonia David, le 6 février 1936, Fonds Wilfrid Pelletier, BANQ, Montréal.

choses se passent pour Pépin, ce dernier a douze ans, c'est déjà un jeune adolescent, ce n'est plus un enfant, ce n'est pas un enfant de six ans.

Mais, pendant que son destin se joue entre la Juilliard School de New York, Wilfrid Pelletier et sa famille, André donne un récital au pensionnat de Notre-Dame-des-Anges à St-Laurent, le samedi 18 janvier 1936. Il ouvre le programme avec le *Concertino no 1* et quelques œuvres de sa composition : *Les Trois Études*, *Les Gros Chars*, et comme aux défuntes Soirées Mathieu, Rodolphe va présenter une conférence en reprenant un texte qu'il avait déjà lu et dont il a adouci le propos : « La musique moderne est-elle inférieure (à l'époque de la conférence aux Soirées Mathieu il avait écrit *supérieure*) à la musique ancienne? » « Les auteurs modernes sont ceux qui s'ennuient là où les autres s'amusent encore. » C'est sur cette citation que le journaliste qui rend compte de l'événement conclut son papier. De plus, Rodolphe a aussi inscrit au programme sa *Fantaisie opus 28* et sa *Chevauchée opus 12.* Mais selon le critique anonyme du journal *Le Devoir* du 12 février 1936, l'œuvre qui impressionne le plus les auditeurs : « [C]'est la dernière pièce au programme qui a recueilli le plus de succès. Il paraît bien en effet que le *Concertino Opus 13 no 2* soit de beaucoup sa meilleure œuvre. »[57] André a profité de l'automne pour compléter l'œuvre, rappelons-nous qu'au récital de février 1935 Rodolphe et lui n'avaient joué que le premier mouvement. De plus, son catalogue s'élargit : il a composé *Les Cloches*, *Tristesse* et *Les Abeilles piquantes.* Toutes pièces nouvelles étrennées lors de son récital du 18 janvier. Il reprend *La Bourrée* de Jean-Sébastien Bach, *Le Petit Berger* de Debussy, *La Marche funèbre*, l'*Andante de la Sonate Opus 26* de Beethoven. Pour un enfant qui aura sept ans dans moins d'un mois, Rodolphe a prévu un programme digne de Léopold Mozart.

L'affirmation de Mimi voulant qu'André n'ait jamais entendu une œuvre de son père est inexacte. André savait que son père avait écrit de la musique. Il le voit sur scène, il l'entend jouer ses compositions. Dès son tout premier récital au Ritz Carlton, le 25 février 1935, Rodolphe avait conclu le programme en accompagnant Jean Brunet dans deux de ses mélodies, *Automne* et *Hiver.* Pendant toutes ces années, Mimi a-t-elle sans doute voulu nier l'idée qu'André ait pu être influencé par les œuvres de son père.

---

57. *Le Devoir*, le 12 février 1936.

Six jours plus tard a lieu un événement qui aura un grand retentissement à travers la province et sur tout le réseau radiophonique de Radio-Canada. Le vendredi 24 janvier à 21 h 30, André est à nouveau l'invité de la radio, cette fois à l'émission *Radio Concerts Canadiens* de Radio-Canada (CRCM). Le communiqué du journal *L'Illustration* donne comme programme Bach et autres classiques avec *Les Abeilles piquantes, Les Gros Chars* et *Les Études.* Mais le temps fort de la soirée c'est l'exécution avec La Petite Symphonie de Radio-Canada, sous la direction de Jean-Josaphat Gagnier, de *l'Andante* et du final du *Concertino no 1.* André, pour la première fois, joue avec orchestre, en direct, sans filet. C'est lors de cette radiodiffusion que se passe l'anecdote rapportée inlassablement par Mimi, l'épisode des badaboums. Dans le final, André avait inclus des percussions que J.-J. Gagnier a gommées à cause des micros trop sensibles. À la répétition, André l'arrête et lui dit : « J'avais mis des badaboums », et le chef de lui expliquer la raison de cette entorse acoustique. La légende familiale a fait du commentaire un fleuron de son folklore.

Le lendemain, un critique anonyme écrit : « Son *Concerto* [sic], un ouvrage monumental pour un enfant, eut sa première exécution à la radio [...]. André Mathieu a fait preuve d'un rare aplomb dans sa première apparition en public comme soliste invité avec un orchestre symphonique de trente instrumentistes [...]. » Une autre première, un autre baptême, une autre étape : jouer avec orchestre, à la radio publique. C'est à ce concert auquel se réfère Rodolphe dans la lettre précitée au Docteur Langevin.

Comme les ondes transportent le son à travers tout le pays, le journaliste N. C. Clarke, du journal *Hamilton Herald*, va partager avec ses lecteurs la forte impression que la transmission du concert d'André lui a faite : « Un Jeune Génie canadien. Qu'est-ce que le génie ? Cette question a requis toute notre attention l'autre soir en écoutant le jeune Montréalais André Mathieu jouer du piano [...]. L'écoute de la musique de ce jeune compositeur reste longtemps à l'esprit [...]. Ce talent si rare, pour l'écriture et le jeu [...] vaut assurément à Mathieu le qualificatif de "génie" [...]. »[58]

58. N. C. Clarke, *Hamilton Herald*, février 1936. « A Young Canadian Genius. What is genius urgently claimed our consideration once more listening to the pianoforte playing of little Andre Mathieu of Montreal the other night [...]. The experience of listening to this young composer's music is one that will linger in the mind for a long time [...]. Such unusual ability both in the writing and playing [...] is surely worthy of the name "genius" [...]. »

L'édition d'avril 1936 de *La Revue Populaire* consacre un article illustré avec la photo du studio Albert Dumas ayant pour titre : « Un enfant prodige ».

> ANDRÉ MATHIEU, ÂGÉ DE SIX ANS, PIANISTE ET COMPOSITEUR
>
> Notre pays a produit un bon nombre d'artistes, grandement estimés même, et surtout, à l'étranger. Cependant, jamais nous n'avions connu ici de ces enfants précoces qui étonnent le monde, d'artiste qui, à peine sorti du berceau, entre de plain-pied dans la Gloire [...]. Comme il fallait s'y attendre, les sceptiques furent d'abord nombreux, qui contestèrent l'authenticité de cette création. » Dans cet article, refait surface un sentiment national déjà apparu dans des articles précédents : « Il faut féliciter Monsieur Rodolphe Mathieu qui a eu le bon goût de ne pas confier l'éducation musicale de son enfant à de « grands » professeurs américains qui en eussent fait un sujet d'expérience. André Mathieu, tout enfant prodige qu'il est, ne sera pas soumis à un dressage qui pourrait tuer à jamais sa belle simplicité, son ingénuité. Certes, il se met à chaque jour au piano deux heures durant, mais cela ne lui est pas une corvée. En dehors de ses leçons de piano, c'est un bambin comme les autres, qui lance des boules de neige, fait tourner son chemin de fer miniature et pleure un jouet brisé.[59]

Tout au long de sa carrière, l'âge d'André Mathieu connaîtra d'infinies variations. Ici on lui donne six ans, il en a sept. À sa mort, les journaux lui donneront trente-six ans alors qu'il en a trente-neuf. Il serait fastidieux de rectifier à chaque fois ces imprécisions. Tenons pour acquis que neuf fois sur dix il y a erreur, volontaire, involontaire... allez savoir.

Le 23 avril 1936, André va également jouer au Collège de Montréal le répertoire habituel. Puis, le mardi 12 mai, c'est Trois-Rivières qui va entendre André à l'Auditorium de l'Académie de La Salle. Il reprend le programme du 18 janvier. Trois-Rivières occupera une niche spéciale dans la carrière d'André Mathieu. Grâce à Madame Anaïs Allard Rousseau et à l'abbé J.G. Turcotte, Trois-Rivières tissera des liens privilégiés avec lui en fondant en 1942 le Club André Mathieu. L'abbé J. G. Turcotte, dans deux articles préparatoires au récital d'André, n'y va pas avec le dos de la cuiller. « Si le petit André Mathieu est vraiment cette gloire nationale qu'on nous promet – et c'est le temps qui le dira –, il est alors beaucoup

59. *La Revue Populaire*, avril 1936.

plus que le fils de tel ou tel parent ; il est, comme tous les génies, le fruit d'une race et d'une époque. Par conséquent c'est sa race qui nous enjoint de le préparer dignement à sa carrière. Allez entendre ce petit Canadien français qui, à peine âgé de six ans, est en état de donner en public un programme composé presque entièrement de ses propres œuvres, c'est faire acte de patriotisme plus sérieux, peut-être, que d'aller écouter vingt discours de la Saint-Jean-Baptiste. »[60] L'abbé Turcotte, décidément, ne lésine pas, il termine un autre article par ces mots rassembleurs : « En faut-il davantage pour nous engager à aller l'applaudir ? N'oublions pas qu'il y a là en plus une question de fierté nationale : André Mathieu, petit Canadien français, vaut peut-être autant pour le moins que la petite Shirley Temple[61] qui, dans un domaine bien inférieur, recueille des sommes pour ses prouesses. Charité bien ordonnée… et intelligente [...]. »[62] Mais il appartient à la ville de Trois-Rivières et au journaliste anonyme du quotidien *Le Nouvelliste* d'avoir associé pour la première fois le nom de Mozart à celui d'André Mathieu. « Nous aurons l'avantage d'entendre André Mathieu, le jeune Mozart canadien-français [...]. Ceux qui l'ont entendu nous disent que nous sommes en présence d'un véritable génie qui fait déjà la gloire de notre race. Car c'est d'un petit Canadien français qu'il s'agit, ne l'oublions pas. [...] Il faut absolument qu'un auditoire nombreux et sympathique se rende mardi soir applaudir notre jeune et génial compatriote, André Mathieu. En plus d'entendre un pianiste étonnant, prodigieux, ceux qui assisteront feront acte de patriotisme éclairé et intelligent. »[63]

Nous venons ici de changer de registre. C'est plus qu'un enfant doué, surdoué même, c'est soudainement l'espoir de la race, l'incarnation de l'avenir d'un peuple brimé (l'allusion à la Société Saint-Jean-Baptiste). C'est plus qu'un artiste, c'est peut-être un sauveur…

60. J. G. Turcotte, *La Chronique de la vallée du Saint-Maurice*, le 9 mai 1936.
61. Shirley Temple (1928-). Première enfant star américaine, elle a tourné plus de 40 films et, en 1936, elle était l'idole du monde entier. Elle met fin à sa carrière à l'âge de 20 ans et elle deviendra, plus tard, ambassadrice des États-Unis au Ghana et en Tchécoslovaquie !
62. J. G. Turcotte, journal inconnu, mai 1936.
63. *Le Nouvelliste*, Journaliste inconnu, le 9 mai 1936.

Le compte rendu du journaliste anonyme, qui paraît le lendemain, installe un climat nouveau autour d'André. Le titre de l'article est déjà tout un programme : « Le petit Mozart canadien-français aux Trois-Rivières. »

> C'est pourquoi les moins candides, parmi l'auditoire qui a assisté hier soir au récital de piano [...] enthousiastes [sic] des charmes et des talents du petit Mozart canadien-français se sont demandés s'il n'y avait pas en cet enfant matière à génie [...]. Quelqu'un a dit que l'univers compte un génie par siècle. Celui-là était peut-être pessimiste après tout. Quant à nous, il y a 300 ans que nous en attendons un. L'aurions-nous trouvé ? Il est rare qu'au sortir d'une audition notre cœur soit capté par autant de délire. Il n'est pas ordinaire que des Trifluviens, blasés de réputation, soient tellement enthousiasmés d'un récital de piano, qu'ils attachent leur amour à un artiste avec une spontanéité aussi nouvelle. [...] Le récital de piano donné par André Mathieu fut une révélation, révélation d'une précocité musicale encore inconnue chez nous [...]. Quand la force s'amalgame à la jeunesse et à l'élégance dans une âme d'homme, l'émerveillement frappe. Qu'en est-il alors, lorsqu'il s'agit d'une âme d'enfant ?[64]

Décidément, Trois-Rivières et André Mathieu filent le parfait amour !

Avec l'arrivée de l'été, la famille part pour St-Constant. En juillet, Rodolphe envoie une lettre à Arthur Prévost, datée du 22, pour lui demander un « petit deux », puis la famille séjourne en août aux Grondines. Une autre lettre de Rodolphe au même Prévost, datée du 24 août 1936, lui demande le même service, une petite avance pour lui permettre de joindre les deux bouts. Mais il y a un texte, une lettre qui mérite d'être citée in extenso tant ce document jette un éclairage saisissant sur la famille Mathieu, ses conditions de vie et l'atmosphère qui les entoure. Cette lettre trace aussi un portrait extraordinaire de Rodolphe au moment où André prend déjà toute la place. Voici la lettre, datée du 11 juillet 1936, d'Arthur Laurendeau à son fils André en séjour d'études à Paris :

> *[...] Donc hier p.m., Mathieu m'arrive. N'a pas l'air brillant de santé. A eu une congestion pulmonaire : trois semaines au lit avec une moyenne de fièvre de 103. Dès qu'il fût mieux, sa femme qui le soignait, tombe malade exactement du même mal. Ils sont hébergés*

64. *Le Nouvelliste*, le 13 mai 1936.

> *par une tante; il n'a plus un seul élève et s'occupe exclusivement de l'éducation musicale de son fils depuis deux ans. Me dit qu'il est extraordinaire. Raconte son voyage à New York au milieu des musiciens que Pelletier fait rencontrer. Bon voyage, payé par les David, ou en tout cas, apparemment. Rompt violemment avec Pelletier et les David parce qu'il constate qu'on veut lui enlever l'éducation musicale de son fils. D'une violence baroque. Écrit à Pelletier : « faites soigner vos urines ! ». À Madame David, une engueulade téléphonique cuisinée au vinaigre fort. D'une espèce d'enthousiasme fanatique pour son fils. A attendu à jusqu'il y a deux ans pour juger : puis, quand fut décidé, n'a plus fait autre chose. Il parle de son fils avec sa voix et ses yeux de visionnaire. À l'automne, viendra nous le montrer. L'enfant ne vit que par son père : dès qu'il le quitte, s'en ennuie beaucoup. Tout est étrange dans cette vie. Mais il y a un élément nouveau (depuis quelques années) et qui en élève le niveau : la souffrance. Mathieu est devenu un souffrant. Il dit que la souffrance ne le quitte pas d'un instant. Toujours quelque chose. De plus, sa femme toujours malade. Radiographiée dernièrement, on a trouvé ses poumons plein de cavités, guéries probablement. Pas d'argent. Restant chez cette tante, où tout le monde s'opposait à la carrière musicale pour son fils. A persisté avec ce courage qui lui est propre et s'applique toujours à des causes difficiles et quelquefois absurdes. À six heures, je lui dis; si tu veux partager ma laitue? A accepté. Avons un reste de thon, un beau fromage, du miel. A mangé avec conviction. Donne l'impression d'un malheureux qui ne sait trop pourquoi. A lâché enfin son marivaudage antireligieux. Ne parle plus de cela.*[65]

C'est une lettre capitale et renversante qui résume dans un raccourci saisissant la situation de Rodolphe, à partir de ses confidences à un ami. L'humiliation constante de vivre coincé avec les siens au 4519 Berri, la fascination réciproque, qui, telle que la rapporte Laurendeau, annonce cette dépendance affective qui va unir et soude déjà le père et l'enfant, la fragilité et la faiblesse de Mimi, le manque à gagner et, reflet exact de la situation dans laquelle Camillette s'est toujours retrouvée, elle n'est même pas mentionnée. On dirait un personnage de roman russe, tant l'intensité presque insoutenable de Rodolphe rend palpable les déchirures de son âme. Et quelle intelligence chez ce Laurendeau ! Rodolphe malade, Mimi et ses poumons, des vacances sans doute troublées par la grande question, celle que les Mathieu auront à se poser toute leur vie, car avec eux rien ne

65. Arthur Laurendeau, lettre du 11 juillet 1936 à son fils André, Fonds famille Laurendeau, Centre de recherche Lionel Groulx.

semble jamais durer, rien n'est jamais stable. Puisque le projet New York ne s'est pas matérialisé : que faire ?

DUPLESSIS ARRIVE

Quand, dans sa lettre du 14 janvier 1936 à Wilfrid Pelletier, Rodolphe parle de « la situation déplorable dans laquelle certains ministres [...] je comprends sa situation humiliante actuelle », Rodolphe faisait allusion à la réélection du gouvernement Taschereau du 25 novembre 1935, où Athanase David, député du comté de Terrebonne, n'avait dû sa réélection que grâce au vote de J. Anthony Lessard, le président d'élection. Le candidat défait, Hermann Barrette, avait contesté les résultats. Au recomptage des votes, on s'était aperçu qu'il manquait au bulletin de vote le carré réglementaire qui devait recevoir les initiales du responsable des tables de scrutin. L'élection étant de ce fait nulle et non avenue, Athanase David n'avait pu garder son siège que grâce au vote du président d'élection : d'où la « situation déplorable ». Mais, au printemps 1936, l'enquête sur les comptes publics va faire éclater quelques scandales et exposer au grand jour les abus du gouvernement. Cette enquête va forcer le gouvernement Taschereau à démissionner et amener directement au pouvoir, le 17 août 1936, Maurice Duplessis, qui sera élu avec une majorité écrasante de soixante-seize députés.

Mimi décide de profiter de l'euphorie de la victoire et de l'affection des Trifluviens, dont Duplessis est le député, pour solliciter un rendez-vous au cabinet du Premier ministre, sans doute en septembre. Wilhelmine Gagnon-Mathieu a dû faire usage de son charme considérable et étaler également le dossier de presse déjà très bien garni de son fils. Toujours est-il que, le 5 octobre 1936, Rodolphe reçoit au 4519 Berri la lettre suivante :

> *Je suis chargé par le Secrétaire de la province de vous informer que, par arrêté de l'exécutif, en date du 2 octobre 1936, il a plu à son Honneur le Lieutenant Gouverneur en Conseil d'accorder une demi-bourse d'études à votre fils André, conformément au chapitre 140, S.R.Q. 1925, article 2. Un chèque au montant de $600.00 vous sera transmis d'ici à quelque temps.*
>
> *Veuillez me croire, Votre tout dévoué,*
>
> *Alex Desmeules, SOUS-SECRÉTAIRE DE LA PROVINCE*

Neuf ans plus tard, dans une lettre à l'historien Robert Rumilly, Rodolphe précisera : « Le gouvernement provincial sous Duplessis lui [André] avait accordé une bourse pour deux ans sur l'initiative de ma femme et du secrétaire de la province le Docteur Albiny Paquet [...]. »[66]

Quand les Mathieu reçoivent la lettre de l'annonce de la bourse, il faut se rappeler que huit personnes vivent ensemble depuis plus de trois ans. Albina déteste son gendre Rodolphe qui le lui rend au centuple. Albina et sa sœur Alphonsine s'accordent comme l'eau et le feu, et Rodolphe, le seul mâle de la tribu, dont l'écrivaine Adrienne Choquette souligne « la virilité rêveuse », silencieux et taciturne, aime sa femme et se consacre à l'éducation, à l'éclosion des dons invraisemblables de son fils. De plus, Marie Langevin et sa fille Madeleine partagent avec les Mathieu un logis où se retrouvent trois enfants de dix, sept et cinq ans, et d'innombrables chats et chiens qui complètent l'ambiance folklorique et quasi anarchique de cette famille... particulière. Quand arrive la lettre de Desmeules, quand la décision de partir pour Paris est prise, on peut imaginer la joie de cet homme. Tous les journaux relatent la nouvelle, l'attribution, pour la première fois, d'une bourse d'études à un enfant défraie la chronique et ne passe pas inaperçue. Même la presse anglophone s'émeut : « André Mathieu [...] s'est dit être le garçon le plus heureux de Montréal, ce matin. Il venait d'apprendre qu'on lui avait donné une bourse de trois ans pour étudier le piano à Paris [...]. Il n'est pas particulièrement content d'être considéré comme un prodige, mais il aime sa musique [...]. Il est possible que le prodige montréalais devienne un nouveau Mozart, a fait remarquer une autorité musicale bien connue [...]. Il ne vit que pour sa musique [...]. »[67]

En un mois, les Mathieu vont trouver un paquebot et acheter leur passage pour l'Europe, rassembler une garde-robe et, sans doute pour étoffer cette bourse, André va donner deux récitals à Montréal. Une semaine avant leur départ, le jeudi 29 octobre, André se retrouve dans la salle paroissiale,

---

66. Rodolphe Mathieu, lettre à Robert Rumilly, le 28 décembre 1945, collection privée.
67. A. G. Magurn, *The Montreal Daily Star*, le 6 octobre 1936. « André Mathieu...said he was the happiest boy in Montreal this morning. He had just received the news that he had been awarded a three year scholarship to study the pianoforte in Paris [...]. He was not particularly happy about being a prodigy but he loved his music [...]. It is possible that the Montreal prodigy may become a second Mozart, a well known musical authority remarked [...]. He lives only for his music [...]. »

à deux pas de chez lui, à l'Église de Notre-Dame du Très Saint-Sacrement. La salle est pleine à craquer, il y a même des auditeurs debout : « L'enfant génial qu'est André Mathieu, car il est resté un véritable enfant, joua avec son aplomb habituel et une aisance toujours en progrès [...]. La musique d'André Mathieu est avant tout intellectuelle : il recherche la sonorité et le rythme. Son premier *Concertino* en trois mouvements, qu'il joue avec son père [...], est déjà une œuvre véritable à base classique et traversée d'imagination romantique [...]. Monsieur Rodolphe Mathieu décrivit les pièces que joua son fils. André Mathieu fut applaudi à outrance et couvert de fleurs. Il n'en paraissait pas plus prétentieux tant cet enfant est le naturel même. »[68] Très exactement une semaine plus tard, le jeudi 5 novembre, André offre un « concert d'adieu », comme le rapportent les journaux du lendemain. L'événement a lieu au Conseil Lafontaine sous les auspices des Chevaliers de Colomb, au 480 est de la rue Sherbrooke, « le concert d'adieu du petit prodige canadien-français, André Mathieu, qui quittera notre métropole ce matin à 10:00 à bord du *Duchess of Richmond* a eu lieu hier soir [...]. Devant une foule épatée et enthousiaste. [...] Sa façon de jouer est celle d'un artiste de grand talent et nous ne croyons pas qu'il soit prématuré de dire qu'André Mathieu est appelé à faire savoir au monde entier que le génie musical pousse encore ici. [...] Rendons hommage au petit génie qui est appelé à rehausser à l'étranger le niveau artistique de notre province. »[69]

Mais deux jours avant le départ, André donnera une audition à Québec, une audition très spéciale. Pour remercier le gouvernement de l'Union Nationale, André joue au restaurant du Parlement devant toute la Chambre et le Conseil Législatif réunis « présenté par Gérard Thibault, député de Mercier... l'Honorable J.-H.-A. Paquette, secrétaire de la province, l'a embrassé et félicité, de même que l'Honorable Paul Sauvé, président de l'Assemblée Législative. » Généralement, quand les politiciens se déplacent, c'est pour la photo. Et justement, le journal *Le Soleil* du jeudi 5 novembre 1936 nous montre André assis sur les genoux de Maurice Duplessis, avec tout le pouvoir rassemblé autour de lui.

---

68. M. V., journal inconnu, le 30 octobre 1936.
69. Journaliste inconnu, journal inconnu, le 6 novembre 1936.

Dans ce court récital, une pièce nouvelle, *Le Petit Âne Blanc* de Jacques Ibert, sur lequel tous les jeunes pianistes sont montés et ont fait trottiner leurs doigts. L'événement est rapporté dans les journaux et les reporters nous laissent un cliché saisissant du premier enfant boursier de la province : « André Mathieu est un garçonnet assez bien pris pour son âge. Il a une grosse tête brune, sérieuse, éclairée par des yeux magnifiques et intelligents. Il s'assit [sic] bien d'aplomb devant le grand piano... Il joua sans aucune gêne devant l'auguste assemblée, et sans effort, seulement un peu inquiet, semblait-il, de l'opinion de son père vers qui il tournait la tête de temps à autre... »[70] C'est la première fois qu'il est fait état de la nervosité d'André, assis au clavier. Mais le consensus est généralisé, non seulement André est-il déclaré « petit génie », il est un porte-étendard de la nation.

Pour conclure cette première période de la vie d'André Mathieu, il faut céder la parole à l'ineffable Frédéric Pelletier du quotidien *Le Devoir*. Qu'on se rappelle de la condescendance un peu méprisante dont il avait aspergé (il a toujours aimé les expressions ecclésiastiques[71]) le programme du Ritz-Carlton : « Ce n'est pas tant la manière dont il a joué ses pièces, que l'imagination si bien réglée déjà qu'il y a mise qu'il faut admirer. Invention mélodique, rythme solide et cet extraordinaire sens de l'observation qu'il possède, tout y est contenu pour qu'on augure un très bel avenir. Monsieur Wilfrid Pelletier a déjà dit que la qualification de prodige qu'on a accolée à son nom n'a rien d'exagérée; et qui niera qu'il ne s'y connaisse. Bon voyage, petit André, et puisses-tu revenir grand artiste. »[72]

Le lendemain matin, le vendredi 6 novembre, à 10 heures, André Mathieu, sept ans, sa sœur Camille cinq ans, sa mère Mimi vingt-neuf ans et son père Rodolphe quarante-six ans embarquent sur le *Duchess of Richmond* en partance pour Paris via Liverpool. Dans le journal *L'Illustration Nouvelle* du 7 novembre 1936, il y a une photographie d'un groupe qui entoure les quatre Mathieu le matin du départ. Est-ce la fatigue ou l'énervement des adieux, nos quatre personnages principaux n'ont vraiment pas l'air de bonne humeur. En encadré, il y a André, boîte de chocolats sous le bras, qui se tient au bastingage et affiche un regard triste et las.

---

70. Journaliste inconnu, journal inconnu, le 5 novembre 1936.
71. Marie-Thérèse Lefebvre, *Rodolphe Mathieu*, Éditions du Septentrion, 2006, p. 113.
72. Frédéric Pelletier, *Le Devoir*, le 6 novembre 1936.

Sur le paquebot qui les emmène à Liverpool, le mercredi 11 novembre à 9 heures p.m., André va jouer ses *Trois études* et en deuxième partie *La Gavote* en sol mineur de Bach et *Le Petit Âne Blanc* d'Ibert. Les Mathieu débarquent à Liverpool et se rendent à Londres. Un communiqué envoyé à des amis à Montréal nous apprend que, le vendredi 20 novembre, André a été invité à jouer sur les ondes de la BBC. Comment, en quelques jours, Rodolphe a-t-il réussi à décrocher un engagement sur les ondes de la plus prestigieuse station radiophonique au monde ? Nous le verrons tout au long des années à venir, la capacité d'organisation de Rodolphe Mathieu est proprement prodigieuse. Le 25 novembre, c'est l'arrivée à Paris. Rodolphe conduit les siens à son ancienne pension, au 20 rue Servandoni, entre l'église St-Sulpice et les jardins du Luxembourg, là où il avait déjà séjourné de 1920 à 1925. Pour Rodolphe, la vie recommence enfin, pour Mimi c'est la concrétisation d'un rêve, pour André et Camillette le début d'un temps nouveau.

CHAPITRE II
SPLENDEURS DE L'APPRENTISSAGE ET PREMIERS TRIOMPHES

Le 25 novembre 1936, Rodolphe est de retour à Paris. Rodolphe, cet éternel rêveur, distrait et poète, retrouve sa jeunesse et Madame Morin dont il est l'hôte. Même si les Mathieu sont en pension, et non dans un appartement à eux, Rodolphe est à nouveau « maître chez lui ». La tatante et Albina sont à des milliers de kilomètres. Mais le Paris des années 20 a disparu. La prise de pouvoir par Hitler le 30 janvier 1933 a instauré la dictature nazie en Allemagne. Qu'elle le veuille ou non, l'Europe se met à tourner au rythme de Berlin. Les lois raciales du Reich et la légalisation de l'antisémitisme vont changer à jamais la civilisation. Staline continue de piétiner le rêve communiste et écrase les Soviétiques sous un régime qui mélange purges et terreur. C'est le 26 février 1936 que Porsche présente le modèle de voiture le plus célèbre au monde, la fameuse Coccinelle de Volkswagen. À Paris, le Front populaire de Léon Blum a été porté au pouvoir le 3 mai 1936, mais la droite va triompher, car en juillet la guerre civile espagnole éclate et le grand poète Federico Garcia Lorca est assassiné. Aux Jeux olympiques qui se déroulent à Berlin en août, Hitler quitte la tribune officielle pour éviter de serrer la main du champion américain – quatre médailles d'or – Jesse Owens : Owens est noir. Grâce à son « New Deal », Roosevelt est réélu par une majorité écrasante. Et chez nous, on l'a vu, Duplessis entame son règne de façon spectaculaire.

À peine arrivé à Paris, Rodolphe reprend contact avec Marcel de Valmalète, un des agents d'artistes les plus puissants du milieu musical. À bord du *Duchess of Richmond*, les Mathieu se sont liés d'amitié avec le Docteur Paul Latour qui vient séjourner pour la première fois dans la capitale française. C'est lui qui va avancer les fonds pour le premier récital d'André. Rodolphe ranime son réseau en un temps record et s'occupe de la location de la salle Chopin Pleyel, de l'impression des billets. Pour les communiqués aux journaux, Valmalète a engagé les services de l'agence de presse Havas qui enverra des dépêches régulièrement pendant tout le séjour parisien.

Rodolphe va même retrouver son ancien maître Louis Aubert, qui invitera les Mathieu père et fils au micro de Poste Parisien pour présenter André aux mélomanes français. Rodolphe provoquera un éclat de rire en racontant que pour écrire *Les Abeilles piquantes* « André s'était fait courir par les abeilles » !

Enfin, la date du récital est arrêtée, tout est prêt. Dans le « calendrier du groupement des organisateurs de concerts » paru dans *Le Figaro* et couvrant la semaine du 7 au 21 décembre, on peut consulter les listes de tous les artistes qui sont à Paris pour être vus et entendus : Ruggero Gerlin le 7, Yvette Guilbert le 8, Marya Freund le 9, Toscanini le 13, André Mathieu le 15, Charles Panzéra le 16, Monique Hass le 16, Pablo Casals le 18, et Georges Enesco le 21. L'affiche est impressionnante, André est en bonne compagnie ! Il a revêtu son petit habit de gloire : pull blanc, short blanc, chaussettes blanches et souliers blancs. L'enfant immaculé ouvre son récital avec *Les Trois Études opus 3, 1 et 4.* Il enchaîne avec *Dans la nuit opus 12* et *La danse sauvage opus 8.* Il revient sur scène avec son père et ils attaquent le *Concertino no 1.* Puis André, seul, joue *Tombeau opus 18*[73] suivi de *Procession d'éléphants opus 5* que précède *Le Petit Âne Blanc* auquel s'attache *Les Abeilles piquantes.* Des années plus tard, parlant de ce récital, Mimi dira en parlant des spectateurs : « Ils sont entrés sceptiques, ils sont repartis convertis. » Après l'entracte, André attaque *La Gavotte en sol mineur* de Bach, *La Valse pour enfants opus 14* s'intercale entre *Le Petit Berger* et le *Golliwogg's cakewalk* de Debussy. Enfin, dernier groupe, *Les Cloches opus 9, Marche funèbre opus 7* et *Les Gros Chars opus 2* (Valmalète a jugé prudent de « traduire » les gros chars par « locomotives ») qui conclut le récital. Les commentaires de la presse parisienne sont quasi délirants. Un tel accueil est plutôt rare et ce scepticisme qui se transforme en conversion n'est pas une exagération de Mimi.

Dans *L'Écho de Paris* : « Nous avons eu la surprise d'entendre à la Salle Chopin, un véritable enfant prodige, André Mathieu – sept ans – jouer du piano avec une adresse et un sens rythmique remarquables. Mais chose plus extraordinaire, la plus grande partie du programme comprenait des œuvres de sa composition. Or, dans ses œuvres, il y a une autorité, une

73. Cette œuvre, *Tombeau*, il n'en reste aucune trace !

indépendance, un dynamisme qui dénotent un tempérament avec lequel il faudra compter. »[74]

Dans *L'Excelsior* : « Le cas du petit Canadien André Mathieu ne peut laisser indifférent. Cet enfant de sept ans qui est déjà un pianiste habile joua non seulement des œuvres diverses, mais quelques-unes de ses propres compositions. Si celles-ci sont encore puériles quant à leur forme, en revanche elles sont imprégnées d'un caractère sombre, contemplatif et âpre, qui n'est pas sans troubler étrangement. Il y a en elles non pas tant l'affirmation d'un tempérament musical exceptionnel que l'indication d'une âme tourmentée. Ce qui est tout de même un peu douloureux à constater chez un aussi jeune enfant. L'étalage en public d'une pareille morbidité enfantine est-il souhaitable ? »[75]

Encore plus troublant : « Un jeune compositeur de sept ans, et dont nous avons entendu l'opus 18 – ce qui indique qu'il n'est pas à son coup d'essai – constitue tout de même un phénomène exceptionnel. Le démon de la musique l'habite et ses petites pièces pittoresques, sa *Danse sauvage*, ont déjà une couleur, un accent qui indiquent un musicien-né. »[76]

Poursuivons avec un article du 16 décembre 1936 dans la publication de l'agence Havas : « La perfection et la variété de son jeu [...]. Mais la plus grande partie du programme était composée d'œuvres écrites par André Mathieu lui-même entre cinq et sept ans. Paris, systématiquement sceptique en pareil cas, les attendait avec méfiance. Dès qu'André Mathieu eut joué ses trois études, sur les touches blanches et sur les touches noires, ce scepticisme fit place à l'enthousiasme. »[77] C'est signé Schumann !

Enfin un certain Monsieur Brete écrit dans *Les artistes d'aujourd'hui*, numéro de décembre 1936 : « J'ai été vivement intéressé par le premier concert donné à Paris par ce jeune pianiste compositeur, véritable petit prodige, extraordinairement doué [...]. Je crois que le plus brillant avenir est promis à ce nouveau Mozart. »[78]

74. Carol Bérard, *L'Écho de Paris*, le 23 décembre 1936.
75. J. Pierre Leroy, *L'Excelsior*, le 26 décembre 1936.
76. André Himonet, *L'Ami du peuple*, le 21 décembre 1936.
77. Schumann, L'Agence Havas, le 16 décembre 1936.
78. Monsieur Brete, *Les artistes d'aujourd'hui*, décembre 1936. Trois ans avant Vuillermoz, Mozart apparaît.

Il y a en prime, un article d'une rare intelligence et d'une perspicacité assez étonnante qu'il faut citer :

> Lorsqu'on m'annonce un enfant prodige, mon premier mouvement est de méfiance. Je suis néanmoins venu entendre André Mathieu, pianiste-compositeur qui porte loyalement ses sept printemps, et j'en reviens très troublé. Essayons de raisonner avec lucidité sur un cas qui paraît digne de beaucoup d'attention. Ce jeune Canadien a été élevé dans un milieu très musicien. En même temps que le lait de sa mère, il a sucé la sève debussyste, strawinskiste, et bien d'autres. Son père, qui est compositeur, a suivi, avec le paternel attendrissement qui était naturel, les premiers balbutiements du gamin et ses premiers essais. Dans quelle mesure cet appui légitime s'est-il mué en collaboration plus ou moins inconsciente ? Je ne veux pas le savoir. J'élimine résolument l'hypothèse d'une mystification : l'enfant joue avec trop de sincérité pour qu'on puisse mettre en doute, pour le moins, sa large part dans les pages qu'il présente. Même corrigées, ce sont certainement ses œuvres. Composition ? Le mot est gros. Improvisations notées, et c'est déjà beaucoup, c'est même tout ce qu'on peut demander à cet âge, encore que certains concertinos témoignent déjà d'un sens précoce et personnel de la construction.
>
> Nous voici maintenant à l'aise pour louer, suivant leurs mérites, une ligne mélodique fraîche, souple, imaginative qui exclut la réminiscence et qui, bien qu'influencée, est déjà personnelle ; une harmonisation qui se permet déjà de juvéniles audaces ; un sens très vif de l'observation et du pittoresque. Et surtout ce que je n'hésite pas à qualifier de génie du rythme : ce gosse, avec des moyens très simples, stylise sans avoir l'air d'y toucher les trouvailles de métrique de toute une génération. Comme on voit, ces notations que j'ai cherchées objectives, et qui évite de faire la part de l'âge tendre du sujet, apportent un ensemble qu'on réclame en vain de maint compositeur chenu et arrivé. Il est difficile de prédire ce que deviendra une fleur de serre. Mais il se pourrait fort bien que ce petit bonhomme devienne un grand bonhomme ! [79]

Et le 16 décembre toujours, un article anonyme et presque folklorique : « André Mathieu, que d'aucuns ont surnommé "le petit Mozart canadien", a fait hier soir un début triomphal devant un public parisien [...]. Son père [...] a décidé de choisir le Conservatoire de Paris pour l'éducation musicale de son enfant, plutôt que d'accepter l'offre d'une ville américaine

---

79. P.-B. Wolf, *La liberté*, le 22 décembre 1936.

qui eût versé cinq mille dollars par année jusqu'à sa majorité à André s'il étudiait aux États-Unis et adoptait la nationalité américaine.»[80] Le journaliste ne peut pas avoir inventé une histoire pareille, on la lui a forcément rapportée, et ce n'est sûrement pas André qui peut la lui avoir racontée, c'est donc Rodolphe, ou peut-être Mimi : « L'élite des musiciens et l'Honorable Philippe Roy, ministre du Canada à Paris, vinrent [...]. L'assistance bissa *Les Abeilles piquantes*, *Valse pour enfant*, *Les Cloches*, *Marche funèbre* et *Les Gros Chars* [...]. Monsieur Roy disait dans son émotion : "Et dire que c'est un de nos paysans français du Canada" ».[81]

Ou, variation sur le thème, dans un autre article du 16 décembre 1936 : « Une telle habileté dans l'exécution et la composition chez un enfant de sept ans doit être désignée du mot de "Génie" »[82], ou encore : « C'est à la fois le Paderewsky et le Debussy de 1950. »[83] Qui dit mieux ?

Un autre témoignage nous vient d'un compatriote de Rodolphe qui habite la même pension que les Mathieu, rue Servandoni, l'abbé Paul Lachapelle (1897-1983). Il est en stage d'études à Paris et de 1927 à 1935 a étudié la musique avec Rodolphe. Voici le témoignage extrait de son livre *Temps passé* :

> Ce fut un étonnant récital : un enfant de huit ans [il en a sept, mais pour une fois qu'on le vieillit...] dont le programme présentait en majeure partie des œuvres de sa composition. La salle Chopin était comble [...]. Avant le concert, dans les rangées derrière et devant nous fusaient des propos sceptiques. – « Moi, dit l'un d'eux, les enfants prodiges me laissent de glace. » – un autre doutait du sérieux de cet événement qu'on annonçait révélateur d'un futur grand musicien [...]. André parut sur scène, en culottes courtes, salua gauchement et s'assit sur un tabouret adapté à sa taille. À cette vue, les auditeurs étaient déjà en sympathie [...]. Dès le premier morceau, il sembla avoir conquis son auditoire ou à peu près. Ce n'est toutefois qu'à la troisième pièce que les applaudissements éclatèrent spontanément. Des bravos vinrent clore la première partie du programme. À la reprise, la salle était enthousiaste et la partie était gagnée. À la fin ce furent des

80. Journaliste inconnu, journal inconnu, le 16 décembre 1936.
81. *Idem.*
82. *Idem.*
83. *Idem.*

> applaudissements prolongés, des bravos et des rappels. Les gens étaient debout et l'acclamaient à tout rompre [...]. André revint saluer plusieurs fois, l'air un peu effrayé. Son père me dit après la soirée qu'André ne cessait de répéter en revenant dans les coulisses : « Papa, qu'est-ce qu'ils ont ? Ils sont debout et crient très fort. »[84]

Un son de cloche différent, cette fois, d'un autre grand artiste qui se débat pour survivre à Paris, le violoniste acadien Arthur Leblanc, qui a besoin urgemment d'une bourse pour compléter sa septième année d'études à Paris : « Je vois que notre gouvernement vient d'accorder à un tout petit musicien une bourse d'études en Europe. Je suis très heureux pour ce cher petit André Mathieu qui promet pour l'avenir, mais... Je dois vous dire que le petit pianiste-compositeur envoyé ici n'a pas laissé une bien bonne impression lors de son récital. Je m'abstiens de donner les impressions entendues »[85].

Même avec les nuances, c'est un accueil extraordinaire. Personne n'aurait pu demander davantage. Une interview à la radio française, un récital qui récolte des critiques éblouissantes, une agence de presse efficace et le nom d'André Mathieu vient de commencer à exister ailleurs qu'au Canada français.

Rodolphe écrit à son ami Arthur Prévost, le 20 décembre 1936, sur du papier à en-tête du Café Les Deux Magots, place St-Germain-des-Prés :

> *Mon cher Prévost,*
>
> *Merci de votre envoi de coupures de journaux. Nous étions bien heureux de recevoir un mot de vous. Grand succès d'André mardi dernier. Un grand lancement est fait. De grands projets sont en formation [...].*

Il n'est pas nécessaire d'être éditeur pour relever que Rodolphe emploie trois fois le mot « grand » dans ce petit mot plein d'espoir. C'est assurément l'impression qui flotte dans l'air quelques jours avant ce Noël sans doute rempli de nostalgie, loin de la maison. Rodolphe promène sa famille dans

84. Paul Lachapelle, *Temps passé*, Les Éditions Pauline, 1975, p. 61 et 62.
85. Lettre d'Arthur Leblanc à l'abbé Desrochers, le 17 décembre 1936, citée dans l'ouvrage de Renée Maheu, *Arthur Leblanc, Le poète acadien du violon*, Boréal, Montréal, 2004, p. 133.

son Paris, le Paris de sa jeunesse retrouvée. Mimi racontera qu'elle s'est assise là où Verlaine s'assoyait au Café de Flore. On conçoit facilement le plaisir des enfants de courir au jardin du Luxembourg ou d'apercevoir au loin la tour Eiffel. Pour André, l'année 1936 qui s'était annoncée avec New York en tête, se termine avec Paris à ses pieds. Pas mal pour un petit gars de la rue Berri.

Pour qu'André puisse étudier avec de grands maîtres, Rodolphe vient de transplanter toute sa famille à Paris. Que s'est-il passé entre ses grandes déclarations de principe où il tenait à ce que son fils soit un « produit d'ici », formé par des maîtres d'ici, et ce départ tant espéré mais inattendu vers la ville de tous les possibles ? Peut-être la crainte de voir son fils pris à parti lui a-t-il fait choisir de le confier à des étrangers totalement en dehors des querelles intestines du monde clos des Canadiens français.

Ce sera le grand Yves Nat (1890-1956) qui va inculquer à André les principes de base de la technique pianistique. Ce protégé de Debussy, cet ami d'Ysaye a été nommé professeur au Conservatoire de Paris en 1934. C'est un des grands pianistes du siècle dernier. Son intégrale des sonates de Beethoven et ses enregistrements de Schumann font encore autorité aujourd'hui. Pendant ses premiers mois à Paris, ces cours sont le seul perfectionnement d'apprentissage que la demi-bourse du gouvernement du Québec permet à la famille Mathieu d'offrir à leur fils. Le simple fait que Yves Nat accepte André comme élève privé constitue déjà le plus bel éloge, la plus belle accolade qu'on puisse souhaiter. D'autre part, l'agence Havas ne chôme pas. Un communiqué du 2 février 1937 nous apprend qu'« André Mathieu a fait la joie de Paris ». Son *Hommage à Mozart enfant*, qu'il a joué hier soir à la radio, contribue beaucoup à grandir sa popularité en France. Cet hommage au grand Mozart du Mozart canadien apparaît émouvant en soi-même [sic] ». L'agence Havas encore, nous apprend le 3 juillet 1937 qu'André donnera son *Concertino no 2* avec l'orchestre de la Société Mozartienne de Paris dirigé par Félix Raugel, en septembre, salle Gaveau. Le communiqué nous informe aussi qu'une nouvelle œuvre, une *Suite pour deux pianos* intitulée : *À bord du paquebot Duchess of Richmond* lui a été inspirée par la traversée à bord de ce navire. *La Suite* composée de trois mouvements : *Les Mouettes*, *La Petite Sœur malade*, et *Les Vagues* est également au programme.

PAUL-LOUIS WEILLER, LE BIENFAITEUR

Mais le grand événement de cette année 1937, la continuation de ce conte de fée, c'est la rencontre et l'engagement de Paul-Louis Weiller (1893-1993), le « commandant Weiller » comme on l'appelle, à soutenir financièrement les deux enfants Mathieu, André et Camillette.

Le personnage mérite le détour. Alsacien, il est issu d'une famille d'industriels juifs convertis au catholicisme et parfaitement intégrés à la société française. Au moment de la rencontre avec les Mathieu, il a quarante-quatre ans. Il en est à son deuxième mariage. Cette fois il s'agit d'une jeune femme magnifique qui fut couronnée Miss Europe en 1930, Aliki Diplarakos, une Grecque, dont il aura un fils, Paul-Annik Weiller (1933-1998). L'empire de Paul-Louis Weiller repose non seulement sur l'argent et le pouvoir, mais également dans la culture d'amitiés au sein de l'intelligentsia française et internationale. Le grand écrivain et poète Paul Valéry, qui est un proche, aura cette formule pour cerner la beauté hiératique de la jeune épouse du magnat : « Cette jeune fille a deux mille ans ! ».

C'est un des hommes les plus riches et les plus puissants de France. Il habite un hôtel particulier rue de la Faisanderie. Sa vie est exceptionnelle. Pendant la guerre de 14-18, il est cité douze fois, blessé cinq fois et décoré cinq fois. À vingt-cinq ans, il est fait officier de la Légion d'honneur et reçoit la Croix de guerre avec palmes. Le maréchal Foch, qui en a fait son aide de camp, l'invite à la signature du traité de Versailles dans la galerie des Glaces le 28 juin 1919. Après la guerre, il arrime son destin à la société Gnôme et Rhône. Un mot de Paul Maraud résume le succès de Weiller : « Gnôme et Rhin – c'est Wagner, Gnôme et Rhône – c'est Weiller ». Il va développer son marché en fondant la Compagnie Internationale de Navigation Aérienne, la C.I.D.N.A. et il met sur pied d'autres lignes aériennes qui seront toutes nationalisées en 1933 : cette nationalisation donne naissance à la compagnie Air France, le 30 août 1933. On lui offre la présidence d'Air France, il la refuse. C'est aussi un homme qui collectionne les demeures comme d'autres les tableaux. Il vit dans le faste, le luxe. Greta Garbo ne s'y est pas trompée quand, séjournant dans une de ses propriétés perdues dans les pins de la Côte d'Azur, « la Reine Jeanne », elle surnomme Weiller : « Paul-Louis XIV ». Mais il faut céder la parole à Rodolphe qui dans cette lettre déjà citée envoyée à l'historien Robert

Rumilly, au sujet d'André, écrit : « Mais à Paris, des personnes se sont intéressées à trouver un mécène pour combler cette petite bourse (accordée par Duplessis). Madame Juge Bruneau, une Canadienne qui se trouvait alors en France à ce moment [sic], nous mit en relation avec Madame Octave Homberg, présidente de la Société Mozartienne de Paris qui enfin présenta André en récital chez le commandant Paul-Louis Weiller, lequel prit immédiatement sous sa protection notre fils. »[86] Comme se plaira à le dire Mimi : « Weiller payait tout. Il nous a comblés. Pour moi, Paul-Louis Weiller, c'était le Bon Dieu sur terre. »[87] Non seulement ce mécène légendaire va-t-il permettre à André et à Camillette de poursuivre leurs études à l'abri du besoin, mais ce parrainage prestigieux va leur permettre d'évoluer dans des milieux situés à des années-lumière de la rue Berri.

Et l'amitié du « commandant » se prolongera au-delà des années parisiennes. À la déclaration de guerre, le 3 septembre 1939, bien qu'ils l'ignorent encore, les Mathieu sont revenus au Québec pour de bon, leurs vies vont recroiser celle de Weiller à Montréal. Rapidement, pour poursuivre en pointillé le destin de cette vie exceptionnelle, le 25 juin 1940 la France capitule. Le 10 juillet, le maréchal Pétain prend la tête de l'État français. Le 6 octobre, Weiller est arrêté, le 29 il est déchu de sa nationalité française; mis élégamment sous séquestre, le 11 janvier 1942 il fuit la France occupée, par Marseille, et se rend d'abord à Cuba, où il rencontrera un jeune avocat américain qui devient un ami pour la vie : Richard Nixon. Ensuite il se rend à Montréal en attendant que les démarches de sa femme à New York lui permettent de se rendre aux États-Unis. De Montréal, il aide la France libre. Le passeport numéro 1 de cette nation virtuelle est issu au nom de Paul-Louis Weiller, c'est tout dire. Cependant, sa mère, restée en France, est déportée à Auschwitz; elle n'en reviendra pas. Le 6 avril 1943 Weiller est au Ritz-Carlton de Montréal. Puis il s'installe au 8 Chelsea Place; c'est que Weiller, imprévisible mais prévoyant, avait fait déposé trois millions de dollars à la Customdom Trust Company de Montréal, au nom de « Gargantua ». En visite à Montréal le général de Gaulle le rencontre en privé. Paris est libéré le 25 août 1944. Weiller attend. Il se méfie. Et il a raison, car le 30 mai 1945 on annonce la nationalisation de la Société

86. Rodolphe Mathieu, lettre à Robert Rumilly, le 28 décembre 1945, collection privée.
87. Mimi Mathieu, entretien du 10 décembre 1975, interview Rudel-Tessier.

Gnôme et Rhône. C'est un des seuls industriels français à pouvoir dire : « J'ai été nationalisé deux fois ! » Ce n'est pas une surprise, mais c'est un coup dur. Début 1946 il a trois adresses : Montréal, au 464 John Street (à cette époque à Montréal, les rues étaient des « streets »), New York, où il vit à l'Hôtel Plaza, et Londres, où son fils poursuit ses études, et où il possède aussi un appartement à Grosvenor Square. Se sentant sans doute trahi de tous côtés, le divorce d'avec Aliki, alors qu'elle séjourne à New York, les nationalisations successives de ses entreprises, l'antisémitisme affiché de ses pairs au moment de l'occupation nazie, tous ces événements vont mener ce patriote à se transformer en financier investisseur international et spéculateur de génie.

Finalement, en 1947, il rentre en Europe, mais les vingt-deux caisses contenant son déménagement de Montréal via New York brûlent le 8 janvier 1947 sur le quai numéro 3 du port américain dans un incendie spectaculaire. Toutes ses archives parties en fumée, on ne saura jamais le détail de ses rapports avec les Mathieu. D'après Madeleine Langevin Lippens, Weiller serait venu dîner rue Berri et Mimi de le citer : « Ce n'est pas la maison que je regarde, mais les gens qui l'habitent ». Preuve supplémentaire des contacts avec la famille Mathieu, il envoie une lettre à Mimi le 19 octobre 1944 : « Chère Madame, il me sera impossible d'être des vôtres dimanche 5 novembre. J'espère néanmoins que nous aurons l'occasion de nous revoir prochainement. Ma meilleure amitié pour Rodolphe, Camille, André et vous-même. Bien sincèrement, Paul-Louis Weiller. » La lettre porte l'adresse du 8 Chelsea Place à Montréal. Dans les années 60, après la mort de Rodolphe, et alors qu'elle séjourne chaque été en France chez sa fille, Mimi tentera de reprendre contact avec Weiller en lui rappelant qu'André avait joué chez lui à plusieurs reprises.

Enfin, de 1947 à sa mort, en 1993, à plus de cent ans, Weiller restera un homme d'affaires redoutable et un mécène ami des arts toujours aussi éclairé : Roger Vadim, Maurice Béjart, Brigitte Bardot, Alain Delon… et tant d'autres lui doivent tous quelque chose. Il a fréquenté le siècle, Onassis, les frères Wright, Malraux, Henry Ford, Jean-Paul Getty, Nixon, Pompidou, Dalí… la liste est infinie.[88]

---

88. Jacques Mousseau, *Le Siècle de Paul-Louis Weiller 1893-1993,* Stock, 1998, 588 p.

PARIS, À NOUS DEUX !

Grâce à ce passeport de haut lignage, grâce à ce parrainage fourni par Paul-Louis Weiller, les portes des maisons de pouvoir s'ouvrent. Les salons parisiens ont toujours été des cercles d'influence qu'il fallait pénétrer pour lancer une carrière ou asseoir une réputation. Durant ces années parisiennes, André jouera donc à plusieurs reprises chez son mécène. Mimi a conservé un carton d'invitation daté du 4 juin 1937 chez Madame Postel-Vinay qui, bien qu'âgée de 90 ans, serait restée une interprète merveilleuse des sonates de Beethoven. Mimi nous dira qu'il a également joué chez la duchesse de La Rochefoucauld, chez le Comte Étienne de Beaumont et chez le Vicomte et la Vicomtesse de Maublanc. Celle-ci, Canadienne d'origine, née Gladys Graham, avait épousé le Vicomte de Maublanc. Ce couple d'un certain âge était sans enfant et Mimi raconte comment André et Camillette étaient traités comme les enfants de la maison. La sœur de la vicomtesse, Florence Nightingale Graham, mondialement connue sous le nom d'Elizabeth Arden, témoignera d'un vif intérêt pour le jeune André quand les Mathieu arriveront à New York et, selon les souvenirs de la vieille Madame Leventritt, Elizabeth Arden se serait faite la championne d'André pour quelques saisons. Mais restons à Paris.

Privilégiés par la vie qu'ils mènent, les Mathieu n'en ressentent pas moins le mal du pays. Paul-Louis Weiller leur offre le passage pour revenir profiter du temps des vacances au Canada. Les Mathieu débarquent à Québec le 13 août 1937, ils ont fait la traversée de retour sur le paquebot *Montrose.* Dès son arrivée, André est interviewé et l'article de l'*Illustration Nouvelle* brosse un résumé du séjour parisien.

> Le jeune phénoménal André Mathieu est de passage au pays après un séjour d'un an en France. Il reprendra le bateau dans quelques semaines pour faire une tournée de concerts en Angleterre, en France et en Italie.
>
> Élève d'Yves Nat du Conservatoire de Paris, le petit prodige canadien donna quelques récitals à la salle Chopin-Pleyel, au Salon musical Postel-Vinay et dans nombre d'endroits culturels de Paris. Il fut interviewé sur Radio Luxembourg et au Poste Parisien comme il l'avait été à la National Broadcasting de Londres (BBC). [...]

> André fut présenté à Louis Aubert et Félix Raugel sous la direction duquel il doit jouer une de ses œuvres symphoniques la saison prochaine à Paris.
>
> Durant son séjour en Europe il composa de nouvelles œuvres : *Hommage à Mozart enfant*, et une *Suite maritime* en trois mouvements : *Les Mouettes*, *Petite sœur malade* et *Les Vagues.* On mentionne que Firmin Rose a donné une réception en l'honneur de l'honorable Albiny Paquet et du Lieutenant gouverneur Patenaude, et qu'André, le plus jeune boursier de la province, a joué quelques pièces. [...] M. Rodolphe Mathieu, pianiste et compositeur canadien, ne trouve pas de changement dans le Paris musical depuis sa dernière visite il y a 10 ans. [...] C'est avec surprise qu'il apprit au représentant de *l'Illustration Nouvelle* que le séjour d'un an qu'il venait de faire en Europe avec son épouse et ses deux enfants était son voyage de noces qu'il n'avait pas encore trouvé le temps de faire [...].
>
> Dans quelques semaines, le petit André s'embarquera avec sa maman, son papa, et sa petite sœur qui a des aptitudes pour la danse et le violon (on sait que Madame Mathieu est une violoniste qui a fait ses preuves). Monsieur Mathieu fera l'entrée de son fils au Collège Bossuet. Et le benjamin de nos boursiers dormira chez lui bien gardé par les quatre gendarmes qui montent la garde boulevard Huysmans devant les domiciles du consul d'Allemagne et du président du Conseil des ministres Camille Chautemps, qui habitent à côté des Mathieu.
>
> Il faut qu'un imprésario nous fasse entendre André avant son départ.[89]

Déjà, la propension familiale aux licences poétiques et à la rêverie sont manifestes. Ce projet de déménagement dans l'appartement de la rue Huysmans était sans doute un beau rêve mais, nous le savons, d'après les cachets de poste, toute la correspondance qui nous est parvenue donne toujours le 20 rue Servandoni comme lieu de résidence lors du séjour à Paris. Rodolphe mentionnait également une tournée en France, en Angleterre et en Italie, semble-t-il restée à l'état de projet.

VACANCES AU PAYS

Et c'est le retour de la famille. Ils vont séjourner à St-Constant chez Albina, puis aux Grondines chez Madame Mathieu, ils s'attardent, ils profitent de

89. Journaliste inconnu, *L'Illustration Nouvelle*, le 16 août 1937.

septembre, mais Rodolphe, habile publiciste, cède aux pressions et présente son fils d'abord à CKAC, à l'émission *L'heure provinciale*, le vendredi 22 octobre, où il va créer sa nouvelle œuvre *Les Mouettes*, et puis enfin, le jeudi 28 octobre 1937, André donne un grand concert au Palais Montcalm de Québec. En plus de ses pièces habituelles, deux nouvelles œuvres qu'il a composées récemment : *Hommage à Mozart enfant opus 20*, dédiée à Madame Octave Homberg, présidente de la Société Mozartienne de Paris. Mimi raconte que Madame Homberg croyait que l'âme de Mozart s'était réfugiée chez André, et qu'André était la réincarnation de Mozart. Il joue également : *Les Mouettes opus 19*, extrait de la *Suite Duchess of Richmond*. Mais là où le séjour parisien et le travail avec Yves Nat est manifeste, c'est dans l'élargissement du répertoire. Notre jeune prodige présente le *Menuet* de la *Suite Anglaise no 3* de Bach, le *Coucou* de Daquin, le *Deuxième Impromptu* de Schubert (premier cahier), *La Pavane de la Belle au bois dormant*, tiré de *Ma mère l'Oye* de Ravel, et du même le deuxième mouvement de la *Sonatine*, le menuet. Entre janvier et juillet, André n'a pas chômé.

Comme à l'accoutumée André est enseveli sous une avalanche d'éloges, le charme opère. Mais une critique parue dans *Le Journal* introduit un peu de mesure : « Sept, huit ans ? On ne peut avoir que de l'admiration pour un tel petit prodige, il faut crier miracle. Mais doit-on déjà parler d'un Mozart canadien ? De tels propos seraient prématurés [...]. Certes, la technique d'André Mathieu ne peut que se perfectionner avec un travail suivi [...]. Mais la sensibilité du gamin, son imagination et son sens musical se développeront-ils au même rythme ? »[90] Dans *L'Événement*, par contre, le journaliste a peine à contenir son enthousiasme : « C'est toute l'image du monde restreint si l'on veut, de par la vision même de celui qui l'évoque, que communique André Mathieu à travers une sensibilité inéprouvée [sic] et qui n'en adresse que plus abruptement son message. Cette conjonction de l'interprète et de l'exprimé est déjà une marque de l'artiste, sinon de son génie [...]. Son interprétation des maîtres comme Bach, Ravel, Debussy et surtout Schubert l'élève au-dessus de lui-même, au-dessus des possibilités nécessairement limitées qui sont de son âge, pour en faire un

90. J. Monier, *Le Journal*, le 29 octobre 1937.

prédestiné, un dépositaire de la beauté que d'autres ont rêvé et qu'il transmet avec une compréhension instinctive. »[91]

Plusieurs critiques mentionnent qu'il s'assoit au bord de son banc pour que ses pieds puissent rejoindre les pédales. On parle de son assurance, de sa désinvolture. « Peu importe que sa nervosité enfantine lui fasse presser un peu le mouvement, que ses petits doigts soient encore trop faibles pour bien servir tout ce que son esprit saisit et voudrait exprimer [...]. Il a reçu du ciel un don merveilleux que nous trouvons pour la première fois avec cette intensité chez un compatriote »[92].

Le Journal du 28 octobre propose même à ses lecteurs une rencontre avec le jeune artiste : « Il tient dans sa main une revue où il est question de yachts, de canots à moteur. – "C'est sa passion actuellement", me dit son père. Le journaliste nous apprend qu'il fait flotter des petits bateaux mécaniques sur le bassin du jardin du Luxembourg. C'est aussi pourquoi André adore les contes " de gangsters ", précise-t-il ! "J'aime bien aussi le cinéma avec des aventures" [...] "et le roman de Tarzan" ajoute son père. "Quels sont vos musiciens préférés, André ?" "Bach et Beethoven". "Vous prenez des leçons de piano au Conservatoire de Paris ?" "Oui, avec Yves Nat" [...]. André depuis quelque temps donne des signes de lassitude et d'impatience [...]. Il se sauve dans l'autre pièce et son rire explose, moqueur [...]. »[93]

Dans le journal *L'Action Catholique* du 27 octobre, on rend compte avec photos d'une visite d'André à la mairie de Québec. Visite officielle rapportée dans les journaux, comme on signale l'invitation de Madame Patenaude, l'épouse du Lieutenant-gouverneur à leur résidence « Spencer Wood ». Le jour même de son récital au Palais Montcalm, à l'invitation de Monseigneur Camille Roy, recteur de l'Université Laval, André a joué pour les élèves du Petit et du Grand Séminaire de Québec. Dans un des compte rendus de ce récital d'une heure, un journaliste anonyme d'un journal non identifié détaille le programme et s'attarde à commenter *Tristesse opus 11* : « un poème, que composa le jeune prodige à cinq ans, a particulièrement charmé l'auditoire. Dans cette pièce l'auteur traduit avec un réalisme saisissant la tristesse qui envahit l'âme d'un brave médecin de

91. L. Paré, *L'Événement*, le 29 octobre 1937.
92. *Le Soleil*, le 29 octobre 1937.
93. *Le Journal*, le 28 octobre 1937.

famille dont le fils unique, doué d'un exceptionnel talent artistique, vient de mourir. » Ça, ça ne s'invente pas ! Horaire chargé, deux récitals le même jour, visite à la mairie, invitation chez le Lieutenant-gouverneur et il a huit ans !

Un mois plus tard, la famille quitte le port de New York, le mercredi 24 novembre 1937, à bord du paquebot des stars, le *Normandie.* Pour vraiment évoquer ce qu'étaient les traversées transatlantiques à cette époque, il faut lire les premiers chapitres du livre *Tristes tropiques* de Claude Lévi-Strauss. Le *Normandie* était à l'époque des voyages maritimes ce que le Concorde sera au transport aérien. Tous les témoignages s'accordent à dire que le *Normandie* était un bateau d'une splendeur restée légendaire. D'innombrables livres lui ont été consacrés, mais on peut le voir dans toute sa gloire dans le film de Sacha Guitry, *Les Sept Perles de la Couronne* : la scène finale se déroulant dans la salle à manger du célèbre palais flottant. Le *Normandie* était la plus prestigieuse vitrine pour les designers, décorateurs et architectes français. Voyager sur le *Normandie* était un signe d'appartenance.

Le mardi 30 novembre, le *New York Tribune* de Paris publie la liste des passagers qui viennent d'effectuer la traversée ; on y retrouve entre autres l'acteur Paul Muni, qui vient d'incarner Émile Zola à l'écran, le cinéaste Anatole Litvak, très célèbre à l'époque. On signale aussi la présence du pianiste Jacques Février, de la monologuiste Ruth Draper, et du pianiste prodige et compositeur de six ans André Mathieu, le fils de Rodolphe Mathieu. Suit une liste de politiciens, d'hommes d'affaires, etc. À huit ans, André et sa famille, grâce à lui et à l'appui inconditionnel du commandant Weiller, se classe maintenant parmi l'élite privilégiée de l'Occident.

L'APPRENTISSAGE DORÉ

Les Mathieu retrouvent Paris le 29 novembre 1937. Rodolphe, tel qu'annoncé, inscrit André au lycée Bossuet, où il étudiera trois matinées par semaine. Le reste du temps est consacré à la musique. Succédant à Yves Nat, c'est à Alfred Cortot, un des musiciens les plus célèbres et un des plus grands pédagogues à l'époque, que Rodolphe décide de confier dorénavant la formation pianistique d'André. La transmission des secrets du maître se fera à travers Madame Giraud-Latarse, une de ses répétitrices attitrées. Rodolphe va aussi retenir les services de Jacques de la Presle,

Prix de Rome 1921, pour former André au métier de compositeur et à l'harmonie; pour le solfège et la dictée musicale, Rodolphe engage Simone Fréjard, et comme répétitrice Charlotte Causeret. Camillette, elle, sera inscrite au cours Valton, école huppée et prestigieuse pour les jeunes filles de bonne famille. Elle suivra des cours de danse, pour laquelle elle semble très douée. Elle travaille avec Madame Igourova, rue La Rochefoucauld. Durant cette année 1938 André composera peu d'œuvres nouvelles, la tâche délicate de son nouveau professeur étant de lui apprendre les arcanes du métier sans assécher ce geyser indiscipliné. Il faut sans doute y voir l'intervention du commandant Weiller, qui a recommandé qu'André limite ses apparations à quelques salons privés.

À peine arrivé à Paris, Rodolphe rencontre le journaliste Jean Wurmser. Dans cet article, le journaliste nous apprend que : « Rodolphe Mathieu prit en main l'éducation musicale de son fils et refusa toutes les offres de New York [...]. » Le journaliste Wurmser continue : « Voilà qui est tout à l'honneur de cette famille française et normande d'origine, et dont les ascendants immigrèrent il y a trois cents ans [...]. Le garçonnet au front proéminent, au crâne volumineux – comment ne pas penser à Debussy! – est timide et patient. Son père le dit turbulent et indiscipliné. Pourtant, il aime jouer dans une salle de concert, devant de nombreux auditeurs. L'audition pour la radio semble le déconcerter, et même le dégoûter. Et il ne se gêne pas pour dénoncer un piano s'il est faux »[94]. L'année 1938 semble toute entière consacrée à l'étude, à la composition, au travail. Tout cela est bien sûr rendu possible grâce à la générosité du commandant Weiller.

Le 9 mars 1938, l'agence Havas envoie un communiqué pour nous apprendre que, la veille, André Mathieu a été invité sur les ondes de Radio Luxembourg. Après un reportage, André a interprété trois de ses compositions : *Les Abeilles piquantes*, *Danse sauvage*, et les *Trois études*. Il a aussi prononcé quelques mots au micro.

Un autre communiqué qui paraît dans le journal *La Patrie* est tout à fait étonnant. « André Mathieu [...] devait faire en avril une tournée de concerts en Autriche, mais une dépêche de l'agence Havas nous dit qu'étant donné l'Anschluss[95] il a décidé de renoncer à son voyage. »[96]

94. Jean Wurmser, journal inconnu, décembre 1937.
95. Anschluss : le 12 mars 1938, l'armée allemande entre à Vienne. Dès le lendemain, les deux pays seront unifiés.
96. *La Patrie*, le 20 mars 1938.

À l'été, la famille restera en France mais profitera des largesses de Paul-Louis Weiller. Rodolphe et les siens partent à Onival-sur-mer, en Picardie. Le professeur de composition d'André, Jacques de la Presle, les accompagne.

Et le 30 août, l'on reçoit une bonne nouvelle : « L'Honorable Secrétaire de la Province, dans un mémoire en date du 25 août (1938) recommande : – qu'un octroi spécial de trois cents dollars chacun, soit payé aux boursiers dont les noms suivent, conformément au chapitre 140, des statuts refondus de Québec, 1925, article 2, savoir : – Madame Thérèse Archambault, André Mathieu, certifié par A. Morissette, greffier, conseil exécutif. »

Rodolphe, Wilhelmine, André et Camillette peuvent poursuivre leur trajectoire exceptionnelle : une famille québécoise, canadienne-française, installée en plein cœur de Paris, étudiant avec les meilleurs maîtres, visitant les expositions, fréquentant les théâtres, écoutant les meilleurs concerts avec les plus grands solistes et avec la conscience de donner au pays une voix qu'il n'a jamais eue. Les Mathieu ont tourné quelques films de famille pendant leur séjour parisien. On les voit visitant les châteaux de la Loire ou regardant un défilé militaire place de la Concorde, ou encore jouant au bord des bassins du jardin du Luxembourg...

Enfin, dans une carte postale montrant l'Arc de Triomphe et datée de Paris, 3 novembre 1938, Camillette écrit : « Bonjour Parrain, comment vas-tu ? Je vais au cours Valton et je travaille bien. Je t'aime toujours, toi ? Gros becs, ta Camille, 20 Servandoni, Paris 6e. »

Le gros événement de cette fin d'année 1938 sera la visite de la grande Camille, sœur de Mimi, marraine d'André, et de son compagnon Adélard Lachapelle, Ady, parrain de Camillette. Ils fêteront Noël ensemble. Cette année d'accalmie où André suit son destin sans grand concert, sans grand voyage, où toute la famille peut s'amuser au bord de la mer, cette année 1938, est la seule, facile, comblée, l'unique année bénie avant la floraison de l'année suivante et la catastrophe qu'il faudra transformer, à quel prix, en triomphe.

Pendant ces deux années de séjour en France, l'accumulation de divers événements vont rendre le déclenchement d'une guerre mondiale inévitable. Le 26 avril 1937, une escadrille allemande va bombarder la petite ville de Guernica, Hitler aidant Franco à établir sa dictature. En réaction au massacre, Picasso va peindre un des tableaux emblématiques du 20e siècle, tableau qui sera exposé à l'Exposition universelle de Paris inaugurée le 24 mai 1937. Pour cette Exposition, les Français ont placé face à face, deux pavillons colossaux : l'Allemagne et l'URSS En septembre, Mussolini rend visite à Hitler à Berlin, décorée en jeune mariée. Le 12 mars 1938, Hitler envahit l'Autriche, c'est l'Anschluss, et le 9 novembre de la même année la nuit de Cristal porte à un nouveau degré d'horreur l'antisémitisme du national-socialisme. Ce n'est pas un hasard si le 1er juin le héros de bande dessinée *Superman* fait son apparition et que Jean-Paul Sartre publie *La nausée.*

1939 L'ANNÉE OÙ TOUT BASCULE

La nouvelle année commence en famille. Même si elles ont toujours eu un rapport difficile, les deux sœurs se retrouvent avec plaisir et les enfants sont sans doute ravis de tous leurs cadeaux, la grande Camille et Ady ayant toujours été très généreux. C'est sans parler du fabuleux train électrique que Paul-Louis Weiller a offert à André : chaque wagon est illuminé ! C'est sûrement Rodolphe qui, avec la ciné-caméra d'André, a capté sur pellicule des images de ce Noël 1938 à Paris. On voit les deux sœurs Wilhelmine et Camille, rivaliser d'élégance et les deux hommes, Rodolphe et Adélard, l'un athée, l'autre adultérin, partager cette marginalité qui les lie.

Les Mathieu sont revenus à Paris depuis plus d'un an et les progrès d'André au piano sont si évidents que Madame Giraud Latarse, avec l'approbation de Cortot, croit le moment venu de présenter officiellement André à nouveau en public. Immédiatement, Rodolphe et un nouvel agent se tournent vers Madame Homberg, qui ne doit plus pouvoir se contenir de présenter celui dans lequel elle voit la réincarnation de Mozart. Entre le récital du 15 décembre 1936, salle Chopin, et le récital qui va le propulser au premier rang des interprètes en vue, André n'a donné qu'un récital, le 28 octobre 1937, au Palais Montcalm de Québec.

Le Bureau International de Concerts C. Kiesgen, qui a remplacé Valmalète, choisit de présenter André le dimanche 26 mars 1939 à 14 h 15 à la salle Gaveau dans un unique récital dédié aux Enfants de Paris. Le bénéfice du concert sera consacré à diverses Oeuvres de l'Enfance Malheureuse. Ce qui frappe en regardant le programme c'est, mis à part la *Berceuse* « dédiée à mon maître Jacques de la Presle », l'absence d'œuvres nouvelles, d'œuvres récentes. La dernière au programme, une *Suite pour deux pianos* en trois mouvements marqués : *Allegretto – Dans les Champs*, *Andante – Repos*, et *Finale – Orage* nous paraît être un remaniement du *Concertino no 1.* André, salle Gaveau, joue sur un piano Gaveau. Et on lui donne neuf ans, bien sûr il en a dix.

Trois jours avant le récital, le journal *BENJAMIN*, le premier hebdomadaire français pour la jeunesse, lui consacre un article, dans lequel il est interviewé avec Rodolphe : « Je ne voulais pas qu'André soit musicien [...] mais un jour j'ai compris que je ne devais pas l'en empêcher. Ce jour-là, André était resté seul à la maison, il avait cinq ans, et il s'ennuyait. Alors il s'est mis au piano, et lorsque je suis rentré le soir, je l'ai entendu jouer un morceau, un morceau extraordinaire qu'il venait de composer pour exprimer sa tristesse et qu'il avait intitulé *Dans la Nuit.* J'ai été si bouleversé, que je lui ai promis de lui donner des leçons [...]. » À la question : « Étudiez-vous beaucoup ? », André répond : « Deux heures par jour, pas plus, car je vais en classe [...]. J'ai été premier en géographie cette semaine [...]. » Et quand on demande à Rodolphe « Quels sont vos projets ? », le père répond « Nous entreprendrons quelques tournées en France, en Europe, mais pas trop. Je ne veux pas qu'il se fatigue. »[97] Un autre journal pour les jeunes, *Âmes Vaillantes*, publie un reportage qui reprend les mêmes sujets. La presse est alertée, la jeunesse prévenue.

Ce dimanche 26 mars, André arrive à la salle Gaveau. Mais avant d'entrer en scène avec lui, faisons le bilan, un bilan à dix ans ! André Mathieu a une vingtaine d'œuvres à son actif dont deux concertinos, il a une suite pour deux pianos, une série d'œuvres « descriptives », *Processions d'Éléphants*, *Danse Sauvage*, *Les Abeilles piquantes*, *Les Gros Chars*, *Les Cloches*, *Les Mouettes*, *Les Vagues.* Il a également des œuvres abstraites, de musique pure, *Étude sur les noires*, *Étude sur les blanches et les noires*, *Étude sur les blanches*, *Dans la nuit*, *Tristesse*, *Tombeau.* À chaque récital, réaction légitime qui s'impose, l'émerveillement provoque l'incrédulité : est-ce qu'un enfant de six, de sept ans, de huit ans peut composer ces œuvres ? Composer : oui. Écrire : non. Car il y a un aspect dans le talent d'André Mathieu dont on ne tient pas suffisamment compte : André est un improvisateur

97. *BENJAMIN*, le 23 mars 1939.

extraordinaire et inépuisable.[98] Rodolphe n'a jamais fait mystère que c'est lui qui transcrivait les œuvres d'André, et les impatiences de ce dernier, si la notation ne correspondait pas à ce qu'il voulait entendre, sont légendaires. Cette rumeur voulant que Rodolphe soit le véritable auteur des œuvres d'André est absurde mais ô combien tenace.

Mais là où nous tenons la preuve irréfutable de l'extraordinaire musicalité d'André, le témoignage le plus éclatant de ce fabuleux rythme dont parlent tous les critiques, là où son contrôle du piano est le plus stupéfiant, c'est dans cet unique enregistrement commercial, de six de ses œuvres, réalisé pour l'étiquette *La Boîte à Musique*, 133 boulevard Raspail à Paris. Au printemps 1939, après son récital à Gaveau, André va enregistrer sur un magnifique piano Pleyel parfaitement réglé. Cet enregistrement nous fait comprendre et justifie chaque mot des critiques du récital du 26 mars, critiques passionnées et enthousiastes mais simultanément, comme si l'ampleur des dons engendrait l'inquiétude, interloquées.

Commençons par celui dont les mots vont être associés à André Mathieu jusqu'à sa mort : Émile Vuillermoz. Les citations extraites de ces deux articles ont provoqué la curiosité toujours renouvelée, encore aujourd'hui, du public. Émile Vuillermoz a soixante et un ans quand il entend André Mathieu. S'il a l'enthousiasme généreux, sa formation académique est inattaquable. D'abord orgue et piano à Lyon puis au Conservatoire de Paris, il étudie l'harmonie avec Antoine Taudou et la composition avec Gabriel Fauré. Il est aussi un des membres fondateurs de la Société Musicale Indépendante (1909) puis il sera rédacteur de la revue *S.I.M.*, *Société Internationale de Musique*. Enfin *L'Excelsior, L'Illustration, Le Temps, Comoedia, Le Mercure, Candide*, accueillent et publient ses articles de critique musicale. Le cinéma, le vrai cinéma étant de la musique en images, Vuillermoz sera, en 1916, le premier critique de cinéma en France. En 1936, il sera membre du jury de la Mostra de Venise, et honneur suprême, le chef qui dirigera l'orchestre lors de l'enregistrement de la musique du chef-d'œuvre de Jean Renoir, *La Grande Illusion*. Bien que compositeur, sa renommée ne repose pas sur ses œuvres mais sur ses écrits. Encore aujourd'hui, on trouve facilement son « Histoire de la Musique » de 1947, et ses ouvrages sur Debussy et Fauré font toujours autorité. Si on ajoute

98. Mimi Mathieu, entretien du 16 décembre 1975, interview Rudel-Tessier.

qu'il était l'ami de Debussy, de Ravel et plus tard de Schoenberg, Stravinsky et de Bartók, aucun de ces hommes ne supportant les imbéciles, il faudrait être de mauvaise foi pour remettre en question sa crédibilité.

Le lendemain du récital, soit le lundi 27 mars 1939, Vuillermoz se lance et titre : « Le Mozart canadien » dans le journal *Candide* :

> Je ne vous cache pas que c'est avec le plus grand scepticisme que je me suis rendu à ce festival d'enfant prodige. Le petit André Mathieu est un enfant sur le berceau duquel toutes les bonnes fées de la musique se sont penchées. Les œuvres qu'il a composées lorsqu'il avait quatre ans et qu'il ignorait encore ses notes sont infiniment supérieures à tout ce qu'écrivit Mozart enfant. Ces *Trois études* pour le piano révèlent, non seulement un sens du clavier absolument déconcertant, mais une subtilité d'oreille miraculeuse. Ce sont là des ouvrages parfaitement équilibrés, reposant sur une logique harmonique admirable et dans lesquels un instinct infaillible supplée à toute formation technique. SI LE MOT « GÉNIE » A UN SENS, C'EST ICI QUE NOUS POURRONS LE DÉCHIFFRER[99]... Et nous touchons ici à l'un des problèmes les plus troublants de la pédagogie universelle. On se demande, en effet, si dans des cas aussi exceptionnels que celui-ci, les disciplines courantes de la greffe et de la bouture ne doivent pas être modifiées pour permettre le libre épanouissement d'une fleur rare ![100]

Deux jours plus tard, dans *L'Excelsior*, il prolonge sa réflexion qui prend des allures de prophétie :

> Le petit André Mathieu, déjà célèbre dans le Nouveau Monde, est venu travailler en France pour apprendre un « métier » dont son instinct lui avait déjà révélé les secrets essentiels. Il composait déjà avec une correction parfaite en obéissant aux seuls conseils de son oreille infaillible [...]. Pour ma part, j'estime que le grand miracle réside dans ses *Trois études* composées à quatre ans. Elles révèlent, en effet, une sûreté de main aussi complète que ses dernières réalisations, mais elles ne contiennent ni allusions, ni réminiscences, ni coquetteries, ni roublardises. Pas une erreur harmonique, pas une erreur d'orthographe et une ingéniosité prodigieuse dans le domaine vierge de la musique pure [...]. Et cependant, il faut bien que cet enfant entende les œuvres des maîtres et étudie ses classiques. Sans doute, mais pour un tempérament aussi exceptionnel

99. C'est nous qui soulignons.
100. Émile Vuillermoz, *Candide*, le 27 mars 1939.

> on rêve de je ne sais quel glorieux isolement qui déterminerait peut-être une floraison inattendue. CAR JE NE SAIS PAS ENCORE SI LE PETIT ANDRÉ MATHIEU DEVIENDRA UN PLUS GRAND MUSICIEN QUE MOZART, MAIS J'AFFIRME QU'À SON ÂGE MOZART N'AVAIT RIEN CRÉÉ DE COMPARABLE À CE QUE NOUS A EXÉCUTÉ, AVEC UN BRIO ÉTOURDISSANT, CE MIRACULEUX GARÇONNET.[101]

Les deux citations restent encore aujourd'hui la clé de voûte sur laquelle repose tout l'édifice médiatique élevé autour d'André Mathieu.

José Bruÿr, dans le magazine *Hebdo* du 21 avril 1939, écrit : « Il semble que d'avance les plus abscons traités d'harmonie n'ont plus aucun secret pour lui [...]. André Mathieu nous donnera-t-il un nouveau Mozart ? Oui, sans doute, si rien ne vient tarir la source de musique jaillissante qu'il porte en son âme d'enfant. »[102]

On voit que les critiques sont plutôt enthousiastes... même quasi délirantes. Carol Bérard va aussi signer un article assez étonnant : « Le cas du jeune Canadien français André Mathieu est tout à fait exceptionnel. Cet enfant de neuf ans vient de présenter à la salle Gaveau les œuvres qu'il compose depuis l'âge de quatre ans ! Or, toutes ces œuvres se recommandent par l'ingéniosité de leur facture, par la fraîcheur de leur sensibilité. Bien entendu, André Mathieu est son propre interprète, et quel brillant interprète ! »[103]

Dans *L'Écho de Paris,* Pierre Berlioz écrit : « Le petit compositeur André Mathieu, canadien d'origine, que vient de nous présenter Madame Octave Homberg, a fait dans notre monde musical une apparition sensationnelle. »[104] Et comme tous les autres, Berlioz va s'inquiéter de l'éducation, de l'avenir d'André Mathieu. « Le problème posé par le jeune André Mathieu est singulièrement troublant. Aussi bien pour cette incroyable précocité que pour ses futurs développements. »[105]

---

101. Émile Vuillermoz, *L'Excelsior*, le 29 mars 1939. Et c'est nous qui soulignons.
102. José Bruÿr, *Hebdo*, le 21 avril 1939.
103. Carol Bérard, journal inconnu, avril 1939.
104. Pierre Berlioz, *L'Écho de Paris.*
105. *Idem.*

Dans *L'Action Française*, et nous clôturerons avec cet article, Lucien Rebatet va livrer un article qui aura beaucoup d'échos de ce côté-ci de l'Atlantique. Vuillermoz et Rebatet étaient facilement les deux critiques les plus reconnus et les plus célèbres à cette époque, leurs opinions ont un poids considérable. Il titre : « Un compositeur de neuf ans ».

> Nous avons eu la semaine dernière la révélation d'un nouveau petit prodige. On nous a déjà réunis naguère plus d'une fois pour assister au début d'enfants miraculeux, qui le plus souvent étaient de petits Juifs, favorisés par la précocité de leur race. Si nous avons oublié déjà les noms de plusieurs, dont les promesses n'ont pas résisté à l'épreuve de l'âge ingrat, nous savons tous que l'un d'eux s'appelle Menuhin, et qu'il est devenu l'un des plus grands violonistes de ce temps.
>
> Mais la séance de l'autre jour a été beaucoup plus émouvante et plus curieuse. D'abord parce que l'enfant que l'on nous montrait, le petit André Mathieu, est de notre sang, d'une famille de Canadiens français. Et surtout parce que ce petit chrétien n'est pas seulement un brillant pianiste, mais un auteur ! Ce petit garçon brun, robuste et gai, compose depuis l'âge de quatre ans, et c'est un choix de ses ouvrages qu'il a joués devant nous au piano.
>
> Il ne s'agit pas de balbutiements attendrissants, d'amusants devoirs d'écoliers, mais de véritables petites œuvres, où la connaissance du métier ferait honte à bien de nos illustres bousilleurs.
>
> [...] Ici se pose un problème si vaste, si on pouvait le développer, qu'il serait celui de toute l'éducation et de toute l'enfance, du moins quand elle marque des dons originaux.... Tous les chroniqueurs et tous les mélomanes qui ont entendu André Mathieu sont d'accord : ses pièces les plus étonnantes sont les premières, celles qu'il écrivit à quatre ans, et qui sont des exercices de musique « pure », [...] par exemple ses *Trois Études.*
>
> Dans la suite, le petit Mathieu a lu et joué de la musique d'autrui, de Mozart à Debussy. Il décrit maintenant ses impressions, ses rêveries, avec une écriture irréprochable qui n'empêche point le sentiment de garder une naïveté ravissante [...].
>
> Il faut bien que le petit Mathieu connaisse la littérature musicale [...]. On ne peut pas le laisser dans l'état sauvage cher à Rousseau ! Mais quelle responsabilité assument ceux qui le guident ! Combien sûr doit être leur goût, combien prudentes leurs suggestions.

> On ne peut retenir quelque inquiétude en songeant que l'enfant habite le Nouveau-Monde, qu'il est déjà connu en Amérique, qu'il y a fait des tournées. Quelles images grossières ne risque-t-on pas d'imprimer là-bas sur la cire vierge de cette âme d'un petit garçon qui, actuellement, possède une sorte de génie ?[106]

Pour conclure, rappelons que Lucien Rebatet fut condamné à mort en 1946 ; son antisémitisme, son anticommunisme, son soutien à Hitler en faisaient une des cibles de la colère d'après-guerre. Il sera gracié en 1952. En 1969, il publie une *Histoire de la musique*[107], son œuvre la plus connue, qui est d'ailleurs un très bon livre, toujours disponible.

Sans qu'ils se soient concertés, les critiques manifestent tous de l'inquiétude face à l'avenir d'André. Après un tel déferlement de dithyrambes, l'avenir s'annonçait pourtant radieux. Dans les semaines qui suivent, la maison de disque *La Boîte à Musique* propose un contrat d'enregistrement pour six des œuvres entendues au récital de Gaveau. Qui plus est, Paul-Louis Weiller, selon la légende familiale relayée par Mimi, aurait tout organisé pour le tournage d'un film avec André incarnant Mozart, Camillette jouant Nannerl, sœur de Mozart, etc. Enfin, une tournée de récitals est prévue et organisée avec l'imprésario Beck, pour la saison à venir, en Hollande, en Belgique et, pour l'année suivante, Rodolphe a reçu une proposition pour une autre tournée en Afrique du Sud. Enfin, le 3 juin 1939, les éditions Maurice Senart signent un contrat pour la publication de six œuvres d'André : *Tristesse*, *Hommage à Mozart enfant*, *Berceuse*, *Danse sauvage*, *Processions d'éléphants*, *Les Mouettes*.

AUTOUR D'ANDRÉ MATHIEU

Quel que soit le talent ou le génie qu'on ait, il est impossible de faire carrière, de s'imposer, sans le soutien des médias qui emboîtent le pas au pouvoir, qui grâce à ses influences, ses relations et son argent, arrive à façonner l'opinion et à « contrôler » la structure qui les avantage. Il vaut donc la peine de jeter un œil sur les journaux et les journalistes qui, aussi bien en 1936 qu'en 1939, ont couvert les deux récitals d'André Mathieu. Bien sûr, un des facteurs capitaux dans le succès d'André Mathieu, c'est l'engagement de l'agence Havas, la plus vieille agence de presse au monde, créée en

106. Lucien Rebatet, *L'Action Française*, mars 1939.
107. Lucien Rebatet, *Histoire de la Musique*, Robert Laffont, collection Bouquins, 1998, 893 p.

1835, qui achemine, reçoit, filtre et sélectionne l'information qui circule dans le monde. L'agence Havas est affiliée à l'Angleterre, à l'Italie, à l'Allemagne, à l'Amérique, etc. et tout le long du séjour parisien, de décembre 1936 à juillet 1939, elle assurera la circulation du nom d'André à travers ce vaste réseau d'information. Les journaux et les journalistes qui se sont présentés à la salle Gaveau semblent non seulement partager la même opinion mais les mêmes orientations politiques.

Que ce soit *Le Petit Journal* (1863-1944), *L'Écho de Paris* (1884-1944), *Excelsior* (1910-1940), *L'Ami du Peuple* (1928-1944), *Candide* (1865-1944), *Le Petit Parisien* (1876-1944), *L'Action Française* (1898-1944), *Gringoire* (1866-1944), etc., ce n'est pas l'effet du hasard si la plupart de ces journaux cessent de paraître en 1944, l'année de la Libération de Paris ; c'est qu'ils sont de droite et que, pour la plupart, ils vont collaborer avec le gouvernement de Vichy, la tendance allant à ce moment-là de la droite à l'extrême droite, affichant un antisémitisme bon teint. Pourquoi cette concentration, comment expliquer leur présence et surtout l'absence de la presse de gauche ?

Il m'apparait impossible d'établir un lien entre Paul-Louis Weiller, le commandant juif converti, Madame Octave Homberg, née Jeanne Bourdeau (1884-1946), présidente de la Société Mozartienne de 1930 à 1939 et l'épouse d'Octave Homberg (1876-1941), banquier, président de diverses sociétés, officier, puis commandant dans l'Ordre de la Légion d'honneur, grand collectionneur et ami de Weiller. Impossible de les associer à la presse écrite antisémite. Est-ce que les agences de Marcel de Valmalète ou le Bureau International de Concerts C. Kiesgen qui se chargent de l'organisation des récitals et des invitations à la presse auraient eu des accointances de droite ? Est-ce que la toute puissante agence Havas peut commander à certains journalistes de certains journaux de couvrir un événement ? Est-ce que Rodolphe Mathieu, pendant son premier séjour parisien de 1920 à 1925, aurait tissé un réseau qui aurait gravité autour de cette droite qui allait maintenant se durcir et, dans quelques mois, basculer du côté de Vichy et de la Collaboration ? La musique de Rodolphe Mathieu se situant dans le peloton de tête de l'avant-garde de son époque, Scriabine, Debussy et Ravel, il a toujours été ardu d'associer une œuvre aiguillée vers l'avenir reposant sur une pensée conservatrice et même parfois réactionnaire chez un artiste créateur. Peut-on croire que l'homme qui a écrit les réflexions suivantes soit antisémite ?

« Le dieu des catholiques a choisi les Juifs pour se faire homme ; il choisit ensuite les Juifs pour se faire tuer ; plus tard, il choisit encore les Juifs pour posséder tout l'or du monde. D'autres juifs : Karl Marx établit le réalisme social, Einstein, mathématise la matière, Freud ouvre la conscience humaine. Vraiment, les Juifs sont une race bénie. Par hasard, ne serait-ce pas le catholicisme qui se serait trompé, car avec tout cela, nous avons plutôt l'air d'être la race maudite… »[108] Ou encore celle-ci : « Si un individu se sent persécuté et qu'il est intelligent, il devient plus fort que ces persécuteurs. C'est exactement ce qui est arrivé à la race juive. L'Église catholique l'a persécutée pendant deux mille ans, et lui a ainsi fourni le besoin de se grouper, de ne former qu'un bloc, un seul parti politique, pour ainsi dire, un gouvernement permanent. Imaginez-vous la force d'un gouvernement qui dure depuis deux mille ans ! »[109] Rodolphe Mathieu, un athée de droite, antisémite, qui connaît bien le célèbre Adrien Arcand qu'il a déjà invité aux Soirées Mathieu serait à l'origine de ces choix de journaux et de journalistes ? C'est lui reconnaître ou lui prêter beaucoup de pouvoir ! Enfin, puisque ni le mécène, le commandant Weiller, ni l'organisatrice du concert, madame Homberg, ne peuvent être vraisemblablement responsables de cette presse de droite, il reste l'agence de concerts, Rodolphe lui-même ou le hasard. De plus, imposer nos jugements sur une situation arrachée de son contexte est l'erreur la plus fréquente et la plus pernicieuse face à l'Histoire. Les circonstances ne justifient rien, mais elles expliquent bien des choses.

Autre détail surprenant, étonnant, amusant, Fernand Sorlot fonde en 1928 la maison d'édition : Les Nouvelles Éditions Latines. Sorlot ayant lu l'ouvrage *Mein Kampf* d'Adolf Hitler, veut prévenir ses compatriotes de ce qui les attend et publie une traduction de l'ouvrage en 1934. Hitler, furieux, intente un procès en 1936. Dans son ouvrage, Hitler ne cache pas que l'ennemi séculaire de l'Allemagne, c'est la France, et la traduction de ce brûlot expose clairement les revendications de l'Allemagne. Cause célèbre à l'époque, la maison d'édition est par un pur effet du hasard logée au 21 de la rue Servandoni, en face de la pension où la famille Mathieu est installée !

108. Rodolphe Mathieu, *Le Dernier Testament*, Recueil de Pensées, inédit.
109. *Idem.*

Un témoin oculaire du concert du 26 mars 1939, l'abbé Paul Lachapelle, écrit dans ses mémoires : « Il donna de rappel de ses œuvres – et qui n'étaient pas inscrits au programme : une *Berceuse*[110] et *Les Gros Chars.* Une foule nombreuse se porta à l'avant-scène pour le féliciter et le voir de plus près. Des dames l'embrassaient ; des musiciens l'entouraient et l'écoutaient répondre naïvement à leurs questions [...]. Des journalistes – des critiques – qui devaient écrire un article le lendemain discutaient ensemble. Tous semblaient médusés. Beaucoup étaient des musiciens connus dont les œuvres se jouaient à Paris et même à l'étranger. »[111] L'abbé Lachapelle cite Vuillermoz et enchaîne : « Les jours suivants, paraissent dans les journaux des articles, signés de noms connus du monde musical, qui parlait de l'étonnante « performance » du jeune Canadien. Un journal titra : "Un Mozart canadien à Paris". Madame Mathieu en pleurait de joie ; son mari n'en revenait pas du succès de son fils. André, lui, restait l'enfant qu'il était. Il me confia qu'une vieille dame, au premier rang de l'orchestre, pleurait et sanglotait pendant qu'il jouait. Il s'étonnait tout au plus de ce qui s'était passé ce soir-là. »[112]. L'abbé Lachapelle raconte ensuite qu'il a croisé deux étudiants venus de Londres pour assister au concert, d'anciens élèves de Rodolphe. André demande à l'un d'eux s'il étudie la « piscologie » et la « pischiatrie ». « Il ne fit aucune mention de la soirée dont il était la vedette. Son succès ne lui avait pas fait perdre sa naïve fraîcheur enfantine : il ne semblait pas se rendre compte qu'il avait enthousiasmé à ce point son auditoire [...]. André eut plusieurs invitations après son concert. De hautes personnalités le réclamaient. Mathieu me raconta qu'un jour, invité chez une dame de la noblesse, il ne voulut pas jouer, prétextant : "je ne joue que sur un piano à queue" ce fut dit naïvement et sans prétention [...]. Sa mémoire était phénoménale [...]. Son intelligence dépassait de beaucoup la moyenne. Je m'amusai un jour à lui faire passer le test de Binet-Simon. Il atteignit plus de 160 de quotient intellectuel [...]. »[113]

---

110. La « Berceuse » était au programme, en deuxième partie.
111. Paul Lachapelle, *Temps passé*, Éditions Paulines et Apostolat des Éditions, 1975, p. 62 à 65.
112. *Idem.*
113. *Idem.*

Pour le long week-end de Pâque, toute la famille Mathieu est invitée pour un séjour à la villa « Midori », chez le Comte et la Comtesse de Maublanc. Dans une lettre du 12 avril 1939, Mimi écrit à sa mère Albina :

> *Chère maman, Depuis quelques jours nous sommes dans un coin du paradis terrestre. C'est magnifique. Le château par lui-même est un bijou et il est tout neuf : nous sommes les premiers invités du comte et de la comtesse de Maublanc. Ils sont la gentillesse même. C'est le cas de le dire, les enfants sont heureux comme des princes. Avoir si grand à courir, il y a une forêt sur le domaine, et des petits ânes, un chien. Camille qui les aime tant... André a fait ami avec le jardinier afin d'apprendre pour aider grand-maman car partout où ils vont ils pensent à leur monde. Ils vous aiment tant. Moi aussi je voudrais bien que vous jouissiez d'un pareil séjour, surtout toi. Cela te remettrait de la fatigue. Rien à faire qu'à se faire servir par le maître d'hôtel en gants blancs et le valet de pied.... C'est un véritable conte de fées, cela fait beaucoup de bien aux enfants de respirer autant de bon air. Il fait chaud comme en juin avec un soleil resplendissant... Les enfants ont chacun leur chambre avec cabinets de toilette attenants. Ils sont fous de joie, nous mangeons dans des assiettes entièrement couvertes d'or. J'ai toujours peur à mes « Mal-Peek » mais ils m'écoutent mieux qu'à Paris car ici il n'y a pas d'enfants, alors c'est te dire que toutes les choses d'art sont placées en conséquence. Parfois, je joue des yeux, mais ils comprennent bien que je ne pourrais pas payer ces choses, alors ils font attention. Si tu voyais comme ils ont grandi. Ils vont être bien disposés pour reprendre leur cours mardi. Je vais te quitter, chère maman, espérant te lire bientôt. Je me remets très bien de mon angine de gorge. P.S. si tu voyais le jardin, c'est merveilleux. Je voudrais le transporter à Saint-Constant.*[114]

Toute la petite famille a signé, sauf Rodolphe, bien entendu.

FIN DU SÉJOUR PARISIEN

C'est près d'un mois après le récital, le samedi 22 avril que *Le Devoir* et Frédéric Pelletier font état du triomphe d'André à la salle Gaveau. Il semble que Frédéric Pelletier ait tourné casaque. Il cite sans rien ajouter les critiques que nous venons de lire. Le même jour, Marcel Valois, du journal *La Presse*, reprend le même fil de presse.

114. Mimi Mathieu, lettre du 12 avril 1939 à sa mère, « Midori », Les Loges-en-Josas, collection privée.

À Paris, un autre article, du 30 avril 1939 signé Martine Vincent, cite abondamment la critique de Lucien Rebatet et dans un même souffle donne la parole à Madame Octave Homberg elle-même : « J'ai tenu à ce que toute idée d'argent soit bannie de son esprit[115]. Je me trouve en face d'un cas très délicat et je dois me garder de deux écueils : la publicité déplorable qui risquerait d'asphyxier peu à peu ses facultés, et d'autre part la règle trop stricte qui nuirait à son effort intérieur, en ne lui donnant aucune possibilité de s'extérioriser. Les enfants de cette espèce sont si rares et si fragiles [...]. Actuellement, il vient de commencer son harmonie et son professeur, le compositeur Jacques de la Presle, dit qu'il y est dans son élément et qu'il s'y meut comme un poisson dans l'eau [...]. »[116]

Preuve, si nécessaire, des répercussions de ce récital, André entre au studio d'enregistrement de *La Boîte à Musique*, boulevard Raspail. Mimi Mathieu relate que l'enregistrement a été facile : « André ne jouait pas à la vedette ». Le producteur du disque, Jacques Lévi Alvarez nous a laissé ses impressions :

> Toujours est-il que les six petites pièces dénotent chez l'enfant qui les a conçues dans ses 4ième ou 5ième années, un don unique, un ensemble de qualités exceptionnelles.
>
> Tout d'abord une réelle personnalité, car il est difficile de déterminer dans ses œuvres une influence particulière. Elles surprennent, tantôt par leur caractère nettement moderne et impressionniste, tantôt par la poésie, la sensibilité qui s'en dégage et toujours par un sens rythmique incroyable, parfaitement traduit d'ailleurs par le jeu vigoureux et précis de l'exécutant auquel nul ne prêterait son âge, à l'entendre. [...] Je ne veux pas terminer cette notice sans présenter André Mathieu sur un autre plan.
>
> J'ai eu, en effet, la curiosité de le mieux connaître, tenant, avant de l'enregistrer, à le voir souvent dans l'intimité pour gagner sa confiance et si possible son affection. Il m'a frappé par un mélange de maturité précoce et de manifestations absolument enfantines.

115. Elle parle bien sûr d'André.
116. Martine Vincent, journal inconnu, le 30 avril 1939.

> C'est avec joie que j'ai constaté qu'il était resté un gosse, un vrai gosse, gai, turbulent, aimant le jeu et les « bonnes histoires » et, par ailleurs, plein de cœur et fort attachant.[117]

Les critiques vont pleuvoir. Des auditeurs professionnels comme Roger Dévigne commentent le disque *BAM* : « Pour moi, j'ai été, je l'avoue, étonnamment séduit. [...] Là où un autre enfant de son âge raconterait bien ou mal sa petite histoire en langage humain, André Mathieu la raconte en langage musical et avec une virtuosité, une solidité, une personnalité qui stupéfient. En outre il a le sens de la musique, de la phrase musicale, de sa mesure, de son rythme, de son mouvement [...]. »[118]

Dominique Sordet dans *Candide* fait d'abord référence au texte de Vuillermoz paru dans le même journal puis enchaîne : « [...] le plus admirable en tout cas, c'est qu'André Mathieu parle spontanément la langue musicale compliquée de notre époque, celle que Moussorgsky et Debussy ont forgée, celle que pratiquent, avec plus ou moins d'habilité et de bonheur, les compositeurs d'aujourd'hui qui écrivent pour le piano, entre autres Prokofieff. »[119] Et Dominique Sordet conclut son article : « Le disque de *La Boîte à Musique* est de toute façon un document précieux. Il prendra rapidement une valeur exceptionnelle pour peu que la carrière du petit prodige se poursuive dans les conditions surprenantes où elle a commencé. » [120] Dans *L'Action Française*, le même Dominique Sordet écrit : « La fougue, l'autorité, la dextérité du jeune virtuose sont admirables. Voici un enregistrement que les collectionneurs conserveront précieusement. »[121]

Nous ne sommes pas obligés de croire sur parole ces critiques élogieuses ; cet enregistrement commercial, réalisé dans les meilleures conditions, existe toujours. Les *Trois Études*, *Dans la Nuit*, *Les Abeilles piquantes* et *Danse Sauvage* forment la preuve qu'André Mathieu, à dix ans, est un pianiste extraordinaire, tous âges confondus. C'est aussi le seul témoignage sonore qui nous reste de ce séjour parisien et nous permet d'entendre ce

---

117. Jacques Lévi Alvarez, notice accompagnant le disque BAM 26 des œuvres d'André Mathieu.
118. Roger Dévigne, *Gringoire*, mai 1939.
119. Dominique Sordet, *Candide*, juin 1939.
120. *Idem.*
121. Dominique Sordet, *L'Action Française*, juin 1939.

qui a déclenché ce dithyrambe autant chez Vuillermoz que chez les autres critiques.

À la fin juin, comme tous les enfants de son âge, André est dans ses examens de passage, examens qu'il passera brillamment au lycée Bossuet, puisqu'il se classe deuxième en français, premier en histoire de France et quatrième en géographie. André va même jouer pour la distribution des prix de son lycée, *Les Trois études, La Berceuse* qu'il crée pour l'occasion et, pour faire bonne mesure, il va ajouter *Les Mouettes* au programme. Quelques jours avant, le 12 juin 1939, Rodolphe écrit à Madame Homberg et lui annonce qu'ils iront passer leurs vacances au Canada :

> *Je vous remercie d'avoir bien voulu permettre de distribuer les circulaires du disque d'André au public. Je crois que c'est encore la meilleure manière de faire de la propagande. [...] Comme je vous ai fait part de notre intention d'aller passer nos vacances cette année au Canada, je tiens à vous donner les raisons qui ont motivé la décision : premièrement, André peut voyager à tarif d'enfant, vu qu'il n'a pas encore dix ans (!?!), et qu'il peut bénéficier des avantages que les compagnies nous font. Et, deuxièmement, ma mère, qui est très âgée et très malade désire ardemment me voir ainsi que ses uniques petits-enfants, André et Camille.*[122]

Il lui demande une avance pour couvrir les frais du voyage. Une semaine plus tard, c'est Paul-Louis Weiller qui répond directement à Rodolphe : « Répondant à votre préoccupation, je viens vous dire que je continuerai encore bien volontiers pour le prochain semestre à vous verser comme par le passé la somme de trente mille francs (30 000) qui vous est nécessaire. J'ai trouvé votre petit André en très bonne forme et j'ai eu grand plaisir à le revoir. Je verserai les fonds comme d'habitude à Madame O. Homberg. »[123] Rodolphe, quelques jours après, lui répond en le remerciant et en lui demandant : « André s'inquiète si vous avez trouvé son disque que nous avons laissé sur le meuble près du piano. Il vous prépare une copie de sa dernière pièce *Les Vagues* qu'il vous a dédiée ainsi qu'à Madame Weiller

122. Rodolphe Mathieu, lettre à Madame Octave Homberg, le 12 juin 1939, Fonds Famille Mathieu, Archives nationales du Canada, Ottawa.

123. Paul-Louis Weiller, lettre à Rodolphe Mathieu, le 19 juin 1939, Fonds Famille Mathieu, Archives nationales du Canada, Ottawa.

et désire bien aller vous le porter lui-même avant notre départ pour les vacances. »[124]

Le commandant Weiller lui répond : « Cher Monsieur Mathieu [...]. Je pense bien que j'ai trouvé le disque d'André, je le remercie de sa très gentille pensée. Je me réjouis aussi de recevoir prochainement ses *Vagues*. Je suis très fier de cette œuvre dédicacée à ma femme et à moi-même, et aussi très touché. À bientôt cher Monsieur Mathieu, passez tous de bonnes vacances, embrassez le petit André de ma part et croyez à mes sentiments les meilleurs. »[125]

Sans doute les Mathieu s'ennuient-ils du pays et Madame Mathieu mère se fait vieille. Le 5 juillet, Camillette écrit à son parrain : « J'aurai la joie de te voir à New York le 10. Tu es bien fin et je vois que tu n'as pas changé de filleule. »[126] Ils partent pour le Canada à bord, à nouveau, du paquebot des vedettes, le *Normandie*. Pendant la traversée, André va participer à un petit récital pour une fête de bienfaisance en jouant ses *Trois études, Dans la nuit, Les Abeilles piquantes, Hommage à Mozart enfant* et *Les Mouettes*. Sur le paquebot des stars, les Mathieu rencontrent Mary Pickford, Myrna Loy et son mari Buddy Rogers, un des couples scintillants du grand écran de l'époque. Plus près de nous, ils retrouvent le cardinal Villeneuve, archevêque de Québec. Ce dernier revient au Canada avec le délégué apostolique du pape qui s'extasie de la ferveur chrétienne des Canadiens français en entendant les jurons fuser à tout moment ! Mimi raconte que Rodolphe riait tellement de l'émerveillement naïf du délégué, qui prenait nos sacres pour de la dévotion.

En débarquant à New York, les Mathieu retrouvent Camille, tante Manille et Ady, son chevalier servant, venus les chercher en voiture. Ils en profitent pour visiter le « World Fair 1939 ». Des films de famille, tournés avec la ciné-caméra d'André, immortalisent ces retrouvailles et ce retour sur le continent américain. Rodolphe, Wilhelmine, André et Camille reviennent

---

124. Rodolphe Mathieu, lettre à Paul-Louis Weiller, le 20 juin 1939, Fonds Famille Mathieu, Archives nationales du Canada, Ottawa.
125. Paul-Louis Weiller, lettre à Rodolphe Mathieu, le 21 juin 1939, Fonds Famille Mathieu, Archives nationales du Canada, Ottawa.
126. Camille Mathieu, carte postale à Adélard Lachapelle, le 5 juillet 1939, collection privée.

au pays passer les vacances d'été, revoir la famille et pratiquer auprès de leurs compatriotes, cet art raffiné de pouvoir éblouir en disant la vérité. Envers et contre tous, Rodolphe a réussi. La ville la plus impitoyable du monde, Paris, a fait un triomphe à son fils, et ce succès est plus grand que ses espérances les plus folles auraient pu le lui faire prévoir. André est établi. Les Mathieu rentrent au pays en triomphe. Le dossier de presse qu'ils rapportent est éloquent, l'édition des œuvres chez Senart et son tout nouveau disque sont en soi une consécration et à l'automne, au retour, une tournée est prévue, il y a le tournage d'un film et ce mécène aussi riche que généreux qui leur ouvre toutes les portes… Rodolphe peut être fier !

CHAPITRE III
VACANCES AU PAYS, GUERRE, « FAIRE BONNE FIGURE À MAUVAIS JEU »

Les Mathieu rentrent à Montréal. Ils sont partis depuis fin novembre 1937, ils arrivent au Québec le 14 juillet 1939. Presque deux ans ont passé. André a grandi, il a dix ans et demi et dès son retour, *La Presse* du 15 juillet 1939 titre :

> LE PETIT MOZART
>
> *Suite logique de l'unique carrière d'André Mathieu*
>
> « Dites à mes compatriotes que si j'aime la France et que je suis content d'étudier là-bas, j'aime encore mieux le Canada ! Je suis bien content d'être venu passer mes vacances à Montréal avec mes parents. Mais je pourrai revenir seulement tous les deux ans parce que la traversée, cela coûte très, très cher » [...]. Le petit Mozart canadien, comme l'a surnommé le grand critique musical de Paris, M. Émile Vuillermoz, a beaucoup grandi [...]. C'est un grand garçon de neuf ans, si grand qu'il paraît en avoir onze, solide, au regard décidé et à la simplicité d'allure toujours aussi sympathique.
>
> André nous raconte lui-même qu'il a fait son premier disque pour la compagnie française *La Boîte à Musique.* Il le sort de son enveloppe et il nous le montre. C'est un grand disque de douze pouces à l'étiquette bleue portant sur la première face l'*Étude sur les touches blanches*, l'*Étude sur les touches noires* et *Dans la nuit*, puis sur la deuxième face, l'*Étude sur les touches blanches et noires*, *Les Abeilles piquantes* et *Danse sauvage*.
>
> André a de plus publié chez Senart, à Paris, trois de ses œuvres [...]. Et la NBC lui a demandé de donner une audition à Radio-City.[127] « Je veux me reposer », déclare André très décidé. « Nous irons en septembre, à la fin de mes vacances. »

---

127. Radio City Music Hall à New York est une des salles de spectacles les plus réputées au monde. Les célèbres « Rockettes », groupe de danseuses synchronisées et le spectacle de Noël attirent les foules depuis des décennies. La salle a ouvert ses portes en 1932.

> Notre brillant jeune compatriote fera une tournée dans les principales villes de Hollande et de Belgique l'hiver prochain [...]. Ses cours d'harmonie et de composition chez Monsieur Jacques de la Presle, Madame Giraud-Latarse, etc. [...] André dresse l'oreille quand il entend nommer Clermont Pépin, compositeur de onze ans[128] : « Il est bien plus âgé que moi, déclare-t-il, et d'ailleurs je garde mon record d'avoir joué mes compositions à cinq ans... »[129]

Le lendemain, avec une grande photographie où l'on voit toute la famille rassemblée rue Berri, André raconte à un journaliste anonyme de *La Patrie* qu'il a joué sur le *Normandie* et qu'il y a rencontré le cardinal Rodrigue Villeneuve, de Québec, Mary Pickford et Buddy Rodgers, un des couples les plus célèbres du cinéma américain, et pour la première fois, il est question de Rachmaninoff. Le Comte de Beaumont aurait fait entendre le disque d'André à Rachmaninoff qui aurait déclaré : « Bigre, que va-t-il faire à quinze ans ? » Si on reconstitue l'agenda de Rachmaninoff à travers sa correspondance, ses horaires de tournées, de récitals et de concerts, et les témoignages d'amis, on constate qu'il était bien à Paris au moment de la parution du disque.

Cependant, une anecdote rapportée dans l'ouvrage de J. M. Charton, *Les Années françaises de Serge Rachmaninoff*, nous porte à croire que le grand compositeur russe avait entendu parler d'André Mathieu et avait même lu sa musique :

> Une autre fois, raconte Mademoiselle Zernov, [...] je parlai à Rachmaninoff, juste avant le dîner, des essais d'un jeune compositeur de six ans ; je lui demandai s'il voulait bien examiner ces œuvres, transcrites par le père de l'enfant ». « Montrez », dit Rachmaninoff. J'apportai la partition. Il y jeta un coup d'œil et me la rendit en disant « C'est bien. Qu'il continue ». On passa à table, puis la soirée au salon suivit, qui fut animée et se prolongea assez tard. « Au moment de nous séparer, poursuit la narratrice, je m'approchai de Rachmaninoff : « Au sujet de ce jeune garçon, permettez-moi d'insister. Avez-vous parlé sérieusement tout à l'heure ? Vous n'avez regardé le cahier qu'un seul instant », « Vous avez une bien piètre opinion de mes capacités musicales, Sophia Mikhaïlovna » me dit-il en riant. « Mais pour vous prouver que je comprends

---

128. Clermont Pépin (1926-2006) a bel et bien 13 ans au moment de l'interview.
129. Journaliste inconnu, *La Presse*, le 15 juillet 1939.

> tout de même quelque chose à la musique, je vais vous jouer ce que ce jeune homme a composé». Il s'assit au piano et joua par cœur ce que je lui avais montré trois heures auparavant. «Me croyez-vous à présent?» conclut-il de la voix douce et harmonieuse qu'il savait si bien employer...[130]

«Ces œuvres, transcrites par le père de l'enfant...», ce sont ces quelques mots qui nous portent à croire qu'il s'agit d'André... il n'y a pas beaucoup de papas qui transcrivent les œuvres de leur petit... et l'image de Rachmaninoff jouant une œuvre d'André Mathieu est plutôt irrésistible!

Enfin, ce sont les vacances, les vraies. D'abord à St-Constant où Albina tient jardin et cultive amoureusement son potager. Cet été-là, André et Camillette arrachent les légumes du jardin et, avec une brouette, font le tour du voisinage en proposant les légumes de leur grand-mère. Ce sera un des chevaux de bataille de la légende familiale entretenue avec soin par Mimi. Puis, pour un dernier été, Rodolphe revoit sa mère. Olivina Arcand, veuve d'Octave Mathieu depuis quatre ans, décède le 28 décembre 1939.

Les films de famille nous montrent encore un André tout bronzé, une Camillette radieuse et Mimi toujours parée de cette onctuosité slave qui ne la quitte pas. Rodolphe est chez lui, et a l'air satisfait de celui qui voit s'épanouir, s'incarner, toutes ses recherches sur la psychologie, la génétique, la formation de la pensée. Son fils est l'expérience, la preuve par huit que Dieu n'existe pas, mais que le Divin c'est vraiment dans l'homme qu'il faut le chercher et le trouver.

Pendant les vacances, Rodolphe a repris contact avec l'imprésario Rolland G. Gingras de Québec, pour qu'il organise un récital d'adieu avant le retour dans «les Europe». Comme en 1937, la soirée aura lieu au Palais Montcalm, le mardi 3 octobre 1939. C'est un événement important puisque le récital est placé sous le patronage de l'Honorable Joseph-Henri-Albiny Paquette, qui est le Secrétaire de la province ayant succédé à Athanase David, et de Joseph Bilodeau. C'est un peu devenu une tradition de donner un récital à Québec avant les départs. Avec son savoir-faire habituel, Rodolphe a alerté les journaux, il a accordé des interviews et organisé des rencontres avec André.

---

130. J. M. Charton, *Les années françaises de Rachmaninoff*, Éditions de la «Revue Moderne», 1969, p. 63-64.

Dans un article publié dans l'édition de septembre 1939 du magazine *Horizons*, le journaliste, dans un premier temps en profite pour faire le point sur la carrière de Rodolphe :

> Son influence, comme professeur et comme formateur a été considérable. Et c'est réellement une surprise que de parcourir la liste de noms de musiciens devenus célèbres ici auxquels il a enseigné, qu'il a encouragés, conseillés. Jean Dansereau, que Rodolphe qualifie de meilleur pianiste canadien [...]. Wilfrid Pelletier, un autre qui nous fait immensément honneur à l'étranger, fut quelque temps son élève. Claude Champagne, alors qu'il était à composer son poème symphonique *Hercule et Omphale* prenait des leçons chez Mathieu. Et il faudrait en nommer bien d'autres : Ludovic Huot, Anna Malenfant, Eugène Chartier, Victor et Cédia Brault, Hortense Lord, Marcel Hébert... Les lecteurs savent-ils que le directeur de l'Action Nationale, André Laurendeau, étudia la composition avec Rodolphe Mathieu? [...] L'auteur des *Saisons* [...] se prêtait de mauvaise grâce à répondre aux questions le concernant :
>
> — Quand il nous est donné d'avoir un fils comme André... nous dit-il avec une réelle modestie.
>
> — Mais n'avez-vous pas abandonné vos activités personnelles?
>
> — Non, pas tout à fait. Maintenant il ne s'agit plus de ma carrière à moi, de musicien, il n'y a plus qu'André, voyez-vous.

Voulant entendre son point de vue sur Montréal, le journaliste lui dit :

> — Vous n'êtes pas sans avoir remarqué cependant un progrès, une amélioration...
>
> Et Rodolphe de répondre :
>
> — C'est incontestable. Depuis ces dernières années, à chaque retour d'Europe, je note une grande amélioration; Montréal possède maintenant deux grands orchestres symphoniques[131], des concerts populaires qui attirent des milliers de personnes, un festival... Malheureusement, pas de conservatoire encore [...].
>
> Et après avoir parlé un peu de musique moderne, des « Jeune France », Messiaen, Lesur, Baudrier et Jolivet, qu'il connaît bien, n'y tenant plus, il nous dit :
>
> — Allons chercher André!

---

131. En 1939, la Société des Concerts symphoniques de Montréal (futur OSM) existe depuis 1934, mais, le Montreal Orchestra, orchestre symphonique fondé en 1930 et dirigé gracieusement par Douglas Clarke poursuivra ses activités jusqu'en 1941.

> Nous surprimes André dans un magasin d'accessoires pour bécanes. Il était tout affairé, le nez enfoui dans un gros catalogue, cherchant quel projecteur idéal il pourrait bien fixer à son minuscule vélo. Il interrogeait le commis et de donner des détails de prix et de fabrication sans aucune hésitation et d'une voix qui déjà n'est plus celle d'un enfant. Il nous jette un drôle de regard en apprenant le but de notre visite :
>
> — Papa, est-ce que je vais être obligé encore de jouer du piano et de répondre des choses ?
>
> Et il disparaît. Rodolphe n'a d'autre choix que d'enchaîner :
>
> — Je vous ai dit qu'il faisait de la chaloupe à voile et de la bécane. Il fait aussi du cinéma. André possède un cinékodak avec lequel il réussit très bien.

Le journaliste poursuit :

> — Que deviendra André plus tard ? Un pianiste, un compositeur, un chef d'orchestre ?
>
> — André deviendra un pianiste compositeur.[132]

Il y a quelque chose qui a changé ici : le ton d'André. L'attitude, la lassitude (déjà), l'impatience, sont manifestes. Lisiblement, le journaliste se rabat sur du connu, André a disparu et Rodolphe continue seul. André aurait-il déjà pris le contrôle ?

Dans une vie qui manque singulièrement de points de repère, des récitals doivent représenter pour André un point d'ancrage, un territoire familier. Le 3 octobre, c'est le récital du Palais Montcalm. Au programme, André donne en première audition canadienne – *La Berceuse* – *la Suite pour deux pianos* : *Dans les champs, Repos, Orage*, et Chopin fait sa première apparition au répertoire d'André : *Trois préludes*. Deux œuvres de Debussy qu'il n'a jamais jouées : *Danseuses de Delphes*, premier prélude du premier livre, et *Doctor Gradus ad Parnassum* de la suite *Children's Corner* font également leur apparition. Il a mis à l'affiche, pour rendre hommage à son professeur de composition, *Images*, de Jacques de la Presle.

Le lendemain, le compte rendu de Clément Brown est plus qu'éloquent :

> Il est incontestable que nous nous trouvons avec André Mathieu en présence d'un talent qui confine au génie [...]. De toutes les

---

132. Réal Benoit, *Horizons*, septembre 1939, p. 10 et 11.

> pièces interprétées hier soir par leur auteur, il n'en est aucune qui ne soulève l'intérêt, qui ne porte la marque d'un esprit infiniment plus profond que ne le laisserait supposer son âge [...]. Car rien n'est modeste dans la musique du petit Mathieu. Tout y est de taille d'homme [...]. La caractéristique principale de la musique d'André Mathieu, c'est qu'elle est triste, d'une tristesse anormale chez un enfant de cet âge, d'une tristesse qui confine à la morbidité (*Tristesse*) [...]. Lorsqu'assis devant son piano, les deux mains jointes et se recueillant et penchant sur sa poitrine sa petite tête boudeuse et triste d'enfant qui porte des secrets trop lourds pour son âge, songe-t-il au grand mais terrible destin que lui impose son génie véritable ?[133]

Puis, quelques jours plus tard, c'est le coup de tonnerre dans un ciel serein, le coup de masse, la catastrophe. Bien sûr, depuis le 3 septembre, le monde « civilisé » a dû déclarer la guerre. Après l'invasion de la Pologne par l'Allemagne hitlérienne, qui s'ajoutait aux agressions passées, le reste du monde n'avait plus le choix. Rodolphe ne semble pas réaliser que cet évènement allait faire voler en éclats, réduire à néant, renvoyer à la case « Départ » et arracher des voiles le vent qui pousse cette famille exceptionnelle. Quelques jours après le récital d'André à Québec, à peine rentré au 4519, Rodolphe reçoit cette lettre.

> *85, rue de la Faisanderie* — *Paris, le 11 octobre 1939*
>
> *Cher Monsieur Mathieu,*
>
> *J'ai bien reçu votre lettre du 9 septembre qui me trouve, comme tous les Français, en uniforme de soldat. Je suis officier de l'Armée de l'Air, mais pour le moment attaché au service de la production.*
>
> *Le moral de tous mes compatriotes est merveilleux, et nous sommes tous décidés d'en finir avec l'arbitraire des agressions commises en Europe. La folie d' Hitler a voulu la guerre ; nous la mènerons jusqu'au bout.*
>
> *Il me semble hors de question de vous conseiller de ramener André en France. Le voyage devient un risque, le séjour peut en être un également ; bien que s'il devait habiter la province le risque serait relativement réduit. Par ailleurs, vous aider hors de France ce n'est pas possible étant donné qu'il est interdit de sortir de l'argent des frontières. Quoi qu'il en soit, la chance fait que je vous ai réglé avant*

133. Clément Brown, *L'Action Nationale*, le 4 octobre 1939.

ces tristes événements, et ce jusqu'au 31 décembre, ce qui vous donne de quoi vous retourner un peu.

Dites à mon cher petit André que je ne l'abandonne pas, mais qu'il faut savoir se plier aux circonstances. Le Docteur Klotz[134] *est mobilisé aux armées. De tous les côtés le sacrifice de chacun est fait en faveur de la victoire, il faut ne penser qu'à cela avec toute l'abnégation que comporte les événements actuels. J'espère que vous m'enverrez quelques fois de vos nouvelles et si la guerre ne dure pas trop longtemps – ce que je crains toutefois – vous reviendrez en France avec votre charmant pianiste et la petite danseuse que j'aurais voulu voir dans son art. Dites ma meilleure pensée à Madame Mathieu, et croyez vous-même, à l'expression de mon meilleur souvenir.*

Commandant Paul-Louis Weiller[135]

L'instinct de survie de Rodolphe lui fait envoyer une lettre à Madame Octave Homberg, la présidente de la Société Mozartienne de Paris qui a « pris en charge » André.

Madame Octave Homberg, *Montréal, 14 octobre 1939*

18, rue de Marignan
Paris

Chère Madame Homberg,

Je risque cette seconde lettre espérant qu'elle vous atteindra. Vous ayant écrit à l'été et n'ayant pas eu de réponse, je présume que vous êtes en dehors de Paris en ces temps de guerre. Quelle affaire en effet de se voir immobilisés comme nous sommes à un moment comme celui-ci. Vous voyez que j'avais un peu raison de parler de l'avenir d'André : que des choses pouvaient arriver au moment où on s'en attend le moins.

J'ai reçu une charmante lettre de Monsieur Weiller qui me dit qu'il est inutile de penser à retourner à Paris maintenant, mais qu'André peut continuer ses études en Amérique durant la guerre. C'est malheureux, tout était si bien commencé à Paris. Faut bien se soumettre aux événements. Il nous faut recommencer en neuf par ici ; ce qui n'est pas facile en ce moment. Il faut que je me fasse une classe d'élèves. Cela prend du temps, surtout si nous allons demeurer à New York.

134. Le docteur Klotz, médecin personnel du commandant, avait soigné les enfants Mathieu en juin 1939.

135. Paul-Louis Weiller, lettre à Rodolphe Mathieu, le 11 octobre 1939, Fonds Famille Mathieu, Archives Nationales du Canada, Ottawa.

Il est très difficile d'organiser des concerts en ce moment, vu la situation.

Enfin, tout cela est bien ennuyeux, et j'espère que ce ne sera pas trop long, car André est bien attristé des événements. De votre côté, vous devez être aussi dérangés dans bien des projets.

Au sujet des versements de novembre et décembre il vous serait plus facile de nous les faire parvenir en un seul, vu la lenteur de la poste. On vous dira à votre banque quel est le meilleur moyen d'en faire l'expédition. Parfois, si cela vous ennuie quelque peu, vous pourriez peut-être remettre la chose entre les mains de M. Weiller, vu les circonstances. De mon côté, je considère que vous avez fait amplement votre part pour André, chère Madame et je comprendrai fort bien si vous ne pouvez pas vous en occuper davantage.

Dans l'espoir de vous lire sous peu, je vous envoie à vous et à Madame votre mère nos meilleures salutations et toute notre reconnaissance.

Rodolphe Mathieu[136]

Rodolphe n'a vraiment pas l'air de réaliser ce que signifie « Être en guerre ! » Il ne semble pas prendre la mesure de la situation. C'est donc plus qu'un coup dur, c'est la fin d'un monde.

Tout le travail accompli, toutes les structures mises en place, le tournage du film, les tournées, la maison d'édition, les enregistrements sur disque, les études au lycée, les agences de concerts, les amis de la presse écrite, les partitions et les contrats laissés à Paris, tout ce réseautage patiemment mis au point, tout l'avenir vient de se dissoudre. Weiller, on vient de le lire, a remis à Rodolphe l'argent nécessaire jusqu'en décembre. Madame Homberg, les attendant à Paris, n'a pas versé les montants de novembre et de décembre. Les voilà face au vide. Rodolphe, si distrait, si peu pratique, va tout faire pour renouer les fils rompus.

En l'espace d'un mois, André va donner six récitals à Québec. Après le récital au Palais Montcalm du 3 octobre, il participera, toujours au Palais Montcalm, à l'ouverture officielle des deuxièmes Assises du Bloc Universitaire le vendredi 10 novembre. L'abbé Félix-Antoine Savard prononce une conférence où, fort du succès de son *Menaud maître-draveur*,

136. Rodolphe Mathieu, lettre à madame Homberg, le 14 octobre 1939, Fonds Famille Mathieu, Archives Nationales du Canada, Ottawa.

il exhorte la jeunesse à retourner à la « réalité, c'est-à-dire au sol que nous avons déserté. ». On pourrait résumer son propos par cette formule : « L'avenir est dans le passé ! » L'événement est sous la présidence d'honneur de l'Honorable premier ministre, fraîchement porté au pouvoir, et Madame Godbout. On retrouve également le Lieutenant-gouverneur et Madame Patenaude ainsi que Monseigneur Alexandre Vachon, Recteur de l'Université Laval. Enfin, son honneur le maire de Québec et Madame la mairesse Borne. André est une gloire nationale qu'on rattache au pouvoir, à l'élite.

Mais le coup de barre le plus vigoureux que Rodolphe va donner, c'est dans l'organisation avec l'imprésario chevronné Louis-H. Bourdon de deux récitals à l'Auditorium du Plateau. L'orchestration de la publicité, les interviews, les communiqués, les papiers pré-concert, toute l'artillerie est mise à contribution. Il faut rattraper le succès de Paris, il ne faut pas que la vague s'écrase sur une plage déserte. Aussi bien à Paris qu'à Montréal, on donne le 18 février 1930 comme date de naissance d'André.[137] Pour tout le monde il a donc neuf ans, lui-même répond être né en 1930 à Madame Jeanne Frey qui l'interviewe la veille du premier récital du 23 novembre :

> —J'ai écrit environ trente-cinq œuvres dont plusieurs sont publiées.
>
> —Avez-vous des engagements en perspective là-bas, en Europe ?
>
> —Je devais faire deux tournées, une en Belgique, une en Afrique du Sud, les contrats étaient signés et tout, et tout…[138]

Lucien Desbiens écrira quelques jours plus tard : « L'auditoire qui se rendra entendre André Mathieu devra être poussé par un sentiment autre que celui de la simple curiosité : par un sentiment de solidarité nationale, par un sentiment d'admiration pour un don merveilleux de la providence, où qu'il soit – même chez l'un des nôtres. Ce sera une excellente manière de reconnaître aussi la bonne publicité qu'il a valu à notre pays. Si André

---

137. Cette idée de rajeunir André est une des conséquences du marché musical : plus les prodiges sont jeunes, plus ils sont prodigieux !
138. Jeanne Frey, *L'Avenir du Nord*, le 22 novembre 1939.

Mathieu était né aux États-Unis il y a longtemps qu'on l'aurait porté aux nues et mis bien en vedette. »[139]

Comme il l'avait fait à Québec avec le maire Borne, Rodolphe s'organise pour que le jour précédant le récital du jeudi 23 novembre 1939, le truculent maire de Montréal, Camillien Houde et ses échevins reçoivent André à l'Hôtel de Ville, pour une signature du « Livre d'or » de la ville. Au moins trois journalistes de trois quotidiens se sont déplacés pour immortaliser l'événement. *Le Canada, L'Illustration Nouvelle, La Presse* rendent compte de la réception, le matin du jeudi 23 novembre. Puis, comme elle le fait depuis cinq ans, la tribu Mathieu se métamorphose en passeurs d'émotions, en grands artistes ; André remet son éternel costume blanc, Rodolphe son frac, il est sur scène avec André pour la première audition à Montréal de la *Suite pour deux pianos* et la reprise du *Concertino no 2.* Et ce soir-là, à la salle du Plateau au parc Lafontaine se produit un glissement, un passage presque imperceptible : André Mathieu entre dans l'imaginaire national et devient soudainement un point focal de notre conscience collective. Ce petit homme de dix ans brille comme un phare, une bouée. Il faut citer en entier le texte du journaliste Jean Morande qui paraît en décembre dans le journal dirigé par André Laurendeau, *L'Action Nationale.* Ce compte rendu nous permet d'assister au récital, d'être dans la salle du Plateau, de voyager dans le temps.

MOZART PARMI NOUS

> Un article sur André Mathieu ne semblera pas déplacé dans cette revue d'action nationale, si l'on songe qu'un enfant visité par l'inspiration illustre davantage son pays que maints discours et agitations vaines. Des âmes de choix (après tant d'obscurs dévouements) un jour forceront notre race à prendre définitivement conscience de sa valeur et de sa mission spirituelle.
>
> Âgé de neuf ans, André Mathieu a déjà derrière lui un passé enviable de pianiste-compositeur. Depuis l'âge de cinq ans, il donne des récitals, d'abord à Montréal, au Ritz-Carlton, puis à Paris, aux salles Chopin-Pleyel et Gaveau, avec un succès de plus en plus retentissant, et des récitals de ses propres œuvres, les premières, écrites à quatre ans, impeccables et savoureuses, actuellement éditées et enregistrées sur disques. Encore petit enfant, il connaît la célébrité et surtout les joies de l'artiste, maître de son instrument,

139. Lucien Desbiens, *La Presse*, novembre 1939.

et créateur. Sans m'attarder à des détails trop connus, je me contente ici, à la suite de critiques officiels, de répéter les mots « prodige », « génie », et d'évoquer Mozart enfant.

Tel nous le révélaient quelques photographies, tel il nous est apparu, en concert, à l'Auditorium du Plateau, le 23 novembre au soir, vêtu de blanc, assez robuste, et dans une figure sérieuse deux yeux sombres, chargés de rêve.

Un instant auparavant, flottait dans la salle une sorte d'étonnement, d'appréhension amusée chez les hommes, attendrie chez les mamans, se surprenant là, réunis en si grand nombre, uniquement pour entendre un enfant, et doutant un peu en secret que cet enfant puisse soutenir longtemps l'attention générale par le seul jeu de ses doigts, ou seulement ce millier de regards braqués sur sa petite personne. Mais voici André Mathieu sur la scène ; il salue gentiment et s'installe au piano avec tant de simplicité et d'assurance que l'auditoire, déjà conquis, l'acclame.

Que fallait-il admirer le plus : le pianiste ou le compositeur ? Par sa seule tenue au piano le petit musicien s'affirme déjà pianiste de grand style, par cette sobre aisance du corps, ces bras aux cadences harmonieuses, cette allégresse des mains ; comment exécuter avec un toucher plus doux, un phrasé plus sûr de lui-même et surtout cette spontanéité de l'imagination, la fine clarté des *Images* de Jacques de la Presle et du *Coucou* de Daquin, cette virtuosité tantôt légère, tantôt véhémente du *Deuxième Impromptu* de Schubert ou le naïf *Petit Âne blanc* de Jacques Ibert, ainsi que la plasticité vaporeuse des *Danseuses de Delphes* et le Debussy du *Children's Corner* mélange d'humour et de poésie ? Je considère cette interprétation du *Golliwogg's Cakewalk* comme une pure création rythmique. Maussade, le critique qui reprocherait au jeune pianiste ses apparentes précipitations, et injuste : un jeu officiellement lent et calculé aurait été assombri par l'ombre des professeurs, tandis que la vivacité trahit le jaillissement de la source, et le temps intérieur d'un petit gars, autrement accéléré que le nôtre.

C'est dire que le petit Mathieu rend ses propres pièces à la perfection, comme personne ne les rendra, comme lui-même peut-être ne saura plus les rendre, le jour où il perdra ce don privilégié de l'enfance, qui jamais ne se répète, mais se renouvelle indéfiniment en inventions immédiates. Écoutant les morceaux composés et joués par ce lutin blanc, c'est alors, et je l'avoue en toute sincérité, que je fus le plus bouleversé. Et d'abord par la beauté de cette musique parlant à l'âme sans détour, séduisante par ses richesses et ses délicieuses fraîcheurs, avec des grâces à la Mozart (particulièrement dans l'*Hommage*) et des charmes à la Debussy, entrecoupée de soudains accents passionnés ou d'envols azurés, et des *Vagues* lourdes sur la solennité de la mer, les battements d'ailes argentées des *Mouettes* qui planent, virent et fuient, et des *Champs* où l'on court, et après c'est le *Repos* au chaud soleil, mais l'*Orage* gronde et voici tout à coup les tonnerres et les éclairs; et toujours du mouvement, ce rythme qui mord au clavier dès la première *Étude*, bariolée comme une *Danse sauvage* endiablée, s'exaspérant sous l'essaim tourbillonnant des *Abeilles piquantes*, qui s'amortit au martèlement mat d'une *Procession d'Éléphants* qui passe et s'éloigne, et qui s'inquiète et attend *Dans la Nuit*; entendez-vous encore cette voix d'enfant s'épancher dans la seconde *Étude* et dans le *Repos* de la *Suite pour deux pianos*, pleurer sa *Tristesse* et rêver mélancoliquement à l'*Andante du Concertino*, et la très suave *Berceuse*... ? Puis, en plein enchantement, subitement je me resouviens que ces compositions – les premières, plutôt pittoresques et suggestives, les dernières, plus savantes et s'acheminant vers la musique pure – cette poésie sonore, ce travail organisé jusqu'à l'achèvement, ce rythme parfois hallucinant, ces harmonies qui subtilisent, se font âpres, puis se résolvent en tendresse, ce chant qui émeut des hommes et des femmes, tout cet art inspiré était l'œuvre d'un petit garçon qui, lorsqu'il se trouvait plus petit encore, alors qu'à pareil âge, assis gravement dans la cour du voisin, nous cuisinions de vagues pâtés de sable, se recueillait pour concentrer au fond de lui-même ses visions, ses désirs fugaces, ses émotions profondes, et les traduire en musique, cherchait à prendre possession d'une vie intérieure naissante afin de la transposer dans le monde idéal de la Beauté! Et c'est bien ce qu'exprimait cette stupeur admirative et troublée de l'assistance qui applaudissait inlassablement, et à la fin envahit silencieusement la scène.

Choix privilégié des Muses et conscience miraculeusement précoce de l'élu qui répond si tôt au premier appel, là est le prodige.

Quel mystère que cette cohabitation dans une âme de l'esprit d'enfance et de la maturité créatrice. Car André Mathieu, malgré ses dons exceptionnels et ses succès, demeure ce qu'il est : un petit gars, et sans affectation comme sans sauvagerie, mais d'une ravissante simplicité et débordant de la joie de vivre. C'était plaisir de le voir : il allait droit au piano et, à peine assis, attaquait, sans profiter d'un silence avantageux; puis, la dernière note frappée, il bondissait de son banc, s'appliquait consciencieusement aux saluts rituels, droit et rapide comme un soldat, et se sauvait avec cette désinvolture enjouée du garçon qui, sa pratique enfin terminée, court au jardin. Et en ceci, notre petit Canadien est bien de son

> temps : non seulement en produisant ces rythmes d'une complexité ardente, ces modulations, ces audaces harmoniques, cette expression spontanément raffinée qu'il interprète rêveur ou impérieux, mais aussi par cette façon toute simple de se présenter en public, si loin des poses surannées chères aux fantoches échevelés du siècle romantique.
>
> Dans l'esprit de ces enfants en flots pressés qui assistèrent à leur tour à la matinée du 25, achevée par les paroles délicatement vibrantes de Mgr Maurault, recteur de l'Université, et dans une sorte d'apothéose, un double souvenir se gravera, inaltérable : l'image d'un petit héros qui se prête volontiers à la foule de ses petits compatriotes enthousiastes, qui sourit et, insouciant des grandes personnes s'efforçant de l'emmener, plonge sa main sans relâche à travers des centaines de bras tendus vers lui, et serait sans doute encore à jouer au milieu de son jeune peuple si son papa, après quelque temps, n'était venu le ravir de force, – et l'image d'un prince enfant que servent empressés les génies de l'inspiration au royaume enchanté de la Musique.[140]

Et c'est vraiment ce moment miraculeux qui reste dans la mémoire de tous les témoins interrogés. Ce soir-là, des vocations sont nées et le souvenir de l'événement reste vivace, précieux, de l'étoffe de ceux qui justifient d'avoir vécu.

Le grand Léo-Pol Morin est là, et nous laisse lui aussi des images évocatrices. D'ailleurs il titre :

> André Mathieu, créateur d'images musicales
>
> Un jeune musicien de neuf ans dans une rétrospective de ses œuvres… Vraiment, il n'y a plus d'enfants ! Mais c'est qu'ils sont rares les enfants comme André Mathieu. Non seulement au Canada, mais dans le monde entier. L'Histoire en est avare.
>
> Les enfants prodiges, pianistes ou violonistes, m'ont toujours bouleversé. N'est-il pas bouleversant, en effet, de les voir aux prises avec les œuvres des autres, des œuvres mûres, lourdes de pensée, et qui sont le fruit d'une décourageante expérience ? L'enfant portant sur ses épaules, avec gravité et indifférence, toute l'expérience du monde, quelle affreuse misère ! Tandis que l'enfant qui crée, celui qui par instinct, par besoin impérieux, invente ses propres jeux, ses propres images et sa pensée, quel splendide exemple de liberté,

140. Jean Morande, *L'Action Nationale*, décembre 1939.

de gratuité ! Dès l'âge de quatre ans, André Mathieu se livrait à cette troublante magie [...].

André Mathieu est déjà un petit pianiste étonnant, en possession d'une technique assez complète pour son âge. Il a de la plénitude et de la poésie. Il joue Schubert et Debussy mieux que bien des bacheliers aguerris. Mais il est unique, il devient le plus ensorcelant de tous les petits prodiges dès qu'il joue la musique d'André Mathieu compositeur. C'est qu'il parle alors un idiome pour lui plus simple et plus direct, prenant sa source dans sa vie même [...]. Sans effort, il réalise devant nous les plus étourdissants tours de passe-passe. Il nous montre des « gros chars », des mouettes au vol précis et inlassable, des abeilles bourdonnantes au dard métallique, sans compter les images de l'âme, où les tristesses d'enfant sont si facilement et si réellement tragiques. Vraiment ce charmant petit bout d'homme est prodigieux !

On trouve étrange que ce petit bout de musicien parle la langue musicale de son temps sans penser que le contraire serait bien plus étonnant encore. Verrait-on cet enfant s'exprimer comme au 18e siècle, lui qui depuis sa naissance entend la musique de son temps ? Si on voulait se donner la peine de rechercher des influences précises chez André Mathieu, on n'y retrouverait des souvenirs vieux de vingt-cinq ans, à tel point qu'il nous donne quelques fois l'impression d'avoir vécu à ce moment-là. Car, enfin, les fringantes et séduisantes *Abeilles Piquantes* bourdonnent à nos oreilles comme telle musique déjà classée et d'une époque où, tout en poursuivant de fuyantes muses[141], nous découvrions Stravinsky et Scriabine. Il n'y a là, pourtant, rien que de très naturel, quand on connaît le milieu où est né le petit musicien et pour qui ce langage était celui de tous les jours.

La musique, André Mathieu ne l'a pas découverte : il l'avait en lui. Il ne paraît même pas être très docile à découvrir la pensée des autres, tourmenté de créer, de donner une forme sonore à ses rêves d'enfant, où le fantastique prend des aspects d'émouvante simplicité [...]. André Mathieu, lui qui possède le génie du truchement sonore, dresse devant nous des images réelles. Ses *Gros Chars*, ses *Abeilles Piquantes*, ses *Mouettes*, on les voit, on les entend, et pourtant ce n'est pas par les moyens ordinaires de la musique imitative qu'il nous les rend sensibles. Il leur donne vie par le miracle du rythme, qui est la pulsation de sa vie. N'aurait-il

141. Léo-Pol Morin fait ici un clin d'œil à Rodolphe Mathieu. Le titre original de son troisième prélude était : *J'écoute une musique qui me fuit.*

> que ce don du rythme, cela classerait déjà André Mathieu parmi les plus étonnants petits prodiges du monde. Avec les moyens les plus simples, et parce qu'il traduit justement le graphisme de son propre pouls, il invente une rythmique qui motive à elle seule la plus béate admiration. Et ce rythme, c'est l'instinct qui le crée, sans chercher à imiter personne, ni à se plier à aucune rhétorique ou esthétique, parce qu'il ignore l'une comme l'autre.
>
> Ses œuvres sont toutes intéressantes à des titres divers, mais si je devais faire choix de celles qui révèlent le mieux le tempérament, le caractère et le génie du petit bonhomme, je prendrais les *Trois études* composées à quatre ans, et qu'il joue aujourd'hui dans une version plus saisissante encore...[142]

Le critique musical de *La Presse*, Marcel Valois, sans doute le plus fidèle et le plus loyal à André Mathieu des témoins musicaux de l'époque, écrit un article de présentation puis il couvre les récitals des 23 et 25 novembre et le récital donné « à la demande générale », du 11 janvier 1940. Quelques jours avant le récital, il emboîte le pas à ceux qui érigent André en monument national, en petit St-Jean-Baptiste musical, en sauveur de la nation : « André Mathieu est une gloire nationale. Il a déjà, à son âge, plus fait pour le Canada français que nombre de gens dont l'influence, la valeur ou les œuvres ont été remarquées en France [...]. Les auditeurs qui se rendront donc au Plateau jeudi, s'octroieront à eux-mêmes un diplôme honoris causa de patriotisme intelligent. »[143]

Au lendemain du premier récital d'André au Plateau, le jeudi 23 novembre, Valois écrit :

> Les œuvres composées entre quatre et sept ans, sont les plus remarquables, parce que l'enfant se cherche alors, se trouve et se découvre, tandis que celles de 1938 et de cette année même pourraient être signées d'un célèbre compositeur contemporain [...]. Parmi les œuvres nouvelles d'André Mathieu, *Les Vagues* reprennent, avec une sûreté de facture et une maîtrise harmonique renversante, la peinture sonore des flots se brisant sur les rochers, tandis que des mouettes passent au-dessus de la grève. Contrôle superbe des pédales et équilibre parfait des deux mains qui en même temps faisaient chanter les oiseaux et les vagues, André Mathieu a joué en virtuose cette œuvre créée à Paris l'hiver

142. Léo-Pol Morin, *Journal Le Canada*, le 27 novembre 1939.
143. Marcel Valois, *La Presse*, le 20 novembre 1939.

> dernier. *Les Mouettes*, sorte de mouvement perpétuel, sont d'un raffinement qui n'a rien d'enfantin et d'une difficulté d'exécution telle que nombre de nos pianistes professionnels ne se risqueraient pas à les jouer qu'après une solide préparation [...]. Dans la *Suite pour deux pianos*, jouée par le père et l'enfant, le traitement de la partie du second piano et certains passages dialogués entre les deux instruments pourraient être de Rachmaninoff, non pas parce qu'ils font penser à du Rachmaninoff particulièrement, mais parce qu'ils en possèdent le génie et la science.
>
> Les *Trois études* composées à quatre ans, les *Abeilles piquantes*, les *Gros Chars* (donné en rappel), le *Concertino à deux pianos*, resteront probablement dans l'histoire de la musique comme des exemples d'un génie-enfant supérieur, à cette époque de sa vie, à Mozart et à Saint-Saëns. On ne peut s'empêcher d'être à la fois effrayé et ravi en face de l'avenir mystérieux de ce garçon de neuf ans, physiquement solide et d'un parfait équilibre mental et nerveux [...].
>
> Tous ceux qui assistaient au récital d'hier soir au Plateau vont en parler longtemps et donner le goût aux autres d'entendre ce compositeur donné au monde et au Canada français, ce pianiste qui vient de nous être révélé [...].[144]

Mais la reprise du récital, le samedi 25 novembre à 14 h 30, toujours à la salle du Plateau, va porter la frénésie à son apogée :

> Le pianiste-compositeur génial, le petit André Mathieu est devenu samedi après-midi un héros populaire que l'on acclame, réclame pendant trois quarts d'heure, que l'on guette à chaque porte de sortie, que l'on fait revenir à trois reprises dans la salle, le concert fini, pour le voir encore une fois, lui donner la main, entendre sa voix, le voir sourire.
>
> Le charmant enfant oublia sa fatigue devant une manifestation aussi chaleureuse et prolongée. Lorsque son père l'arrachait à ces jeunes admirateurs et admiratrices pour un repos de dix minutes, le petit demandait s'il n'y aurait pas moyen de faire monter un par un dans sa loge les auditeurs qui, en bas, l'attendaient encore.
>
> À chacun des intermèdes, une surprise avait été réservée à André Mathieu, présentations de cadeaux, hommage bref d'une petite Canadienne française puis d'une petite Française, vœux et conseils de Mgr Olivier Maurault, recteur de l'Université de Montréal, qui

144. Marcel Valois, *La Presse*, le 24 novembre 1939.

> présidait avec une joie évidente ce deuxième récital d'André Mathieu donné pour la jeunesse à l'auditorium du Plateau.
>
> Après la dernière pièce, [...] Mgr Maurault monta sur l'estrade et dit [...] :
>
> Mon petit et grand ami, je vous ai écouté avec un extrême plaisir, et je trouve que vous avez doublement grandi depuis que je vous ai entendu pour la première fois il y a six ans chez les religieuses de la Providence. Votre talent fait déjà la gloire de votre pays. André, je sais que vous porterez encore plus loin dans l'avenir le nom de Canadien-français. Vous avez un amour profond de votre pays, et je sais que vous êtes fier de proclamer vos origines et votre nationalité. » Marcel Valois conclut : « Le héros de cette manifestation se comporta au milieu de toute cette manifestation de façon si naturelle et si peu prétentieuse qu'il aurait " traîné tous les cœurs après soi " si cela n'avait déjà été chose faite [...]. »[145]

Thomas Archer de The Gazette se laisse emporter : « Dans sa musique se mêlent fraîcheur et imagination, sans oublier une remarquable compréhension de la forme [...]. De petites pièces composées l'an dernier, comme sa *Berceuse*, constituent de véritables tableaux musicaux et témoignent d'un réel talent pour la composition et le développement thématique, preuves que nous avons affaire à un compositeur-né. »[146]

Cette année 1939, commencée en pleine gloire avec le triomphe à Paris, se termine également en pleine gloire. Pour l'instant, tous les écueils sont surmontés, tous les obstacles franchis. Mis à l'épreuve mais jamais brisé, ce miracle de dix ans livre une performance parfaite. L'enthousiasme prend des proportions phénoménales. Non seulement André va-t-il recevoir des centaines de lettres réclamant sa photo, un autographe, une rencontre, des invitations... André embrase les imaginations. Des poèmes lui seront dédiés, de Québec, de Montréal, de toute la province. Voici quelques exemples de ces exubérantes manifestations d'admiration livrées dans un style qui prolonge la surcharge fleurie des processions de la Fête-Dieu qui défilaient rue Mont-Royal à l'époque.

---

145. Marcel Valois, *La Presse*, le 27 novembre 1939.

146. Thomas Archer, *The Gazette*, le 26 novembre 1939 : « There is freshness and imagination in this music. There is also an uncommon grasp of form [...]. Little pieces like his *Berceuse* composed last year, are veritable pictures in music, showing an ability for real composition and development of themes that is the signature of the born composer [...]. »

ANDRÉ MATHIEU

Le monde, André, déjà t'acclame.
Et tu n'as pas encor dix ans;
Chacun t'admire et te proclame
Génie et Mozart de nos temps
Bambin auteur et virtuose,
Tu nous charmes par tes concerts
Que la Critique apothéose [!] [sic]
En portant ton nom dans les airs.

Qui te donna ces doigts de fée,
Et ton Âme d'artiste né?
Serais-tu donc un autre Orphée
Jusqu'ici chez nous enchaîné?
Où puises-tu ces harmonies
Dont tu fais vibrer l'instrument?
Qui t'a chanté ces mélodies
Que ta main joue excellemment?

Tu n'en sais rien, enfant candide,
Toi qui nous souris sans orgueil,
Et sous l'ovation, timide,
Cherches tous tes amis de l'œil;
Pas plus que ne sait l'hirondelle
S'envolant soudain de son nid,
Comment s'est déployée son aile
Qui l'emporte vers l'infini.

Comme un astre fournit sa course,
Comme à la tige point la fleur,
Comme l'eau jaillit de la source,
Comme l'amitié nait au cœur,
Ainsi ton âme au beau s'éveille,
Le conçoit, le goûte et le rend.
Tes essais sont une merveille;
Ton petit nom est déjà grand.

Ph. Raoul Bouchard, m.s.c. (à l'occasion d'une audition d'André Mathieu au couvent St-Roch… 39)

DANS LA NUIT *D'après la composition musicale d'André Mathieu*

La nuit brune est venue, ardente créatrice
De paysages neufs et d'arpèges nouveaux;
Des rêveurs obstinés, puissante inspiratrice,
Elle met des éclairs au fond de leurs cerveaux.

La vague chante sourdement, grave harmonie
Qui souligne amoureusement la mélodie
Du clair de lune blond se jouant sur les eaux;
Du zéphir [sic] vagabond, endormant les oiseaux;
Du sourire que font les étoiles filantes,
Les danses des marionnettes remuantes;
De parfum qui s'exhale et des bois et des fleurs,
Du fanal du passant, les discrètes lueurs;
Des vitres du foyer, la furtive lumière;
De la terre et du ciel, la sublime prière;
Du soupir des humains devant le temps qui fuit,
Et l'âme d'un enfant qui vibre… dans la nuit.

Andrée Georget

Une autre envolée poétique, qui ne cède en rien à la hauteur de vue des précédentes et qui ici propose une mélodie connue pour soutenir et nous révéler le sens national caché qui la sous-tend : l'hymne national lui-même, *Ô Canada.*

À ANDRÉ MATHIEU (Air : Ô Canada)

Nous t'acclamons, enfant mélodieux,
Qui sait ravir nos âmes jusqu'aux cieux!
De ton cœur jaillit la musique
En traits éblouissants,
Et tes doigts aux accents magiques,
Nous rendent frémissants.
Ton avenir est magnifique!
Reçois les vœux de cœurs reconnaissants… (bis)

Collège Saint-Charles-Garnier, 3 novembre 1939

Nous ne pouvons résister au plaisir de partager un dernier texte inspiré de la vision que cet enfant évoque dans les imaginations lyriques et catholiques de l'époque. Si l'auteur choisit de rester anonyme, il met en valeur le nom du héros du jour dans cet acrostiche édifiant.

A*ède harmonieux, roi du clavier sonore,*
N*oble élu d'un destin dont ton peuple s'honore,*
D*éjà ta renommée en tous lieux se répand,*
R*enouvelant pour nous les prodiges d'antan*
E*t rendant plus croyables d'antiques exploits.*

* * *

Mozart de notre temps au précoce génie,
À quelles sources as-tu puisé cette harmonie,
Tous ces accords brillants qui fusent de tes doigts?

* * *

Harmonieux enfant, je vois ta jeune gloire
Illustrer ta patrie en de nobles victoires
Et mettre, par tes mains, nouveau Paderewski,
Un fleuron glorieux au front de ton pays.

Signé «X»

Pour conclure cette année 1939, il y a un texte de Lucien Desbiens, où le nationalisme est à son plus ardent. L'article s'intitule « Que deviendra notre petit André?» Desbiens écrit son article sous forme de conversation avec sa compagne .

«Je serais effrayée d'avoir un tel enfant.»

Elle touchait la note juste. Il y a en effet quelque chose d'effrayant à palper pour ainsi dire la manifestation du génie [...]. Nous savons que déjà des «cuisiniers» d'art des États-Unis ont tenté d'accaparer à leur seul profit André Mathieu. Ce serait une erreur grave et sans doute désastreuse si nos concitoyens Mathieu se laissaient impressionner par toutes les offres qui leur pourraient venir de New York ou d'ailleurs. Ils ont la surveillance immédiate d'un trésor, mais il a toute la fragilité humaine [...]. André Mathieu nous appartient, il doit rester chez nous [...].»[147]

Cet article est emblématique de toute la pensée canadienne-française qui, à ce moment-là, se veut farouchement isolationniste pour protéger les valeurs qui lui ont permis de survivre. Le prix à payer pour cet isolement est de juguler toute chance d'épanouissement et de rayonnement à l'extérieur sans pour autant pouvoir apporter le soutien indispensable à l'éclosion des talents artistiques, faute d'infrastructures dignes de ce nom et d'un public qui, encore aujourd'hui, se fait parfois tirer l'oreille. Mais nous l'avons déjà vu, dans sa lettre à Madame Homberg, Rodolphe a bien compris que c'est New York qu'il faut conquérir si l'on veut qu'André mène au plein épanouissement ses dons invraisemblables.

---

147. Lucien Desbiens, journal inconnu, décembre 1939.

1940, UN SECOND DÉPART POUR NEW YORK

Présenter son fils à nouveau à Québec, à Montréal, dans toute la province et même dans tout le pays, ce n'est pas suffisant pour Rodolphe. Il est parfaitement conscient qu'un talent comme André est un phénomène rarissime. Depuis les triomphes de son fils en novembre 1939, il a la confirmation, la certitude qu'il faut recréer ailleurs ce qui avait été mis en place à Paris. Tournées, grands professeurs, éditions, enregistrements, mécène et agent important. L'Europe étant inaccessible, il ne reste que New York. New York sera donc la prochaine étape. Mais, pour qu'on puisse accumuler un capital qui leur permette de déménager, il faut tourner au Québec. Dès la fin décembre, des communiqués partent pour annoncer un nouveau récital au Plateau, le jeudi 11 janvier 1940. Malgré le succès, Rodolphe continue de chauffer à blanc son champion. André Mathieu inscrit à nouveau Chopin à son programme : six des vingt-quatre préludes de l'opus 28 : 10, 3, 15, 14, 20, 22 et également un nouveau Debussy, décidément son compositeur favori, *Clair de lune*, tiré de la *Suite bergamasque*. Le fidèle Marcel Valois conclut son compte rendu ainsi : « André Mathieu a dû revenir saluer une vingtaine de fois [...]. Il a bissé *Les Abeilles piquantes*, mais n'a pas donné de rappel à la fin du concert. Le pauvre petit savait ce qui l'attendait : des auditrices impitoyables se ruèrent sur l'estrade en brandissant leur programme et la longue séance des autographes commença pour André Mathieu qui s'y prête avec une bonne grâce bien sympathique. »[148]

Il faut aussi citer quelques extraits du compte rendu d'un jeune loup qui vient d'avoir vingt-quatre ans et qui se fait les dents sur celui que tous portent aux nues. Le ton de l'article illustre bien la définition d'Annette Lasalle-Leduc parlant de Jean Vallerand (1915-1994) : « ...Cet esprit quelque peu hautain... » qui, ici, se charge de remettre nos pendules à l'heure.

CONCERT AU PLATEAU, ANDRÉ MATHIEU

> Les lumières se sont éteintes et, au milieu des applaudissements, un enfant tout vêtu de blanc s'avance vers le piano d'ébène [...]. Ce qui surprend immédiatement chez lui c'est sa force : les *forte* retentissent comme sous la main d'un homme. Le phrasé est agréable et la sensibilité fine. Pas de chiqué, pas de cabotinage et pourtant Dieu sait que c'est habituellement le lot des enfants

148. Marcel Valois, *La Presse*, le 12 janvier 1940.

prodiges. On s'attendait à voir un petit bout d'homme conscient de sa valeur et heureux d'en faire étalage et l'on a la surprise de se trouver simplement en présence d'un enfant [...]. Sa simplicité et son enfance conservée l'éloignent d'une sotte vanité [...].

Comme pianiste, si l'on songe à son âge, André Mathieu est très sympathique. Il deviendra à n'en pas douter un grand artiste. Son interprétation du *Cakewalk (Golliwogg's Cakewalk)* de Debussy, entre autres, est une petite merveille. André Mathieu dépasse de cent coudées plusieurs pianistes qui sont ses aînés [...]. Comme compositeur le jugement est plus difficile. *Dans la nuit* et *Tristesse* sont d'une écriture très personnelle. Surtout *Tristesse* avec sa lente mélodie chromatique. Quant au reste, c'est encore du Debussy avec parfois quelques touches de Ravel. Cette musique ne porte pas encore la marque d'une forte personnalité. Cela ne l'empêche pas d'être une musique belle et fort attachante. André Mathieu a peut-être du génie mais ce ne sont pas ses compositions déjà livrées au public qui permettent de l'affirmer [...]. André ne peut pas réclamer la gloire que sa musique révolutionnera le style et la pensée musicale du 20e siècle. Il a peut-être du génie, mais sa musique n'est pas encore géniale. André Mathieu possède évidemment un immense talent et le talent est beaucoup plus rare qu'on le croit. Des génies, il y en a trois ou quatre par siècle dans chaque domaine et je suis généreux. Les talents peuvent se compter aux environs de vingt par cent ans. Faire partie de ces vingt-là, ce n'est déjà pas si mal [...]. André Mathieu est et demeure André Mathieu : un des talents les plus prometteurs qu'ait produit le Canada français. C'est déjà un très grand titre de gloire. On ne juge pas les artistes à leur âge, on les juge à leurs œuvres. Qu'André Mathieu ait composé *Les Abeilles piquantes* ou *Processions d'éléphants,* c'est merveilleux, c'est surprenant. Mais si ces œuvres étaient celles d'un homme mûr, je crois bien que personne ne crierait au prodige [...].

Je ne demande pas mieux que de voir naître dans le peuple canadien-français un génie de la musique. Mais j'aurais conscience de souiller ma plume d'un mensonge si j'allais affirmer que déjà André Mathieu a manifesté qu'il est ce génie. L'avenir s'annonce pour cet enfant sous les plus heureux auspices. Mais André Mathieu deviendra un compositeur par le travail acharné comme tous les autres, même les plus grands, qu'ils s'appellent Beethoven ou Ravel. Du travail et d'une forte personnalité naissent les chefs-d'œuvre. Un jour, André Mathieu donnera sans doute ce chef-d'œuvre. D'ici là, il demeure un enfant très sympathique, qui écrit de très jolies choses, et un pianiste qu'il fait plaisir d'entendre.

> C'est un gosse très avancé pour son âge et sur qui nous pouvons compter pour l'avenir musical du Canada français et qui fait déjà une musique aussi agréable que celle de plusieurs de ses aînés.
>
> Seulement, laissez Mozart tranquille.[149]

Deux ans plus tard, Jean Vallerand sera nommé secrétaire général du Conservatoire de Musique qui vient d'être fondé, il y restera jusqu'en 1963. Il deviendra chef des émissions musicales à Radio-Canada de 1963 à 1966. Il faut admirer son intégrité intellectuelle et humaine : il traite et l'artiste et le compositeur avec la même rigueur qu'il mettrait à juger un collègue, un égal. Plus d'une fois, il se portera à la défense d'André Mathieu, en les prenant, sa musique et lui, parfaitement au sérieux. Il y a aussi quelque chose d'essentiel dans le compte rendu de Jean Vallerand : il donne le ton à ce qui d'ores et déjà sera la position officielle de l'intelligentsia montréalaise. Même l'infaillible Frédéric Pelletier du *Devoir* a fini malgré lui par s'enthousiasmer. Mais Vallerand restera mesuré tout au long de sa carrière et finira par s'attacher à l'homme en rejetant le scepticisme teinté de condescendance et d'un peu de dérision qui peu à peu deviendra l'étalon de « l'opinion éclairée » concernant André Mathieu et sa musique.

Après ce dernier récital au Plateau en moins de deux mois, Rodolphe accélère la cadence et une semaine plus tard, le jeudi 18 janvier, il est à St-Jérôme, au Théâtre Rex, où il reprend inlassablement ses pièces et le programme mis au point depuis quelques mois. Une semaine après, le jeudi 25 janvier, il est à Sherbrooke à la salle Immaculée-Conception.

Il est impossible de résister au plaisir de vous faire partager un autre poème inspiré par le passage d'André Mathieu, cette fois à Sherbrooke. L'auteur de ce poème est un chanoine, familier des envolées poétiques :

> *Le Canada possède son Mozart.*
> *Un génie précoce.*
> *Musicien de promesses.*
> *Déjà compositeur à neuf ans !*
> *En signale-t-on de semblables ailleurs ? [...]*
> *Le jeune prodige est canadien.*
> *De notre sang.*

149. Jean Vallerand, *Le Quartier Latin*, le 26 janvier 1940, p. 5.

Nous devons en être fiers.
Il nous honore.
Il illustre que nous ne sommes pas étrangers à l'art.
Nous aimons et cultivons le beau.
Comment en serait-il autrement?
La nature canadienne est grandiose.
Nos paysages sont adorables [...]
Rien d'étonnant si nous avons André Mathieu.
À Paris, à Londres, à New York, on brûlerait de l'entendre.
Pensez donc! Des doigts de bambin soulevant des vagues d'harmonie de piano devant lequel il paraît si petit...

Chanoine Arsène Goyette

Deux jours plus tard, le samedi 27 janvier, André revient pour la quatrième fois à la salle de l'Auditorium du Plateau. Louis H. Bourdon est toujours l'imprésario présentateur. Pourquoi cette activité frénétique et sans doute épuisante? C'est que Rodolphe prépare son grand coup en «groomant» son pur-sang avec tout le soin dont il est capable. André joue de plus en plus et il élargit son répertoire de concert. Il semble se concentrer davantage sur son piano que sur la création car il n'y a aucune nouvelle œuvre depuis *La Berceuse* de 1938, inscrite à aucun des programmes. Mais l'événement de ce début d'année 1940, c'est à New York qu'il se produit et dans une des salles les plus prestigieuses de la ville, le «Town Hall»[150].

Rodolphe a repris contact avec Arthur Judson qui avait entendu André en décembre 1935 à l'audition organisée par Wilfrid Pelletier, rappelons-nous. Judson est un des imprésarios les plus importants en Amérique. Son agence, Columbia Concerts Corporation, contrôle près des deux tiers de la vie musicale aux États-Unis. Il est aussi le manager de l'Orchestre Philharmonique de New York depuis 1922 et le restera jusqu'en 1956. Si on ajoute qu'il est un partenaire important du réseau radiophonique Columbia Broadcasting System, CBS, voilà un homme qui peut vous lancer ou vous briser. Pour la première fois de leur vie, Rodolphe, Mimi et André vont prendre l'avion et s'envoler sur les ailes de la Canadian Colonial Airways qui les emmènent à New York. Camillette est restée à la maison. C'est Judson lui-même qui a organisé le récital, la presse a été alertée

150. Cette salle historique, située au 123 ouest de la 43e rue, a vu défiler, depuis son inauguration le 12 janvier 1921, les plus grands artistes.

et les journalistes sont sur place. Le programme est ambitieux, André y joue des pièces qu'il vient à peine d'apprendre : quatre *Préludes* de Chopin, 15, 3, 20, 22, un groupe Debussy, la *Suite pour deux pianos* et le *Concertino no 2* avec Rodolphe. On lui donne encore neuf ans, et c'est ce soir-là que tout passe ou tout casse pour les Mathieu. Quand, des années plus tard, André racontera à sa femme Marie-Ange, qu'il sentait que tout reposait sur ses épaules, le récital au Town Hall est sans doute une de ces occasions. Le *New York Times* a dépêché son critique senior Noel Straus. Rodolphe a dû exulter le lendemain matin quand il a pu lire :

> À TOUT JUSTE NEUF ANS, LE COMPOSITEUR-PIANISTE
> ANDRÉ MATHIEU FAIT DES DÉBUTS REMARQUABLES
>
> D'une précocité hors du commun, André Mathieu [...] a fait sensation lors de ses débuts new-yorkais au Town Hall. [...] Ce fut une expérience tout à fait unique que d'écouter ce jeune garçon interpréter ses propres œuvres qu'on aurait tendance à attribuer à un compositeur établi. Il les a jouées et interprétées avec une maturité bien au-delà de son âge [...]. À son entrée en scène, les auditeurs ont découvert un enfant normal, d'allure vigoureuse, élancée et sportive, vêtu d'un tricot et de shorts blancs. Sa vigueur apparente n'avait d'égale que la rigueur et l'entrain de son interprétation, le garçon s'étant lancé immédiatement, et sans autre forme de procès, dans la première des trois études qui figuraient en tête de son programme.
>
> COMPOSITEUR À 4 ANS
>
> André n'avait que quatre ans quand il composa ces trois études et on peut penser que dans toute l'histoire de la musique, aucun autre enfant n'a composé de tels morceaux à un si jeune âge. Même Mozart, le plus talentueux des enfants prodiges de tous les temps, n'a commencé à composer qu'à cinq ans et ses premiers épanchements musicaux étaient d'une facture beaucoup plus simple.
>
> À l'instar des œuvres de jeunesse de Mozart, les pièces de ce prodige de notre époque sont influencées par la musique de son temps, mais témoignent d'une personnalité affirmée. Car il n'y a rien de puéril dans ses *Trois études.* Comme toutes les autres compositions de cet étonnant garçon données hier soir, elles présentent des harmonies dissonantes d'une grande complexité, une texture riche et un sens de la structure et du développement proche de la perfection.

> Même les plus sceptiques des auditeurs ont dû être surpris de la qualité des *Trois études* [...]. La fougue de la première [...], une création audacieuse et passionnante, est une succession d'accords enchevêtrés, qui, malgré sa brièveté, a su franchir la rampe avec conviction, d'autant plus qu'André l'a exécutée avec une plénitude de sonorité fortissimo, une verve et une puissance dignes d'un vétéran du clavier.

Noel Strauss poursuit sur cette lancée et commente une à une chacune des pièces qu'André a choisies de présenter parmi ses œuvres.

> *Tristesse*, morceau composé à l'âge de six ans, surprend à la fois par son charme mélodique et harmonique. *Les Vagues*, pièce écrite cette année, est une des œuvres les plus achevées et adroitement élaborées de ces créations hors du commun. La montée de ses basses chromatiques, le passage lyrique médian, de même que la phénoménale apogée de son final exploitant d'intéressants effets harmoniques, témoignent à coup sûr d'une maturité en totale contradiction avec l'âge de son compositeur [...].

En fait, le compte rendu de Noel Strauss suffirait à assurer à André Mathieu la curiosité, sinon l'admiration des générations futures. Noel Strauss apporte cependant un caveat à son dithyrambe :

> Les qualités dont a fait preuve le jeune maître Mathieu dans l'exécution de ses propres compositions – en déployant la puissance et la délicatesse exigées, en soutenant la ligne mélodique qui ne perd jamais en qualité lorsqu'elle est accentuée –, ainsi que sa précision technique et son assurance spontanée, se sont avérées moins convaincantes quand il a interprété Daquin, Chopin, Debussy et d'autres œuvres au programme. Il les a jouées d'une façon directe et sans erreur, mais a manifesté une immaturité sur le plan de l'exécution proprement dite, totalement absente dans son exécution empreinte de bravoure (au sens musical) de ses œuvres pourtant nettement plus difficiles.[151]

Remarque qui sera reprise par Francis D. Perkins du *New York Herald Tribune* :

> André Mathieu [...] n'a pas mis longtemps à convaincre les nombreux auditeurs qu'il possédait un immense talent comme compositeur et pianiste, les deux disciplines dans lesquelles il s'est

151. Noel Strauss, *The New York Times*, le 4 février 1940 : **voir la citation originale en annexe.**

> présenté [...]. En tant qu'interprète, l'un des traits les plus saillants de son jeu réside dans sa formidable énergie ; le volume sonore était sans conteste celui qu'un adulte eut produit. Cela vaut tout particulièrement pour les accents au ton déclamatoire, joués avec une vigueur incroyable. Sa technique, lorsqu'il interprète ses propres morceaux, sa dextérité et son assurance nous ont semblé dignes d'un adulte. Il donna également l'impression de posséder une musicalité, une sensibilité interprétative, une vélocité incroyable, un souci du détail et la maîtrise d'un judicieux contrôle des nuances dynamiques.
>
> C'est avec *Les Abeilles piquantes* (qui fut bissé) qu'il a su le mieux démontrer ces qualités [...] les influences de Debussy et de Stravinski étaient les plus évidentes dans un style où perce une réelle personnalité [...]. Bizarrement, la maestria interprétative du garçon ne s'est pas manifestée avec autant de brio dans les œuvres de ses pairs. Si la technique et la vigueur du jeu sont restées remarquables, le phrasé révélait une approche un peu superficielle de cette musique à laquelle manquait un sens de la ligne auquel le début du programme ne nous avait pas préparés.
>
> Même si la maturité d'un enfant doué de talent fut mieux appréciée dans l'interprétation de sa propre musique, cela resta un concert exceptionnel dont les défauts ne purent être attribués qu'au jeune âge de l'interprète [...].[152]

Deux autres commentaires du même récital ont relevé le même point. Dans ses œuvres, l'interprétation est digne de toutes les louanges, dans le répertoire courant, on lui reproche une certaine immaturité, une approche un peu extérieure.

À quelques jours de ses onze ans, la remarque des critiques américains nous amène à nous poser une question fondamentale : quelle formation, quel apprentissage, quels moyens a-t-on mis à la disposition de cet enfant pour lui permettre de porter à maturité ses trois dons fondamentaux : l'improvisation, la composition et l'interprétation ? Toute sa vie, et nous en avons d'innombrables témoignages, André Mathieu improvisera à partir de ses thèmes et de ses œuvres déjà achevés. Sa capacité à « partir » et à subjuguer ses auditeurs atteindra son point de non-retour avec les

---

152. Francis D. Perkins, *The New York Herald Tribune*, le 4 février 1940 : **voir la citation originale en annexe.**

Pianothons[153]. Mais composer, c'est bien plus qu'improviser ; la musique est un « métier » où il faut apprendre à structurer, à développer les thèmes, à enchaîner les motifs, à instrumenter, à orchestrer, à articuler un discours, à conduire des voix, à bâtir des accords, à moduler, à utiliser les tonalités et à voyager dans un univers où tout doit sembler couler de source, évoluer librement et aboutir à l'évidence. Jusqu'à maintenant, quelle formation cet enfant de dix ans a-t-il reçue ?

Rodolphe, lorsqu'il note les œuvres qu'André lui « dicte », lui a sans doute suggéré telle approche, telle solution, mais la candeur et la naïveté de ses premières compositions laissent transparaître une inspiration brute et sans afféteries. Le premier maître dont il ait reçu les conseils est Jacques de la Presle avec lequel il commencera à travailler seulement après son retour de vacances, en décembre 1937, à Paris. Si on se penche sur la production de cette époque, la *Suite pour deux pianos*, *Les Mouettes*, nous semblent être des œuvres déjà existantes, que de la Presle va utiliser pour lui apprendre les rudiments du « métier » ; seule la *Berceuse* semble être un produit original de leur collaboration. Ce « Prix de Rome », qui trouve qu'André nage dans la composition « comme un poisson dans l'eau », est le seul maître véritable qu'André ait eu jusqu'ici.

Troisième et dernier volet de ses dons : le piano. Jusqu'à son départ pour Paris, on ne connaît à André Mathieu aucun professeur, mis à part son père, dont ce n'est pas la spécialité. Rodolphe est d'abord reconnu comme professeur de théorie, d'harmonie et de composition, et le Canadian Institute of Music emploie d'autres pédagogues pour les cours de piano. En arrivant à Paris, la petite bourse de Duplessis permettra aux Mathieu d'inscrire André aux cours du grand Yves Nat, qui prendra le garçon en charge pour quelques mois, de janvier à juin 1937, puis au retour des vacances en décembre 1937. La première collaboratrice de Cortot, Madame Giraud-Latarse, prendra le relais et lui transmettra les secrets de l'approche Cortot jusqu'en juillet 1939, date de leur retour en Amérique. Le disque de la *Boîte à Musique* est l'illustration la plus éclatante des résultats de cet apprentissage. De retour à Montréal, André est de nouveau laissé à lui-même. Cela explique peut-être la discrépance entre la maîtrise

153. Voir le chapitre VIII.

éblouissante qu'il déploie à exécuter ses propres œuvres et les « limites » qu'il affiche quand il aborde celles des autres maîtres. Ou peut-être, étant donné la cadence infernale à laquelle Rodolphe l'a soumis les semaines précédant le récital à New York, André a-t-il simplement manifesté sa fatigue, les œuvres de Daquin, Chopin, Debussy, Ravel, Ibert et Jacques de la Presle étant inscrites en deuxième partie de programme.

Bien entendu, les journaux montréalais *The Gazette, The Montreal Daily Star, La Presse* et *Le Devoir* publient des extraits des deux articles new-yorkais. Après les échos du triomphe parisien, les délires provoqués par ses apparitions de novembre et janvier au Plateau, les réactions de New York font l'effet d'une légitime consécration.

Il y a un court article de l'infatigable Marcel Valois qui expose au grand jour pour la première fois les deux attitudes fondamentales qui prévalent encore aujourd'hui face au phénomène André Mathieu et à son œuvre. D'une part, il y a les enthousiastes qui projettent en lui les espoirs de la « nation », et qui reconnaissent les traces d'un génie précoce dans les pièces et dans le jeu du jeune prodige. D'autre part, il y a les sceptiques, les « connaisseurs », qui sans connaître l'ensemble de sa musique, ont décrété que eux ne confondraient jamais « concombres et catacombes », et que eux savaient ce qu'était la grandeur et qu'elle ne passait pas par ces sentiers faciles et populaires. Valois, le premier, met au jour cette dynamique dans sa chronique musicale *Notes et pronostics* :

> Il reste néanmoins un mot à dire à ceux des nôtres que la consécration de New York, après celle de Paris, n'aurait pas convaincus du prodigieux et double talent d'André Mathieu. Ces personnes qui entretiennent encore un doute à son endroit ne l'ont naturellement jamais entendu. Si elles ne pèchent que par ignorance totale des choses de la musique, elles devraient bien se fier à l'opinion des critiques et des musiciens. Chez les personnes des deux sexes qui fréquentent les concerts, connaissent la musique et même en font, le scepticisme, la malveillance et même le mépris trouvent leur explication dans le *petit catéchisme*. « L'Envie, y lit-on, est une tristesse que l'on ressent à la vue du bien d'autrui ». Passons maintenant à autre chose.[154]

154. Marcel Valois, *La Presse*, le 10 février 1940.

Rodolphe et Bourdon ne ralentissent pas la cadence. La tournée continue. C'est à la salle Académique du Séminaire de Joliette qu'André joue dix jours après New York. Puis c'est Valleyfield, récital donné sous les auspices du Cercle Missionnaire Ste-Thérèse et pour la première fois, à onze ans, Mathieu attaque trois des *Études* de Chopin, trois études à titre : *Le Rouet*, *La Révolutionnaire* et *Le Papillon*[155], et de son cher Debussy il programme *La fille aux Cheveux de Lin*. Enfin, le samedi 14 mars, André retourne pour la cinquième fois sur la scène de l'Auditorium du Plateau à l'occasion du gala des infirmières diplômées de l'Hôpital St-Luc. Il y a une partie littéraire confiée à deux journalistes : Ernest Palascio-Morin, qui avait accepté de remplacer au pied levé Berthelot Brunet au tout premier récital d'André au Ritz Carlton, et Jean-Charles Harvey. Le décidément inépuisable Marcel Valois y était et relaie la même euphorie : « Le génial enfant rapporta son succès habituel d'admiration, de joie et d'étonnement... »[156]

Enfin, après ce gala, Rodolphe lui laisse la bride sur le cou et André peut souffler. Mais malgré tous ces succès, une lettre de Rodolphe à l'imprésario Louis H. Bourdon, datée du 8 avril, fait le point sur les démarches entreprises par Rodolphe pour reprendre et recréer à New York tout ce qui avait été mis en place à Paris. Rodolphe laisse libre cours à sa frustration et à son découragement. Deux jours avant, il a reçu une lettre lui apprenant que « les bureaux de la Columbia ne sont pas intéressés à pousser André, ayant déjà trois enfants pour lesquels ils ont déboursé beaucoup d'argent pour leur éducation et les faire connaître [...]. Cette réponse n'a pas besoin de commentaires. Je sais maintenant à quoi m'en tenir. Seulement, si la chose avait été faite avec NBC pour le concert d'André à New York (récital du 3 février), je ne serais pas obligé aujourd'hui de tout recommencer en neuf, étant donné que je t'avais dit que j'avais déjà des relations avec le NBC (Siegfried Hearst) [...]. Je suis donc obligé de m'occuper moi-même de trouver quelqu'un pour faire le booking d'André pour la prochaine saison puisque toi-même tu m'as dit que tu ne pouvais rien faire en dehors de Montréal. Crois-moi, ton tout dévoué Rodolphe Mathieu. »[157] Mais Rodolphe est un battant et André est sa mission.

155. *Le Rouet* : opus 25 no 2, *La Révolutionnaire* : opus 10 no 12, *Le Papillon* : opus 25 no 9.
156. Marcel Valois, *La Presse*, le 16 mars 1940.
157. Rodolphe Mathieu, Lettre à Louis H. Bourdon, Fonds Famille Mathieu, Archives nationales, Ottawa.

Le 25 avril, Rodolphe écrit cette fois au député de Mercier, J. A. Francœur, :

4519, rue Berri
Montréal, P.Q.
25 Avril 1940

Monsieur J. A. Francœur
Député de Mercier
Bureaux du Gouvernement
Québec.

Monsieur le Député,

Relativement à l'entretien que nous avons eu avec l'Honorable Monsieur Groulx à ses bureaux de Montréal au sujet de mon fils André, je me permets de venir vous donner quelques détails sur les intentions que je formule pour ses études.

Maintenant que nous sommes obligés de nous orienter vers les États-Unis, vu les conditions européennes, il serait de toute nécessité que mon fils puisse poursuivre ses études avec des grands maîtres comme ceux qu'il avait à Paris.

Je veux bien que mon fils donne quelques concerts mais je ne veux pas que cela dérange ses études. Comme vous m'avez donné l'opportunité de rencontrer L'Honorable Monsieur Groulx et qu'il a paru très intéressé à mon fils, je vous serais très obligé si vous pouviez intercéder de nouveau auprès de lui en ma faveur.

Étant donné l'âge d'André (il a maintenant dix ans) il serait bien nécessaire qu'il poursuive à fond ses études pendant plusieurs années. Il n'y a que le Gouvernement qui peut mener cette chose à bonne fin.

André a déjà apporté beaucoup d'honneur au Canada, spécialement à la Province de Québec, je ne crois pas qu'il pourrait lui être refusé l'aide à son épanouissement. Comme je sais que vous comprenez bien le cas d'André je ne doute pas que vous réussirez à obtenir l'aide du Gouvernement que je sollicite pour mon fils.

Dans l'attente d'une réponse favorable, je vous prie, Monsieur le Député, d'agréer l'expression de mes sentiments très distingués.

Rodolphe Mathieu[158]

Malgré les démarches américaines qui n'aboutissent pas, le soutien médiatique sur la scène locale ne s'essouffle pas. Quand les journalistes proposent de vous consacrer un reportage avec photographies, interviews et survol

158. Rodolphe Mathieu, lettre à J. A. Francœur, Fonds Famille Mathieu, Archives Nationales, Ottawa.

de votre carrière, c'est véritablement le premier indice que votre popularité est d'intérêt public. Les articles pré-concert, les critiques, les communiqués de presse, c'est une chose, mais un reportage… voilà une véritable consécration.

Dans le journal *The Montreal Standard* du samedi 30 mars 1940, le journaliste Jean-Marie Marcotte et son équipe consacrent un grand reportage de cinq pages avec de magnifiques photos du phénoménal André Mathieu. En page couverture, on voit André assis au piano avec son chien Bibi qui, lui aussi, a posé ses pattes sur le clavier. Puis, une photographie prise du balcon de l'auditorium de la salle du Plateau pendant un récital, nous montre André et Rodolphe en pleine exécution, côte à côte, chacun devant un grand piano de concert Willis.[159] Une autre photo capte la véritable complicité et la confiance qui existent entre le père et le fils. Nous retrouvons cette intimité dans le film de Jean-Claude Labrecque, *André Mathieu, musicien*[160], où le cinéaste a génialement intégré, à la toute fin de son documentaire, un bout de film amateur qui nous fait assister à la réception offerte après le récital du 25 janvier 1940 à Sherbrooke ; André est assis devant une montagne de sandwichs et Rodolphe, le plus naturellement du monde, lui prend la main, sans que son fils tourne même la tête vers lui, tant il est certain de l'affection de son géniteur… À la page suivante du *Montreal Standard*, il y a une photo de Mimi qui irradie, comme une grande tragédienne, dans ce manteau de lapin blanc qui la pose en grande princesse russe en exil. On retrouve aussi André jouant avec sa sœur Camillette et Pierre Dupire, un de ses amis, sur le tapis du salon de la rue Berri et l'unique photo officielle du 4519 qui nous soit parvenue. Tout ce battage médiatique, tous ces articles, tout ce branle-bas de combat nous montrent assez la place d'André au Canada, français et anglais.

Dans l'article rattaché au reportage photo, Marcotte nous apprend que le cachet d'André est maintenant de mille dollars par apparition. Et remarque vraiment étonnante : « Il est le chef de famille. C'est lui qui les fait vivre,

159. C'est la seule photo que nous ayons d'André Mathieu dans cette salle où il aura joué si souvent.

160. Jean-Claude Labrecque, *André Mathieu, musicien*, les Productions La Sterne, 1993.

bien que la plus grande partie de ces gains soit déposée dans un compte de banque à son nom. »[161]

On reprend aussi l'anecdote où André joue *Dans la nuit* à son père et l'abdication de Rodolphe devant l'évidence du talent de son fils. L'anecdote Rachmaninoff est enrichie des enjolivures de la légende familiale et se développe. Non seulement Rachmaninoff écoute le disque de la *Boîte à Musique* à Vienne, mais il fait le voyage jusqu'à la pension Servandoni à Paris et, après avoir entendu André jouer devant lui, il aurait murmuré, et ici nous rejoignons la version standard : « S'il peut jouer comme ça à six ans qu'est-ce qu'il fera à quinze ? » Le récital annulé à cause de l'Anschluss revient aussi.

Nouvelle anecdote. Rodolphe a amené André entendre l'orchestre de Paul Whiteman à New York, Paul Whiteman, le commanditaire et le créateur, en 1924, de la *Rhapsody in Blue* de Gershwin. André est si excité par la musique qu'il éclate de rire. À son père, un peu embarrassé, il s'explique : « Je ne ris pas de l'orchestre, je ris avec lui ! Leur musique est si gaie. Et Whiteman, il a de la musique jusque dans les pieds ! »

Marcotte parle de Camillette. Elle a, paraît-il, une voix magnifique et André veut diriger l'orchestre quand sa sœur va chanter à l'opéra.

Mais André a d'autres ambitions : « He wants to become Prime Minister of Canada ». Il a une carte de l'Europe sur laquelle il note les pertes des alliés et des Allemands en avions, en bateaux et en hommes. L'article se poursuit avec cette phrase de Rodolphe, aussi émouvante que terrifiante : « We don't matter, it is André who is important. » (« Nous, on ne compte pas, c'est André qui est important. ») Le garçon ne va pas à l'école, un tuteur vient à la maison deux heures par jour et le journaliste confirme le fait que l'abbé Lachapelle lui a fait passer un test de quotient intellectuel et qu'il a atteint 140, (en 1975, dans ses Mémoires, Lachapelle parlera de 160…) – « Un génie » dit l'abbé, « Un génie » disent les critiques, « Un génie » admet Rodolphe. »[162] Rodolphe, on s'en rend compte, soigne le public anglophone.

161. Jean-Marie Marcotte, *The Montreal Standard*, le 30 mars 1940 : « He is the head of his family. His earnings support it, although most of his money is banked for him. »

162. Jean-Marie Marcotte, *The Montreal Standard*, le 30 mars 1940.

Dans la *Chronique de Magog* du 18 avril 1940, le même Jean-Marie Marcotte, sur la base du matériel amassé pendant sa visite chez les Mathieu, précise certains aspects et ajoute des détails. Cet article est essentiel pour compléter le portrait de cet enfant de onze ans :

> André n'ambitionne nullement de succéder à Mozart ; il le trouve même monotone et enfantin [...]. Il veut devenir chef d'État de son pays, y lever une puissante armée pour rendre son Canada libre et prospère [...]. Dans tous les jeux, il doit être le chef et dans toutes les discussions avec ses amis et sa petite sœur-servante, il doit finalement l'emporter. Il ne tolère que difficilement qu'on le reprenne [...]. Il faut qu'on lui montre bien clairement pourquoi il a tort et pourquoi il serait mieux de faire autrement. Il discute tout de tout. À dix ans, il connaît les pays, les capitales, les chefs d'États, les gouvernements, les faits d'histoire comme un bachelier. La musique non plus ne lui réserve aucune surprise ni cachette.[163]

Et derrière les mots du journaliste, on entend la voix de Mimi tisser les fils de la trame de la légende de son fils. « À sept mois il marchait sans s'être jamais traîné sur le plancher... La sonnerie de l'horloge provoquait chez lui des manifestations de joie... À deux ans, chaque fois que son père donnait une leçon, il se collait à la vitre de la porte du salon et tant que durait la musique il restait là, sans bouger, ravi, perdu, extasié... »[164]

Enfin, ici se noue une amitié importante, essentielle, la rencontre du violoniste Gilles Lefebvre (1922-2001) et d'André Mathieu. Ce lien qui va les unir pour les prochaines années, jusqu'au retour de Paris d'André en 1947, est une amitié très profonde et très particulière entre les deux hommes. L'oncle de Gilles Lefebvre habite rue St-Joseph, à Montréal, et sa tante, Madame Docteur Gravel connaît bien le Docteur Wilfrid Charette à Ottawa, qui est le directeur et le chef de la Symphonie La Salle. Tout comme à Québec, avec la famille Georges Beauchemin, ou aux Trois-Rivières avec l'indomptable Anaïs Allard-Rousseau, ou à Ottawa avec les familles Charrette, Coupal ou Lefebvre, les Mathieu vont tisser des liens qui débordent largement du cadre professionnel et permettent à chaque récital de recréer un milieu familier et quasi familial.

---

163. Jean-Marie Marcotte, *La Chronique de Magog*, le 18 avril 1940.
164. *Idem*.

Le lundi 13 mai au Château Laurier d'Ottawa, André va donner son premier concert dans la capitale du Canada. En plus des œuvres pour piano seul, il va créer son *Concertino no 2 Opus 13* dans sa version avec orchestre. Sans doute, comme toujours, André a-t-il indiqué à son père ce qu'il voulait entendre et Rodolphe a instrumenté le concertino, déjà vieux de quatre ans. Les Mathieu sont venus à Ottawa en avion. Pendant la répétition, André indique très clairement au chef les tempos qu'il veut. La critique dira : « Il a joué avec une autorité triomphante. Aucun artiste adulte n'aurait fait montre de plus de maturité et de pondération que le bouillonnant petit garçon dans le deuxième mouvement, l'émouvant andante [...]. Le troisième mouvement nous a entraînés dans une course folle. »[165]

Dans une lettre datée du 5 mai, Guy Beauchemin parle d'un récital à Boston. Gilles Lefebvre mentionne lui aussi dans une lettre datée du 16 mai un voyage à Boston. Le récital ne semble pas avoir eu lieu. Mais le dimanche 19 mai, le Foyer franco-américain a invité André à donner un récital au Senior High School de Pawtucket, au Rhode Island. C'est sa première et seule incursion connue dans cette importante communauté franco-américaine. Gilles Lefebvre va conclure sa première lettre d'une correspondance avec André qui va couvrir plusieurs années sur ces mots : « Un admirateur de la famille Mathieu, gloire canadienne, celui qui veut être ton ami, Gilles ». L'avenir confirmera et démentira ces derniers mots.

Rodolphe continue de s'activer et fait tout pour recréer à New York la position qu'André avait atteinte à Paris. Le 2 juillet, il écrit à l'Honorable Adélard Godbout : « [...] au sujet d'une bourse d'études pour lui permettre de continuer son travail aux États-Unis [...]. Je sais que vous appréciez hautement ceux qui par leur travail font honneur à la province de Québec et au Canada tout entier »[166].

Ce même 2 juillet, Rodolphe écrit à Mary Pickford, un des membres fondateurs avec Douglas Fairbanks, Charlie Chaplin et D.W. Griffith de la

165. Isabel C. Armstrong, *The Citizen*, le 14 mai 1940 : « He was playing with triumphant authority. No mature artist could have been more deliberate and restrained than the impetuous small boy in the second and plaintive Andante [...]. The third movement was a joyride. »

166. Rodolphe Mathieu, lettre du 2 juillet 1940, Fonds Famille Mathieu, Archives Nationales, Ottawa.

United Artists, compagnie cinématographique américaine. Rodolphe lui rappelle leur rencontre à bord du *Normandie* en juillet 1939 et lui demande carrément : « Pensez-vous que grâce à vos accointances, il serait possible qu'André se produise dans des films comme cela a été le cas pour d'autres virtuoses ? D'ailleurs, André avait été engagé par la compagnie Pathé-Gaumont pour jouer dans un film à son retour… »[167] La volonté de Rodolphe de recréer Paris est vraiment sans limites.

Le 4 juillet, c'est à Victor Doré, à ce moment-là Surintendant de l'Instruction publique, que Rodolphe demande d'appuyer sa demande auprès du Premier ministre ; les lettres s'étant croisées dans le courrier, ce même jour, le Premier ministre Godbout lui-même lui répond qu'il s'occupe du dossier.

Enfin, signe irréfragable de la popularité d'André Mathieu, la Société des Concerts Symphoniques de Montréal l'invite comme soliste avec un chef prestigieux à donner son *Concertino no 2 Opus 13* dans la série des concerts d'été au Chalet de la Montagne. Il est à noter qu'a l'occasion de cet engagement, André a dû jouer son concertino deux fois. Comme le temps était maussade, le concert du 11 juillet a été donné à la salle Tudor du magasin Ogilvy et radiodiffusé en direct, sans auditoire. C'est le vendredi 12, sous un ciel magnifique, qu'André rejoue son *Opus 13* au Chalet de la Montagne. Le merveilleux Léo-Pol Morin ne cache pas son admiration et ne craint pas de mentionner ses réserves.

> MUSIQUE D'ÉTÉ AU CHALET DE LA MONTAGNE…
>
> […] J'ai déjà dit tout le bien que je pense de ce petit bout d'homme qui continue à nous émerveiller par la sûreté de son jeu autant que par les images musicales qu'il invente. Je crois que certaines vérités sortent de la bouche des enfants, et l'on reste confondu devant les découvertes musicales de cet enfant de dix ans, qui invente des dessins, des rythmes d'une acuité, d'une précision, d'un raccourci étonnants.
>
> Son *Deuxième Concertino* est sans doute loin d'être une œuvre parfaite, ni complète, ni élaborée selon nos règles scolastiques,

167. Rodolphe Mathieu, lettre du 2 juillet 1940, Fonds Famille Mathieu, Archives Nationales, Ottawa : « Do you think it would be possible to produce him [André] in Hollywood through your connections to have him appear in pictures as other virtuosos ? Incidentally he was engaged to appear for Pathé-Gaumont in France upon his return… »

> toutes choses à quoi se prêterait la substance des idées qui le composent. C'est une œuvre schématique, très courte, qui ne se soucie point de développements. Par le caractère, par la disposition de l'écriture, par le traitement du piano, par l'esprit général, ce petit concertino fait un peu penser à ceux de Ravel et de Poulenc et pourtant rien ne ressemble moins à un thème de Ravel ou de Poulenc qu'un thème du petit André Mathieu. Cet enfant décidément est prodigieusement doué et il devrait aller très loin [...]. Il joue toujours admirablement du piano avec plus de rayonnement et de puissance que l'an dernier, mais peut-être moins proprement. Il sacrifie les nuances à la force et à l'impétuosité. Les deux *Études* de Chopin qu'il a jouées après son concerto montrent que ses ambitions débordent ses moyens actuels, sans doute par suite d'un entraînement moins scientifiquement contrôlé. Car il ne faut pas oublier que les enfants prodiges, les enfants de génie, eux aussi, ont besoin de formation, de surveillance et de discipline. Le métier d'art a de terribles exigences, mais André Mathieu n'a pas fini de nous étonner.[168]

Puis, arrivent enfin les vacances et, comme à chaque année, ce sera à St-Constant chez grand-maman Albina, puis aux Grondines chez Alfred qui a gardé la maison de sa mère. Il la vendra en 1942, mais pour l'instant, c'est le grand air, le bon lait frais, les fruits de saison, la crème qui flotte au-dessus de la pinte de lait, la baignade dans le fleuve et les promenades en bateau.

En septembre 1940, André va poursuivre son éducation scolaire avec Mademoiselle Groulx qui lui donne des leçons privées. La scolarité d'André Mathieu, avec ses trois matinées par semaine au lycée Bossuet à Paris, puis ses cours privés avec Mademoiselle Groulx, rattachée à l'Académie Notre-Dame du St-Sacrement à Montréal, semble avoir été sporadique, inconstante, en un mot, fantaisiste ; son bulletin de juin lui donne tout de même une moyenne de 90.5 pour l'année, ce qui lui permet de monter en sixième année. Là encore, les privilèges de la notoriété publique remplacent peut-être bien les diplômes.

La saison 1940-1941 débute par un retour à Ottawa au Théâtre Capitole, le dimanche 27 octobre. Le directeur de la Symphonie La Salle, Wilfrid Charette, organise ce récital moins de six mois après l'événement où, nous

---

168. Léo-Pol Morin, *Le Canada*, le 15 juillet 1940.

raconte Gilles Lefebvre dans le documentaire de Jean-Claude Labrecque, il avait dû porter André sur son épaule pour sortir par les cuisines du Château Laurier afin d'éviter les fans déchaînés qui l'attendaient. À la fin du récital, André est à nouveau assailli par ses admirateurs. La journaliste du *Droit* d'Ottawa parle de « centaines d'enfants et de grandes personnes qui ont entouré le jeune prodige pour lui arracher une signature »[169].

Le seul autre récital de cet automne 1940 prend place au Château Frontenac de Québec à l'invitation du Quebec Ladies' Morning Musical Club. En réponse à l'invitation reçue, Rodolphe écrit à la présidente du club, Mrs Dorothy Pfeiffer, une lettre qui « speaks volumes ». Rodolphe commence par franciser la raison sociale en Club Musical des Dames. Il croit pouvoir leur garantir la disponibilité d'André pour cette date, le 3 décembre, André aura juste terminé une tournée aux États-Unis et dans l'Ouest canadien. « En ce qui a trait au cachet, son tarif habituel est de 1000 $ pour une seule apparition, et 800 $ quand il est en tournée. Cependant, tenant compte du type particulier de votre organisation, le cachet net de tournée s'applique... »[170] Il faut se rappeler que tous ceux qui l'ont connu ont immanquablement souligné le sens de l'humour de Rodolphe !

Tous les contrats et toute la correspondance entre Rodolphe Mathieu et les organisations de concerts conservés aux Archives Nationales à Ottawa proposent les mêmes conditions. Si on considère qu'à l'époque un travailleur avec femme et enfants gagnait entre mille et mille deux cents dollars par année, les cachets d'André sont stupéfiants. Et comme il joue beaucoup, la question : « Où passe et où est passé tout cet argent ? » reste encore sans réponse.

Au lendemain du concert au Quebec Ladies's Morning Musical Club, les critiques, comme toujours, sont passionnées. Dans *L'Événement-Journal* du mercredi 4 décembre 1940, un article signé H. L. circonscrit ce mélange de maturité et de juvénilité qui se dégage de cet enfant de 11 ans : « On était frappé par l'impression d'équilibre physique et moral qui se dégage de tous ses gestes. Cet équilibre se traduit dans sa façon de jouer et dans

169. Journaliste inconnu, *Le Droit*, Ottawa, le 28 octobre 1940.

170. « As for the cachet, the usual fee is one thousand dollars for an only date and eight hundred dollars while on tour. However, taking into consideration your particular kind of organization, the tour fee of eight hundred dollars net would apply... »

le style de ses compositions inspirées par des sentiments peu compliqués [...]. Prodigieux, l'enfant l'est à coup sûr au point de vue technique. La solidité, la carrure de son jeu sont apparues peut-être d'une façon plus claire dans la seconde partie du concert, [...]. Assurément, il n'est pas question de comparer son exécution à celle de l'un des virtuoses de l'heure. Il manque trop de poids et trop de fluidité à son exécution pour qu'on puisse seulement y penser. Il n'en reste pas moins vrai que le petit Mathieu est une véritable merveille. »[171]

Une autre critique signée G. H. joint sa voix au chœur des louanges :

> Les mélomanes québécois qui avaient été conquis une fois ou deux déjà par l'extraordinaire talent du jeune pianiste compositeur canadien, André Mathieu, ont de nouveau subi hier soir, l'émerveillement incontestable que crée sur ses auditoires l'enfant-artiste [...]. Et si l'on se demande ce qui nous étonne et nous enchante le plus chez ce petit bout d'homme qui a aujourd'hui onze ans et qui joue et compose depuis l'âge de quatre ans, on ne sait plus bien si c'est l'impression d'équilibre physique et moral que dégage chacun de ses gestes, si ce sont les sentiments étonnamment divers mais tous d'une fraîcheur exquise qui émane de l'une ou l'autre de ces pièces, si c'est cette mémoire formidable qui lui permet de faire courir pendant des heures et sans défaillance aucune ses mains d'enfant sur le clavier, ou bien si ce n'est pas tout simplement l'évidence à laquelle on se rend sans effort et qui nous laisse convaincus que l'on a devant nos yeux un être inspiré et qui porte en soi de mystérieuses dispositions [...]. La seconde partie de son programme, nous l'avons dit, comportait des œuvres de grands maîtres et c'est là sans doute encore plus que dans ses propres œuvres, qu'il nous a été permis de mesurer la prodigieuse technique de l'enfant. Les trois études de Chopin [...] ont semblé bien peu compliquées sous les doigts du jeune pianiste. Le groupe des œuvres de Debussy [...] de même que le menuet de Ravel, nous ont permis de constater que c'est aux maîtres modernes du clavier que vont les préférences de l'enfant [...]. Une seule ombre dans ces divers messages de l'art transmis par un enfant-artiste : la *Rhapsodie hongroise* de Liszt, qui nous a paru écraser par sa longueur démesurée [...] le jeune pianiste à la mémoire merveilleuse mais aux bras d'enfant, dont la résistance tour à tour

171. H. L. *L'Événement-Journal*, le 4 décembre 1940.

> fléchissait et se ranimait, provoquant à la fois l'admiration du grand public et la sympathie des musiciens [...].
>
> Mais cela ne nous empêche pas de conserver du concert d'André Mathieu, la vision d'un enfant en qui le génie veut bien loger depuis longtemps déjà [...].[172]

Et il y a ce témoignage absolument sensationnel du quotidien *Le Soleil*, signé Clément Brown :

> André Mathieu reste à n'en pas douter l'enfant choyé des auditoires québécois. Dès qu'il parut sur la scène hier soir au Club Musical des Dames, les applaudissements crépitèrent de partout, admiratifs, enthousiastes. Tant d'espoirs ont été placés en lui ! Il flotte un tel mystère autour de sa petite personnalité ! Qui est-il ? Un génie, une promesse de génie ? Un simple enfant précoce ? Sera-t-il notre maître un jour ?
>
> Il pèse de telles responsabilités sur ses épaules ! Elles ont pourtant l'air solides ses petites épaules ! Nous avons trouvé l'enfant grandi, grossi, robuste et musclé [...].
>
> Prodigieux, André Mathieu l'est à coup sûr. C'est un exécutant étonnamment précoce. Il n'était que de l'entendre jouer, hier soir, *l'Étude révolutionnaire* de Chopin, le *Golliwogg's Cakewalk* de Debussy ou la *Rhapsodie no 2* de Liszt, pour constater que cet enfant possède en lui l'étoffe d'un grand, d'un très grand pianiste. Sans doute, rien de cela n'était parfait – ces œuvres sont d'une exécution difficile – mais il y avait là plus qu'une espérance. Le jeu s'est raffermi depuis l'an dernier. Il est devenu plus solide, plus nourri, plus plein, nous dirions plus « substantiel ». Il n'atteint pas encore à maturité, mais déjà on y sent la chaleur, la flamme d'une personnalité qui se cherche. Reste le compositeur.
>
> Il a donné des promesses, des promesses certaines. On a parlé de prodige. Nous n'aimons guère ce mot. Il fait un peu trop " réclame ". André Mathieu est-il un génie qui naît à l'expression musicale ? Pourquoi scruter l'avenir ? Laissons l'enfant répondre lui-même [...]. André Mathieu possède un sens prodigieux du rythme comme l'attestent sa *Danse Sauvage*, sa *Procession d'Éléphants*, *Les Gros Chars*. Il y a surtout dans la première pièce des audaces d'écriture qui étonnent. Dans *Les Mouettes*, *Les Vagues*, se révèle un sens plus mûri de l'observation. Enfin quelques œuvres plus révélatrices encore, parce qu'on y sent une précocité

172. G. H., journal inconnu, décembre 1940.

> d'intuition, une tentative d'introspection qui ne sont pas sans nous émerveiller : *Dans la Nuit, Tristesse, Berceuse, Hommage à Mozart enfant.* Ce sont là des pièces où l'originalité de la mélodie est effacée par l'inquiétante gravité des accents.
>
> Tout cela reste, il est vrai, dans la gamme des observations et des sentiments d'un enfant, mais n'est-il pas déjà phénoménal qu'André Mathieu ait déjà tout simplement su s'exprimer et le faire avec une justesse, une précision étonnantes ?[173]

Critique intelligente et nuancée. Encore aujourd'hui, certaines œuvres restent troublantes : *Dans la nuit, Tristesse, Les Vagues…*

Début 1941, toute la famille part pour New York en voyage exploratoire, la grande question demeurant : « À qui confier André ? » Quelle agence pourrait se charger des récitals, des concerts et des tournées ? Quel maître accepterait de poursuivre son apprentissage ? Sans doute est-ce à cette occasion que Rodolphe met à profit les relations « d'amitié » qu'il a tissées avec la Comtesse de Maublanc, dont la sœur est une des femmes les plus puissantes de New York et aussi l'une des arbitres du goût et de la mode : Elizabeth Arden, qui règne sur son empire à partir de sa boutique de la Cinquième avenue. Élizabeth Arden (1878 – 1966), une Canadienne qui est devenue une « influential person » à New York, grâce à cet empire qui propose aux femmes des produits et des soins de beauté. De son vrai nom, Florence Nightingale-Graham, elle est née à Woodbridge en Ontario, où rien ne semblait vouloir l'arracher à sa province natale. Elle rend visite à son frère à New York, y trouve du travail et, passant d'un emploi à l'autre, elle étudie l'industrie des cosmétiques et des produits de beauté et fonde sa propre maison. Femme cultivée, elle a choisi son nom de femme d'affaires en empruntant le nom « Arden » au poème de Tennyson, Enoch Arden ! Arden disait qu'il y avait seulement trois « noms américains » (American brands) connus à travers le monde : Singer (les machines à coudre), Coca-Cola et Elizabeth Arden. Elle développe et étend son empire en ouvrant des spas. Elle était aussi fanatique de chevaux et de concours hippiques. Enfin, sa renommée est telle qu'elle a fait la couverture du *Times Magazine* le 6 mai 1946. Sa sœur Gladys vivait à Paris, où les Mathieu l'avait rencontrée et fréquentée sous son nom de femme mariée et de femme du monde, la Comtesse de Maublanc. Comme les Maublanc ont des sympathies avec

173. Clément Brown, *Le Soleil*, le 4 décembre 1940.

l'Allemagne nazie, Arden sera mise sous enquête par J. Edgar Hoover et le FBI. Les choses en resteront là, Hoover et Arden étant amis !

Elizabeth Arden acceptera de prendre André sous son aile et Mimi raconte avec délectation que le chauffeur venait chercher André tous les matins pour qu'il travaille son piano sur le grand Steinway de Madame Arden. La description que fait Mimi de son appartement est proprement hollywoodienne. « Des tapis blancs, un escalier de marbre noir avec des grands lévriers. C'était d'un goût, d'un raffinement. Pour nous, les pauvres quêteux, ça faisait changement. »[174]

Grâce à Elizabeth Arden et à ses accointances, un premier article, signé Ross Parmenter, paraît dans le prestigieux *New York Times*. Les observations de Parmenter sont intéressantes.

À QUOI RESSEMBLENT VRAIMENT LES ENFANTS PRODIGES ?

> [...] D'après son père, le garçon semble être tout le temps dans la lune. Il a un caractère très affirmé et veut tout régenter sans se laisser influencer par les idées des autres. Tout ce qu'il entreprend lui vient naturellement. Il lui arrive de vouloir se tuer à la tâche en travaillant trop son piano et en prenant le risque d'y laisser sa santé. Il a pour ambition, malgré son jeune âge, de jouer à New York, accompagné d'un orchestre symphonique. Avec ses 108 livres, il est grand et costaud pour son âge. Une touffe de cheveux noirs lui tombe de temps en temps dans les yeux et les journalistes ne l'intéressent guère.
>
> La semaine passée, quand un journaliste s'est rendu au 362 Riverside Drive, là où il séjourne pour un mois en compagnie de ses parents et de sa sœur Camille âgée de neuf ans, il n'a pas pris de gants pour exprimer que l'interview l'ennuyait. [...] Difficile de lui jeter la pierre, ses connaissances en anglais sont limitées. Dès qu'un sujet l'intéresse, il change du tout au tout. Il s'anime, rit de bon cœur et de son visage émane une réelle intelligence. Il passe en un clin d'œil de la tristesse à la joie malicieuse. Il s'est montré très poli, mais il semble doté d'un caractère indiscipliné, susceptible de s'emporter au quart de tour, voulant toujours être le centre d'intérêt et ne supportant pas la moindre entrave.[175]

---

174. Mimi Mathieu, entretien du 16 décembre 1975, interview par Rudel-Tessier.
175. Ross Parmenter, *The New York Times*, le 9 février 1941 : **voir la citation originale en annexe.**

Parmenter continue le compte-rendu de la rencontre en relatant les résistances de Rodolphe à faire d'André un musicien, sauf que devant l'évidence des dons de son fils... Parmenter enchaîne avec la bourse pour Paris et en arrive à la raison de leur visite à New York : qu'André reçoive « la forme d'éducation dont il a besoin et qu'il ne peut recevoir chez lui, à Montréal. Ils ont déjà assisté au maximum de concerts possible [...]. Le garçon fait quotidiennement trois heures de piano, raconta Monsieur Mathieu. Il joue ses propres compositions ainsi que celles des autres qu'il peut déchiffrer et quasiment mémoriser de visu. Il compose généralement au piano, inspiré par les suites d'accords. Mais il lui arrive également de composer avec un crayon, l'emploi d'une plume et d'encre étant trop fatigant. Il vient de terminer son Opus 42, un *quintette pour piano et cordes.* » Ross Parmenter poursuit : « Monsieur Mathieu ne craint pas que son fils se prenne pour un autre. Il pense que sa vie intérieure et l'absence de tout orgueil et de toute complaisance le protègent. [...] Si André fait du patin, de la natation et du vélo, il n'est pas autorisé à skier, à jouer au tennis ou au football, de peur qu'il ne se blesse. Il adore jouer avec les garçons de son âge, à condition de pouvoir rester maître du jeu. Il aime beaucoup aller au cinéma et il est redoutable au jeu de dames. Il aime aussi parler de musique et de l'actualité avec des adultes, car maintenant qu'il sait lire, il est devenu un lecteur attentif de la presse. »[176]

Et Parmenter conclut l'interview en lui demandant qui sont ses compositeurs favoris : « César Franck, Debussy et puis Ravel », lui répond André en français. Aime-t-il Stravinski ? « Ah ! Je l'aime beaucoup. » Avec quel orchestre aimerait-il jouer ? « The Philharmonic », répond André spontanément. Et avec quel chef ? La réponse jaillit sans hésitation : « Toscanini ».[177]

Conséquence directe de ce premier séjour à New York et de l'appui d'Elizabeth Arden, un deuxième article paraît début mars, signé du nom de plume « Candide ». L'interviewer nous raconte qu'André « retenait ses larmes devant le Broadway Theatre après qu'on lui eut dit qu'il ne restait plus de place pour *Fantasia* [...]. "C'est impossible. " [...] Ce sont ses larmes, son français, sa déception enfantine et ses cheveux noirs épais qui ont attisé notre curiosité et nous ont poussés à l'inviter à notre prochaine

176. *Idem.*
177. *Idem.*

matinée. L'après-midi suivant, on ressentait le choc d'observer et de discuter avec un génie qui n'était qu'un enfant [...].» En voyant *Fantasia*, André s'exclame : « Comme c'est beau ! Quelle imagination ! Quelle couleur ! » Il dit clairement préférer le *Sacre du printemps* à Bach ou Beethoven. Le reste de l'article reprend l'histoire que nous connaissons. Le journaliste termine son article en disant qu'André est « un garçon, vif d'esprit et décidé, qui adore le jeu de dames, le patinage, le vélo et le cinéma. Dans un terrain vague, près de là où il habite, à Montréal, avec ses amis, ils ont construit deux forts... "Un pour les Boches et le deuxième pour les Alliés." La guerre ? "On va la terminer nous-mêmes. Montréal, c'est mieux que New York, c'est plus calme. Mais ici il y a le Carnegie Hall et la musique, et qui sait, peut-être qu'un jour je jouerai dans un orchestre dirigé par Toscanini." »[178]

Le séjour new-yorkais ne dure que quelques semaines, car le mardi 4 mars 1941, André est à nouveau invité par la Société des Concerts Symphoniques de Montréal, et c'est le chef attitré de l'orchestre, Désiré Defauw,[179] qui va diriger l'orchestre de la SCSM dans le *Concertino no 2*. André se retrouve dans « sa » salle, à l'auditorium du Plateau, pour une soirée mondaine et politique, un événement de prestige très médiatisé, le grand concert de la Ligue de la Jeunesse Féminine de Montréal, sous la présidence de son Excellence le Gouverneur général du Canada, le Comte d'Athlone et de Son Altesse Royale la Princesse Alice, Comtesse d'Athlone. Dans la section vie sociale de *La Presse* du lendemain, la soirée est rapportée avec minutie, chaque femme ayant sa toilette soigneusement décrite par le chroniqueur. André fait maintenant partie de la vie sociale et du tissu mondain, son nom peut attirer le public et remplir une salle. L'invitation de Pierre Béique est la confirmation de son nouveau statut. Dans le dernier compte rendu qu'il va consacrer à André, Léo-Pol Morin titre :

> LA PRINCESSE ET L'ENFANT PRODIGE
>
> Dans les temps anciens, avant que la musique ne se démocratise, les enfants prodiges jouaient naturellement devant des parterres de rois et de princesses, puisque les plus grands musiciens étaient

178. Candide, journal inconnu, New York, le 5 mars 1941 : **voir la citation originale en annexe.**

179. Désiré Defauw (1885-1960). Chef d'orchestre belge naturalisé américain ; il sera à la tête des destinées de la SCSM de 1940 à 1948.

à leur service et que la musique elle-même était l'apanage des grands de ce monde. [...] De nos jours les enfants prodiges ne vont guère dans les palais enchantés et les princesses se dérangent volontiers pour venir les entendre parmi la foule anonyme [...]. La carrière des enfants prodiges, en se démocratisant elle aussi, a perdu un peu de sa poésie : leur jeu se passe aujourd'hui au grand jour, devant la foule ébahie, toujours sensible aux sortilèges de l'instinct. C'est ainsi que le petit André Mathieu jouait mardi soir dernier devant une princesse d'Angleterre et les biographes de l'avenir trouveront peut-être dans cet événement, une charmante anecdote qui ornera l'enfance de ce petit musicien. [...] L'habileté, la belle technique, aujourd'hui n'étonnent plus guère chez les enfants prodiges, parce qu'on y est rompu. Ce qui étonne, c'est la personnalité naissante, le don de divination, le caractère, l'élan, la vie joyeuse d'un petit bonhomme qui, à dix ans, sait déjà ce qu'il veut et qui trouve le moyen de le dire avec grâce, avec fermeté, avec éloquence même, avec un sourire. Et chez le petit André Mathieu, ce n'est pas la perfection pianistique qui nous ravit d'abord : on est plutôt séduit par le charme et la personnalité, une personnalité qui résistera peut-être à l'épreuve de l'adolescence et de l'âge d'homme [...]. La musique des autres, André Mathieu l'aborde avec facilité, mais il la traduit certainement moins bien que ses images à lui, qu'il exprime avec une énergie, un accent, un sens des valeurs et de la couleur qui sont proprement étonnants. La musique, André Mathieu l'a en lui. Il possède l'instinct souverain du truchement sonore et les images qu'il invente, il sait les rendre réelles à nos yeux. Ses *Gros Chars*, ses *Mouettes*, ses *Abeilles piquantes*, on les voit, on les entend. Il leur donne la vie par le moyen du rythme qui est la pulsation de son propre pouls. N'aurait-il que ce don du rythme, cela classerait déjà cet enfant parmi les plus surprenants prodiges du monde. À un tel enfant, il n'est point besoin d'apprendre la musique. Il faut simplement lui apprendre la technique, lui révéler les secrets de la construction, les procédés de la science. Mais avec quelle précaution ! Car le génie, lui aussi, est exposé aux dangers d'une éducation mal comprise, ou abusive. Le prodigieux, le surnaturel ont aussi besoin d'être disciplinés et l'éducation d'un enfant de génie est aussi facile que pleine de dangers. Souhaitons que chez le petit André Mathieu, cette éducation soit large, généreuse et disciplinée, sagement conçue et de bonne psychologie. Le don et le génie sont

> des forces sûres et inexplicables, mais qu'il faut savoir drainer. Il n'est pas suffisant de les reconnaître [...].[180]

On sent presque un avertissement, une mise en garde dans le ton de Morin, comme s'il avait peur qu'un tel talent soit laissé à lui-même.

Frédéric Pelletier, à son corps défendant, s'est rallié au clan des convertis :

> Un autre chef-d'œuvre, double celui-ci, et qu'on doit comprendre dans sa relativité subjective et objective, c'est le *Concertino* d'André Mathieu joué par lui-même. Des critiques parisiens, Émile Vuillermoz et Adolphe Mangeot, entre autres, n'ont eu aucun scrupule de le comparer à Mozart enfant. Ceci était exact il y a deux ou trois ans et *Les Mouettes* qu'à jouée André Mathieu en rappel ont toute la fraîcheur mozartine [sic] du même âge avec, en plus, un don d'observation que les règles impérieuses de la musique au XVIIIe siècle n'auraient pas permis à Mozart d'exercer.
>
> Le *Concertino* n'est déjà plus du Mozart de 11 ans; c'est presque de la maturité et il ne semble pas impossible que l'âge augmentant, la perfection ne se fasse de plus en plus évidente. Ce serait une énorme erreur assurément que de vouloir juger ce *Concertino* à la norme de Mozart grandissant ou d'autres auteurs parvenus. La langue de Mozart cousine avec celle des *Mouettes*; dans le *Concertino*, c'est l'idiome moderne qui prédomine. André Mathieu jongle avec des juxtapositions de notes qui feraient sursauter les partisans irréductibles des consonances bien douces et des dissonances soigneusement préparées. Ce n'est pas sa langue musicale [...]. Son écriture, c'est celle qui est née avec Debussy, a été poussée dans sa voie logique depuis vingt ans. André Mathieu y excelle parce qu'il ose. Sa phrase est à lui parce qu'il veut qu'elle soit ainsi et non parce que les amis des thèmes bien cousus voudraient qu'elle fût autrement.
>
> Le *Concertino* a été l'objet dans son exécution, de soins infinis [...].[181]

Thomas Archer a aussi aimé le *Concertino :*

> André Mathieu s'est à nouveau fait remarquer en tant que compositeur et pianiste. Son deuxième *Concerto* [sic] [...] se situe dans la continuité de ses dons, aussi extraordinaires que précoces. [...] Le mouvement lent est composé avec une véritable sensi-

---

180. Léo-Pol Morin, *Le Canada*, le 10 mars 1941.
181. Frédéric Pelletier, *Le Devoir*, le 6 mars 1941.

> bilité pour la mélodie et la forme et un réel contenu musical. Le scherzo est piquant et regorge de sève. Le premier mouvement, d'une écriture habile, semble le plus léger des trois.
>
> Mathieu a interprété son œuvre avec la même surprenante assurance qu'on lui a connue dans le passé[182]

Cependant, le tourbillon que Rodolphe a réussi à soulever, la grande stratégie qu'il a rêvée pour André prend trop de temps à se mettre en place, mais Rodolphe connaît beaucoup de journalistes…

Dans le périodique *Radiomonde*, quatre jours après le concert, un article titre :

> UN PIANISTE ET UN COMPOSITEUR ÂGÉ DE ONZE ANS
>
> Que fait-on pour aider ce jeune prodige dont les études devront être poursuivies à l'étranger ? Il lui faut une bourse ou des subsides et l'État devrait y voir […]. Il est permis de se demander si nous faisons bien tout ce qui est en notre pouvoir pour aider cet enfant, admirablement doué […]. Le gouvernement du Québec avait eu un beau geste en l'envoyant à Paris. Que ne répète-t-il pas ce même geste en lui permettant aujourd'hui de vivre à New York […]. À nous de l'encourager, à nous de lui permettre d'atteindre les sommets où rayonnera le nom du Canada français.[183]

La pression médiatique n'est pas un phénomène nouveau et peut être parfois très efficace.

Après le concert avec Defauw au Plateau, André donne un récital le 5 avril au Mont St-Louis, en inscrivant au programme une nouveauté à son répertoire : *Minstrels*, un prélude de Debussy, décidément son compositeur favori. Puis, retour à Ottawa, cette fois à la salle Académique de l'École de Musique de l'Université d'Ottawa pour deux récitals, les 22 et 24 avril. Il continue à explorer et à programmer des pièces considérées comme l'alpha et l'oméga du répertoire de piano, des œuvres que même Arthur Rubinstein, pourtant « spécialiste » de Chopin, n'a jamais enregistrées et rarement

182. Thomas Archer, *The Gazette*, le 5 mars 1941 : « André Mathieu once more distinguished himself as composer and pianist. His second Concerto [sic] […] is a work in line with Mathieu's extraordinarily precocious gifts. […] The slow movement is composed with genuine melodic feeling, well formed and with real musical substance. The scherzo is piquant and full of sap. The first movement, a clever bit of writing, seems to have the least to say of the three. […] Mathieu played his work with the amazing self confidence he has shown in the past […]. »

183. Journaliste inconnu, *Radiomonde*, le 8 mars 1941.

jouées en récital, les deux cahiers d'étude de l'*Opus 10* et l'*Opus 25* de Chopin. Le mercredi 7 mai, il est à Rimouski à la salle des Fêtes du Séminaire. Il présente ses œuvres et, l'après-entracte est consacré à Chopin, Debussy, Ravel et Liszt. Enfin, au Capitole de Chicoutimi, il reprend exactement le même programme. Fait intéressant, imprimé sur le programme, en dessous de la liste des œuvres, Rodolphe a fait imprimer le poème écrit pour André au Collège St-Charles-Garnier de Québec le 3 novembre 1939. L'auteur anonyme avait suggéré de chanter le poème sur la musique de l'hymne *Ô Canada* (il ne deviendra l'hymne national du Canada qu'en 1980). À l'époque, le *Ô Canada* est associé, depuis sa création, aux revendications nationalistes des Canadiens français. On a beau dire, Rodolphe pense à tout !

Le jeudi 29 mai 1941, un deuil frappe la communauté musicale et prive la vie artistique de Montréal d'un des hommes les plus fins et les plus intelligents de sa génération. Léo-Pol Morin est mort sur le coup, au nord de Montréal, près du lac Marois, dans un accident de voiture. Les trois autres passagers, l'abbé Wilfrid Morin, Fernand-A.Leclerc, annonceur à la Société Radio-Canada et le grand journaliste Louis Francœur vont aussi disparaître. André, Rodolphe et Wilhelmine vont se rendre au salon funéraire pour saluer celui qui a si bien compris Rodolphe, qui lui a dédié sa *Sonate* pour piano de 1927, et ensuite André. La liste des visiteurs du salon mortuaire se lit comme un bottin de la « guilde des musiciens » de l'époque.

Pour couronner cette saison 1940-1941 bien remplie, un coup d'éclat. André Mathieu est invité à donner son *Concertino no 2* pour la troisième fois, avec orchestre, dans le cadre des Festivals de Montréal, à la Chapelle du Collège St-Laurent. Les Festivals de Montréal en étaient à leur troisième saison et le chef invité, qui allait associer son nom prestigieux à l'organisme jusqu'à la fin de la guerre, est Sir Thomas Beecham.[184] André est invité au concert inaugural, le samedi 7 juin 1941. Faut-il citer les critiques ? Fierté, émotion, et ce sentiment d'émerveillement étonné sont palpables sous chaque mot. On cite Sir Thomas lui-même : « André est non seulement un compositeur émérite, mais c'est aussi un pianiste remarquable. »[185]

184. Sir Thomas Beecham (1879-1961) Un des chefs les plus connus du 20e siècle, il passera la seconde guerre mondiale loin de son Angleterre natale, en Amérique. Il apportait son humour, son prestige et son talent au nouvel organisme.

185. Marcel Valois, *La Presse*, juin 1941.

Dans un entrefilet du 9 juin 1941, on rapporte que : « André Mathieu, le jeune pianiste virtuose, ainsi que Monsieur et Madame Mathieu et sa jeune sœur Camille, ont été victimes d'un accident d'automobile qui aurait pu avoir des conséquences fatales au début de la semaine à St-Urbain de Charlevoix. Monsieur et Madame Mathieu et leurs deux enfants revenaient alors de Chicoutimi où André Mathieu avait donné un concert.[186] Heureusement, personne n'a été blessé. »[187] Après l'accident de Léo-Pol Morin, les journaux sont sans doute assez sensibles et l'incident n'est pas sans causer un certain émoi. André et Rodolphe avaient acheté une grosse voiture Oldsmobile. Comme Rodolphe n'avait jamais conduit auparavant…

Avant de partir en vacances, André célèbre et célébré qu'il est, reçoit une lettre de remerciements du maire de Montréal, Adhémar Raynault, le 20 juin 1941. Il apparaît qu'André ait accepté de jouer pour la garden-party donnée en l'honneur des cadets de l'aviation de l'école Chomedey de Maisonneuve. Écrit à la main, le maire ajoute un post-scriptum : « Il ne faudra pas oublier de m'avertir lorsque ce sera le bon temps de venir à la campagne passer une semaine de vacances. »

Pendant que les Mathieu profitent de l'été à Contrecœur, où la grande Camille et Adélard Lachapelle ont loué un chalet, Rodolphe reçoit une lettre qui va enfin permettre à la famille de partir et de s'installer à New York :

> *Québec, le 20 août 1941*
>
> *IL EST ORDONNÉ, sur la proposition de l'honorable secrétaire de la province, qu'une bourse d'études soit accordée à André Mathieu, en vue de l'aider à parfaire, aux États-Unis, ses études musicales, aux conditions que le Secrétaire de la Province déterminera après qu'on lui aura soumis le programme des études du jeune Mathieu, les noms de ses professeurs, et tout autre renseignement jugé nécessaire, le tout conformément aux dispositions du chapitre 140 des statuts refondus de Québec, 1925, article 2, et ce, à compter du 1er juillet 1941.*
>
> *Alfred Morisset*
> *Greffier du Conseil Exécutif*

186. Récital du 4 juin au théâtre Capitole de Chicoutimi.
187. Journaliste inconnu, *Le Soleil*, le 9 juin 1941.

Il aura fallu presque deux ans à Rodolphe pour relancer cette machine, pour patiemment rebâtir, étape par étape, l'édifice au sommet duquel il veut asseoir André. Cette bourse, leur donnant accès à tout le réseau new-yorkais, va lui permettre de trouver les maîtres, les mécènes, les imprésarios et les salles et ce milieu essentiel à la formation et à la promotion d'un artiste. Mais avant de partir, il reste des engagements à honorer et des vacances à finir.

Au retour des vacances, il est évident qu'il s'est passé quelque chose, que le début de l'adolescence a déjà commencé à pointer son nez chez cet enfant précoce entre tous. André, nous l'avons vu, avait manifesté de l'impatience, plusieurs journalistes l'ont signalé. Rodolphe, qui au printemps a demandé et vient d'obtenir une bourse d'études pour André, écrit le 20 septembre à l'Honorable Hector Perrier, Secrétaire de la province :

> *Monsieur le Ministre,*
>
> *Je regrette d'avoir à vous dire que nous ne pouvons plus accepter la bourse d'études que vous avez eu la bonté d'accorder à mon jeune André. La raison sera aussi pénible pour vous que pour moi ; André a décidé de faire un joueur de tennis plutôt qu'un pianiste. Comme il ne peut faire les deux à la fois, je lui ai demandé de choisir et c'est sa réponse.*
>
> *Je suis vraiment désolé, je sais qu'il le regrettera, mais j'ai trop de respect pour l'art pour permettre à mon fils de ne faire qu'un musicien médiocre.*
>
> *Encore une fois merci, et veuillez nous excuser pour le trouble que nous vous avons donné.*
>
> *Votre tout dévoué,*
>
> *Signé Rodolphe Mathieu*

En 1941, à 12 ans, dans la province de Québec, qu'un enfant, enfin un jeune adolescent puisse tenir tête à son père et rejeter son autorité en refusant de suivre la voie qu'il lui a tracée, est en soi le premier symptôme d'une dynamique familiale particulière, c'est le moins qu'on puisse dire ! C'est le premier signe tangible qu'André en a assez et c'est aussi une illustration éclatante du type de rapport qui existe entre le père et le fils : respect, intransigeance de part et d'autre, beaucoup d'amour et un malaise indéfinissable qui exclut les autres. Heureusement, André se ravise rapidement, (d'ailleurs, Rodolphe a-t-il jamais envoyé la lettre ?) puisque le 29 septembre il joue au Collège Ste-Marie.

NEW YORK, CENTRE DU MONDE

L'arrivée à New York en voiture avec Rodolphe au volant, c'est un poème, dira Mimi. Rodolphe bloque une rue, ils se font traiter de *pea soup*, les enfants ont faim, bref c'est l'atmosphère familiale habituelle de bohème théâtrale.

Quelques jours après, Mimi et sa famille retournent s'installer là où ils avaient séjourné au printemps, au 362 Riverside Drive, entre les 108e et 109e Rues, près de l'Université Columbia. Bien que ce ne soit pas une pension, Madame O'Connell sera l'équivalent de Madame Morin à Paris. Mais, pour André, l'adaptation à New York ne semble s'être jamais tout à fait faite. Quelques jours après leur arrivée, André aurait vu un jeune Noir se faire battre par des Blancs et, à partir de ce moment, il aurait pris New York en grippe. Le professeur qui doit lui faire travailler la composition est un Texan, Harold Morris (1890-1964). Il détient un Ph. D., un doctorat de l'Université de Cincinnati. De 1922 à 1939, il sera professeur à la Juilliard School. En 1939 il commence à enseigner à l'Université Columbia. Ce n'est pas un théoricien. À son actif, il a déjà trois symphonies, des sonates et des concertos pour le violon et le piano, de la musique de chambre… Ses œuvres ont remporté une quantité impressionnante de prix. Bref, Rodolphe lui présente André, et Morris, apparemment très impressionné, l'accepte comme élève privé.

Le déménagement et l'installation à New York ont dû se faire mi-octobre début novembre car, dès le 12 novembre, Gilles Lefebvre écrit à André, au 362 Riverside Drive :

> *Cher André, une lettre de toi, comme j'étais content d'avoir de tes nouvelles […]. J'ai rendu visite à ta grand-maman. Évidemment, on ne s'est pas parlé d'amour mais on a plutôt causé sur la famille Mathieu. Ce soir-là, tante Camille et grand-maman Gagnon avaient appelé New York ; elles avaient des nouvelles récentes. Toi, tu me parles de choses intéressantes. Ton nouveau professeur est gentil, je l'espère. En tous les cas, je suis sûr que c'est un choix sage et que tu continueras ton progrès vers la perfection. Tu es bien à New York, n'est-ce pas, tu rencontres de grands artistes […]. Comme tu es*

> *chanceux [...]. Dans cette lettre, tu me dis : « J'espère te revoir bientôt, ton ami sincère, André. » c'est touchant ces paroles, elles m'ont fait bien plaisir, et si tu comprenais combien je suis sincère lorsque je les écris, moi, ces paroles... Mais quand te reverrai-je... À Noël... Comme je le souhaite... Cette année, je travaille très fort, je dirige l'ensemble universitaire. J'ai huit musiciens [...]. Nous obtenons de beaux succès [...]. Au concert, je veux jouer trois de tes compositions – avec ta permission –* Berceuse, Tristesse, Hommage à Mozart enfant... *Je fais de la musique d'ensemble jusqu'à ce que nous en fassions ensemble, à Noël... Au revoir... J'espère te revoir bientôt, ton ami sincère, Gilles.*[188]

André lui répond presque immédiatement : « j'ai entendu et rencontré plusieurs grands musiciens, dont Hofmann[189], Stokowski[190], Kitain[191]. J'espère te revoir bientôt, Ton ami sincère, André Mathieu ».

André, dans une demande de bourse rédigée vingt ans après son séjour à New York, parlera du pianiste Anatole Kitain comme de son professeur de piano à cette époque. On retrouve le nom et le numéro de téléphone de Kitain dans les répertoires téléphoniques d'André et de Camillette, mais il n'en est fait mention nulle part ailleurs.

À peine installés à New York, André commence ses cours et on peut croire que Morris le stimule dans la direction où sa sensibilité le pousse. Mimi raconte qu'Harold Morris et Elizabeth Arden décident d'inscrire André au concours pour les jeunes compositeurs que l'Orchestre Philharmonique de New York a lancé pour souligner son premier centenaire. L'œuvre soumise est une œuvre qu'André a composée quand il avait six ans, d'abord dans une version pour deux pianos et ensuite orchestrée avec

188. Gilles Lefebvre, lettre André Mathieu, le 12 novembre 1941, Fonds Gilles Lefebvre, Archives Nationales, Ottawa.
189. Josef Hofmann (1876-1957). Un des plus grands pianistes de tous les temps. Lui-même enfant prodige, alcoolique et inventeur, il a aussi composé sous le pseudonyme de Michel Dvorski.
190. Leopold Stokowski (1882-1977). D'abord organiste, il prend la directioon de l'orchestre de Philadelphie de 1912 à 1938, où il développe cette sonorité unique.Il a créé, entre autres, deux de Rachmaninoff. Passionné par la musique de son temps, *Fantasia*, le consacre star.
191. Anatole Kitain (1903-1980). Pianiste russe, élève de Blumenfeld, il émigre aux États-Unis, mais ne réussit jamais à s'imposer comme ses deux confrères, Horowitz et Barere. Il semble avoir été l'ami des enfants Mathieu.

l'aide de Rodolphe. Il l'a déjà jouée quatre fois avec orchestre avec les chefs Wilfrid Charrette, Jean Morel, Désiré Defauw et, l'été précédent, Sir Thomas Beecham. C'est son *Concertino no 2.*

Mais les Mathieu ont à peine eu le temps d'établir leur routine à New York, que la situation internationale va basculer et la Seconde Guerre mondiale prendre un tournant imprévu. André, qui suit toujours passionnément l'évolution du conflit européen, ne se doute pas qu'il va, lui, André Mathieu, devenir un outil politique, un ambassadeur de son pays et de son peuple.

CHAPITRE IV
L'EUROPE EN GUERRE, LE MONDE S'EMBRASE

Le 23 août 1939, Hitler a signé avec Staline le Pacte germano-soviétique qui lui permettra d'envahir la Pologne une semaine plus tard, et de déclencher ainsi la Seconde Guerre mondiale, assuré de la neutralité de l'URSS. Dans la nuit du 1er septembre 1939, les troupes allemandes envahissent la Pologne, et le 3, la France et l'Angleterre entrent en guerre contre l'Allemagne. Le Canada leur emboîte le pas, et le dimanche 10 septembre déclare lui aussi la guerre au Reich allemand. Mais, depuis le début du conflit mondial, les États-Unis d'Amérique maintiennent leur politique isolationniste. La guerre fait rage depuis moins de deux ans quand Hitler lance l'opération Barbarossa et se retourne contre Staline en envahissant l'URSS le 22 juin 1941.

Les Mathieu sont à peine installés à New York que, le dimanche 7 décembre 1941, l'histoire du monde et celle du Canada vont dévier de leur cours. Le Japon, sans prévenir, attaque la principale base navale américaine dans le Pacifique, Pearl Harbor. Les États-Unis entrent en guerre à leur tour. Depuis la déclaration de guerre du Canada, un grand nombre de Canadiens se sont portés volontaires. Mais le Québec a élu Joseph-Adélard Godbout le 25 octobre 1939 sur la promesse qu'il n'y aurait aucune conscription au Québec. Les Canadiens français se sont joints au reste du Canada pour porter à nouveau au pouvoir, le 26 mars 1940, Mackenzie King, sur la promesse que jamais au grand jamais, il n'y aurait de conscription au Québec. Mais, pour s'être déclaré « contre l'enregistrement national qui est sans équivoque une menace de conscription » et avoir ajouté : « Et je demande à la population de ne pas s'y conformer... », le très populaire et très aimé maire de Montréal, Camillien Houde (1889-1958), est interné dans un camp de concentration le 5 août 1940. À la fin de 1941, il sera transféré dans un camp à Fredericton, au Nouveau-Brunswick, où il restera interné jusqu'en 1944...

Quelques mois avant l'attaque sur Pearl Harbor, Roosevelt et Churchill se sont rencontrés secrètement à Terre-Neuve, qui est encore une possession britannique en 1941, et ont signé la Charte de l'Atlantique. Symboliquement, ils ont créé un pont entre les deux nations. Le jour même de l'attaque sur Pearl Harbor, le Canada déclare la guerre au Japon. Le 30 décembre, Churchill lui-même, le légendaire Premier ministre de la Grande-Bretagne, vient livrer un «speech» électrisant au parlement d'Ottawa. Le 26 janvier 1942, Mackenzie King donne un milliard de dollars à l'Angleterre. La suite est prévisible et inéluctable. King demande à être libéré de sa promesse de ne pas imposer la conscription aux Canadiens. Il va jusqu'à dire que les dernières batailles de la guerre pourraient bien se tenir en Amérique du Nord, à moins que les Alliés n'arrivent à stopper Hitler et ses alliés. Avec l'Angleterre, les États-Unis font pression pour que le Canada se joigne aux sauveurs de la démocratie.

«Pour sauver la démocratie, nous dit-on? Quelle farce! C'est en réalité pour assurer dans le monde, la suprématie de la finance anglaise ou américaine, ou la domination de la Russie bolchévique en Europe.»[192] Cette déclaration fracassante et lucide est prononcée par le grand Henri Bourassa. Mais l'élection de Godbout a rassuré les Canadiens anglais. Duplessis ayant clairement déclaré qu'il était contre la conscription, les Canadiens anglais en déduisent, à tort, que Godbout est pour : «Non seulement les Canadiens français viennent-ils de signifier clairement leur acquiescement à la politique et aux objectifs de guerre d'Ottawa, mais ils ont surtout rejeté l'infamie d'une attitude isolationniste qui aurait compromis, à la face du monde libre, la réputation de la province de Québec.»[193]

Les Mathieu sont depuis quelques semaines à peine aux États-Unis quand l'entrée en guerre de leur pays d'accueil va obliger le Canada à mettre à contribution toute la communauté canadienne-française de New York qui gravite autour de la Délégation du Québec, dont Charles Chartier est le directeur. La réticence des nôtres à s'engager dans l'armée pour aller combattre auprès de ceux qui ont tout de même fait pendre Delorimier est quasiment perçue comme un acte de traitrise par le reste des Canadiens,

192. Henri Bourassa, *Le Devoir*, le 4 avril 1944.
193. Paul André Comeau, *Le Bloc populaire*, Québec Amérique, 1982, p. 58.

quand elle n'est pas dénoncée tout simplement comme un signe de couardise.

L'image du Québec sur les scènes américaine et internationale a besoin de tous les appuis et de la participation maximale de tous les talents pour contrebalancer cette perception négative. En plus de Wilfrid Pelletier installé là-bas depuis plus de vingt-cinq ans, New York accueillera Raoul Jobin, chassé de Paris, Marcelle Martin, Jacques Gérard, Nicolas Massue, qui seront aussi enrôlés pour défendre l'honneur de la patrie.

Les fêtes de Noël et du jour de l'an à peine terminées, André est invité à participer à un concert de musique canadienne, le dimanche 11 janvier 1942 à la New York Public Library. Le compositeur américain Henry Cowell (1897-1965) avait demandé à son homologue canadien John J. Weinzweig (1913-2006) de prêter main-forte à Lazare Saminsky (1882-1959), un compositeur, auteur et mathématicien, ancien élève de Rimsky-Korsakoff, qui était à rédiger son ouvrage : *Living Music of the Americas* (1949). Dans un article publié dans l'édition du dimanche 28 septembre 1941 du *New York Times*, Lazare Saminsky nous livre le résultat de ses recherches sur la musique canadienne et brosse un portrait saisissant de l'état des lieux. Saminsky intitule judicieusement son article : « Tour of two Lands ». Il commence son périple par la côte ouest, la côte du Pacifique, Vancouver, Victoria, il passe ensuite à Saskatoon pour, après moult rencontres, découvrir Toronto et Montréal :

> On ne s'explique toujours pas comment un pays qui a su concilier l'arrivée sur son sol de tant d'immigrés venus de tant d'horizons, ne parvient pas à transformer la rivalité entre les atouts musicaux des francophones et ceux des anglophones en une fructueuse collaboration. Cependant, les deux camps se sont mis d'accord pour saluer le jeune compositeur André Mathieu qui a récemment interprété son propre concerto pour piano sous la direction de Sir Thomas Beecham. Je me suis moi-même intéressé à ces compositions. Elles sont, par leur aspect imitatif et l'évidence de leurs influences, ce que l'on attend d'un garçon de cet âge. Il s'en dégage cependant une fraîcheur et un enthousiasme puéril et elles sont très bien écrites.[194]

194. Lazare Saminsky, *The New York Times*, le 28 septembre 1941 : **voir la citation originale en annexe.**

Pour remercier ses nouveaux amis de l'aide qu'ils lui ont apportée dans ses recherches, Saminsky organise un concert à la New York Public Library qui réunira des compositeurs de tout le pays : Barbara Pentland de Winnipeg, Godfrey Ridout, John J. Weinzweig et Louis Applepaum de Toronto, et du Québec, Hector Gratton et André Mathieu.

André joue quelques pièces pour piano solo : une *Étude, Hommage à Mozart enfant, Seagulls* (*Les Mouettes*) et *Stinging Bees* (*Les Abeilles piquantes*). Cet événement est extrêmement important puisque c'est la première fois que le Canada, et non plus seulement le Québec, reconnaît André officiellement comme compositeur et le déclare représentant du pays. De plus, il joue à la fin du programme, c'est donc lui qui laisse la dernière impression. Dans son article du lendemain, « Canadian Concert at Public Library », Noel Strauss, qui a déjà entendu André moins d'un an auparavant, rappelle le contexte du concert organisé avec le concours de « The League of Composers ». L'événement revêt en plus un aspect de propagande : le déroulement du concert suit un protocole précis qui en assure l'impact politique. D'abord, Madame Claire R. Reis, « executive chairman » de la Ligue présente James P. Manion, « Assistant Trade Commissionner » à New York. Après avoir exprimé la gratitude que ressentaient les compositeurs de pouvoir présenter leurs œuvres devant ce parterre métropolitain, il lit ensuite un mot que le Premier ministre du Canada, Mackenzie King, a expressément écrit pour l'occasion. Enfin, le concert commence, et Noel Strauss nous livre ses impressions :

> Il semble toutefois que les œuvres les plus libres de cette influence, notamment [...] l'*Hommage à Mozart enfant*, renfermaient un contenu riche et gratifiant [...]. Parmi les meilleures des pièces les plus radicales, on trouvait une *Étude*, [...] et l'exceptionnellement talentueux André Mathieu, unique compositeur à offrir ses propres créations, les a jouées à la manière d'un virtuose [...]. Toutes les œuvres furent accueillies chaleureusement par un auditoire nombreux.[195]

Puis, l'envoi de Harold Morris et d'Elizabeth Arden du *Concertino no 2* au concours de la Philharmonie de New York pour les jeunes compositeurs va

195. Noel Strauss, *The New York Times*, le 12 janvier 1942 : **voir la citation originale en annexe.**

propulser une fois de plus le nom et la carrière d'André Mathieu à l'avant-scène du monde musical. Mimi raconte que c'est Madame O'Connell, la concierge de leur pension du 362 Riverside Drive, qui arrive en trombe pour leur annoncer qu'elle a entendu à la radio que « André is the winner ! André is the winner ! » du « Young Composers Contest » organisé par le « Young People's Concerts Comittee ». Le *Concertino opus 13 no 2* lui vaut le premier prix et la somme de 200 $. De plus, André lui-même sera le soliste de son *Concertino* avec l'Orchestre Philarmonique de New York sous la direction de Rudolf Ganz, dans la salle de concert la plus prestigieuse du monde, Carnegie Hall ! Des années plus tard, André identifiera ce concert comme l'événement le plus marquant de ses jeunes années.

Un article pré-concert nous met au parfum et évoque admirablement l'atmosphère familiale. Un journaliste du *Herald Tribune* s'est rendu sur Riverside Drive pour rencontrer le jeune compositeur : « Hier soir, il a dit [...] qu'il se sentirait mieux s'il pouvait écouter pendant que quelqu'un d'autre jouerait à sa place [...]. André joue beaucoup mieux du piano qu'il ne parle anglais. » Mais André a fini par révéler au journaliste qu'il aime le jeu de dames et la lecture : « Il lit tout ce qui lui tombe sous la main », a ajouté son père. « Tout ce qui concerne la situation internationale. Il connaît le nom de chaque ministre de chaque pays. Il dévore journaux, livres, tout y passe. » Le journaliste remarque : « Il y eut une pause inconfortable, André voulant répondre lui-même aux questions du journaliste [...]. » André finit par déclarer qu'il adore le cinéma, le patin, le ping-pong, le tennis, la natation et c'est Camille qui ricane devant les efforts de son frère pour parler anglais. Rodolphe intervient encore, il dit qu'André travaille son anglais. On croirait y être ! Le journaliste ajoute : « sa modestie cache en fait une immense timidité »[196]...

Dans le programme du Carnegie Hall, André est présenté comme un « Canadian-American composer : Born at Montreal, Feb. 18, 1929 ; now living in New-York ». Suit la liste des autres lauréats. Le deuxième prix de 100 $ est divisé entre Allan B. Sapp jr, étudiant à Harvard, pour son œuvre *Andante for Orchestra*, et Luise Vosgerchien, originaire de Boston, pour

---

196. Journaliste inconnu, *The New York Herald Tribune*, février 1942 : **voir la citation originale en annexe.**

Window Shopping. Un troisième prix de 50 $ est attribué à Dika Newlin,[197] élève d'Arnold Schoenberg, pour un concerto pour piano. Un quatrième prix est accordé à Gunther Schuller, seize ans, le compositeur et chef d'orchestre qui deviendra célèbre pour ses œuvres intégrant le jazz dans les formes classiques. Pour finir, on remet un cinquième prix à Mario di Bonaventura, dix-sept ans, qui se retrouvera à Paris en même temps qu'André en 1947, où il étudiera la composition avec Nadia Boulanger. La légende voulant que Leonard Bernstein ait été un des concurrents n'est qu'une légende. En 1942, il a vingt-quatre ans et est déjà chef assistant de l'Orchestre symphonique de Boston où il est le protégé de Koussevitzky. L'année suivante, c'est Artur Rodzinski qui en fera son assistant à l'orchestre philharmonique de New York. Il n'a donc pas participé à ce concours.

Quatre juges siégeaient sur le jury. Albert Stoessel, directeur de l'école de direction d'orchestre de la Juilliard School de New York ; Howard Barlow, chef de l'Orchestre symphonique de Baltimore et directeur de la musique au réseau de radiodiffusion de la Columbia Broadcasting System (CBS) ; Léon Barzin, chef d'orchestre belge, d'abord alto solo de l'Orchestre philharmonique de New York, puis chef de la National Orchestral Association et enfin Max. Wald, compositeur américain, chef du département de théorie du Chicago Music College. Soixante-quinze manuscrits ont été soumis, venant de tous les États-Unis et du Canada. La limite d'âge pour le concours était établie entre dix et dix-huit ans au 1er décembre 1941.

Le samedi matin, 21 février 1942, à l'âge de treize ans et trois jours, André Mathieu, s'avance sur la scène, devant deux mille quatre cents enfants, petits et grands, et joue son *Concertino* au Carnegie Hall de New York, sans doute la salle la plus prestigieuse du monde. Jouer à Carnegie Hall est en soi une consécration. La salle a ouvert ses portes en 1891 et c'est à Tchaïkovski lui-même qu'on a demandé de diriger le concert inaugural. Depuis plus d'un siècle, tout ce qui est passé à l'histoire de la musique s'est fait entendre dans cette salle légendaire. À onze heures du matin, André vêtu de son éternel costume blanc, joue son *Concertino.*

---

197. Dika Newlin (1923-2006), spécialiste de Schönberg, son maître. Elle se tourna, à la fin de sa vie, vers la musique punk. Cependant, elle était déjà reconnue comme une grande imitatrice d'Elvis.

Le lendemain, le critique musical du *New York Times*, Ross Parmenter, apporte une rectification nécessaire : « Quand André a joué ici il y a deux ans, il avait presque onze ans et non neuf, comme on l'avait laissé entendre. Il a donc treize ans. » Ce qui frappe le plus le critique, c'est le deuxième mouvement du *Concertino* : « Le deuxième mouvement évoquant une marche funèbre élégiaque est le plus beau et met en œuvre le développement le plus soutenu et le plus logique. Mais l'œuvre entière est habitée d'une inspiration authentique et il n'y a aucun doute, ce jeune compositeur a sa propre voix [...]. Le garçon vêtu d'une chemise blanche et de shorts blancs comme pour un match de tennis, a magnifiquement joué son œuvre. Il a fait preuve de rigueur rythmique dans les passages syncopés des premier et dernier mouvements, sa sonorité était pure et naturelle et il a fait du piano une partie intégrante de la texture de l'œuvre. »[198] Même *Newsweek* rend compte de l'événement dans son édition du 2 mars 1942 : « À Carnegie Hall devant 2 400 jeunes auditeurs, André Mathieu, assumant lui-même la partie de piano, a présenté les trois mouvements contrastés de son *Concertino* avec assurance et habileté. Vêtu d'une chemise et de shorts blancs, le garçon à la chevelure blanche [sic] s'est attiré des applaudissements chaleureux pour ses talents précoces... »[199]

À la dernière page du programme, à la page 7, il y a une série de six questions qui sont une preuve en soi de la volonté de propagande de rapprochement des États-Unis et du Canada. La question numéro deux vaut à elle seule son pesant d'or : « Que savez-vous de notre charmant voisin amical (et allié) du nord, le Canada ? » (« What do you know about your friendly neighbour (and ally) to the North, Canada ? »)... La question numéro quatre est plus un commentaire qu'une question : « Que pensez-vous de notre très talentueux compositeur-pianiste ? » (« What is your impression of our very gifted composer-pianist ? »)

La nouvelle du triomphe d'André avait à peine eu le temps de s'ébruiter que, dans une lettre du 10 février 1942, « The Canadian Governement

198. Ross Parmenter, *The New York Times*, le 22 février 1942 : **voir la citation originale en annexe.**

199. Journaliste inconnu, *Newsweek*, le 2 mars 1942, p. 56 : « Before a Carnegie Hall audience of 2400 fellow small fry, André Mathieu, playing the solo piano role himself, presented the three varied movements of his *Concertino* with sureness and skill. Dressed in white shorts and shirt, the white haired boy won critical applause for his precocious talents... »

Trade Commissioner» sollicite le concours d'André pour participer au «Music Festival of Allied Nations» qui doit avoir lieu le mercredi 18 mars au Carnegie Hall de New York. La soirée est donnée au bénéfice de la fédération américaine de l'ORT, Organization for Rehabilitation through Training.

Parmi les «Honorary Patrons» on trouve des noms qui ont participé à l'histoire culturelle et politique du monde : Mrs Eleanor Franklin D. Roosevelt, le maire de New York, Fiorello La Guardia, Eddie Cantor, Albert Einstein, le grand écrivain allemand en exil Thomas Mann, etc. L'Australie, la Belgique, le Canada, la Chine, la Tchécoslovaquie, le Danemark, la France libre, la Grande-Bretagne, la Grèce, les Pays-Bas, la Norvège, la Pologne, la Yougoslavie, l'Union soviétique. L'État d'Israël n'existant pas encore il y a un ensemble de musique juive. On retrouve sur scène le ténor belge René Maison, le ténor tchèque Kurt Baum, la pianiste française Germaine Leroux, le violoncelliste britannique Felix Salmond, le soprano néerlandais Desi Halban, avec laquelle Bruno Walter enregistrera Mahler après la guerre, et la grande Zinka Milanov, soprano yougoslave qui règne sur le Metropolitain Opera. L'invitation à participer au concert prestigieux est signée James P. Manion et rédigée comme suit : «Nous avons immédiatement pensé à vous comme éminent représentant du Canada»[200], ce même James P. Manion avait entendu André à la New York Public Library un mois auparavant.

Après sa participation au concert du 11 janvier et sa victoire au concours de la Philharmonie de New York, voici qu'André représente le Canada dans une manifestation internationale et au Carnegie Hall, pour la deuxième fois en quelques semaines. Il joue pour l'occasion son *Étude no 4* et une œuvre connue, *Les Vagues*, qui devient en anglais *The Waves*.

Ross Parmenter, du *New York Times*, qui avait déjà interviewé André l'année précédente, revient à la charge : «De temps en temps, cependant, un enfant arrive, qui chamboule tout. La dernière fois, ce fut lors de cette soirée du 3 février 1940, quand un petit garçon aux yeux noirs, plutôt costaud, répondant au nom d'André Mathieu, s'est avancé vers le piano

200. «We immediately thought of you as the outsanding representative of Canada [...].»

à queue du Town Hall et a immédiatement électrisé l'assistance grâce à son impétueuse interprétation d'une étude particulièrement ardue [...]. À l'issue de cette soirée, André avait fait sensation [...].» Mais il est plus qu'évident que l'adolescence est commencée. «Quand nous nous sommes revus à nouveau cette année, j'ai constaté des changements. Il a pris une vingtaine de livres et il a grandi de trois ou quatre pouces et il approche maintenant les cinq pieds et demi [...]. L'insouciance juvénile de son regard a laissé place à la gravité. Intellectuellement aussi, il a changé.» Le journaliste remarque des revirements aussi inattendus qu'imprévisibles d'humeur. Le sourire est toujours là, mais André est plus introverti : «Il m'a semblé plus triste, plus émotif, et en même temps plus replié sur lui-même. Je n'ai pas été le moindrement surpris quand ses parents m'ont parlé de ses terribles sautes d'humeur. Ils m'ont aussi appris que depuis un an et demi, il avait perdu sa spontanéité à se mêler aux autres enfants. À New York il a pris conscience de sa difficulté à s'exprimer en anglais.» À la question : «Quand est-il le plus heureux?» André répond : «Quand nous prenons l'auto pour aller au Canada.»[201]

Ce ne sont plus des signes avant-coureurs, l'adolescence s'est installée. André a peine à se contenir même devant un étranger, qui plus est un journaliste. Il n'est pas heureux à New York et la musique n'est plus un jeu, c'est devenu une carrière qu'il n'a pas choisie.

Entre ce concert du 18 mars 1942 pour les Nations Alliées et le concert à Ottawa le 10 juin, André va se produire dans des événements rattachés à la guerre ou à des œuvres caritatives. Le vendredi 10 avril, il joue au Gold Room de l'hôtel Savoy Plaza pour le «Allied War Relief», présenté par le «Canadian Women's Club». Toutes les participations à ces concerts sont bien sûr gracieuses mais enracinent son nom dans des cercles du pouvoir et de la politique. André, à cette occasion, joue *Les Mouettes*, mais inscrit également Chopin au programme avec l'*Étude révolutionnaire* et *L'Étude papillon* et bien sûr son cher Debussy avec *La Fille aux cheveux de lin*. Elizabeth Arden à New York a repris le rôle de Madame Homberg à Paris et produit «son» artiste dans toutes ces soirées mondaines.

---

201. Ross Parmenter, *The New York Times*, printemps 1942 : **voir la citation originale en annexe.**

Une semaine plus tard, le vendredi 17 avril, il est à l'hôtel Plaza où il joue dans un concert-bénéfice au profit du New York Hospital, organisé par la Paramount Choral Society. Pour clore sa saison new-yorkaise, André va redonner son *Concertino no 2* avec Jean Morel en compagnie duquel il l'avait donné à Montréal pour la première fois. Jean Morel dirige l'orchestre du Brooklyn College avec André au piano, le vendredi 1er mai 1942. Ce sera son dernier concert à New York pour l'année 1942. Grâce au soutien d'Elizabeth Arden, la saison à New York lui a permis de s'inscrire dans le tissu social et politique de la ville. Il est devenu en quelque sorte l'ambassadeur culturel du Canada et le représentant du peuple canadien-français.

Dans une lettre datée du 27 avril, André annonçait à sa tante « Manille » et à sa grand-mère qu'ils seraient tous de retour entre le 7 et le 10 mai. Mais une épidémie de picote[202] terrasse les enfants et repousse le départ et le concert d'Ottawa prévu, avec l'Ensemble Universitaire de la société Sainte-Cécile, à la fin mai. Remis ensuite au 5 juin, le concert aura finalement lieu le mercredi 10 juin et, pour la première fois et la dernière fois de sa vie, André va se présenter comme chef d'orchestre et diriger l'arrangement pour orchestre à cordes de deux de ses pièces, *La Berceuse* et l'*Hommage à Mozart enfant.*

C'est à Jean Morel, qui est devenu un ami de la famille, qu'André a demandé de lui enseigner les rudiments de la direction d'orchestre. Le cachet pour ce concert est de plus de 1000 $. André a toujours treize ans, et il est payé plus de 1000$. Mimi a enfin consenti à laisser grandir son fils qui porte un habit, blanc bien sûr, taillé sur mesure, avec son premier pantalon long !

ANDRÉ MATHIEU, PIANISTE-COMPOSITEUR OU COMPOSITEUR-PIANISTE ?

Mais, mis à part ses succès de pianiste, quel est le bilan de son séjour à New York pour André Mathieu, le compositeur ? Peut-être Harold Morris lui a-t-il demandé d'approfondir et de maîtriser les techniques d'écriture avant d'entreprendre de nouvelles œuvres, mais il ne nous reste aucun manuscrit daté de la période newyorkaise. Cependant, si on veut survoler

202. Picote n.f. *Petite picote, picote volante* - Varicelle. *Grosse picote* - Variole, Léandre Bergeron, *Dictionnaire de la langue québécoise*, VLB Éditeur,1981, p. 368.

son activité créatrice depuis son retour de Paris, en juillet 1939, nous pouvons rassembler quelques titres.

L'*Été canadien*, composé en 1939, et qui sera sérieusement révisé en septembre 1943[203]. Le *Printemps canadien* est datée de 1940 et semble avoir été révisée en août 1943. Il n'y a rien eu en 1941 à part l'Étude *no 4*. La seule œuvre d'importance, datée Montréal avril 1942, la *Ballade-Fantaisie pour violon et piano opus 27*[204], est la première œuvre de Mathieu incluant un instrument à cordes autre que le piano. Sur un des manuscrits existants, l'œuvre est dédiée à Arthur Leblanc. Arthur Leblanc qui, la veille de Pearl Harbor, a été l'invité du président Roosevelt à la Maison-Blanche. Arthur Leblanc qui a signé un contrat avec Arthur Judson, contrat qui échappe encore à André. Le 12 janvier 1942, Leblanc a donné un récital au Town Hall de New York, la même salle où André avait fait ses débuts new yorkais. Les Mathieu y ont sûrement assisté et c'est peut-être à cette occasion que les deux artistes se sont croisés pour la première fois. Il va sortir de cette rencontre la *Ballade Fantaisie*. Sans doute, André demande-t-il conseil à son ami Gilles Lefebvre pour écrire de façon idiomatique pour le violon. Il y a un bout de manuscrit portant une dédicace à Gilles Lefebvre, avec une amorce de thème semblable au manuscrit. Le hasard faisant bien les choses, trois ans plus tard, à la rentrée de 1945, Gilles Lefebvre deviendra un élève d'Arthur Leblanc.

Il est inévitable d'établir un parallèle entre les deux vies de ses grands artistes. Au moment où André va amorcer sa chute vers l'abîme, le grand violoniste acadien sombrera dans un état dépressif qui le conduira en institution ; pour l'un, les paradis artificiels de l'alcool, pour l'autre la porte fermée sur une réalité trop lourde, trop exigeante.

André, autrefois si prolifique, lui dont les œuvres semblaient jaillir sans effort de son imagination, n'a produit que trois œuvres depuis sa *Berceuse* parisienne, de belles œuvres, mais si peu nombreuses... Il faudra attendre l'automne 1942 pour voir apparaître son œuvre la plus célèbre et la plus élaborée à ce jour.

---

203. Voir la comparaison des manuscrits, réalisée par la pianiste Lysandre Hamelin, dans l'édition critique des œuvres pour piano solo, réalisée par les éditions Orchestra Bella. (à paraître)

204. Cette date, inscrite sur le manuscrit, est erronée. Les Mathieu sont à New York où André jouera les 10 et 17 avril, ainsi que le 1er mai.

Après les vacances, André aborde la saison 1942-1943 avec deux récitals, le premier à l'école primaire Querbes à Outremont, le mardi 13 octobre 1942, et trois semaines plus tard, le jeudi 5 novembre, à la Centrale Catholique de Montréal, avec un programme presque identique.

Mais, entre ces deux récitals, explose une bombe médiatique. Le magazine hebdomadaire *LIFE*, qui tire à quatre millions d'exemplaires, publie un reportage de neuf pages avec vingt photos et un texte insidieusement dénonciateur, d'autant plus difficile à réfuter qu'il semble refléter une réalité que nous croirions reconnaître encore aujourd'hui. L'édition du 19 octobre 1942 du magazine *LIFE* restera un jour sombre pour le « French Canada ». L'article et les photographies sont signées John Phillips. Conseillé par le journaliste et écrivain Jean-Charles Harvey,[205] le reporter prend le village de Saint-Fidèle sur les bords du Saint-Laurent comme spécimen d'analyse. La rédaction précise que les photographies ont été prises avec l'aide du curé du village, l'abbé Thomas Louis Imbeault. Le ton de l'article est dévastateur. Permettons-nous de citer quelques extraits. Le portrait du French-Canadian qui transparaît est à la limite de la diffamation et projette une image caricaturale par la combinaison des photos et du texte. C'est un amalgame d'ironie vitriolique et de dérision.

« En plein cœur de l'Amérique du Nord protestante et anglophone, une province de trois millions de Francophones catholiques connaît un essor singulier. C'est le Québec, qui semble plus étranger aux Américains que la France elle-même, pour la simple et bonne raison que le Québec a en grande partie choisi d'ignorer le 20ème siècle. » Le journaliste va asséner ici un grand coup : il va associer le Québec à la France de Pétain. Il faut se rappeler que le général de Gaulle se réfugie en Angleterre et, qu'évidemment, le Canada appuie l'Angleterre et que les États-Unis veulent, comme toujours, un cinquante et unième État bon marché pour se joindre à la guerre.

> Le Québec a méprisé la France de la Révolution française et celle de la Troisième république, et voilà que sa jeunesse admire la France de Pétain.

---

205. Jean-Charles Harvey (1891-1967). En 1934, son roman *Les Demis civilisés* soulève un tollé. En 1937, il fonde le journal *Le Jour* qui se bat contre le nationalisme, le fascisme, et l'antisémitisme. En 1934, il créera tout un émoi en déclarant que Hitler était en faveur du mouvement séparatiste québécois.

> Le Québec est une preuve de la tolérance de l'Empire britannique qui [...] a laissé 65 000 Français conquis se multiplier depuis 1763 pour aujourd'hui atteindre environ 6 millions d'habitants [...]. Alors que partout ailleurs tous les hommes libres emboîtent le pas à la politique actuelle du gouvernement britannique et participe à l'effort de guerre, en avril dernier le Québec s'est prononcé à 70 % contre la conscription [...].

Le journaliste John Phillips, non sans un léger sens de l'ironie, décrit les « French Canadians » comme étant un des peuples les plus gentils du monde, bon caractère, aimable, vertueux, frugal, travailleur, honnête, très sociable et accueillant.

> La vie des gens est principalement rythmée par l'Église et le travail de la terre. Située à l'entrée du Canada, c'est la plus rétrograde des provinces colonisées. Son taux de mortalité infantile est toujours resté élevé et celui de la ville de Trois-Rivières dépasse celui de la ville de Bombay. La ville de Québec détient le taux le plus élevé au monde de mortalité par la diphtérie.

Une fois le ton donné, le journaliste donnera le coup de grâce en signifiant clairement au reste du monde que ce qui dominent le Québec, c'est la religion, c'est l'Église catholique, c'est le curé et c'est Mgr Villeneuve. En fait, la ville rurale est sous la coupe de l'Église catholique : « [...] L'Église contrôle les écoles du Québec... où les filles peuvent se marier à quatorze ans mais doivent attendre seize pour aller au cinéma... »

Bien sûr, la loi du cadenas est évoquée... Après d'autres remarques qui clairement situent les paroissiens de Saint-Fidèle à la frontière... des États-Unis... et aux limites du monde dit civilisé, John Phillips continue :

> Les habitants de Saint-Fidèle ne sont pas des « radicaux »... Ils sentent bien qu'il est de leur devoir sacré de combattre le « communisme ou le bolchévisme », ce qui peut aussi bien inclure des subsides de l'État destinées aux mères que l'athéisme américain. Cette guerre mondiale où combattent des bolchéviques russes, des bouddhistes chinois et des protestants anglophones contre, notamment, Rome, siège de l'Église catholique, les laisse plus que perplexes... Les Canadiens français espèrent un jour être, et de loin, les plus nombreux au Canada...[206]

---

206. John Phillips, « French Canada » dans *Life Magazine*, le 19 octobre 1942, p. 103-112 : **voir la citation originale en annexe.**

Évidemment, le premier ministre du Québec, Adélard Godbout, proteste dans *Le Devoir* :

> … Nous n'avons pas l'habitude de répondre à nos détracteurs et encore moins de tomber dans les pièges qu'ils nous tendent, en soulevant une controverse. Qu'il me suffise de dire que, au moment où le Canada et les États-Unis combattent côte à côte pour la cause de la civilisation, tâcher de soulever les races et les religions les unes contre les autres, c'est accomplir une œuvre néfaste […] *Life* était en passe de devenir un magazine d'informations. Les articles qu'on y a pu lire ces derniers temps, au sujet de Détroit et du peuple anglais, par exemple, montrent que cette revue est en train de redevenir ce qu'elle était jadis, une feuille humoristique. Cependant, l'heure est trop grave pour permettre de telles farces. À titre de Premier ministre de la province de Québec, et au nom de tous nos concitoyens, tant de langue anglaise que de langue française, je m'élève fortement contre une publicité dont le caractère est si évidemment malicieux.[207]

Les archevêques de Québec, de Vancouver, de Toronto, d'Edmonton, de Halifax, d'Ottawa, de Montréal, de Saint-Boniface et de Moncton volent à la défense de l'Église, mais ne disent mot sur le peuple pourtant vastement vilipendé par l'article incendiaire.

Il est bien évident que tout Canadien français susceptible de démontrer le talent, et même le génie de son peuple, est alors mis à contribution pour redorer le blason terni de l'honneur canadien. Le lundi 11 janvier 1943, André Mathieu est de retour au Carnegie Hall pour la troisième fois en un an. Il reprend son *Concertino no 2* avec le National Orchestral Association, sous la direction de Léon Barzin, un des juges pour le concours de la Philharmonie de New York. Il ne le sait pas, mais c'est la dernière fois qu'il le joue avec orchestre. Le lendemain, le célèbre critique Louis Biancolli (1907-1992) écrit :

> Le Beethoven canadien en herbe […] a présenté son *Concertino* […] avec l'aplomb d'un adulte au concert du National Orchestral Association hier soir au Carnegie Hall… Le jeune Mathieu était de deux étés le cadet de Mozart, bien que son concerto ait semblé plus vieux d'une génération. Le garçon a joué en affichant une parfaite compréhension du style et une technique digne d'un adulte. Il y a

207. Adélard Godbout, *Le Devoir*, le 24 octobre 1942.

> deux ans, André avait étonné les observateurs locaux avec une masse de compositions teintées d'un modernisme intelligent. De plus, son jeu pianistique était tout à fait à la hauteur [...]. Il a vieilli et son jeu hier soir était plus brillant et plus puissant. Bien qu'on y reconnaisse quelques influences, le *Concertino* est une œuvre rafraîchissante et fut expédié avec élan et espièglerie. André Mathieu a un grand avenir.[208]

Pour sa part, le critique Marcel M. Bild commente :

> Le succès était formidable et André Mathieu a dû ajouter deux bis, ce qui est exceptionnel dans cette organisation. Sa composition (le concertino) est adroitement orchestrée et a été plus applaudie que celles d'autres confrères américains qui figuraient au même programme.[209]

La carrière américaine d'André Mathieu aura finalement duré un an exactement, jour pour jour. Le premier récital pour la Ligue des compositeurs canadiens a eu lieu le 11 janvier 1942 et André joue son concertino au Carnegie Hall, le 11 janvier 1943. Grâce à Elizabeth Arden, grâce au réseau d'influences établi par Wilfrid Pelletier, grâce à la volonté du gouvernement canadien de promouvoir le talent canadien et canadien-français, André Mathieu était propulsé sur la scène de la ville la plus prestigieuse du monde.

Quand nous faisons le bilan de l'hémorragie européenne, nous croisons les noms de ceux et celles qui ont écrit l'histoire du 20e siècle : Arnold Schönberg, Igor Stravinsky, Paul Hindemith, Darius Milhaud, Kurt Weill, Benjamin Britten, Erich Korngold, Bruno Walter, Otto Klemperer, pour ne nommer que des musiciens. Les cinéastes Fritz Lang et Jean Renoir tourneront à Hollywood, alors que les écrivains Aldous Huxley, W. H. Auden, Christopher Isherwood et Thomas Mann vont s'installer sur la côte ouest. Il ne faut pas oublier les peintres Kandinsky, Kokoschka, Chagall, Dalí, Ernst, Léger, Mondrian, Duchamp et les architectes du Bauhaus, Mies van der Rohe, Walter Gropius et Marcel Breuer et tant d'autres qui ont complètement transformé et modifié notre civilisation. Cet exode massif de la quintessence d'une civilisation va propulser les États-Unis à

208. Louis Biancolli, *The New York World-Telegram and Sun*, le 12 janvier 1943 : **voir la citation originale en annexe.**
209. Marcel M. Bild, journal inconnu, New York, le 16 janvier 1943.

l'avant-garde de la culture mondiale. C'est au moment où la richesse spirituelle du monde est toute concentrée aux États-Unis que les Mathieu rentrent à Montréal.

L'une des décisions les plus lourdes de conséquences pour André et pour toute la famille, c'est ce retour au 4519 de la rue Berri à la fin des vacances de l'été 1942. Si des circonstances indépendantes de leur volonté les avaient retenus loin de Paris, cette fois ce sont des choix motivés par des raisons personnelles, intimes, qui amènent les Mathieu à prendre la pire décision de leur vie. Malgré le renouvellement de la bourse d'études, André ne retourne pas à New York. André ne l'avait-il pas clairement exprimé dans l'article de Ross Parmenter : « I am happiest when we take the car to go to Canada » !

Mais ce retour à Montréal, c'est beaucoup plus qu'un retour à la maison, qu'un rejet d'une culture et d'une ville qui ne lui conviennent pas, ce retour à Montréal est une victoire pour André et une défaite pour Rodolphe. Mimi le dit : « Rodolphe et moi souhaitions rester à New York pour qu'André fasse carrière aux États-Unis, parce que revenir dans le néant, c'était stupide. André était à un âge un peu difficile... Camille, elle, était heureuse à New York. Elle parlait anglais. » Mimi continue ses confidences et nous livre une clé capitale : « André était un enfant adulte, vous comprenez, on n'avait pas le beau rôle. Ils étaient habitués à recevoir tout ce qu'ils voulaient ; comment voulez-vous élever des enfants ? » Mais André, avec l'appui de sa grand-mère l'emporte et c'est le retour vers... Rien. Pas tout à fait.

LE BLOC POPULAIRE CANADIEN

Après Pearl Harbor, les Canadiens-français sentent que le vent tourne et voient partir en fumée les belles promesses de Mackenzie King et d'Adélard Godbout, leur jurant que jamais « la trahison » de 1917 ne se répéterait. Comme d'habitude, les Américains commandant notre politique extérieure, les Canadiens français voyant la conscription venir, fondent à la fin de janvier 1942 « La Ligue pour la Défense du Canada », qui se donne pour mandat de s'opposer à toute velléité de conscription et d'obliger les gouvernements fédéral et provincial à tenir leurs engagements. André, qui séjourne à New York à ce moment-là, harcèle sa grand-mère Albina et sa tante « Manille » pour qu'elles lui fassent parvenir les journaux de Montréal.

Il suit avec avidité tous les événements stratégiques de l'échiquier politique. C'est autour de Maxime Raymond[210] que se forme le mouvement. Gérard Filion[211] et André Laurendeau s'associent à la Ligue. Il faut faire le NON, comme on dit. Les partisans sont évidemment interdits d'antenne à Radio-Canada et, « au sortir du plébiscite, le Canada français [...] réalise plus que jamais sa situation de minoritaire. La campagne du non a permis le ralliement de tout un peuple en faveur d'une cause commune. »[212] Avant même que le plébiscite ait lieu, André Mathieu écrit :

> *New York, ce 18 avril 1942*
>
> *Cher Monsieur,*
>
> *Je suis depuis la fondation de votre ligue toutes les assemblées que vous organisez. Je vous approuve hautement d'essayer de faire comprendre au peuple qu'il ne sert à rien d'envoyer nos soldats se battre sur d'autres fronts que celui de notre propre sol, et ceux qui s'efforcent par leur discours de nous faire voter oui, leur voix sonne [sic] faux. Il est impossible de la part des Canadiens français (et des Canadiens anglais) sauf peut-être quelques Orangistes, de donner au gouvernement une réponse affirmative, leur devoir est de dire non au plébiscite. Voilà mon opinion.*
>
> *En attendant d'avoir le plaisir de vous lire, veuillez, Cher Monsieur, acceptez mes sentiments les meilleurs.*
>
> *Votre tout dévoué,*
>
> *André Mathieu*
>
> *P.S. : je voudrais être membre de votre ligue.*
> *Vous seriez bien gentils de m'envoyer les renseignements voulus. Merci*
> *André Mathieu, 362 Riverside Drive New York, New York.*[213]

Cinq jours plus tard, André Laurendeau répond. Voilà, le lien est établi entre les générations : Arthur et Rodolphe, André et André et ce garçon vient d'avoir treize ans.

---

210. Maxime Raymond (1883-1961) Homme politique sur la scène fédérale, député de Beauharnois-Laprairie, il sera élu député du Bloc populaire Canadien à Ottawa.
211. Gérard Filion (1909-2005) un des principaux adversaires de Duplessis, il est un des précurseurs de la Révolution tranquille. Il sera directeur du journal *Le Devoir*, de 1947 à 1963.
212. Paul André Comeau, *Le Bloc populaire*, Québec Amérique, 1982, p. 85.
213. André Mathieu, lettre envoyée à la direction de la « Ligue pour la défense du Canada », le 18 avril 1942, Fonds Famille Laurendeau, Centre de recherche Lionel Groulx.

André Mathieu, qui s'intéresse à la politique depuis sa tendre enfance, a donc pris contact et tisse des liens avec ces jeunes de La ligue pour la défense du Canada. Au retour des vacances d'été, il rencontre sans doute les organisateurs qui ont fait triompher le NON au plébiscite d'avril. Les résultats du référendum pancanadien du 27 avril 1942 sont un miroir qui reflète la réalité : 80 % des Canadiens ont répondu OUI à la question suivante : « Consentez-vous à libérer le gouvernement de toute obligation d'engagements antérieurs restreignant les méthodes de mobilisation pour le service militaire ? ». Au Québec, 72 % des Canadiens français ont répondu NON. De retour à Montréal, André va suivre avec passion le lancement du Bloc populaire Canadien en septembre 1942. L'origine de ce troisième parti politique est la conséquence, le prolongement de la lancée de La ligue pour la défense du Canada qui avait galvanisé le peuple et arraché le vote au plébiscite du 27 avril 1942. Soudés dans une même ardeur, ses membres financent eux-mêmes la nouvelle entité qui rassemble des citoyens de différentes allégeances. Ce nouveau parti va choisir d'être bicéphale et de courtiser le vote à Ottawa et à Québec : « Sous l'influence d'Henri Bourassa, le nationalisme d'ici s'est presque toujours voulu pancanadien. Le sentiment (et la volonté ?) d'appartenance à un grand pays, d'un océan à l'autre, l'a emporté sur une identification au seul sol québécois. »[214]

À quel moment André Mathieu va-t-il proposer de fonder « le Bloc populaire canadien junior » à ses dirigeants ? Dans le fonds Mathieu aux Archives nationales à Ottawa, on retrouve sur papier à en-tête « Bloc populaire canadien junior », plusieurs articles signés André Dupont, nom de plume transparent, pseudonyme sous lequel transparaît la personnalité et le style d'André Mathieu. Dans un article en date du 10 décembre 1942, André Dupont s'oublie et fait allusion à son séjour en France. Sur ce papier à lettre sont aussi inscrites deux adresses : à gauche, Secrétariat Général, 4800 Côte des Neiges, Fitzroy 6801 et en haut à droite, Bureau de direction, 4519 rue Berri, Cherrier 1474. La lecture de ces articles est captivante en ce qu'elle révèle une connaissance réelle de l'histoire, de la politique et un intérêt passionné et éclairé pour la situation internationale. Il n'y a pourtant pas lieu de s'étonner, puisque tous les journalistes parlent de son intérêt pour l'évolution de la guerre sur tous les fronts.

214. Paul André Comeau, *Le Bloc populaire*, Québec Amérique, 1982, p. 437.

Sous l'analyse perce la personnalité de son auteur : sûr de lui, juvénile, enthousiaste. Il a spontanément ce ton de vieux politicien qui harangue les foules pendant une campagne électorale. Pour son premier article, André s'attaque à un vaste sujet : « Les origines de la guerre de 1939 ». Puis, sans doute, il change d'avis et décide de lancer son nouveau journal en proposant une réflexion sur : « L'avenir de la jeunesse canadienne française ». Un autre article reprend un thème populaire à l'époque (et encore aujourd'hui) « L'achat chez nous ». André livre ensuite une analyse des « Relations entre la Russie et la Pologne ». Il y a aussi quelques textes sur le Québec. Les articles sont destinés, soit à la revue *Jeune France*, soit à la revue *Jeune Laurencie.* Il semble qu'aucun d'eux n'ait été publié, ni même que ces magazines aient jamais vu le jour. Mais cette activité politique de l'automne 42, menée en même temps que la composition du *Concerto de Québec*, nous présente un André en pleine crise d'adolescence.

Toujours sur papier en-tête du Bloc populaire canadien junior, André écrit à la Hollywood Beauty Cardinal and company. Madeleine Langevin, amie d'André depuis l'enfance, dit que les sœurs Cardinal étaient effectivement très belles. C'est un garçon exubérant qui s'invente une tournée de douze concerts en Californie pour justifier son retard à répondre : « Vous pouvez être certains que j'ai vu des grands [...] grands cargos éventrés [...]. Avec une torpille en plein flanc [...]. »[215]

Quelques mois plus tard, sans doute après le retour du séjour chez la famille Beauchemin[216] à Québec, au printemps 1943, séjour où en plein milieu de la nuit André a réveillé toute la famille pour leur jouer ce qu'il vient d'écrire, le fameux thème du deuxième mouvement du *Concerto de Québec,* André écrit à son ami Guy Beauchemin baptisé ici « Baron Guy, dit de Beauchemin, et aussi Marquis du Bas du Pantalon ». Il lui envoie une lettre étrange, très « adolescence tourmentée » :

> *Cher Guy, j'ai reçu ta lettre, je m'empresse d'y répondre [...]. Pendant la fin de semaine, je suis allé au sucre, c'était très intéressant.*

---

215. André Mathieu, lettre datée du 16 décembre 1942, Fonds Famille Mathieu, Archives nationales à Ottawa.

216. Le docteur vétérinaire Georges Beauchemin, de Québec, avait épousé Marguerite Duval, ancienne élève de Rodolphe Mathieu. Leurs enfants, Marion et Guy, seront des amis d'André. C'est dans leur maison du 57, rue Lévis, à Québec, qu'André a composé le célèbre thème du deuxième mouvement du *Concerto de Québec.*

> *Je me suis promené dans le bois, seul. À chaque coin obscur, je vis des choses, ha! Mais... Des choses... De grandes et belles corvettes, échouées sur des plages désertes... C'est à voir... Et avec ça une torpille en plein dans les flancs. Mais ces pauvres corvettes n'avaient pas l'air d'être trop touchées. Plus loin j'arrivai dans une grande clairière où une multitude de branches mortes gisaient là. Au loin dans l'horizon, un magnifique coucher de soleil, il était d'un rouge éclatant, avec des nuages assez obscurs, qu'on apercevait vaguement dans le ciel. Cela formait comme une sorte de brouillard tragique, c'était vraiment beau. Je t'assure que cela nous donne l'occasion de réfléchir sur la vie et aussi sur les beautés de la nature. Ensuite la neige s'étendait à perte de vue et formait comme un grand tapis blanc. En plus, des montagnes couvertes elles aussi de neiges éclatantes : c'était sublime. Ah! Vraiment, le pays de Québec est beau, mais d'une beauté pas comme les autres, d'une beauté rude, sauvage même. C'est quand je vois ces paysages uniques se dérouler devant mes yeux, c'est là que je constate combien est chère pour tout bon canadien, la patrie, cette patrie qui nous a vu naître et [que] quelquefois nous serions prêts à renier...*[217]

Fort des idéaux qu'il partage avec le Bloc populaire, André va écrire un poème en prose qui est plus révélateur qu'une confession :

> *Laurentie, espoir de toute une nation*
> *Quand donc deviendras-tu une réalité?*
> *Nous qui ne vivons que pour toi,*
> *Lorsque ta gloire immortelle sera révélée,*
> *Alors le Drapeau fleurdelysé sera nôtre.*
> *Les vieilles traditions si longtemps oubliées,*
> *Se révèleront sous un aspect nouveau,*
> *Pour permettre à un peuple fier de se relever.*
>
> *L'espoir d'une Laurentie nouvelle,*
> *Se montre à l'horizon,*
> *Le moment si attendu serait-il arrivé?*
> *Debout Canadiens, aux armes «fils de la liberté».*
> *Il est temps de se réveiller,*
> *De montrer au monde entier,*
> *Que nous sommes un peuple Fort,*
> *Et capable de réagir sous les coups de l'injustice.*

---

217. André Mathieu, lettre à Guy Beauchemin, le 2 avril 1943, Fonds Famille Mathieu, Archives nationales à Ottawa.

Ces paysages hallucinés, ces élans héroïques, cette musique qui depuis quelques mois a quitté ces accents modernes, tous les symptômes, tous les signes pointent dans la direction d'une adolescence rageuse.

Nous avons ainsi retrouvé un extrait d'un journal intime daté des 21 et 22 mars 1943, qui révèle un besoin impérieux de liberté et d'émancipation. L'impatience d'André, ses sautes d'humeur, tous les signes d'un caractère entier éclatent dans cet unique témoignage de l'adolescent en révolte contre l'autorité de son père, sa charge de travail, le prix à payer pour être un enfant prodige, un artiste et une star. Mimi elle-même parlant de la dynamique familiale, dit que Rodolphe était un homme sévère, un fils de terriens et qu'André le vouvoiera jusqu'à sa mort. Alors qu'elle, était plus libre, d'éducation urbaine. Et c'est ici aussi que la différence d'âge du couple se réfléchit sur les enfants. André vient d'avoir quatorze ans, Rodolphe en aura cinquante-trois en juillet et Mimi a trente-cinq ans

> En m'en allant chez Sicard, le restaurant, j'ai fait un téléphone à Adrien Vilandré ; quand je sortis de la boîte téléphonique, j'aperçus mon père qui était placé près de la porte où il entendit tout ce que j'ai dit, et comme ce n'était pas très propre ce que je disais, il me gronda un peu fort. Finalement, j'échoue au théâtre Saint-Denis. Quand je revins chez moi, mon père me fait une autre terrible scène. Il avait complètement parcouru mon journal et me l'avait saisi. C'est pourquoi aujourd'hui je suis obligé d'écrire mon journal sur une simple feuille de papier. Mais mon père ne m'aura pas. Je ne me laisserai pas faire comme un simple enfant. Lundi, Clarisse Cardinal me téléphona. Il cria, tempêta, me chicana, seulement par ce que j'osais parler à une fille, (Imaginez-vous quel crime !). Mais je le répète, je ne me laisserai pas tappocher, je me défendrai en me battant s'il le faut. Et pour terminer je dirai ceci : « Les gens qui se disent le moins sont souvent le plus ».[218]

L'adolescence, étape hélas nécessaire où il faut devenir entier pour pouvoir s'appartenir et sortir de la famille pour se produire et se reproduire ailleurs, ce nœud gordien de toute vie va évidemment prendre des proportions prodigieuses chez André Mathieu. Qu'ils soient au 4519 rue Berri, à la pension Servandoni à Paris ou sur Riverside Drive à New York, André sent très bien qu'il est le centre, le point focal autour duquel toute

218. André Mathieu, page de journal datée du 21 et 22 mars 1943, Fonds Famille Mathieu, Archives nationales à Ottawa.

la famille tourne, se positionne et se définit. Il est aussi le soutien de famille, celui qui met le pain sur la table, celui qui a le pouvoir et qui fait trembler l'édifice s'il est de mauvaise humeur. C'est à ses besoins que depuis toujours on sacrifie sa sœur qui passe toujours en deuxième place. Rodolphe est triplement occupé à lui faire travailler son piano, à ménager une aire affective où les œuvres puissent surgir et à contacter les sociétés de concerts pour qu'André se fasse entendre. Le père est donc pédagogue, imprésario et accoucheur et n'a de temps pour rien d'autre. Mimi, elle, est la dispensatrice d'approbations, la cajoleuse, celle qui persuade et s'insinue, celle qui rêve et échafaude.

Cette page du journal d'André est un cri de rébellion, plus encore, de révolte essentielle, une tentative de sortir de l'enfance et de récupérer et réintégrer ce qu'il a dû sacrifier pour, malgré lui, être le chef de famille. Mais, cette dynamique familiale est terriblement séduisante et confortable. Il est le centre du monde, il est aimé par tout ce gynécée et ce père simultanément adorateur et bourreau, qui exige toujours plus, qui impose une discipline, élastique peut-être, mais bien réelle et qui en contrepartie s'extasie à chaque réussite, à chaque étape, à chaque œuvre. Car il n'a qu'à jouer, il n'a qu'à composer pour provoquer l'admiration, l'adulation et l'amour. C'est un mécanisme coûteux mais parfaitement au point qui, à condition que vous offriez un peu de vous-même, provoque presque infailliblement les conditions de survie matérielle et affective. Difficile, sinon impossible de rejeter ce qui engendre l'amour des siens et des autres. De plus, la mère entretient un rapport fusionnel qui confirme son pouvoir. Ce moment d'émancipation de mars 1943 est d'autant plus important, que nous savons, nous connaissons la fin de l'histoire et nous appréhendons déjà qu'il est voué à l'échec, un échec toujours renouvelé. Sa vie durant, André Mathieu va reproduire la prison dont il voulait s'échapper, prison comblante, étouffante, castrante, mais gratifiante à tant d'égards. L'adolescence venue, André va vouloir réécrire cette enfance dont l'absence crée une nostalgie pour un paradis perdu qui lui paraît d'autant plus beau qu'il ne l'a jamais connu. « Moi, je n'ai jamais eu d'enfance. » C'est une phrase qu'il dira et redira à tous ceux et celles qui voudront bien l'entendre.

La phrase la plus troublante de cette page de journal : « je ne me laisserai pas tappocher, je me défendrai en me battant s'il le faut ». Les rumeurs voulant qu'André ait été un enfant battu nous ont toujours semblé être une interprétation exagérée de la sévérité et de la rigueur que Rodolphe a appliquées et imposées à André pour mener ses dons exceptionnels à leur complet épanouissement. Mais cette phrase isolée soulève bien des questions. D'une part, on peut penser que Rodolphe n'a fait que perpétuer les méthodes d'éducation qui avaient été celles de son enfance. Une taloche, une fessée ont toujours fait partie de l'arsenal d'apprentissage. D'autre part, tous les témoignages réfutent ces allégations de violence. Sévérité, sécheresse, absolument. Qu'il ait été bête comme ses pieds, sans aucun doute mais brutal ou violent, la chose serait étonnante.

L'autre élément choquant de cette lettre, c'est l'attitude autocratique de Rodolphe. Écouter la conversation de son fils debout à l'extérieur de la cabine téléphonique, mais, plus grave, saisir et lire le journal intime d'un adolescent, c'est un abus de pouvoir, c'est un bris de confiance, c'est une trahison en plus d'être une tactique de soumission vouée à l'échec : s'il plie, le jeune homme rate sa sortie de l'enfance et son entrée dans la « vraie vie » ; s'il résiste, il doit assumer son indépendance, sortir du giron familial, briser la coquille narcissique pour intégrer le monde et faire sa place. André Mathieu a toute la force pour s'imposer et conquérir le monde, mais depuis dix ans qu'il la déploie, agissant en adulte en étant enfant, il sera condamné à agir en enfant en étant adulte. Pour André Mathieu, les dés sont pipés, il ne gagnera jamais. Mimi avait bien raison de dire : « Vous comprenez, André était un enfant adulte… ».

Coïncidant avec cette crise d'adolescence, André entreprend d'écrire l'œuvre qui reste encore aujourd'hui son titre de gloire le plus populaire. Appelée successivement : la *Symphonie Romantique*, le *Concerto no 3*, le *Concerto Romantique*, l'œuvre s'appellera finalement, à cause du film qui va la rendre célèbre : Le *Concerto de Québec*. Sur le manuscrit de l'orchestration André s'est même donné un nom de plume, un nom totémique. Renouant avec une tradition autochtone qui encapsule l'âme d'une personne dans quelques mots, André a choisi de se résumer en : « Air des Montagnes ». Il n'y a pas de dates inscrites sur le manuscrit du premier mouvement, mais pour le deuxième, André indique : « Commencé le 30 janvier 1943 et terminé le 30 avril 1943 », et « Le troisième mouvement a été commencé le 3 mai 1943 et terminé le 20 juin 1943 ». On peut en déduire que le premier mouvement a été attaqué après les vacances de 1942, à l'automne, parallèlement à son engagement auprès du Bloc populaire et à la création d'un milieu qui lui soit propre et lui permette d'accomplir son rite de passage.

LE CONCERTO NO 3 / CONCERTO DE QUÉBEC

Pour bien évaluer l'importance stratégique du *Concerto de Québec*, de ce nouveau chef-d'œuvre d'André Mathieu, il faut retrouver le fil d'Ariane qui permet de saisir l'idée maîtresse qui guide Rodolphe et André depuis le retour d'Europe. Nous avons ressenti la frustration et l'impatience de Rodolphe dans sa lettre à l'imprésario Louis H. Bourdon, quand il lui annonce qu'Arthur Judson ne prendrait pas André en charge et que Siegfried Hearst, de l'agence NBC, avait aussi décliné de représenter André.

C'est que Hearst, Judson et Rodolphe ont bien compris les critiques parues au lendemain du récital du 3 février 1940 au Town Hall de New York : dans ses œuvres, André le pianiste est sensationnel et sa musique est tout à fait digne d'intérêt, mais dans le répertoire standard, tous les critiques ont fait le même commentaire : « Immaturité, approche un peu extérieure... ». Pour Rodolphe, la prochaine clef de voûte sur laquelle faire reposer tout le nouvel édifice de la carrière américaine d'André doit être une nouvelle œuvre, importante, une œuvre concertante, qui permette au jeune pianiste d'être invité à travers tous les États-Unis pour être, si l'on veut, le soliste de son propre concerto. Il aura fallu un an et demi pour préparer le déménagement et l'installation à New York. Un an plus tôt, le *Concertino no 2*, œuvre « ancienne » nous le savons, aura décroché le premier prix du concours de l'orchestre dont Judson est toujours le manager. Dans la conjoncture, ce triomphe récent, cette saison new-yorkaise où André est invité partout dans les cercles d'influence, si ce nouveau concerto pouvait plaire et s'imposer, Rodolphe aurait à nouveau réussi et l'avenir leur appartiendrait !

Depuis bientôt huit ans que Judson et Hearst connaissent André, il a suffisamment piqué leur curiosité et leur intérêt pour que Judson demande à Pierre Béique, le directeur général de la Société des Concerts Symphoniques de Montréal, qu'il connaît bien et dont il respecte le jugement, d'engager André comme soliste, pour être absolument certain de ne pas commettre une grave erreur et de passer à côté d'un artiste dont on connaît le charisme et le magnétisme sur scène. Car si André devait reprendre le flambeau des mains de Rachmaninoff et s'avérait être l'interprète idéal de sa musique, mais en plus, un pianiste virtuose capable de faire vivre le grand répertoire, alors tous les rêves seraient permis pour les Mathieu et pour l'imprésario des imprésarii. Arthur Judson, le manager de l'Orchestre philharmonique de New York, l'imprésario le plus puissant du continent américain et un des directeurs de la station de radio CBS va, à travers l'invitation de Béique, soumettre André à un nouveau test en lui proposant une œuvre du grand répertoire. Les enjeux sont élevés : si André est devenu le pianiste qu'il promettait de devenir et, si de plus, le nouveau concerto qu'il nous annonce s'avère être un chef-d'œuvre, une fois terminée, André pourrait succéder à Rachmaninoff, comme compositeur-pianiste et pianiste-compositeur. Hélas, Rachmaninoff est arrivé au bout de son chemin, il va disparaître le 28 mars 1943, dans sa soixante-dixième année, à Beverly Hills, pendant qu'André travaille sur le deuxième mouvement du concerto qui va lui assurer sa place au soleil.

Pierre Béique invite donc André à jouer, non pas son *Concertino* que Montréal a déjà entendu trois fois avec orchestre, mais le *Concerto no 1, en do majeur*, de Beethoven. Comme Béique connaît bien le pouvoir d'attraction qu'André exerce sur la jeunesse, il lui propose d'abord une Matinée symphonique, le samedi 23 janvier, une première exécution avec orchestre. Au pupitre, André retrouve Désiré Defauw avec qui il a déjà travaillé et qui lui a déjà dédicacé sa photographie ainsi : « À André Mathieu, la Musique personnifiée... ». Trois jours plus tard, le mardi 26 janvier en soirée, André reprend le concerto de Beethoven. Le lendemain du concert, Marcel Valois titre son article :

> ANDRÉ MATHIEU SE RÉVÈLE PIANISTE DE GRANDE CLASSE
>
> Le concert symphonique d'hier soir au Plateau a été la consécration d'André Mathieu comme pianiste déjà parvenu au complet développement de son intelligence musicale et déjà en possession de presque toutes les ressources d'un virtuose. On compterait sur les doigts d'une main les pianistes de chez nous qui auraient pu jouer le premier concerto de Beethoven avec la précision rythmique et le style dépouillé qu'a fait admirer et acclamer longuement ce grand garçon de quatorze ans. Dans tout le Rondo comme dans la cadence du premier mouvement, la maîtrise de l'œuvre et de

> l'instrument était telle que les auditeurs auraient eu peine à croire qu'ils entendaient un enfant s'ils ne l'avaient vu.
>
> Ce concerto si rarement joué est du vrai Beethoven du commencement à la fin. La vigueur sans rudesse, le sens dramatique non théâtral, le charme sans recherche, l'autorité sans lourdeur que ces pages exigent de l'interprète, André Mathieu les a mis en lumière avec une netteté magnifique.
>
> On a constaté une fois de plus comme les dons de ce prodige d'hier, de ce pianiste d'aujourd'hui, ont été normalement développés. Cela est à l'éloge de ses maîtres, à commencer par son père, autant qu'au don unique d'André Mathieu. Après cette consécration nouvelle, notre jeune compatriote répondrait à l'attente générale s'il voulait se faire entendre en récital.[219]

Le critique musical du journal *The Montreal Star* est encore plus enthousiaste :

> Le talent phénoménal d'André Mathieu nous a à nouveau été révélé hier soir [...]. Le jeune Monsieur Mathieu a reçu une formidable ovation. C'était bien le moins qu'il méritait. On n'avait plus entendu ce compositeur et pianiste à Montréal depuis deux ans [...]. Lors de son dernier passage, il portait encore des culottes courtes. Nous avons retrouvé un grand garçon, posé, sûr de lui, courtois et grave et dont la maîtrise musicale s'est aussi étoffée.
>
> Hier soir, il était là en tant que soliste, mais il a fait la preuve qu'il était bien davantage. Il a démontré qu'il était un musicien extraordinairement doué qui, malgré son jeune âge, dispose de tous les atouts de densité et de simplicité, preuves incontournables d'un esprit musical d'ampleur exceptionnelle.
>
> Pour un pianiste, le *Premier Concerto* de Beethoven n'est pas une sinécure [...]. Il requiert du style, de la précision rythmique et un grand sens de la mesure. Et c'est très précisément le traitement que lui ont apporté les doigts d'André Mathieu. Au regard de la continuité de la réflexion musicale, le premier mouvement fut une véritable leçon de sens de la proportion rythmique, de justesse d'accentuation, sans oublier ce toucher si caractéristique de l'interprète [...].
>
> Ce jeune garçon, a abordé le second mouvement en accentuant suffisamment ses beautés mélodiques pour en faire, malgré la richesse de l'ornementation, un chant simple et viril. À la fin du

219. Marcel Valois, *La Presse*, le 27 janvier 1943.

> largo, dans l'exécution du passage doux, l'artiste a démontré une rare sensibilité. Et comme on pouvait s'y attendre, André Mathieu a joué le rondo final avec tout l'enthousiasme et la rigueur que Beethoven y a mis. C'était tout à fait excitant d'entendre le thème initial résonner avec toute la rudesse et la vigueur beethovéniennes requises [...].[220]

La seule réserve à retenir réside donc dans ces quelques mots de Marcel Valois : « en possession de presque toutes les ressources d'un virtuose »... Sinon, l'impression transmise en est une de maturité et de croissance. Ces deux témoins enregistrent une évolution organique. Leurs mots nous parlent d'un musicien qui effectue sa transition de l'enfant à l'adulte, du prodige à l'artiste. Quels commentaires Pierre Béique fera-t-il à Arthur Judson ? Nous ne le saurons peut-être jamais... La seule chose dont nous sommes sûrs, c'est que Judson invite André à New York pour jouer sur les ondes de sa station de radio CBS à l'automne, dès qu'il apprend que le concerto est terminé.

Mais quelques semaines plus tard, en attendant que la vie mette en place la mécanique de ces effets domino, Madame Anaïs Allard-Rousseau, de Trois-Rivières, demande à Rodolphe la permission d'utiliser le nom de son fils pour le nouveau club d'initiation à la musique qu'elle veut mettre sur pied : « Club musical André Mathieu ». Le club est une association de concerts, voulant rassembler les jeunes et les inviter à s'intéresser à la musique classique. Mais ce Club musical André Mathieu est une association qui exige de ses membres un engagement, une appartenance qui surprend un peu aujourd'hui par son libellé presque... sectaire. Il y a, sous-jacent, le ton du serment d'allégeance qui évoque irrésistiblement le climat politique de l'époque. Par exemple : « Voulez-vous faire connaître autour de vous la musique d'André Mathieu, c'est-à-dire le classique ? » Ou la question suivante : « Seriez-vous prêt à défendre André Mathieu quand il sera attaqué par ses diffamateurs ? » Le formulaire d'adhésion au Club musical André Mathieu se termine sur ce paragraphe très éloquent : « Dans le fan-club, je veux faire aimer le classique autour de moi. Je serai présent(e) aux réunions. Je serai un(e) ami(e) d'André Mathieu. Soumis(e) aux

---

220. Thomas Archer, *The Montreal Star*, le 27 janvier 1943 : **voir la citation originale en annexe.**

règlements, je ferai tout en mon pouvoir pour accomplir mon devoir de membre du Club musical d'André Mathieu. »[221]

Pour André, les récitals et les concerts, la composition de son nouveau concerto, ce nouveau club musical qui porte son nom, l'apprentissage de nouvelles œuvres pour élargir son répertoire, toutes ces activités sont maintenant associées à Rodolphe, ce père qui a transformé le jeu qui les unissait en devoirs et obligations qui l'empêchent de rêver et les séparent. Mais l'intérêt qu'il a toujours porté à la politique, à l'histoire, à l'évolution de son pays et à la progression de la guerre, va permettre à André, non seulement de créer Le Bloc populaire canadien junior, mais aussi lui ouvrir un nouveau milieu où sa curiosité insatiable trouvera à se nourrir. Sa célébrité lui permet de briguer et d'obtenir la présidence de l'aile junior du parti. Madeleine Langevin est nommée vice-présidente et le futur avocat criminaliste Raymond Daoust est inscrit comme secrétaire. André est tellement engagé dans ce mouvement qu'il écrit : le *Chant du Bloc populaire*, paroles « rédigées en collaboration » avec Madeleine Langevin. Le chant est terminé le 14 mars 1943.[222] Le Bloc populaire canadien junior donne à André l'occasion d'essayer ses armes d'adulte, d'exploiter enfin pour lui-même cette célébrité qui lui a tant coûté et de mener une vie parallèle à sa musique, à son piano et à sa famille.

Est-ce que ces nouvelles activités empiètent sur sa musique ou la pénurie de concerts lui donne-t-elle le loisir d'explorer en dehors du cercle familial et musical ? Car professionnellement, cette année 1943, mis à part son engagement pour jouer son *Concertino no 2* à New York le 11 janvier à Carnegie Hall, et ce « test » du premier *Concerto* de Beethoven avec l'Orchestre de la Société des Concerts Symphoniques de Montréal deux semaines plus tard à la salle du Plateau, il n'y a rien pour l'interprète, rien que deux événements qui sont probablement, hélas, les deux sommets de sa carrière de pianiste et de compositeur. Raymond Daoust décide d'organiser un concert pour promouvoir l'idéal politique qu'il partage avec André et mettre à profit les nouveaux talents de la nouvelle génération

221. Six ans plus tard, en août 1949, Madame Rousseau offrira à Gilles Lefebvre la structure qu'elle a mise sur pied pour la fondation des *Jeunesses Musicales du Canada*, un des instruments de propagation de la musique les plus efficaces au Canada.

222. Il existe un enregistrement sur disque 78 tours avec un chœur de voix d'hommes placé sous la direction d'Arthur Laurendeau et l'auteur au piano.

d'artistes. Le mardi 31 août, Raymond Daoust présente « Hommage à la Jeunesse canadienne française », au Chalet de la Montagne. Le programme est orné d'une splendide fleur de lys dessinée par des flammes bleu ciel sur un fond blanc immaculé. Raymond Daoust, en tant que secrétaire du Bloc junior, a ses entrées rue Berri et il a pu convaincre Rodolphe de laisser André prêter son concours à cet événement qui va se dérouler au Chalet de la Montagne du Mont-Royal. Daoust signe un texte « En guise d'introduction... », qui est en soi un manifeste pour la jeunesse canadienne française :

> Le site magnifique du Mont-Royal, véritable îlot de verdure au sein de la trépidante métropole, ne pouvait mieux se prêter pour rendre à la jeunesse canadienne française de l'hommage ému, plein d'admiration, que notre cœur lui doit. Depuis longtemps ce rêve magnifique de grouper en un seul triomphe les talents les plus transcendants de notre groupe ethnique nous hantait. Le projet enfin se concrétise en cette apothéose que nous avons le bien légitime orgueil de vous présenter avec une pléiade de jeunes artistes qui se sont couverts de gloire tant chez nous qu'à l'étranger et dont plusieurs ont décroché sur les vieux continents des palmes très éloquentes [...].
>
> Vous aurez tantôt l'honneur et le privilège d'entendre ce prodigieux jeune pianiste-compositeur de 14 ans, André Mathieu, incontestablement un génie du clavier, et un artiste aux ressources inouïes dont tout un peuple suit avec confiance l'ascension vers les plus hautes cimes du firmament musical. André Mathieu est un nom qui passera à l'Histoire tout aux côtés des Mozart, des Beethoven, des Liszt dans le Panthéon des célébrités. Notre blason n'en gagnera qu'un lustre nouveau [...].

Daoust présente ensuite Claire Gagnier, soprano-colorature, le violoniste Noël Brunet, prix d'Europe 1936, et enfin trois jeunes comédiens de l'Équipe de Pierre Dagenais : Huguette Oligny, Janine Sutto et Roger Garceau.

> Voilà Mesdames, Messieurs, le bouquet que nous vous offrons. Les fleurs qui le garnissent en sont de chez nous, et de chez nous seulement ! Preuve que nous n'avons rien à envier aux autres, bien au contraire. Et quand nous considérons, ne fut-ce qu'un seul moment, les opulentes richesses artistiques dont le Québec est comblé, vraiment nous nous sentons doublement fiers d'être Canadiens français et d'appartenir au bloc latin d'Amérique.

> Soirée de fierté nationale ? Mais oui et pourquoi pas… Il est temps, je pense, que nous commencions à réaliser que loin d'appartenir à cette race de parias et de conquis comme d'aucuns voudraient nous le faire croire, nous n'avons nullement à rougir de nos origines et que l'héritage transmis par nos ancêtres, malgré les rudes tempêtes qui ont déferlé sur la Nouvelle-France, est resté intact entre nos mains. Ce modeste grain de sénevé déposé en terre par le navigateur de Saint-Malo a prospéré et grandi au point que le chétif rameau d'autrefois a pris les proportions et l'envergure d'un arbre gigantesque qui résiste, victorieux, aux rafales, à l'oppression. Spectacle émouvant. Le passé cependant n'est qu'un tremplin qui nous permet d'envisager l'avenir avec plus de quiétude et d'assurance.
>
> La manifestation de ce soir n'aurait-elle contribué qu'à nous faire réfléchir, dans ces heures tragiques où le flambeau de la civilisation française gît sous le boisseau, que nous avons une mission à remplir et que nous possédons tout le potentiel pour y parvenir, que nous serions mille fois récompensés des pauvres efforts que nous avons pu y consacrer…
>
> Raymond Daoust

La soirée est placée sous le distingué patronage d'honneur de son Excellence le major général Sir Eugène Fiset, Lieutenant-gouverneur de la province de Québec, de l'Honorable Monsieur et Madame Hector Perrier et sous la haute présidence d'honneur de S. H. le maire de Montréal, Monsieur Adhémar Raynault et de Madame Raynault.

Eugène Lapierre, dans l'hebdomadaire *Radiomonde*, rend très bien compte de l'événement et en mesure l'envergure et la portée. Il titre :

> NOS JEUNES AU CHALET
>
> En vérité il y a eu au Chalet de la Montagne une assistance record mardi de la semaine dernière […]. Jamais auditoire ou récital n'a suscité pareil intérêt : plus de 10 000 personnes, la plupart de moins de 25 ans, ont gravi la montagne pour entendre de la musique ! Voilà un résultat dont M. Raymond Daoust peut être satisfait […]. Notre jeunesse a donc des préoccupations artistiques ! De plus elle a l'esprit d'entraide mutuelle. Ces deux traits sont nouveaux dans notre vie collective. Il fallait, je crois, le souligner en commençant.
>
> Des trois vedettes qu'on nous a présentées, il est difficile d'établir une succession de mérite. Chacun y a quelque droit à certains titres. André Mathieu, nous apparaît toujours dans la gloire de ses

> succès précoces, et de ses triomphes à l'étranger. C'est un enfant prodige dont notre réputation a bénéficié. Il nous a rachetés comme Canadiens français des articles injurieux publiés récemment dans les périodiques américains. Quant à lui, il semble porter toute cette faveur avec un peu de lassitude, une lassitude qui ajoute encore au nimbe de romantisme qui le couronne. Il est élève d'un grand conservatoire des États-Unis et il a, en même temps, un imprésario qui le rend très cher, je suppose. On est en droit d'attendre qu'il sortira de tout cela, vedette internationale consacrée. À la montagne, il n'a déçu personne fut-ce les plus malcommodes des critiques...[223]

Eugène Lapierre parle ensuite de Claire Gagnier, de Noël Brunet et conclut :

> De tout ceci résulte que M. Raymond Daoust a réussi un coup de maître mardi dernier en présentant un concert comme « un hommage à la jeunesse canadienne-française [...]. Ajoutons que la température a favorisé l'événement, ce qui souligne encore davantage la chance exceptionnelle d'une pareille réussite, un 31 août durant un été qui a été exceptionnellement maussade. La jeunesse ravit [sic], sans doute jusqu'au ciel bleu ![224]

La dimension rédemptrice de la vocation d'André est ici encore soulignée. À l'avenir, il ne sera plus jugé sur ses mérites d'artistes mais mis en procès et condamné quand on jugera qu'il aura terni l'auréole qui le couronnait. Mais pour l'instant, c'est la gloire. Ce romantisme que perçoit le chroniqueur n'est pas une pose mais bien le résultat des drames et des tempêtes qui agitent un adolescent prêt à refaire le monde et sans doute, attend et appréhende l'amour.

À la Montagne ce soir-là, c'est le sommet de la carrière canadienne d'André Mathieu. Dix mille jeunes se sont déplacés pour venir entendre de la musique, sans doute, mais surtout pour entendre André Mathieu. Janine Sutto et Huguette Oligny sont à l'orée de leur carrière, André, lui, est au faîte de sa renommée. Depuis dix ans que son nom circule, ce 31 août, Raymond Daoust a réussi à unir sous « la Fleur de lys » les espoirs de la jeunesse canadienne française. Et, comble de la gloire, André Mathieu affiche une certaine « lassitude », et c'est à ce moment précis que l'amour revêt un visage et va l'atteindre en plein cœur.

---

223. Eugène Lapierre, « Nos jeunes au Chalet » dans *Radiomonde*, le 5 septembre 1943.
224. *Idem.*

Parmi les jeunes artistes qu'il rencontre ce soir-là, André Mathieu est ému par la beauté d'une jeune comédienne qui, de l'avis unanime, passé et présent, est belle à périr. Elle a vingt et un ans, il vient d'en avoir quatorze mais en paraît dix-neuf. Ce premier amour restera pour Mathieu une blessure ouverte jusqu'à la fin de sa vie. Une semaine même avant de mourir, vingt-cinq ans plus tard, il évoquera le nom de cette femme qui restera l'amour idéal, idéalisé, et inatteignable de son adolescence. Il en a parlé à toutes les femmes qui l'ont aimé. Était-ce une excuse pour ne pas leur rendre ce qu'elles lui donnaient ? Une chose est certaine, Huguette Oligny a occupé le cœur d'André Mathieu jusqu'à sa mort.

Il y a le premier amour, puis il y a les autres, tous les autres, et enfin le bon. Pendant quelques mois, André et Huguette vont se voir, généralement en compagnie d'amis, ou autour de la table familiale où Huguette l'invite à dîner. « Vous voulez savoir si… ?…Non ! Non ! Non ! À notre époque, ça ne se faisait pas ! Mais bien sûr que nous nous sommes embrassés. J'étais flattée de ses attentions, il était connu, mais c'est tout. Il faut dire aussi que l'alcool était déjà très présent. Il était entouré de gens plus âgés que lui qui l'incitaient à se comporter " en homme ". Puis, moi, j'ai poursuivi ma carrière, je voulais réussir, et tout naturellement, nous avons suivi chacun nos chemins et je ne l'ai jamais revu. »[225] Rodolphe allait chez les Oligny pour enseigner le piano à la sœur d'Huguette, Monique, et peut-être Odette Oligny, la mère, a-t-elle passé quelques commentaires à Rodolphe sur son André qui semblait s'amouracher de sa fille et peut-être Rodolphe a-t-il rapporté la chose à Mimi. Si on consulte la « Légende familiale selon Mimi », Huguette Oligny aurait demandé à la rencontrer. Au restaurant Délices, près de Radio-Canada. Les deux femmes se seraient retrouvées et après que Mimi lui eut dit l'âge d'André[226], Huguette aurait évidemment choisi de s'éloigner. Huguette Oligny n'a cependant aucun souvenir de cette rencontre.

Quelles que soient les circonstances, il est indéniable que cet échec amoureux a dû être extrêmement dévastateur pour André qui jusqu'ici avait réussi tout ce qu'il avait entrepris ou obtenait tout ce qu'il désirait. Triompher

225. Huguette Oligny, entretien avec l'auteur, les 27 février 2008 et 5 juillet 2009.

226. Huguette était présente à la soirée de la Montagne. Dans son discours, Raymond Daoust annonce l'âge d'André. Comment Huguette pouvait-elle l'ignorer ?

devant dix mille personnes et dire à une jeune femme : « Je vous offre mon cœur » et ne pas être pris au sérieux, André ne peut pas le comprendre, lui qui est déjà adulte depuis tant d'années. Les besoins et les désirs de l'homme rejoignent les prouesses de l'enfant et, pour la première fois peut-être, son piano, sa musique et sa gloire ne suffisent pas à lui ouvrir un cœur, André est confronté à l'échec, qui plus est, à l'échec amoureux. Ce qu'il ne réalise pas c'est qu'il n'est qu'un adulte de quatorze ans.

Huguette Oligny ne saura pas qu'en mars 1947 à Paris, André va écrire et lui dédier une superbe mélodie, hélas inachevée, sur un poème de Pierre Louys, *Pénombre.* André s'est enflammé, s'est consumé comme tout adolescent doit le faire, sauf que l'ardente flamme de l'amour lui a fait porter le flambeau pour Huguette Oligny toute sa vie au lieu de le passer à une autre.

L'événement professionnel de 1943, qui représente simultanément le zénith de la carrière d'André Mathieu et la pierre d'achoppement sur laquelle vont se fracasser tous ses espoirs et ceux de sa famille, le moment de sa vie où il est le plus près de s'installer dans la « grande carrière », c'est son passage à l'émission du réseau radiophonique américain Columbia Broadcasting System, « The Coca-Cola Hour, The Pause That Refreshes ». Wilfrid Pelletier, huit ans après l'audition à New York où il avait réuni toutes les personnes influentes qui pouvaient contribuer à faire épanouir la carrière naissante d'André Mathieu, continue de soutenir le jeune homme. Un télégramme daté du 6 octobre 1943 se lit comme suit :

> VOTRE DIFFUSION COCACOLA TRENTE-ET-UN OCTOBRE ENVOYEZ PARTITION CHEF D'ORCHESTRE AVEC COUPURES ILS ÉCRIRONT PARTIES ORCHESTRALES ICI SALUTATIONS
>
> WILFRED PELLETIER[227]

Pelletier a tout orchestré. Il a mis tout son réseau à la disposition d'André. En fait, c'est le tout-puissant Judson, l'imprésario démiurge, qui fait passer un double test à André : jouer pour des millions d'auditeurs dispersés sur

---

227. Wilfrid Pelletier, télégramme à André Mathieu, le 6 octobre 1943, Fonds Famille Mathieu, Archives Nationales, Ottawa. Pelletier lui-même utilisait l'une ou l 'autre des appellations Wilfrid/Wilfred pour son prénom. « YOUR BROADCAST COCACOLA OCTOBER THIRTY FIRST SEND CONDUCTOR SCORE WITH CUTS THEY WILL MAKE ORCHESTRA PARTS HERE REGARDS - WILFRED PELLETIER »

tout le territoire américain, en direct, sans filet, un test pour le pianiste et un test pour la nouvelle œuvre, ce nouveau concerto donné en première audition et qu'André a expressément écrit dans l'espoir de le présenter avec l'Orchestre Philharmonique de New York. Même dans une version abrégée et un peu rafistolée, ce deuxième mouvement devra faire la preuve qu'André a écrit une œuvre aussi intéressante et encore plus aboutie que son *Concertino*. Nous avons retrouvé l'enregistrement de cette émission du 31 octobre 1943. L'orchestre est dirigé par André Kostelanetz, (1901-1980), chef américain d'origine russe, mari du célébrissime soprano colorature, Lili Pons, qui mène une carrière éblouissante au Metropolitan Opera de New York. Il s'est spécialisé dans les arrangements de musique légère et est attaché depuis 1930 à la station radiophonique CBS. Kostenaletz a dû approuver l'arrangement et l'orchestration que nous pouvons entendre sur ce superbe enregistrement.

Ce témoignage qui nous est parvenu devrait confondre les sceptiques et attiser la flamme de ceux qui, dès la première heure, ont cru en Mathieu. À l'écoute de ces quatre minutes trente-six secondes de musique, à des décennies de distance, il est évident que le miracle se produit. L'orchestre (composée en grande partie de membres de l'Orchestre Philharmonique de New York) est excellent, et Kostelanetz, chef un peu oublié aujourd'hui, nous montre qu'il est un excellent musicien. La réduction du deuxième mouvement à quatre minutes trente-six secondes expose quelques maladresses, mais l'état de grâce est là et André, nonobstant quelques imperfections mineures, est splendide. Le son du piano est large, ample et magnifiquement timbré, son célèbre sens du rythme est en évidence et, surtout, Mathieu déploie un contrôle, une maîtrise du début à la fin. Les trilles parfaitement égaux de la coda sont une leçon. On reste pétrifiés, abasourdis. C'est un garçon de quatorze ans, habité par l'amour, qui envisage l'avenir avec assurance, sans arrogance, mais conscient de sa valeur. Mathieu suspend le temps et nous laisse un autre témoignage de son art inégalable.

Moins de deux mois après, André Mathieu écrit à Wilfrid Pelletier. Notez que c'est André qui écrit à Pelletier, ce n'est plus Rodolphe, même si, sans doute, c'est lui qui est derrière la lettre. En lisant ces quelques paragraphes, on croit rêver :

4519 Berri *28 novembre 1943*

Cher Monsieur Pelletier,

Permettez-moi de venir vous remercier pour l'intérêt que vous m'avez porté en me recommandant à Monsieur Kostelanetz et à M. Rodzinski.

J'espère en plus, que nous aurons l'occasion bientôt de jouer ensemble mon troisième concerto, car nous n'avons pas abandonné l'idée d'un concert à Montréal. MM Rodzinski et Bernstein ont été très gentils, et je crois qu'il y aura peut-être des résultats bientôt. Je dois retourner à New York ces jours-ci à ce sujet.

Encore une fois merci beaucoup de toutes vos gentillesses.

Votre reconnaissant,

André Mathieu [228]

On apprend par cette lettre que c'est Pelletier qui a mis André en contact avec Arthur Rodzinski et André Kostelanetz. C'est grâce à Pelletier qu'André a aussi été invité à l'émission de radio de la station CBS. Deuxième indice nous montrant qu'André est sur le point de pénétrer dans les ligues majeures, il a rencontré Rodzinski et Leonard Bernstein, qui est alors son assistant et qui, le 14 novembre, va remplacer au pied levé Bruno Walter et faire les débuts les plus fracassants de l'histoire de la direction d'orchestre. D'ailleurs, Leonard Bernstein écrit à André au 4519 Berri cinq jours après ses débuts historiques :

The Philarmonic Symphony Society of New York

November 19, 1943

Mr André Mathieu
4519 Berri
Montreal, Canada

Cher M. Mathieu

J'apprécierais beaucoup que vous me fassiez savoir à quel moment vous comptez revenir à New York. Nous pourrons alors convenir d'un moment propice pour que vous puissiez jouer pour le Dr Rodzinski qui a hâte de vous entendre.

Avec tous mes vœux,

Bien à vous,

Leonard Bernstein

---

228. André Mathieu, lettre à Wifrid Pelletier, le 28 novembre 1943, Fonds Wilfrid Pelletier, BANQ, Montréal.

Et Bernstein ajoute, écrit à la main, en post-scriptum, et en français :

Et merci bien pour votre douce lettre.
L. B.[229]

Enfin, le plan de carrière échafaudé par Rodolphe au retour de Paris est sur le point d'aboutir. Judson, Rodzinski, Bernstein, tous les joueurs sont en place, le nouveau concerto, le *Concerto de Québec* (le deuxième mouvement !) a été entendu à travers le continent, quatre ans d'efforts et de travail sont sur le point de porter fruit. André est arrivé aux portes de la gloire internationale.

« … Je dois retourner à New York, ces jours-ci… » Est-ce que Rodolphe et André sont allés rencontrer Rodzinski et Bernstein ? Ont-ils quitté New York en emportant de vagues promesses, ou alors Rodzinski, qui était tout, sauf diplomate, leur a-t-il asséné un refus, un non définitif qui allait fermer pour toujours la porte à une carrière américaine ? Gilles Potvin (1923-2000) dira des années plus tard : « Monsieur Mathieu n'avait pas réussi à intéresser les grands imprésarios américains… Je ne sais trop pourquoi… Il n'a pas obtenu de contrats à long terme… »[230]

Est-ce en réaction à ce refus, ou au contraire, est-il porté par l'espoir en attendant une réponse de New York ? Dans *Le Devoir* du vendredi 11 décembre 1943, André Mathieu annonce la fondation de l'Orchestre de la Jeunesse dont il sera, bien entendu, le directeur musical. André va encore plus loin dans l'émancipation, dans l'autonomie. Tout comme Bernstein, il sera pianiste, compositeur et chef d'orchestre. L'article du *Devoir* continue : « Tous ceux qui veulent en faire partie voudront bien se présenter au 445 Saint François-Xavier, entre cinq heures et six heures et demie (chambre 33), à compter du lundi 13 décembre prochain […]. Cette initiative revient à André Mathieu, jeune pianiste-virtuose qui en a

229. Leonard Bernstein, lettre à André Mathieu, le 19 novembre 1943, Fonds Famille Mathieu, Archives Nationales, Ottawa.
« *Dear Mr Mathieu*
I should appreciate it very much if you would let me know the next time you are going to be in New York. We can then arrange a convenient appointment for you to play for Dr. Rodzinski, who is anxious to hear you.
With all good wishes,
Sincerely yours, Leonard Bernstein »

230. Gilles Potvin, , *André Mathieu, musicien*, documentaire de Jean-Claude Labrecque 1993, interview de Francine Laurendeau.

conçu l'idée et qui veillera lui-même à la direction de l'Orchestre de la Jeunesse. »[231] L'adresse où les musiciens sont invités à se présenter pour les auditions est le 445 Saint François-Xavier dans le Vieux-Montréal, où se trouve le quartier général du Bloc populaire canadien. Le numéro de téléphone pour s'inscrire est cependant le numéro de téléphone du 4519 de la rue Berri. Une semaine plus tard, un court article dans le même journal nous apprend qu'André Mathieu est à compléter ses sections. Il semble que les musiciens se soient présentés en grand nombre, la limite d'âge ayant été fixée entre dix-huit et vingt ans : « ...il ne lui manque donc que deux cors, un trombone basse, un tuba et une harpe... »

Et le journaliste mentionne l'apport du Conservatoire qui vient d'être fondé. Wilfrid Pelletier a réussi ! Enfin, au Québec, à Montréal, une institution d'enseignement supérieur, un Conservatoire de musique, gratuit, entièrement subventionné par l'État, a ouvert ses portes.[232] Elles sont officiellement ouvertes depuis mars, mais c'est à l'automne 1943 que la Bibliothèque Saint-Sulpice de la rue St-Denis accueille cent soixante-quinze élèves. Wilfrid Pelletier en sera le directeur jusqu'en 1961. Le violoniste Noël Brunet, qui vient de jouer à la Montagne avec André, y enseigne. Fleurette Beauchamp, une ancienne élève de Rodolphe, fait aussi partie du corps enseignant. Wilfrid Pelletier n'a pas invité son vieux professeur ! Mais le bilan de l'année est impressionnant : Carnegie Hall en janvier, CBS en octobre, triomphe au Chalet de la Montagne au mois d'août, le nouveau concerto est prêt, et André vient de fonder un orchestre. Ce sera un beau Noël.

231. Journaliste inconnu, « André Mathieu forme un orchestre » dans *Le Devoir*, le 11 décembre 1943.

232. Calixa Lavallée, l'auteur de notre hymne national *Ô Canada*, trois quarts de siècle auparavant avait tenté d'intéresser le gouvernement de l'époque...

CHAPITRE V
L'AMORCE DU DERNIER QUART DE SIÈCLE : 1944

En décembre 1943, André Mathieu est à la veille de ses quinze ans, il est promis à un grand avenir. Il a déjà un passé légendaire. Il est magnifique. Et pourtant, à partir d'ici, il y a une lézarde, et déjà les démons ont commencé à s'immiscer par cette fissure. Ah ! Il y aura encore des sommets, il y aura encore des moments de plénitude mais l'apogée de la vie a été atteint et sa trajectoire sidérante a imperceptiblement amorcé sa descente. C'est que cet enfant adulte a commencé à boire. Huguette Oligny le disait au passage, « déjà à cette époque il buvait beaucoup ». Pour ses quinze ans, le 18 février 1944, la famille Lalonger reçoit la famille Mathieu afin de célébrer l'anniversaire d'André. Jean-Claude Lalonger se souvient que sa mère lui a rapporté une confidence que Mimi lui avait faite, à savoir qu'André était éperdument amoureux d'Huguette Oligny. Madame Lalonger avait aussi constaté que pour son quinzième anniversaire, André buvait déjà comme un homme.[233]

Le jeudi 3 février 1944, André accepte de donner un récital à Sorel à la salle Notre-Dame. Il est l'invité de l'orchestre SORÉLA qui a vu le jour à l'automne 1941. L'orchestre SORÉLA compte une dizaine de membres, et l'ensemble a pour but de développer le goût de la musique dans la région de Sorel. Mathieu regarde sans doute le fonctionnement de l'organisme, son conseil d'administration, l'organisation des horaires de répétitions… bref, André cherche des modèles pour structurer son Orchestre de la Jeunesse. Il est plus que probable qu'il sollicite l'appui financier de la famille Simard[234]. On sait qu'Arthur Leblanc viendra frapper à la porte de Ludger Simard pour pouvoir acheter son nouveau violon Stradivarius.

---

233. Jean-Claude Lalonger, entretien avec l'auteur, le 21 novembre 2008.
234. La famille Simard, de Sorel, s'est créée un empire dans l'industrie maritime. En 1937, les trois frères Simard, Joe, Ludger et Édouard, fondent Marine Industries. Avec le déclenchement de la Seconde Guerre mondiale et l'amitié de P. J. A. Cardin, député fédéral de Sorel Verchères de 1911 à 1946, les Simard comptent parmi les premières familles de nos millionnaires.

Bien que nous n'ayons conservé aucune trace des activités de l'Orchestre de la Jeunesse, il semble bien que les musiciens se soient réunis régulièrement pour des répétitions, quoique, là encore, aucun programme de concerts ne nous indique que l'ensemble se soit produit publiquement. Il apparaît cependant évident qu'André Mathieu voyait cet orchestre comme le prolongement et l'interprète privilégié de ses nouvelles œuvres. Nous verrons que plusieurs de ses nouvelles créations pour orchestre sont destinées et dédiées à l'Orchestre de la Jeunesse.

Deux jours plus tard, le Bloc populaire canadien tient son premier congrès à l'hôtel Windsor, le 5 février 1944. Preuve, si la chose est encore nécessaire, du rayonnement d'André, cet enfant de quatorze ans est assis à la table d'honneur. Michel Chartrand, le célèbre leader syndical, est le quatrième à sa droite, alors qu'il a les deux leaders du parti, André Laurendeau et Maxime Raymond, à sa gauche. Après tous les discours, André Laurendeau lui-même se met au piano et présente le *Chant du Bloc populaire*, une œuvre d'André Mathieu donnée en création avec un chœur dirigé par Paul-Émile Corbeil. L'enthousiasme est à son comble, André Mathieu a rassemblé tous les cœurs. Après le premier congrès, André participera les 4 et 5 novembre au salon York de l'Hotel Windsor au caucus du Bloc populaire en tant que délégué officiel de *Mercier*. Par la suite, il semble s'être désengagé de son rôle actif dans le cadre de ce nouveau parti politique, non pas que son enthousiasme se soit refroidi, mais nous croyons qu'André aurait aimé se présenter comme candidat aux élections provinciales ou fédérales. Hélas, la loi électorale n'a pas prévu d'exception pour les adolescents de quinze ans, aussi doués soient-ils.

Si depuis un an les récitals et les concerts semblent de plus en plus espacés, c'est que Rodolphe et Mimi se sont rendus compte qu'ils étaient un peu dépassés et que la personnalité d'André nécessitait un encadrement, une discipline qu'ils étaient l'un et l'autre bien incapables de lui fournir. Leur fils en pleine adolescence se débat comme un noyé pour retrouver l'air libre, Mimi et Rodolphe n'ont pas le choix, ils doivent desserrer l'étau, le laisser aller. D'ailleurs, depuis l'automne 43, André est passé par deux collèges classiques. À l'automne 43, après avoir traversé toute l'année scolaire 1942-1943 en cours privés, il reste à peine quelques semaines au collège Brébeuf et Mimi nous dit clairement que Brébeuf n'a pas été un succès. À partir de l'hiver 44, c'est au collège Notre-Dame qu'on inscrit finalement André. On lui aménage une chambre dans le salon du barbier. Dans un coin, il y a la chaise du dit barbier et un petit lit étroit. Le directeur l'accueille en lui disant : « Tu joueras du piano tant que tu voudras, nous sommes heureux de t'avoir. » Mimi raconte qu'André, séparé pour la première fois des siens, ne trouve pas l'éloignement facile : « C'est dur d'être pensionnaire, mais je comprends, il faut que je me dompte [...]. »[235] Le ténor Jean-Paul Jeannotte fréquente lui aussi le collège Notre-Dame et c'est là qu'il rencontre, en personne, André Mathieu, après l'avoir entendu à l'Auditorium du Plateau, au récital du 25 novembre 1939. Jeannotte évoque le petit espace dans lequel André fume comme un pompier. Allongé sur son lit, en veston, pantalons et chemise blanche, avec, posé au milieu de la poitrine, un immense cendrier qui déborde de mégots , André écoute de la musique. Jeannotte se souvient particulièrement de la *Symphonie no 3* de Glière qu'André dirige de façon passionnée en se laissant porter par ce maelström de romantisme : c'est vraiment l'adolescence dans toute sa splendeur.

Le 22 avril 1944, André accepte de donner un récital à Acton Vale. Un compte rendu de J. Noël Boulay est vraiment amusant : « André Mathieu est venu à Acton Vale [...]. Gratuitement [...]. Il a presque promis à Mlle Marie Paule Boulay (organisatrice du concert) de revenir à Acton Vale aux mêmes conditions, c'est-à-dire pour... rien ». Il est question d'inviter l'Orchestre de la Jeunesse à Acton Vale « quand nous aurons une salle capable de recevoir 50 musiciens [...]. André Mathieu a laissé savoir que c'était la première fois qu'il jouait devant un auditoire aussi petit, dans une si petite salle, sur un si petit piano... »[236] À noter qu'André, pour la première fois de sa carrière, va accompagner un autre musicien, Jacques Bertrand, le violon solo de l'Orchestre de la Jeunesse, dans l'*Ave Maria* de Gounod et un arioso de Bach. Il donne également en création, *Scène Champêtre*, dans une version violon-piano. C'est peut-être une des quatre *Scènes de Ballet, Dans les Champs* qu'il est en train de composer pour son Orchestre de la Jeunesse. C'est à cette occasion que Jacques Languirand fait la connaissance d'André Mathieu.

---

235. Mimi Mathieu, Entretien du 29 décembre 1975, interview Rudel-Tessier.
236. J. Noël Boulay, *Le Val d'Acton*, le 17 mai 1944.

Commentant près d'un demi-siècle plus tard cette rencontre, Jacques Languirand dira : « Si ça représente pour moi d'en parler maintenant, un intérêt, un certain intérêt, c'est que je crois avoir vu André Mathieu, à ce moment-là, à son meilleur. Il réussissait, il était en forme, il était heureux et les gens l'aimaient [...]. Il me paraissait brillant, le moindre mot faisait rire autour de lui, il avait beaucoup d'esprit [...]. Je l'ai donc vu rayonnant. »[237]

En date du 29 avril 1944, une lettre de Rodolphe envoyée à Raymond Daoust, dessine comme à la hache le profil psychologique de ce géniteur exaspéré :

> *Monsieur, je sais que mon fils André vous a avancé 52 $ sur un billet que vous lui avez signé. Vous n'êtes pas sans savoir que mon fils, à 15 ans, n'a pas le droit de disposer de son argent comme bon lui semble. Je vous donne donc trois jours pour me faire parvenir directement ce montant sinon, je prendrai un mandat d'arrestation contre vous.*
>
> *J'ai appris également que vous aviez l'intention de fonder une agence de concerts et que mon fils devait en faire partie. Je vous défends, par la présente, de vous servir du nom d'André pour cette organisation ou toute autre chose, sans mon autorisation. André a des parents, et ce sont ses parents qui sont ses tuteurs. Si vous avez des propositions à lui faire, c'est à ses parents que vous devez vous adresser.*
>
> *Votre dévoué, Rodolphe Mathieu, père d'André Mathieu.*[238]

Raymond Daoust n'est ni le premier ni le dernier « entrepreneur » que Rodolphe remettra à sa place. Ce qui peut tromper le nouvel entourage d'André, c'est qu'il est connu depuis si longtemps et qu'il a l'air d'un adulte et boit comme un adulte, qu'il est facile d'oublier qu'il n'a que quinze ans.

Il faut dire que l'atmosphère familiale est tendue plus que jamais. Rodolphe et André ont des accrochages de plus en plus violents. André essaie de voler de ses propres ailes. N'est-il pas, de l'aveu même de Rodolphe, le soutien de famille ? On a l'impression que cet enfant adulte a vécu trois fois plus et trois fois plus vite que nous tous ! Le 17 mai 1944, Rodolphe

237. Jacques Languirand, *André Mathieu, musicien*, documentaire de Jean-Claude Labrecque, 1993, interview de Francine Laurendeau.

238. Rodolphe Mathieu, lettre à Raymond Daoust, le 29 avril 1944, Fonds Famille Mathieu, Archives Nationales, Ottawa.

n'a-t-il pas écrit à André ce mot maladroit : « André, à partir d'aujourd'hui, tu dois prendre tes repas à la maison, ne pas sortir le soir, reprendre tes cours de français et diviser ton temps aux études et à ta musique. Si tu désobéis à mes ordres, je prendrai les seuls moyens qui me restent. Ton père Rodolphe Mathieu. NB. Copie de cette lettre a été remise à mon fils André. »[239]

L'attitude de Rodolphe est doublement dommageable ; d'une part, la brutalité et le chantage n'ont jamais réussi à pénétrer les mécanismes de l'alcoolisme, d'autre part, infantiliser, vouloir garder sous tutelle et soumettre cet enfant-adulte sabotent chaque tentative d'André de s'assumer, de se faire une vie hors famille. Cette dureté hautaine, cette intransigeance coupante, vont bientôt coûter très cher.

André a presque toujours fréquenté des gens plus âgés que lui. Nous ne saurons jamais exactement comment il s'est lié d'amitié avec le célèbre libraire Henri Tranquille (1916-2005) et sa femme Violaine. Nous ne connaîtrons jamais les circonstances qui lui ont permis de rencontrer le peintre Léo Ayotte (1909-1976) ou le phénoménal Serge Deyglun (1928-1972). Ces deux derniers ont un fil rouge qui les rattache à Mathieu : ils croient que la création est facilitée par un état d'intoxication, que l'inspiration se manifeste plus librement quand les inhibitions ont été noyées et que l'esprit flotte au-dessus de la réalité et la survole pour mieux l'embrasser. Les images, les sons, les mots surgissent et ne demandent qu'à être incarnés et à se mettre à la disposition des créateurs. Les états seconds, les zones d'ombre, les explorations hors réalité, tout ce qui traverse, transcende, transperce et trucide la norme sont des outils d'exploration souhaités et bienvenus. Paradoxalement, cet adulte-enfant dont parle Mimi va toujours chercher chez des adultes les amis d'enfance qu'il n'a pas eus. Parmi ces rencontres, se trouve André Audet (1914-1952), l'auteur de l'émission radiophonique à succès *Madeleine et Pierre*. André Audet a réuni autour de lui toute une jeunesse qui s'intéresse évidemment au théâtre, mais aussi bien à la danse qu'à la peinture. On retrouve Guy Maufette, Robert Gadouas, Françoise Loranger, Denyse Pelletier, Yvette Brind'Amour, Serge Deyglun, Pierre Dagenais auxquels

---

239. Rodolphe Mathieu, lettre à André Mathieu, le 17 mai 1944, Fonds Famille Mathieu, Archives Nationales, Ottawa.

s'ajoutaient parfois le chorégraphe Fernand Nault, le peintre Alfred Pellan et Gratien Gélinas lui-même. André, qui a désespérément besoin de se brancher sur l'extérieur, trouve là un milieu impressionné par sa jeune gloire. Cette année 1944, pour incarner le personnage de Pierre dans son radio roman, Gaëtan Labrèche s'est joint au groupe et André, notre André, a écrit une mélodie, *La Brigade Blanche*, pour une production théâtrale du feuilleton à succès de l'autre André au Monument National, dans des décors d'Alfred Pellan.

En juin 1944, l'année académique vient de se terminer et André est en vacances. André Audet l'invite à passer le week-end à Oka où il a loué un chalet pour l'été. C'est la première fois que Mimi laisse son fils partir seul, en dehors de sa zone d'influence. Ce samedi 17 juin 1944, André s'amène à Oka avec Adélard Bosschaerts, le secrétaire d'Audet. Dès son arrivée, il est clair qu'André ne va pas bien du tout. Il a bu, il a le cœur brisé, celle qu'il aime ne lui rend pas son amour et ne le prend pas au sérieux. Pour changer l'atmosphère, Audet va emprunter le voilier de son voisin, Gratien Gélinas déjà célèbre à cette époque-là pour ses *Fridolinades*. Audet apporte son petit moteur, au cas où, et les deux André et Adélard partent sur le lac des Deux-Montagnes. L'excursion en voilier tourne à la catastrophe. Et c'est un article de *La Presse* du vendredi 23 juin 1944 qui relate l'histoire, avec une photo nous montrant les trois larrons, interviewés par Roger Baulu.

ANDRÉ MATHIEU EST SAUVÉ DES EAUX PAR ANDRÉ AUDET

> L'auteur de *Madeleine et Pierre* secourt le jeune compositeur et le traîne pendant trois heures à la nage sur le lac des Deux-Montagnes.
>
> Depuis quelques jours, André Mathieu répète à ses amis : « Je dois la vie à André Audet et je me souviendrai toujours de ce qu'il a fait pour moi ! » En effet, le monde musical canadien a bien failli perdre samedi soir le prodigieux jeune compositeur. Sans la présence, sans le sang-froid et sans la résistance physique de l'auteur de la populaire émission radiophonique *Madeleine et Pierre*, André Mathieu était la victime des eaux du lac des Deux-Montagnes et périssait comme a péri déjà un autre jeune musicien canadien-français de talent, Marcel Hébert.
>
> Pendant trois heures, qui n'ont paru qu'une demi-heure aux deux jeunes gens aux prises avec l'onde houleuse, il s'est déroulé sur le

> vaste lac un drame de sauvetage où la présence d'esprit et la science de la natation ont fini par triompher des difficultés [...]. André [...] a réussi à sauver Mathieu en le traînant dans l'eau ou en lui permettant de nager à son tour sur une distance de deux milles et demi environ et pendant trois heures et cinq minutes exactement.

Et le journaliste de *La Presse* cède la parole à André Audet lui-même qui raconte l'aventure.

> RÉCIT D'ANDRÉ AUDET
>
> Samedi après-midi, dit-il, il faisait bien chaud, et tous trois, Mathieu, Bosschaerts et moi-même décidâmes d'aller faire une randonnée sur le lac d'Oka. J'ai là une maison tout près de celle de Gratien Gélinas, à qui j'emprunte souvent sa chaloupe à voile. Je pris mon moteur auxiliaire et je le plaçai dans le bateau de Fridolin. Voiles hissées, nous partîmes avec l'intention d'aller à la plage des Sulpiciens qu'on veut nettoyer pour en faire Plage Oka. Nous étions en costume de bain. Nous avons commencé par zigzaguer en face du village d'Oka. Presque en ligne avec le quai d'Oka, à une distance d'environ un mille, André Mathieu dit : « Je prends un bain ; je me glisse à l'eau. » « Ne fais pas ça, lui dit Bosschaerts, il y a trop de houle. » « Il n'y a pas de danger », répliqua Mathieu, et en une seconde il se laissa descendre dans l'eau en se retenant à la planche verticale du bout de la chaloupe. Il était alors 4 h 45 p.m.
>
> UNE VAGUE FAIT PERDRE PRISE
>
> Son intention n'était pas de nager, mais de se laisser traîner dans l'eau en demeurant les mains bien cramponnées à l'arrière de l'embarcation. Soudain une forte vague l'éclabousse, lui fait avaler de l'eau, l'aveugle, et lui fait perdre prise. Le bateau continue à filer. Et Mathieu tout en nageant et en flottant crie : « Au secours ! » Je l'avertis de nager, dans telle direction, que nous allons le recueillir. Mais il n'entend pas et reste sur place. Nous avons viré de bord mais nous passons à vingt pieds de lui. Nous lui crions de ne pas s'énerver, de rester là. Nous recommençons la manœuvre dans le sens inverse mais il s'alarme et crie : « Au secours ! Je vais me noyer ! » Je décide alors de descendre les voiles et de recourir au moteur. Mais dans la hâte que nous mettons à agir, nous oublions de tirer le moteur vers l'intérieur du bateau avant de le mettre en marche. Résultat, l'hélice frappe le gouvernail et se casse. Et Mathieu crie pendant tout ce temps-là d'aller à son secours.

PAR LE MENTON

> Voyant cela, je dis à Bosschaerts d'essayer de garder le bateau en place pendant que j'irais chercher Mathieu. Je me lance à l'eau. Il y avait environ 600 pieds à ce moment-là entre le bateau et Mathieu. Je nage le crawl contre le vent et les vagues et je le rejoins bientôt.

Le journaliste donne la parole à André Mathieu : « La première chose qu'Audet a faite a été de m'eng…, dit le jeune artiste en riant. – Comment cela ? disons-nous. – Parce que je ne voulais pas qu'il s'énerve, reprend Monsieur Audet. Je lui ai dit de ne pas faire un fou de lui, de garder son sang-froid, qu'il y avait moyen de s'en tirer. Je le saisis par le menton, je me plaçai sur le dos, lui au-dessus de moi et je nageai de ma main libre. Après quelques instants, je voulus m'orienter. Je constatai que le bateau était emporté par la vague et que Bosschaerts ne pouvait le stabiliser […]. » Bosschaerts raconte ensuite comment le bateau a dérivé, comment il a perdu de vue les nageurs, « il n'y avait aucune autre embarcation sur le lac : le désert complet ». Et Audet reprend son récit :

> Par deux fois, André Mathieu a failli m'échapper. Par deux fois, il a passé près de se laisser couler. Il se disait à bout de forces et de courage. Alors je me suis employé à lui remonter le moral. Au lieu de l'enguirlander, je me mis à faire des blagues. À un moment, j'ai eu le plaisir de l'entendre dire : « Tu parles, si c'est bête : je viens de faire un poème symphonique et ça va devenir un poème posthume… » Je me suis dit : Mathieu est sauvé, au moins pour le moral. Il s'agit maintenant de tenir. Je réussis à le faire nager quelques minutes, à la brasse, puis je le reprenais, je le laissais aller seul, et ainsi de suite. Cette alternance s'est poursuivie comme un mouvement d'horloge jusqu'à la pointe Cavagnole où nous avons mis pied à terre… « On en a du courage, remarque ici André Mathieu, quand sa vie est en danger. C'est une sensation que je n'aimerais pas éprouver souvent… » En atterrissant finalement avec succès à la pointe, Mathieu s'est écroulé dans les roches, pleurant de joie. Nous sommes entrés dans une maison de pierre où une dame Castonguay nous a réconfortés de café. À peine entrés, nous lui avons demandé l'heure, « Huit heures moins dix » répondit-elle. Mathieu et moi nous nous sommes regardés. Nous pensions avoir été à l'eau seulement une demi-heure […].

Puis, en détail, Audet raconte comment il a pu rejoindre Bosschaerts qui avait mené le bateau à bon port et comment ils avaient tous choisis de ne pas ébruiter l'aventure pour ne pas inquiéter leurs familles respectives.... Mais quelques personnes des environs du lac ont fini par apprendre l'accident et la nouvelle se répandit peu à peu qu'André Mathieu avait couru un grave danger et qu'il avait été sauvé par André Audet...

> RÉSOLUTIONS POUR L'AVENIR
>
> « Sans Audet, dit le jeune artiste, j'étais fini. Je me noyais. Je lui en serai reconnaissant toute ma vie ; il m'a sauvé la vie. Je ne me baignerai plus ailleurs que dans une piscine. Jamais au large en tout cas... » Un jeune artiste, diront nombre de gens, peut-il s'exposer aux mêmes risques et dangers qu'une personne ordinaire ?[240]

À cause de la rumeur publique, les trois rescapés sont allés raconter leurs aventures à CKAC. Le dimanche 25 juin, Radio-Canada diffuse, sous la rubrique « Les actualités canadiennes », une allocution sur la sécurité publique et par la même occasion annonce la remise d'une médaille de bravoure à André Audet pour avoir sauvé la vie de Mathieu. Et dire que pour une fois, pour la première fois, Mimi avait relâché son contrôle...

Selon le fils d'André Audet, Pierre, la réalité aurait été bien différente de la version officielle. Sa mère et sa grand-mère lui ont plutôt parlé d'un acte délibéré de la part d'André pour s'enlever la vie. Pendant des années, André aurait reproché à Audet de l'avoir « obligé à vivre »[241]...

L'automne 1944 n'affiche que deux récitals : le samedi 14 octobre, à la salle du Christ-Roi à Montréal, et le mardi 24 octobre, au théâtre Cartier de Shawinigan Falls. Rodolphe a laissé l'organisation de concerts autour de Montréal à deux amis d'André : Jacques Dupire et Gilles Potvin[242], qui vouent une profonde admiration à André. Ils vont organiser une demi-douzaine de récitals à Shawinigan Falls, Saint-Jérôme ou Drummondville... En quinze mois, depuis son apparition à la station CBS à New York, André n'a donné que six récitals ; après la frénésie des dernières années, après

240. Alfred Ayotte, « André Mathieu est sauvé des eaux par André Audet », *La Presse*, le 23 juin 1944.
241. Pierre Audet, entretien avec l'auteur, le 22 août 2006.
242. Gilles Potvin (1923-2000), imprésario (André Mathieu, Gieseking, Kempff...), très actif à la Société Radio-Canada (1948-1990), critique musical entre autres, au *Devoir* jusqu'en 1985, son magnum opus est *L'Encyclopédie de la Musique au Canada*, en collaboration avec les musicologues Helmut Kallmann et Kenneth Winters.

avoir été investi du rêve national, le public attend-t-il son prochain sauveur et a-t-il relégué André à son statut d'artiste-pianiste-compositeur, qui n'est plus enfant s'il demeure prodige ? André a l'air d'un homme et il joue de la musique qui n'est pas populaire !

Il n'en continue pas moins de composer. André Mathieu le répétera jusqu'à la fin de sa vie, il se considère d'abord et avant tout comme un compositeur. Et justement, cette année 1945 voit la floraison de plusieurs œuvres qui nous confirment que l'Orchestre de la Jeunesse qu'il a créé en décembre 1943 poursuit son travail. Mathieu va écrire des œuvres destinées à cet ensemble : *Hantise*, *Le Chant des Ténèbres*, *Ouverture Romantique*. Ces trois œuvres nous semblent être trois mouvements d'une symphonie qu'André Mathieu aurait ensuite démembrée pour en faciliter les possibilités d'exécution. Les partitions déposées à Ottawa dans le fonds de la famille Mathieu nous amènent à cette conclusion. Si ses démons intérieurs prennent parfois le contrôle, André semble conserver intacte sa capacité d'écrire, d'imaginer, de créer des merveilles que personne n'a jamais encore entendues.

Rodolphe a aussi réussi à inculquer à son fils le sens de la publicité et de l'événement. Le plus grand chef-d'œuvre restera lettre morte si personne ne donne le goût aux autres de l'entendre. Le fils a bien compris que, dans ce dur métier qui est le leur, le grand secret n'est pas d'exister, mais de durer. Et s'il y a un principe que les Mathieu ont parfaitement intégré et mis en action toute leur vie, c'est bien de savoir nourrir et utiliser la presse, les journalistes, les journaux, la radio et la télévision. Même si les concerts et les récitals sont de plus en plus espacés, la présence médiatique des Mathieu ne disparaîtra jamais. D'instinct, André a compris qu'il faut garder le monde extérieur en respect, il faut brosser des fresques, vendre du rêve, décrire des projets immenses, faire miroiter un avenir encore plus riche et plus chatoyant que le présent ; l'illusion de l'infini a toujours trouvé preneur, rien n'est plus rassurant, rien n'est plus attirant que cet au-delà qui contient ou peut contenir toutes les promesses.

Dans un article du journal *Radiomonde*, sous la rubrique *Les vedettes dans l'intimité, une journée avec André Mathieu*, un journaliste et un photographe suivent notre « vedette ». André décrit en détail sa journée. Petit déjeuner : rôties arrosées d'une tasse de café à la crème, journaux du matin, puis deux heures de piano. Repas du midi, puis il se met au piano et improvise, etc. C'est le soir qu'il compose et on apprend qu'il travaille à une nouvelle œuvre, *le Cantique des cantiques*[243], un oratorio avec solistes, chœur et orchestre. Le journaliste cite des titres d'œuvres qui nous sont familières : *Les Gros Chars, Les Abeilles piquantes, Danse sauvage, Dans la nuit, Tristesse, Les Vagues*, le *Concerto no 3* (*Romantique*), *Le Chant des Ténèbres, Hantise, Sonate* pour violon et piano, *Scènes de ballet*, et ici, il faut croire que le sens de l'humour d'André prend le dessus, *Variations Idiotes sur un thème de Fou*, et le journaliste inclut à cette liste deux titres qui font rêver *Dialogue de la Passion*, et *Balade sous l'Eau.* L'œuvre entière de Mathieu comporte aujourd'hui cent quarante compositions exactement. Cet article ajoute une facette à l'image du héros tragique : l'humour ! Je donnerais volontiers la lune pour entendre ces *Variations Idiotes sur un thème de Fou !*[244]

Dans presque toutes ses interviews, quand on lui parle de ses projets, immanquablement il est question de tournées, de départs, de séjours en Europe… Le but commun de Rodolphe et d'André de pouvoir rayonner à partir d'une grande capitale artistique, que ce soit Paris ou New York, malgré toutes les difficultés, n'est pas écarté. Grâce à l'ambassadeur du Canada au Brésil, Jean Désy, le journaliste William Stephenson va interviewer André pour le magazine brésilien *Brasil Musical.* L'article est agrémenté de superbes photos d'André. Sur la couverture, il apparaît lisant lui-même un numéro de *Brasil Musical* qu'orne un superbe portrait de Villa-Lobos. André, qui n'a que seize ans, en paraît vraiment vingt-cinq. Dans cette interview, on apprend qu'il a fréquenté l'école régulièrement pour la première fois cette saison 1944-1945. Et cette autre anecdote qui ne nous est jamais parvenue : ses parents, pour le taquiner, l'appellent « Wolfgang », lui qui déteste être comparé à Mozart. Les cours d'anglais qu'il a suivis ont dû aussi porter fruit puisqu'on nous dit que jusqu'à l'année dernière il ne parlait pas vraiment cette langue. William Stephenson continue : « Quand je l'ai vu, il venait de terminer ses examens de Pâques au Séminaire, il était fatigué. » Et pour bien faire comprendre au journaliste où il en était musicalement, il lui joue la *Sonate pour violon et piano* au complet en chantant la partie de violon. À la question traditionnelle mais inévitable : « Quel pianiste aime-t-il le plus ? » Rodolphe répond :

243. *Le Cantique des cantiques* restera à l'état de projet…
244. Roger de Vandières, *Radiomonde*, le 15 septembre 1945.

« Horowitz ! » À la non moins inévitable autre question : « Qui sont vos compositeurs préférés ? », André répond : « Beethoven et Rachmaninoff. » Signe de maturité incontestable... André ne veut plus être Premier ministre du Canada ![245]

L'AMITIÉ AVEC GILLES LEFEBVRE

Le 13 juin 1945, c'est Ottawa qui l'accueille encore, avec Gilles Lefebvre au violon. Ils vont créer trois œuvres qui datent des dernières années : *La Ballade-Fantaisie opus 27*, la *Complainte*, dans un arrangement pour violon et piano, qui est en fait le deuxième mouvement des *Scènes de Ballet*, et enfin, un chef-d'œuvre de maturité (à quinze ans !), la *Sonate pour violon et piano opus 29*. À la fin de l'été, il retrouve Gilles Lefebvre à Matane ; André va reprendre son répertoire et, bien qu'il n'y ait aucune critique, les témoignages de l'époque ne dérogent pas à la règle : Mathieu entraîne tous les cœurs.

Matanaise d'origine, Rachel Gagnon se souvient que déjà à cette époque, André Mathieu est reconnu comme bon viveur et bon buveur. Amie de la famille Rouleau qui a organisé le concert, Rachel Gagnon sera la compagne assignée d'André pendant son séjour à Matane. Elle aussi témoigne de son charme et de sa délicatesse. Une seule fois a-t-il été déplacé, après une soirée bien arrosée. Mathieu est un artiste compositeur pianiste, avec un corps d'homme et un équipement social d'enfant. Sans doute Gilles Lefebvre reprend-il le rôle de Rodolphe, car André est depuis toujours irresponsable, parce que c'est toujours ainsi que les choses se sont faites. Il compose, il joue, on l'acclame (il n'a rien connu d'autre) et le reste du monde n'est qu'un parterre de salle de concert qui automatiquement doit lui apporter son soutien. Et déjà, à seize ans, il ne laisse pas les femmes indifférentes. Rachel Gagnon viendra, à son invitation, lui rendre visite à Montréal à l'automne. Elle lui écrit : « Quand pourrais-je goûter à la vraie musique (et un peu de l'artiste !) ? Avec l'espoir certain de te revoir, je te laisse en t'embrassant bien fort. »[246] Puis faisant allusion au concert du

245. William Stephenson, *Brasil Musical no 9*, automne 1945.

246. Rachel Gagnon, lettre à André Mathieu, le 20 septembre 1945, Fonds Famille Mathieu, Archives Nationales, Ottawa.

18 novembre : « Si j'avais un hélicoptère, je m'envolerais au Windsor Hôtel le 18 novembre. J'aimerais tant te voir jouer tes dernières œuvres. »[247]

Car le grand événement de cette année 1945, c'est ce retour à Montréal. Peut-on oser parler de « come-back », à seize ans ? Depuis son apparition au Chalet de la Montagne du mois d'août 1943, André a été presque complètement absent du circuit montréalais. Comme toujours, la machine est en place, les journaux sont alertés et ce jeudi 18 novembre, avec Gilles Lefebvre, André va présenter ses dernières œuvres au public de sa ville natale.

Il semble que tous les critiques de la métropole se soient retrouvés au salon Prince-de-Galles de l'hôtel Windsor, tous les auditeurs professionnels, mais non, semble-t-il, les mélomanes, ce public qui se pressait en brandissant leurs programmes et qui ne se lassait pas de le rappeler et de l'entendre.

MAIGRE PUBLIC POUR ÉCOUTER LE SUPERBE RÉCITAL D'ANDRÉ MATHIEU

> On ne peut que déplorer le faible nombre de personnes venues applaudir André Mathieu. [...] Ce serait bien de pouvoir convaincre Monsieur Mathieu que son récital d'hier soir était superbe, car ce fut le cas ; ce serait bien aussi si quelqu'un pouvait faire comprendre à cet adolescent qu'il fait partie des grands artistes [...] que lorsqu'un grand artiste a grandi au cœur d'une métropole, il n'est pas normal que cette dernière, dans une certaine mesure, choisisse de l'ignorer [...]. À seize ans, le jeune Mathieu est un maître du clavier... À seize ans, il est un compositeur d'importance et plusieurs de ses œuvres possèdent une qualité lyrique que bien des artistes en vue lui envieraient... »[248]

Puis un autre journaliste enchaîne : « Il existe sûrement une raison justifiant le peu de gens venus écouter André Mathieu hier soir à l'hôtel

---

247. Rachel Gagnon, lettre à André Mathieu, le 12 novembre 1945, Fonds Famille Mathieu, Archives Nationales, Ottawa.

248. C. C., *The Herald*, Montréal, le 19 novembre 1945 : **voir la citation originale en annexe.**

Windsor [...]. Les promoteurs du concert ont mal évalué ce qu'il en coûte pour jouer dans la cour des grands [...]. »[249]

Enfin, Thomas Archer termine son compte rendu par ces mots : « À la fois comme compositeur et interprète, Monsieur Mathieu est totalement imprégné de musique. Bien qu'il soit un très bon pianiste [...] chez lui, ce qui compte, c'est la musique [...]. »[250]

Les journaux francophones ne mentionnent pas le fait que le public ne se soit pas déplacé en grand nombre. Cependant, de ces critiques de huit chroniqueurs musicaux, quatre anglophones et quatre francophones, il se dégage une unanimité d'opinion qui nous rassure et confirme tous nos espoirs ; André a franchi son rite de passage, le moment périlleux qui le mène de l'enfance à l'âge adulte, enfin à l'adolescence.

Émile-Charles Hamel (1914-1961) donne le ton :

> Le récital de ses propres œuvres qu'a donné dimanche dernier André Mathieu, avec le concours du jeune et excellent violoniste Gilles Lefebvre, est l'un des événements musicaux les plus considérables de ces dernières années à Montréal [...].
>
> Certains reprocheront à Mathieu de manquer de telle ou telle qualité. Ces qualités-là sont celles d'un autre âge, il les possédera un jour, n'en doutons pas ; seulement quand il les aura acquises, il aura perdu certaines de ces qualités que l'on doit aujourd'hui admirer chez lui – comme la fraîcheur et la spontanéité [...].
>
> Dans toutes ces œuvres, en même temps que le sentiment qui ne cherche nullement à se dissimuler, on sent une acceptation des rythmes nouveaux. Le compositeur conservant dans son inspiration leur place aux sentiments éternels sait bien être de son époque dans la façon de les exprimer [...]. André Mathieu, lui, compose une musique nouvelle sur les sentiments de toujours, sur les sentiments qui sont le fond de l'âme humaine. Nous pourrons dire de lui que c'est un ROMANTIQUE MODERNE...[251]

---

249. Gorman Kennedy, *The Herald*, Montréal, le 19 novembre 1945 : « There must be a reason for the small hello accorded to Andre Mathieu's recital in Windsor Hotel last night [...]. The promotion for the recital didn't measure up to what it takes to meet the topnotch competition [...]. »

250. Thomas Archer, *The Gazette*, Montréal, le 19 novembre 1945 : « Mr. Mathieu is completely musical. That is to be sensed not only in his composing but also in his performance. He is a facile pianist although [...] with him, it is the music that counts [...]. »

251. Émile Charles Hamel, Le récital Mathieu, *Le Jour*, novembre 1945.

Le dernier paragraphe est si juste qu'André utilisera la formule pour parler de lui-même jusqu'à la fin de sa vie.

Un autre journaliste, qui se cache sous le nom de plume de Fidelio (est-ce une femme ?), aborde le récital dans une perspective qui survole la jeune carrière en dessinant la courbe qui l'a mené à ce point.

> Un statisticien serait tenté de dresser, suivant ce programme, la courbe d'évolution d'un grand génie musical, mais la richesse d'inspiration et une certaine variété de composition dont faisaient preuve les pièces du programme défendent de porter des jugements catégoriques ou définitifs, si ce n'est qu'André Mathieu est toujours cet étonnant musicien d'hier, avec en plus une assurance que lui ont acquise le travail et l'âge. [...] Un autre point à souligner, André Mathieu a du souffle. Il lui faut l'espace. [...] L'inspiration, qu'on sent presque emprisonnée entre les octaves du piano, trouverait libre cours dans le vaste champ qu'est l'œuvre orchestrée.[252]

Le fidèle Marcel Valois titre :

> ANDRÉ MATHIEU PRÉSENTE UNE SONATE POUR VIOLON
> D'UNE PARFAITE FACTURE
>
> Quand il n'y aurait eu au programme [...] que sa *Sonate pour violon et piano*, cela aurait suffi pour consacrer le talent du jeune compositeur de 16 ans. Il y a là autant d'invention mélodique et rythmique, d'aisance et de clarté que dans les pages de contemporains tels que Szymanovsky, Hindemith et Prokofieff [...]. André Mathieu est devenu un très souple pianiste [...]. Les *Saisons canadiennes*, composées récemment, recherchent la virtuosité, et ne dédaignent pas de se rapprocher de la musique populaire et donnent souvent l'impression d'être de brillantes improvisations [...] ce sont des pages faites pour plaire et éblouir [...]. Des trois dernières œuvres pour piano [...] on retient surtout *Laurentienne*, un thème varié traité avec une maturité réelle et d'un parfait équilibre [...].
>
> André Mathieu a révélé hier soir une telle aisance pianistique que l'on souhaiterait l'entendre sous peu dans un récital d'œuvres autres que les siennes exclusivement. À sa grande musicalité, à son rythme vivant, il a ajouté une grâce virile et une délicatesse de

252. Fidelio, journal inconnu, le 19 novembre 1945.

> touche qui sont chez lui une heureuse nouveauté. Le public s'est montré enthousiaste et ne voulait plus le laisser partir.[253]

La réception critique suffirait à asseoir la gloire d'André Mathieu, comme interprète et compositeur, et cet enthousiasme n'a pu que le rassurer. Mais le public, le grand public, où était-il ? Serait-ce une publicité insuffisante, un programme trop sérieux, un contexte qui ne convient plus aux auditeurs qui suivent André Mathieu depuis plusieurs années ? Par ailleurs, « les connaisseurs » qui semblent se renouveler à chaque génération dédaignent avec snobisme ces plaisirs coupables : Pensez, un compositeur de chez nous, qui ose briguer en même temps le suffrage populaire et le statut de musicien sérieux ! Où sont la tour d'ivoire, la toge et cet isolement qui font tout le charme des « grandes » carrières ?

1946, UN NOUVEAU DÉPART

En ce début d'année 1946, Rodolphe est à New York. Il se dépense pour reprendre le fil là où il s'est rompu. Il revoit Elizabeth Arden qui doit faire des démarches pour le Town Hall. Rodolphe ajoute, « elle était très contente d'avoir de nos nouvelles. Je crois qu'elle va s'intéresser à André pour un imprésario. Miss Mathews voudrait présenter André le 17 février au Town Hall avec (Arthur) Leblanc pour jouer sa sonate, mais on ne peut pas rejoindre Leblanc par télégraphe... Je m'en vais voir à l'instant Hearst à son bureau... »[254] Ainsi, Rodolphe, sans doute galvanisé par le récital de novembre, reprend du service. Il relance Elizabeth Arden, il relance l'agent d'artistes Siegfried Hearst et il relance Arthur Leblanc qui mène une superbe carrière, mais qui lui aussi, de façon très similaire à André, va « craquer » et ne pourra jamais mener tout à fait à terme la promesse des fleurs. Il ne semble pas que le concert ait eu lieu, mais, daté du 20 avril 1946, André a jeté sur une feuille volante un « thème simple » pour un concerto de violon dédié à Arthur Leblanc.

MUSIQUE ET AMITIÉS

André, même s'il vit toujours au 4519 Berri, n'en poursuit pas moins des amitiés dans tous les milieux. Au hasard des lettres, des cartes postales, des photographies, on ne peut qu'essayer de faire surgir des parcours, des

---

253. Marcel Valois, *La Presse*, le 19 novembre 1945.
254. Rodolphe Mathieu, lettre à Mimi Mathieu, janvier 1946, Fonds Famille Mathieu, Archives Nationales, Ottawa.

visages, des curiosités... Madeleine Langevin Lippens évoque avec ardeur leurs sessions d'écoute auxquelles se joignait Jacques Dupire, passionné d'opéra. Wagner bien sûr, Wagner qui restera l'une des grandes passions d'André. Nous le savions sans qu'on nous le dise, Rachmaninoff et ses concertos pour piano ont nourri plus d'une soirée. *L'Oiseau de Feu* de Stravinsky, *Une nuit sur le Mont Chauve* de Moussorgsky et *Shéhérazade* de Rimsky-Korsakoff ont déversé leurs sortilèges dans le petit salon de la rue Berri. André devait éprouver un frisson de plaisir à l'écoute du *Concerto en fa* de Gershwin, dans l'enregistrement d'Oscar Levant, avec « son » orchestre, le Philharmonique de New York, et « son » chef, André Kostenaletz. André aimait Gershwin, il aimait les Russes, y compris le cher Scriabine de son père. Ravel, Debussy et César Franck étaient également son pain quotidien. Avec Rachmaninoff, tous ces compositeurs ont forgé la sensibilité et le goût de Mathieu, de l'enfance à l'adolescence. L'année suivante, la rencontre avec Honegger et la découverte des nouveaux langages à travers Messiaen et Schaeffer l'obligeront à se redéfinir.

Un poème de Serge Deyglun résume en vingt-deux vers toute cette époque. La dichotomie qui existe entre les aspirations de la jeunesse et ce qu'il est convenu d'appeler « la grande noirceur », la stagnation et l'immobilisme asphyxiants de cet après-guerre, où nous avons, tant mieux et hélas, perdu cette innocence naïve mais si touchante. Il y a, à l'horizon, les lumières de l'aube, annonciatrices d'un soleil qui ne se montre pas. Nous sommes vraiment à cette charnière, où la pose peut mimer la révolte pour permettre à l'audace de surmonter, en ayant l'air de rien, cette énorme peur qui nous fige.

EFFET BENZEDRINIEN

Nous voilà tous avachis
Dans cette pièce si garnie,
De grands tableaux de peinture bleue ;
Et ce foyer où brille le feu
Dont les reflets éclairent si bien
Nos verres de Scotch, nos coupes de vin,
Et nos regards, perdus là-bas
Se voilent au son de cet air-là.

Mathieu pondant des Laurentiennes !
Morin là-bas qui fait des siennes,
Leo qui gueule et crie très fort

Marcel qui dans son coin se tord
Et moi qui regarde, attristé
En écoutant mon cœur pleurer

Joie ! Frénésie ! coco, morphine,
Marijuana et Benzédrine !
Fumée d'Opium, rêve éperdu…
Mythologie, Déesse nue…
Astéroïde, poussière d'étoile
Du paradis j'ouvre le voile,
Et j'aperçois flottant dans l'air
Nos âmes, nos cœurs et des yeux clairs.

Serge Deyglun

L'énumération, cocaïne, morphine, marijuana, benzédrine et opium nous paraît ambitieuse et nous laisse incrédule…mais sait-on jamais ? C'est dans cette atmosphère que notre jeune homme de seize ans, bientôt dix-sept, s'achemine vers l'âge adulte, cet enfant adulte qui boit comme un homme et aime comme un enfant, cet écorché vif qui s'abandonne à la poésie, aux délires, tout en étant fondamentalement croyant, pudique, pur et innocent. D'ailleurs, 1946 est l'année où il découvre Verlaine, où en quelques mois il compose quatre mélodies qui empruntent les vers du poète : *Les Chères Mains, Il pleure dans mon cœur, Le Ciel est si bleu* et *Colloque sentimental.* Il a aussi composé une deuxième *Laurentienne*, une de ses œuvres les plus achevées, dont le développement est parfaitement construit et avec toujours cette générosité de thèmes et cette assise rythmique incomparable. Un autre chef-d'œuvre.[255]

« Cette pièce si garnie », c'est l'atelier du peintre Léo Ayotte, rue St-Christophe, où il demandera à André de poser pour ce portrait du jeune homme en majesté.[256] C'est dans cet atelier qu'André est photographié avec Léo Ayotte, Serge Deyglun et Charles Trenet… Charles Trenet qui va lui dédicacer sa photo, qu'André épinglera au-dessus de son piano, à l'endos de laquelle le chanteur a écrit :

J'ai dans mon cœur un amour de jeunesse,
Une tendresse, un souvenir vivant et pur

255. C'est à cette œuvre que fait allusion Deyglun dans son poème, œuvre qu'il retravaillera à Paris en janvier 1947.

256. Cette toile de Léo Ayotte se trouve maintenant au musée de La Pulperie à Chicoutimi, 1991-0064.

Voilà les premiers mots de la chanson.
À toi, André, flamme généreuse.
Amitié, Charles Trenet

En avril 1946, André donne un récital au Demi-pensionnat du Sacré-Cœur au profit des maisons du Sacré-Cœur, détruites pendant la guerre. Le billet, nous sommes en 1946, coûte 135 $. L'éclat qui auréole son nom est suffisamment puissant pour pouvoir attirer un public prêt à payer cette somme. Cette célébrité, qui ne le quittera jamais, garantit aux organisateurs un événement à guichets fermés pour leur concert-bénéfice. Le prétexte d'un événement caritatif a toujours été le terrain le plus propice aux rencontres de l'argent et du pouvoir, réciproquement indispensables l'un à l'autre. Ces no man's land artistiques, vernissages, opéras, lancements, premières, permettent de positionner les joueurs et de définir les zones d'influence. Le pôle d'attraction capable de faire sortir de leurs forteresses ces éminences grises ou hautes en couleurs doit être socialement au sommet de la chaîne alimentaire pour ne pas embrouiller la hiérarchie qui maintient le statu quo en place. André Mathieu a maintenant ce pouvoir, cette invitation le confirme.

Gilles Lefebvre, qui est très proche d'André durant cette période, continue à l'encourager à écrire pour le violon et organise un récital à Québec, où André et lui vont reprendre intégralement au Palais Montcalm le programme présenté à l'hôtel Windsor de Montréal le 18 novembre 1945. Là encore, succès critique et artistique incontestable mais même le public de Québec, si fidèle, si enthousiaste, a déserté Mathieu. Rodolphe dans une lettre à Gilles Lefebvre lui fera reproche et lui imputera la responsabilité de cet échec. Dans le journal du lendemain, on peut lire : « Le public québécois qui, il y a quatre, six et dix ans, servait de véritables triomphes à l'enfant pianiste et compositeur André Mathieu lorsqu'il venait lui jouer avec brio les œuvres créées par son jeune cerveau d'artiste, lui a-t-il retiré sa confiance, maintenant que le garçon est devenu un adolescent à l'imagination plus vaste et plus riche et au jeu incontestablement plus viril et plus dynamique ? Nous serions enclins à le croire en songeant à l'auditoire lamentablement restreint qui s'est rendu hier soir au Palais Montcalm. »[257] André ira jusqu'à donner quatre rappels, une *Bagatelle*, et une *Valse*, et de *Chopin :* « la » *Polonaise en la bémol majeur, opus 53* et *L'Étude révolutionnaire.*

---

257. G. B., journal inconnu, le 20 avril 1946.

La critique est excellente, le public absent. Rodolphe, dans un échange épistolaire assez acéré, accablera Gilles de reproches dont l'acrimonie révèle une inimitié qui se manifestera encore plus violemment dans quelques mois.

Quelques semaines plus tard, André, en compagnie d'un ami, va se retirer du monde pour quelques jours. Une lettre datée du 3 mai 1946 et signée Frère G. Bergeron osb., lui confirme l'invitation à séjourner au Monastère de Saint-Benoît-du-Lac. Paradoxalement, pendant cette retraite, André va terminer une nouvelle œuvre pour violon et piano dont le titre peut surprendre : *Désir*, datée du 6 mai 1946. Pour ce croyant convaincu, cet asile loin de la famille, loin du monde, loin de la tentation, doit être un havre pour l'âme : « Ô mon Dieu, mon âme je vous l'offre, posée sur mon cœur, comme une Reine qui recouvre son royaume ». C'est André Mathieu qui a écrit cette pensée.

Au retour de cette retraite, malgré les tensions et les points de vue qui les opposent, André renoue avec la tradition que son père avait établie en publiant dans les journaux ses opinions, ses points de vue, et ses rêves. Il prend la plume et accepte de rédiger une chronique musicale dans le journal *La Voix du Québec*. Quatre articles paraîtront entre le 30 juin et le 6 septembre 1946.[258] Cette nouvelle activité s'interrompt au moment où André prend un nouveau départ et va se lancer dans le vide, seul, pour la première fois, en septembre 1946.

La vie fournit toujours les outils pour avancer, aussi invraisemblablement catastrophiques ou bénéfiques les situations peuvent-elles paraître. Deux événements vont bouleverser le cours des choses pour André Mathieu.

D'une part, dans l'édition du 29 juin 1946 du journal *Radiomonde*, on annonce la création « d'une compagnie de cinéma permanente, fondée à l'aide de capitaux canadiens et dont le président sera Monsieur Paul L'Anglais (1907-1982)... La nouvelle organisation... portera le nom de Québec Productions Inc. La nouvelle production... portera le titre

258. Tous les articles publiés dans différents journaux par André Mathieu ont été rassemblés en annexe à la fin du présent ouvrage.

anglais : *The Stronghold.*[259] Sa version française, car le film sera tourné en français et en anglais avec deux distributions différentes, s'intitulera *La Forteresse.* Il s'agit d'un scénario inspiré de *Whispering City,* une histoire de George Zuckerman [...]. Une partition musicale appropriée sera écrite par UN DE NOS MEILLEURS COMPOSITEURS dont le nom n'a pas encore été mentionné. » [260]

La nouvelle compagnie de production cinématographique va s'installer dans les baraques désaffectées de la marine à St-Hyacinthe, et le 15 septembre, c'est l'ouverture officielle des nouveaux studios. Les détails de la production sont dévoilés. Le tournage commencera le mercredi 18 septembre. « Comme intérêt local, la grande révélation de l'après-midi fut celle que Québec Productions avait acheté d'André Mathieu, pour servir de base à l'arrière-plan musical du film, son *Concerto opus 25.* Un seul de ces trois mouvements fut interprété à la radio par l'orchestre de Jean Deslauriers au programme *Sérénade pour cordes*».[261] Les négociations entre Québec Productions et Rodolphe sont élaborées et ardues. Enfin, le 9 octobre 1946, alors qu'André sera déjà rendu à Paris, le contrat signé entre Rodolphe et Paul L'Anglais arrive au 4519 Berri. André partant pour l'Europe et le tournage ayant même débuté avant qu'il ne s'embarque, la légende voulant qu'il ait eu le cœur brisé de ce qu'on ait engagé un autre interprète que lui pour jouer son concerto dans *La Forteresse* n'est que cela : une autre légende.

D'autre part, au début du mois de juillet, les Mathieu reçoivent une lettre de Charlotte Causeret qui, avant la guerre, à Paris, était la répétitrice de Madame Giraud-Latarse, première assistante d'Alfred Cortot, et professeur d'André. Dans une lettre touchante elle s'enquiert de toute la famille, rappelle de bons souvenirs : « Durant toutes ces années aux fortunes diverses, je n'ai pas oublié le cher petit garçon et les bonnes heures passées au piano rue Servandoni ! Je revois en pensée sa maman, assise à l'écart, le gros chien qui nous gardait en gémissant et la petite sœur aux yeux noirs qui gambadait à travers la chambre. » Mais elle mentionne surtout

259. Le titre final de la version anglophone de cette production bilingue sera *Whispering City.* Reporté en format DVD : Alpha Video ALP 4853 D, 2005 www. oldies. com.
260. Journaliste inconnu, *Radiomonde,* le 29 juin 1946. C'est nous qui soulignons.
261. André Robert, *Le Canada,* le 16 septembre 1946.

le nom d'un pianiste qui est aussi professeur et enseigne à la fois au Conservatoire de Paris et à l'École Normale de Musique. Mademoiselle Causeret ajoute que, malgré les circonstances, cet homme est resté fidèle à Cortot[262] et l'assiste brillamment. Ce professeur, c'est Jules Gentil, et il vient passer l'été à Québec : « C'est un excellent musicien, remarquable pédagogue et un homme adorable, ce qui change un peu de l'humeur plutôt… acide de Madame Giraud ! ! ! Il a toute la confiance de Cortot à qui il a manifesté un rare dévouement durant ces années… »[263]

Jules Gentil (1898-1985) a été premier prix du Conservatoire de Paris en 1916 et, pendant son séjour au Québec à l'été 1946, il est invité à jouer la *Ballade* de Fauré en première montréalaise. Il partage avec Cortot la direction de l'École Normale depuis 1938 et l'assistera pendant un quart de siècle. Il est aussi invité à donner des *Master Classes* en Amérique, entre autres à l'école Vincent-d'Indy à Montréal.[264]

Victor Brault (1899-1963), celui-là même qui a créé en 1922 à la salle Gaveau *Un peu d'ombre*, mélodie de Rodolphe Mathieu, connaît bien Jules Gentil. Sentant qu'André est à l'étape de sa vie où il doit s'éloigner de sa famille, il organise une rencontre. Si jamais Mimi devait accepter de laisser partir « son » André, est-ce que lui, Jules Gentil, accepterait de l'héberger chez lui à Paris et de veiller sur lui comme si c'était son propre enfant ? Victor Brault a aussi pu constater le désarroi d'André quand il a enregistré avec le chœur *La Cantoria* de la Société Radio-Canada son *Chant de la Victoire* à l'été 1946. Brault arrive au 4519 Berri et apprend à la famille, qu'en reconnaissance de l'effort de guerre fourni par les Canadiens français, le gouvernement français a décidé d'octroyer une cinquantaine de bourses à de jeunes talents de chez nous. Rodolphe saisit immédiatement toute la portée de la nouvelle. Ah ! Paris ! Il s'y revoit déjà. Reprendre les choses là où on les a laissées il y a sept ans, déjà, remonter le temps, et,

---

262. Durant l'Occupation, Cortot a collaboré avec le gouvernement de Vichy. Il a brigué et obtenu des positions officielles. Ses deux voyages en Allemagne en juin et novembre 1942 seront retenus contre lui. Les avis restent très partagés quant à sa position face aux artistes juifs : il a bien secouru Marya Freund mais il n'a rien fait pour Vlado Perlemuter. D'où le « malgré les circonstances »…

263. Charlotte Causeret, lettre à Rodolphe Mathieu, Paris, le 4 juillet 1946, collection privée.

264. Charles Timbrell, *French Pianism*, Amadeus Press, 1999, p. 135.

pourquoi pas, à nouveau, la pension Servandoni, rétablir le statut d'André, venger l'incompréhension des Américains…

Grâce à la prévenance de Charlotte Causeret et à l'amitié de Victor Brault, les Mathieu sont-ils allés entendre Jules Gentil qui, après l'avoir entendu, se rend compte immédiatement du potentiel incroyable de cet adolescent ? Sans doute fait-il aussi mille promesses à Mimi. Et voilà André, presque malgré lui, qui se voit pour la première fois partir affronter la vie lui qui, jusqu'à maintenant, a été maintenu dans la dépendance, alors qu'il rêve de liberté. Le professeur de piano trouvé, reste à dénicher le maître en composition. Rodolphe reprend contact avec Arthur Honegger qu'il avait rencontré au concert du 2 juin 1922 où Léo-Pol Morin présentait un récital de mélodies contemporaines avec Victor Brault. Mais le montant de la bourse du gouvernement français étant à peine suffisant pour assurer la survie d'André, la famille renonce à son projet de repartir pour l'Europe avec lui. De toute façon, de part et d'autre, on sent la nécessité de laisser André essayer de voler de ses propres ailes.

Un mois avant son départ, André reçoit une réponse d'un des chefs les plus célèbres du monde, Leopold Stokowski : « J'aimerais pouvoir venir à Montréal en septembre ou en octobre pour diriger votre concerto ; malheureusement, d'autres engagements m'en empêchent […]. Mes vœux vous accompagnent pour votre voyage en Europe. Cordialement, Leopold Stokowski. »[265] Ce n'est pas un événement anodin que cette demande au grand Stokowski de venir diriger son concerto, évidemment le *Concerto no 3*, le *Concerto de Québec*, à Montréal. De la même façon qu'en juin 1939, alors qu'il séjournait à Paris, Rodolphe avait écrit à Stokowski pour lui présenter André, c'est maintenant le fils qui sollicite le maître. Le doute, cette vertu que les Canadiens français ont portée au niveau du dogme, ni André ni Rodolphe ne le pratiquent. Les Mathieu voient grand. Ils voient d'autant plus grand que les pourparlers avec la nouvelle compagnie de cinéma Québec Productions sont sur le point d'aboutir. Puisqu'il y a du cinéma dans l'air, père et fils doivent se dire que Stokowski, le chef d'orchestre du film *Fantasia*, pourrait bien s'intéresser à cette musique qui servira bientôt de trame sonore. Hélas…

265. « I wish I could go to Montreal in September or October to conduct your new concerto but unfortunately my other engagements make this impossible […]. With every good wish for your journey to Europe, Sincerely, Leopold Stokowski. »

Quelques jours plus tard, le 6 septembre 1946, le conseiller culturel de l'Ambassade de France à Ottawa, René de Messières, confirme qu'André a été désigné comme boursier du Gouvernement français. Deux témoins ont dû signer : Gilles Potvin et Jacques Dupire. On imagine aisément le branle-bas de combat au 4519 Berri.

À la veille de son départ, André reçoit un hommage émouvant d'une des plus célèbres auteures de sa génération, l'écrivain Jean Desprez (1906-1965), de son vrai nom Laurette Larocque. Elle lui consacre un poème où elle dessine un portrait saisissant qui capture l'adolescent dans toutes ses dimensions, physique, émotive, artistique, créatrice. À l'époque, Jean Desprez est une auteure radiophonique à succès ; son *Jeunesse Dorée* (1940-1965) et *Yvan l'intrépide* (1945-1954) ont fait les belles heures de la radio. Elle est aussi la femme du comédien Jacques Auger, qui incarnera bientôt « le méchant » dans le film *La Forteresse* dont on annonce à grand renfort de publicité le tournage. Voici le poème de Jean Desprez.

> *André Mathieu ! Un chêne, planté solidement il y a seize ans à peine…*
> *Un chêne planté en terre canadienne, mais qui un jour, sur le monde étendra ses rameaux.*
> *André Mathieu !*
> *Visage d'adolescent, muscles d'homme fait !*
> *Un corps de jeune animal prêt à bondir.*
> *Un cœur ouvert à la beauté, cœur déjà prêt à se poser, cœur*
> *Déjà prêt à la souffrance.*
> *André Mathieu !*
> *Maturité précoce : créateur.*
> *Avec, dans sa prunelle, la profondeur de nos sombres forêts…*
> *Et sa crinière de jeune fauve passé au noir ripolin…*
> *Et son teint basané qui suggère l'hypothétique ancêtre…*
> *Symphonie ocre et noire.*
> *Musique étrange des couleurs, musique étrange des sons !*
> *Beauté étrange d'enfant étrange…*
> *André Mathieu, espoir des chercheurs de rythmes inespérés !*
>
> *Jean Desprez,* Sur nos Ondes, *le 18 septembre 1946.*

Huit jours plus tard, c'est le grand départ de tout un contingent d'étudiants canadiens qui voyagent à bord du *S.S. Columbia* : Pierre Elliott Trudeau, Roger Rolland, le thérapeute André Larivière, qui vont tous habiter, dans un premier temps, à la Maison des étudiants canadiens à Paris.

Mimi, dans un ultime effort de fusion, va accompagner en train André jusqu'à New York. On peut, sans tomber dans la sensiblerie, imaginer Mimi debout sur le quai, agitant son mouchoir et s'épongeant les yeux, et André, accoudé au bastingage, qui envoie la main à sa « petite mère », à « ses gros yeux noirs », incarnation québécoise de cette pietà qui soude la mère au fils jusqu'à la mort.

CHAPITRE VI
PARIS SEPTEMBRE 1946 – SEPTEMBRE 1947

André, en arrivant à Paris, suit ses compagnons de voyage, P. E. Trudeau et compagnie à la Maison des étudiants canadiens à Paris, fondée vingt ans auparavant grâce à l'idée de Philippe Roy, commissaire du Canada en France et à l'argent de Joseph Marcellin Wilson. Tous deux croient que la France et sa culture ne peuvent être que bénéfiques à des jeunes Canadiens de tous horizons. Si on considère qu'Adrienne Clarkson, Roméo LeBlanc, Louise Beaudoin, Camille Laurin, Alfred Pellan, Paul Émile Borduas, Kenneth Gilbert, Gino Quilico, Marcel Sabourin, James Hyndman, Hubert Aquin, Gaston Miron... sans oublier Pierre Elliott Trudeau, ont tous séjourné à la Maison des étudiants canadiens à Paris, on saisit et mesure l'importance de ce lieu d'accueil.

En septembre 1946, la Maison vient de rouvrir ses portes aux étudiants; elle a été réquisitionnée par les services de santé de l'armée française au début de la guerre. Dès juin 1940, les Allemands vont y loger leurs soldats jusqu'en 1944. À la fin de l'Occupation, c'est l'armée américaine qui occupera le superbe bâtiment. Dès l'automne 1944 Georges Vanier, nouvellement nommé Ambassadeur du Canada à Paris, obtient de faire de la Maison un lieu de transition pour les soldats canadiens en attente d'être rapatriés.

André arrive à Paris début octobre et, contrairement à son habitude, il écrit une longue lettre aux siens :

> *Paris, ce 4 octobre 1946*
>
> *Mes chers parents et Camillette,*
>
> *Il est 22 heures du soir. Je suis dans ma chambre à la maison canadienne. Mon bureau est placé près de la fenêtre d'où je peux apercevoir la terrasse qui, elle, donne sur le blvd. Jourdan. Je suis comme dans un rêve. Mais je vais vous parler tout d'abord de mon voyage [...]. Dès le premier repas, j'ai compris que j'étais en France. Les hors-d'œuvre,*

le potage, etc. avaient ce goût, cette senteur que j'avais déjà connus auparavant. Trois ou quatre jours après le départ du « Columbia », j'ai eu une crise de cafard et j'ai pleuré et pensé à vous mes bons vieux parents car je me suis dit, « Tu es seul maintenant, mon ti'dré. » C'est pourquoi j'ai eu des serrements de cœur bien souvent. Je pense à vous tous et ne vous oublie pas. J'aimerais tant m'engueuler avec Camillette pour ensuite se réconcilier ! Mais je continue à vous parler de mon voyage. Lundi 30 septembre, nous étions en vue des côtes d'Angleterre. Le soir même vers six heures, nous étions au Hâvre. Ce fut une grande émotion pour moi que de voir tout ce monde habillé de façon différente, de voir les gendarmes portant leurs uniformes habituels. Quelques heures avant d'arriver au Havre, le bateau fut obligé de ralentir sa marche, car nous étions dans une zone maritime remplie de mines qui n'avaient pas été enlevées encore. Durant trois heures, l'angoisse régnait parmi les passagers. Tout était silencieux, mais il ne se passa rien. Je fus forcé d'attendre quatre heures pour pouvoir faire réviser mon passeport. Ensuite je suis demeuré à terre où les douaniers examinèrent mes bagages. Quatre heures plus tard, j'étais dans le train me conduisant à Paris

Monsieur Gentil ne m'a pas attendu pour prendre ce train, il a pris le premier. Cela m'a fait comprendre que j'étais seul sur le bateau, seul sur le train, seul à Paris et enfin, seul en Europe. Mais il est bien gentil quand même. Mais ne vous inquiétez pas, je vais me débrouiller. Revenant à Montréal, je serai accueilli avec tous les honneurs que l'on prodigue à un personnage de haute marque. Je ferai en sorte que mes compatriotes pensent du bien de moi et que les étrangers pensent du bien de mon pays… Durant les années venant de s'écouler, j'ai commis des actes de bêtise juvénile, mais tout cela est bien fini. Dans cette atmosphère magnifique, je me sens prêt à faire de grandes choses, de grandes créations musicales dont vous entendrez parler bientôt. Maintenant que je suis seul et livré à moi-même, je réalise que la vie est une grande arène où tous nous devons nous battre pour ne pas être assommés par le temps. Toi ma chère petite sœur, je te conseille de toujours aimer à rester avec tes parents et d'apprécier cette ambiance. Ma chère Camillette, tu ne peux pas savoir à quel point c'est nostalgique de se savoir dans un pays où la langue t'est familière, mais les visages inconnus.

Envoyez-moi au plus tôt des cigarettes, car ici un paquet coûte 80 fr. ou 110 fr., soit environ 1$ ou 1,50 $. La situation s'est beaucoup améliorée. Nous pouvons prendre maintenant un bon repas pour 135 fr. (vin compris), soit 1,15 $. Nous devons posséder des carnets de ration pour le pain, la farine, le chocolat, mais nous nous n'en avons pas besoin pour la viande, seulement jamais fraîche. Ce qui se *vend le plus cher en ce moment à Paris, ce sont les œufs. Il coûte environ 25 ou 30 cents pièce. Quand même, nous nous débrouillons. Maintenant je vous quitte en vous embrassant tous.*

Votre fils,
André Mathieu

P.S. envoyez-moi des journaux canadiens ainsi que les lettres.[266]

Deux jours plus tard, il panique en apprenant que l'argent de sa bourse versée par la France ne lui parviendra qu'en novembre.

Mon cher père,

Je vous écris un petit mot personnel pour vous dire que je suis très embarrassé. Le chèque du Gouvernement Français n'arrivera que le 3 ou le 6 novembre. D'ici-là, je ne sais que faire. Devant payer mon loyer d'avance et n'ayant pratiquement rien en poche, je me permets de vous demander ainsi qu'à M. Brault, de m'envoyer (par avion) au plus vite un certain montant d'argent, (50$ ou 70$), pour me permettre de tenir jusqu'au début de novembre [...].

Merci d'avance, je vous embrasse, votre fils

André

Quelques jours plus tard, il écrit directement au premier ministre Maurice Duplessis, Duplessis qui a été reporté au pouvoir le 8 août 1944 et qui y restera, sans interruption, jusqu'à sa mort le 7 septembre 1959. André, éternellement reconnaissant pour la bourse qui lui avait permis à lui et à sa famille de séjourner à Paris en 1936, lui voue presque un culte. Avec une touchante naïveté, André lui explique qu'il ne reçoit « que 45 $ par mois, ce qui n'est pas beaucoup comme vous pouvez le constater et la vie à Paris est très chère. Je dois payer mes cours, ma pension et mes billets de concert avec 45 $. Je ne peux vraiment pas y arriver... » Ensuite, il raconte à Duplessis que « depuis un mois, la Maison canadienne n'a pas été chauffée. Nos chambres sont devenues des glacières et nous ne pouvons plus y rester. Je vous dis tout cela, Monsieur le Premier ministre, parce que je vous considère comme le seul défenseur de nos droits et aussi le protecteur des Canadiens français, même à l'étranger... »[267] Duplessis a

266. André Mathieu, lettre du 4 octobre 1946, Fonds Famille Mathieu, Archives Nationales, Ottawa.

267. André Mathieu, lettre au premier ministre Maurice Duplessis, Paris, octobre 1946, Fonds Famille Mathieu, Archives Nationales, Ottawa.

dû trouver qu'il avait assez à faire à Québec et à Ottawa sans ajouter Paris… Il n'y a pas eu de suite…

Le 25 novembre, André détaille à son père ses dépenses mensuelles et sur un ton fragile il poursuit :

> *Je m'excuse mon cher père de vous entretenir une seconde fois de ces questions pécuniaires, mais que voulez-vous je suis seul ici à Paris, un peu désemparé et ayant à faire face à de multiples obstacles. Vous voulez que je vous parle de « l'École Normale » et du Concours ? Soit, je vais vous en parler. L'atmosphère du Conservatoire et de l'École Normale m'est insupportable ! Je commence à croire que le Conservatoire est un musée et l'École Normale un hospice pour vieilles filles ! Quant au concours, je ne pourrai pas y participer étant donné qu'il y a un Monsieur Julius Katchen*[268] *qui est l'enfant chéri de Monsieur Gentil et de Mlle Causeret […]. J'ai sur le métier un concerto de violon que j'écris en suivant les conseils d'Honegger qui lui au moins, est un homme admirable. J'ai bien hâte que vous l'entendiez. Vous verrez que ce n'est pas mal du tout […].*[269]
>
> *Pour changer, voici de bonnes nouvelles. Je vais probablement faire la musique d'un film qui aura pour titre :* Le Rêve qui ne trouve pas d'ailes. *Les vedettes seront probablement Claude Yanne et Jean Marais. Si j'obtiens cet engagement, cela me donnera 500 000 fr., une fortune, et je pourrai me foutre de tout le monde. Maintenant je vais vous quitter tout en vous demandant de ne pas oublier de m'envoyer quelque chose. Je pense à vous mon cher « Dodote »*[270]*… Je vous embrasse.*
>
> *P.S. Un des Masella m'a dit que* La Presse *avait annoncé mon retour au Canada pour l'enregistrement du film. Est-ce vrai ?*[271]

Cette dernière question prouve une fois pour toutes qu'il n'a jamais été question avant son départ qu'André soit le soliste pour l'enregistrement de son concerto dans le film *La Forteresse.*

268. Julius Katchen (1926-1969), pianiste américain. Il s'installe à Paris en 1946. Ses enregistrements de la musique pour piano solo de Brahms restent légendaires. Le cancer l'emportera prématurément.
269. Il ne reste aucune trace de ce concerto.
270. Dodote : surnom affectueux donné à Rodolphe Mathieu par sa famille.
271. André Mathieu, lettre du 25 novembre 1946, Paris, Fonds Famille Mathieu, Archives Nationales, Ottawa.

Mais, on vient de le lire, le grand événement de cet automne 1946, c'est la rencontre avec cet « homme admirable », Arthur Honegger.[272] André s'est rendu chez Honegger pour la première fois le 7 octobre, c'est ce qu'il écrit à son ami libraire Henri Tranquille. D'ailleurs, l'irremplaçable Gilles Lefebvre, dans une lettre à sa famille du 30 octobre 1946, rapporte :

> *André Mathieu est bien encouragé. M. Honegger lui a avoué que c'était lui, André, qui était le chef de toute la musique canadienne. C'est formidable le génie de ce type-là et s'il veut bien travailler le un centième de moi, il deviendra vite célèbre et sera la gloire de la musique canadienne. Je le crois assez fort pour établir notre musique sur des bases solides – il pourra laisser des disciples et faire reconnaître le Canada dans le monde entier : je jouerai sa sonate prochainement devant Honegger, ce dernier est le chef de file de toute la musique Française actuelle. Je la joue sur l'insistance d'André et j'espère bien qu'étant si loin, le « bonhomme » va me laisser la paix.*[273]

Neuf jours plus tard, André et Gilles se présentent chez Honegger. André veut lui donner à entendre sa *Sonate pour violon et piano* de 1944 qu'il a créée avec Gilles. C'est le genre d'événement où on aurait souhaité être un petit oiseau sur le bord d'une fenêtre ou, pour être plus moderne, utiliser une caméra cachée et enregistrer la leçon. Grâce à Gilles Lefebvre, et à sa correspondance, nous pouvons assister à cette confrontation. Le soir même de la rencontre avec Honegger, moment mémorable du 8 novembre 1946, Gilles écrit à son ami Guy sur un ton dégagé, dû à l'état d'exaltation dans laquelle cette journée l'a plongé, et sans ce souci constant d'être « sur ses gardes ». Gilles Lefebvre est sympathique, drôle, ému et fier, profitons-en :

> *Mon cher Guy, cette lettre est une autre de mes méditations ennuyeuses dont tu es la malheureuse victime. Cette lettre est un péché d'égoïsme de ma part car pour ma satisfaction personnelle et sans aucun profit pour toi, je t'oblige à me lire. Mais cette lettre, comme les autres méditations miennes, est écrite sur une impulsion vive, créée par des émotions ardentes, cette lettre, non comme les autres, ne parlera pas de mon d'amitié qui te fait mon confident, mais te racontera le mieux qu'il en sera possible à moi, ma rencontre avec le très*

272. Arthur Honegger (1892-1955), compositeur suisse, il définit son approche ainsi : « Il me paraît indispensable, pour aller de l'avant, d'être solidement rattaché à ce qui nous précède. Il ne faut pas rompre le lien de la tradition musicale. »
273. Gilles Lefebvre, lettre du 30 octobre 1946, Fonds Gilles Lefebvre, Archives Nationales, Ottawa. Le « bonhomme », c'est Rodolphe.

grand compositeur contemporain, Honegger. Pour en arriver au sujet, je me permettrai d'abord un petit détour. Le peuple canadien est fortuné, il possède un génie créateur, un grand artiste, un musicien… Un indiscipliné… Un orgueilleux… C'est André Mathieu ! Ce cher garçon étudie à Paris, son maître de composition est le célèbre Honegger. Pour ses cours, le petit génie André apporte son œuvre, l'exécute et le grand génie Honegger la discute et en fait l'évaluation. Cela pour le plus grand bien de l'élève. J'ai eu aujourd'hui la tâche et la chance de jouer pour André devant son maître la Sonate que tu connais bien. Ce fut pour moi un moment extraordinaire. J'ai eu l'impression d'assister à la rencontre d'un Beethoven, d'un Brahms, d'un Bach, avec un Liszt tout jeune… Vois-tu, André Mathieu est le seul au Canada qui crée une musique nouvelle vraiment canadienne, c'est un peu le chef de notre école si l'on doit en avoir une, si l'on peut dire, mais il se produit cette chose déplorable que ce génie n'a pas fait d'études sérieuses, qu'il n'a pas ordonné son esprit… Qu'il vit uniquement de sensations… Il se produit aussi ceci de favorable que ce génie est encore jeune et qu'il est maintenant parmi des maîtres en qui il a confiance et qui le sauveront peut-être de la voie périlleuse dans laquelle il est embarqué…[274]

Neuf jours plus tard, dans sa lettre du 17 novembre 1946 à sa tante Jeanne, Lefebvre, peut-être conscient de la portée historique de l'événement auquel il a participé, nous brosse le décor et nous transporte dans le temps pour assister avec lui à cette session de travail entre Arthur Honegger et André Mathieu…

Honegger. J'ai fait la rencontre du maître par André Mathieu, ce dernier a le privilège extraordinaire de suivre des cours privés avec le célèbre compositeur : voulant lui jouer sa Sonate, il demande mes services […]. Je te raconte donc ce qui s'est passé et j'ajoute au passage quelques impressions. Vendredi, le 8 novembre 1946, 10 h du matin […]. Il demeure au sommet de sa maison et on n'est guère (Hon-è-gger… !) heureux de monter cinq étages, mais l'ascension est profitable. Son studio est un vaste appartement éclairé par trois immenses fenêtres. On y reconnaît tout de suite un homme d'ordre, un homme propre, un homme prospère et heureux de sa science. On y voit une grande bibliothèque remplie de bouquins, des peintures étalées sur les murs ou sur des chevalets et enfin son grand piano à queue « PLEYEL », puis en guise de continuation du clavier, une

274. Gilles Lefebvre, Paris, lettre du 8 novembre 1946. Fonds Gilles Lefebvre, Archives Nationales, Ottawa.

grande table de travail, remplie de paperasses, de bibelots mais le tout bien rangé et chaque chose à sa place : il nous met bien à l'aise, mais cause très peu, son silence impressionne. Il installe André au piano et me place devant sa table, lui s'assied à sa table, partition en main, prêt à juger ce que nous lui donnerons. Et c'est fait, nous jouons la sonate [...]. Il suit attentivement, regarde tour à tour André ou moi, et surtout il écoute. Il ressemble un peu à Beethoven. Lorsqu'il vous regarde le front baissé si bas que son regard doit se frayer un chemin à travers les broussailles de ses sourcils pour enfin vous retrouver. Il prend des poses mais l'on sait qu'il est naturel et que ces poses c'est lui, pas une imitation, on le sent présent, cela ne fait qu'aider notre jeu et nous donnons une belle interprétation à la Sonate ; mais maintenant qu'elle est terminée, que dira t-il ? C'est à son tour de parler et il ne dit rien ! C'est un moment d'attente terrible [dans] un silence pesant que personne n'oserait troubler de peur d'interférer dans la réflexion du juge. Ce qu'il y a de terrible dans cette attente, c'est l'importance du personnage qui la cause. Nous réalisons que nous sommes en présence d'un Beethoven, un Brahms, un Franck. Nous savons qu'il est le compositeur sérieux qui laissera à la postérité des œuvres savantes, riches et surtout, des œuvres inspirées. En raison de sa grandeur, n'est-il pas convenable de craindre son jugement. Il peut tout, que dira-t-il ? Voici ce qu'il dit et fait. D'abord il donne l'analyse complète de l'œuvre sous tous les angles et enfin il déclare qu'une œuvre pour avoir le droit de s'appeler sonate, doit avoir plus de suite, doit avoir des thèmes mieux développés et non pas répétés, et surtout doit revêtir un seul caractère qui lui donnera par là même plus d'unité. Enfin, il ajoute ceci de terrible, qu'il faudrait recommencer l'œuvre et faire mieux, suivre ses conseils basés sur l'expérience et rebâtir avec ces mêmes thèmes si bien inspirés une autre sonate, créer une œuvre plus savante, plus solide, mieux construite, plus réfléchie, plus sérieuse. Comment André prend-il cela ? Bien qu'en extase devant Honegger, il défend son œuvre et alors j'assiste à un magnifique débat entre deux créateurs, l'un à son début, l'autre à son sommet. J'ai assisté à la scène du vieux qui voudrait faire servir son expérience au jeune mais que le jeune est encore trop jeune pour accepter... Je crois que même si par orgueil mon ami André lutte,... il s'avouera vaincu et profitera alors des secrets du maître. André deviendra peut-être LE PÈRE DE LA VRAIE MUSIQUE CANADIENNE. Honegger, comme tout le monde, reconnaît en lui

> *un génie et si extérieurement il le blesse, intérieurement il l'élève, l'admire : puisse notre espoir ne pas être déçu...*[275]

On ne peut s'empêcher de penser que Lefebvre savait qu'il décrivait cette rencontre pour la postérité...

La réaction d'André en sortant de cette session de travail avec Arthur Honegger, c'est Gilles Lefebvre qui nous la raconte quarante-cinq ans plus tard, dans le documentaire, *André Mathieu, musicien,* du cinéaste Jean-Claude Labrecque : « Je ne changerai pas une note à ce que j'ai écrit, mais je vais lui écrire un TRIO. »

Et justement ce *Trio* correspond à la conception de l'art que Mathieu professe à l'époque. Au journaliste Raymond Grenier, correspondant du journal *La Presse* à Paris, André révèle son credo : « Je crois que chaque étape de l'évolution musicale connaît deux phases distinctes : une première nettement formelle que l'on appelle classicisme, une seconde que l'on peut désigner sous le nom de romantisme. Il me semble que l'étape actuelle à laquelle on a donné le nom d'« impressionnisme » a déjà connu sa première phase classique, celle où domine le pur plaisir de la découverte de nouveaux moyens d'expression avec le désir, presque le besoin, d'en explorer toutes les richesses formelles... « À chacun sa vérité ! »... Je crois que le moment est arrivé d'aborder la deuxième phase de l'impressionnisme moderne : la phase romantique... » André Mathieu travaille actuellement à un *Trio...* »[276]

Ce *Trio* qu'il essaie d'écrire pour Honegger, est une déclaration d'indépendance face à Honegger. Ils vont se quitter bons amis et André dira toujours le plus grand bien de son maître, qui en cadeau d'adieu, lui offre une pipe. André, fier, n'aura pas voulu changer son langage, son style, et les deux créateurs ont dû constater à l'amiable qu'ils n'allaient, ensemble, nulle part. Et ce *Trio* qu'André terminera à Montréal deux ans plus tard est plus qu'une œuvre, c'est un rejet de toute une conception de la musique, celle qu'on construit en développant ses matériaux à leurs limites expressives, celle où la parcimonie est une vertu et une loi. André est trop prolixe, trop « dans l'instant » pour brider ses débordements qui se cabrent sous le joug.

275. Gilles Lefebvre, lettre de Paris, le 17 novembre 1946, Fonds Gilles Lefebvre, Archives Nationales, Ottawa.

276. Raymond Grenier, *La Presse*, le 4 février 1947.

La musique chez Mathieu est un immense fleuve qui refuse d'être endigué. Par contre, si on écoute le *Concerto no 4*, commencé à Paris sans doute sous les oreilles d'Honegger, à l'opposé du trio qui est vraiment un prolongement de l'impressionnisme de Debussy, le concerto, audiblement, qu'André le veuille ou non, découle d'une volonté de se fondre dans une forme plus structurée, plus économe des thèmes. Sans doute André ira-t-il entendre la création parisienne de la *Symphonie Liturgique* d'Honegger et comme malgré lui, lui qui depuis l'utérus absorbe son environnement sonore, il retrouve dans les mouvements extrêmes une certaine âpreté, une rage même, une énergie sauvage plutôt absente du reste de sa production.

Gilles Lefebvre, qui nous prête ses yeux et ses oreilles pour toute cette période, envoie une épître à sa famille neuf jours après sa narration dramatique de la rencontre historique dont il a été le témoin et l'acteur privilégié :

> *Chère Gisèle, à l'avenir il faudra prendre un nom plus récent que « Beethoven » mais non moins célèbre. Je te propose « Honegger », c'est l'homme du jour et il a de la ressemblance avec « Beethoven ». À propos de succès avec André, il faut vous mettre à l'œuvre et prier bien fort pour qu'il travaille et se fasse aimer. Il a gardé bien des mauvaises habitudes et avec son génie, ce serait une catastrophe s'il manquait la chance qui lui est offerte actuellement. On me dit qu'il travaille. Si c'est vrai, prie pour qu'il soit persévérant, si ce n'est pas vrai, prie pour que cela le devienne. J'ai l'impression que le Canada ne produira pas souvent des talents comme le sien, donc il faut qu'il donne une musique au Canada et je le crois capable s'il s'y met. Tu sais, entre autres choses, Honegger m'a fait voir le grand chemin qu'André avait à parcourir pour arriver à l'épanouissement de son génie... J'ai cependant une offre d'un appartement avec André Mathieu. Il aimerait bien cela, mais je ne puis me décider. J'aime la tranquillité de ma petite chambre... Cela aiderait André M. sans doute...*[277]

Il semble que l'instinct de survie de Gilles Lefebvre ait pris le dessus et lui ait fait prendre la décision de ne pas emménager avec André, malgré toute l'affection qu'il lui porte :

---

277. Gilles Lefebvre, Paris, le 26 novembre 1946. Fonds Gilles Lefebvre, Archives Nationales, Ottawa.

Paris, 2 décembre 1946

Chère maman,

Je t'ai fait peur. Non je n'irai pas avec André. Mon sérieux fait exemple partout chez les Canadiens – peu comprennent mes relations avec Mathieu. Que veux-tu, c'est un Mozart et un artiste – alors il faut bien qu'il m'attire. Je déplore son manque d'éducation sociale – mais – [...] Dieu m'a donné cette faculté de plaire à ceux qui me rencontrent, je ne sais pas pourquoi... Enfin cette faculté m'est utile et j'en profite bien...[278]

À la Maison canadienne, tout au fond du superbe salon Art déco trône un piano Pleyel où André vient composer, pratiquer et offrir des récitals impromptus à qui veut bien l'écouter. De tous les Canadiens en séjour à Paris, il est le plus célèbre et son statut en fait un peu le maître de céans. Le dimanche 8 décembre à la salle Richelieu de l'Université de la Sorbonne, André va présenter quatre chants folkloriques qu'il a harmonisés et que son compagnon de séjour, Marcel Turgeon (1921-), va chanter. André, qui ne favorise absolument pas l'utilisation du folklore en création musicale, a accepté de présenter ses chants traditionnels pour le Festival de Folklore international. Mais là où il va une fois de plus voler la vedette, c'est en jouant son *Printemps Canadien*, qui galvanise le public.

Quand un voyageur a l'intention d'enfoncer ses racines dans un nouveau pays, sans rompre ou abandonner ses amitiés, il espace et suspend parfois des rapports qui l'empêcheraient de créer ailleurs de nouveaux liens. On peut déjà sentir qu'André ne restera pas à Paris par la correspondance qu'il continue d'entretenir :

Paris, ce 11 décembre 1946

Mon cher Henri,

Je viens de recevoir ta lettre qui m'a bien fait plaisir malgré ses petites taquineries. J'espère que tu vas bien et le commerce aussi. Je n'ai pas trouvé ce que tu me demandes en fait de revues, mais tu recevras bientôt tout ce qui concerne Sartre. À propos de ce phénomène, je m'en « sartre » pas mal... Mes cours avec Honegger sont très captivants, et en plus, je vais faire la musique d'un film bientôt. Mes amitiés à Violaine.

Ton ami André Mathieu[279]

278. Gilles Lefebvre, lettre du 2 décembre 1946, Fonds Gilles Lefebvre, Archives Nationales, Ottawa.

279. André Mathieu, lettre à Henri Tranquille, le 11 décembre 1946, Fonds Famille Mathieu, Archives Nationales, Ottawa.

Il n'y a ni lettre, ni journal, il n'y a aucun témoignage qui nous raconte comment André Mathieu a vécu son premier Noël loin du 4519, loin de grand-maman Albina, de la tatante Alphonsine et de sa famille : Mimi, Rodolphe, Camillette et « Leleine » (Madeleine Langevin).

Cette nouvelle année qui s'annonce, 1947, restera pour la France, « l'année de toutes les crises ». André, tout au long de son séjour, se plaindra du froid, du manque de nourriture, du rationnement. Hélas, le vin, lui, est meilleur marché qu'à Montréal, car l'alcool, même si André travaille sérieusement, reste bien présent. Pour pouvoir survivre et manger à sa faim, il y avait deux avenues qui se présentaient aux jeunes étudiants. En reconnaissance des sacrifices consentis par les Canadiens, les Normands avaient fondé une association : Normandie-Canada. Non seulement les jeunes affamés trouvaient-ils à manger et à dormir « chez l'habitant », mais on organisait également des concerts, des représentations théâtrales et André a pu tourner tant avec des artistes canadiens français, qu'avec des Français. Roger Rolland raconte qu'il fallait lui prêter un habit pour ses récitals parce qu'il mettait le sien au clou pour pouvoir s'acheter à boire. Une autre fois, à Lisieux, André entre sur scène, la salle est comble, il s'assoit au piano et plaque un accord ; il se lève et déclare à la salle : « Je ne joue pas sur une casserole ! ». Beau joueur, le public de Lisieux le réinvite quelques semaines plus tard.

L'autre façon de survivre était de se présenter aux réceptions et d'assister à toutes les manifestations officielles d'ambassades et de délégations, où il y avait également à boire et à manger. André se lie d'amitié avec l'attaché culturel de l'ambassade canadienne à Paris, Paul Beaulieu, mais surtout avec Simone Aubry Beaulieu, sa femme, auprès de qui il semble trouver refuge. Cette femme, artiste elle-même, l'accueille dans son atelier : « C'était un être extrêmement sensible et un peu instable, mais un garçon très droit et très affectueux. Il venait me parler, il avait besoin de contacts et il était très seul. Il venait d'ailleurs toujours seul. Il aurait dû se mettre en ménage avec une femme plus âgée que lui qui lui aurait apporté une stabilité et un équilibre sexuel. Il buvait déjà beaucoup à l'époque mais de façon très irrégulière. Il était très attaché à son père. Quand il se mettait au piano, on aurait dit un ours qui s'empare de sa proie. »

Simone Aubry Beaulieu se remémore cette autre anecdote extraordinaire. Son mari et elle étaient très liés au compositeur Pierre Schaeffer (1910-1995) qui, à ce moment-là, travaille au Service de Radiodiffusion où il a créé en

1944 un « Studio d'essai ». Schaeffer va se livrer à des recherches et des expériences qui vont le mener, presque malgré lui, à repenser la musique et à « créer » une nouvelle perspective pour articuler les sons. Cela s'appelait et s'appelle encore la « musique concrète ». Comme son nom l'indique, la musique concrète réinvente la musique à partir de bruits, de sons, d'objets réels, de la matière sonore du quotidien. Un soir, les Beaulieu ont invité Pierre Schaeffer et André Mathieu à dîner. Après avoir bien bu et bien mangé, à l'aube, ils sortent prendre l'air et se retrouvent à Montmartre, au sommet de la butte et d'un des célèbres escaliers. Pour répondre à la question d'André qui veut comprendre et savoir ce qu'est cette « musique concrète », Schaeffer s'empare des poubelles qui viennent d'être vidées, insiste Madame Beaulieu, et en jette une première dans l'escalier, puis une autre et une troisième et les sonorités, les rythmes imprévus et compliqués, toute la splendeur du tintamarre et l'improvisation spontanée d'une structure sonore engendrée par l'entrechoc d'objets « concrets », qui inventent un nouveau vocabulaire, impressionnent beaucoup André. Ah ! Pouvoir voyager dans le temps...[280]

Il nous semble impossible qu'André Mathieu n'ait pas été prévenu par son maître, Jules Gentil, ou par le téléphone arabe – à cette époque, à Paris, beaucoup plus efficace que le téléphone tout court – du concert de rentrée de son maître, Alfred Cortot. À la fin de la guerre, Cortot a dû comparaître devant un comité d'épuration qui doit évaluer et juger dans quelle mesure le prévenu a collaboré. La chose la plus incriminante pour Cortot, ce sont les concerts qu'il a donnés en Allemagne, en 1942, en pleine guerre. Il a, entre autres, joué sous la direction de Furtwängler[281], lui-même soumis aux mêmes tribunaux de dénazification en Allemagne. Devant l'imbroglio qui résulte des preuves déposées pour et contre le musicien, le comité lui impose une suspension de toute activité professionnelle, pour un an, jusqu'au 1er avril 1946.

Pour sa rentrée à Paris, Cortot a été invité par l'Orchestre de la Société des Concerts du Conservatoire à jouer le concerto de Schumann sous la

---

280. Simone Aubry Beaulieu, entretien avec Rose Lebeau, printemps 1976.

281. Wilhelm Furtwängler (1886-1954). Considéré comme un des plus grands chefs d'orchestre de tous les temps, on lui reproche d'être resté en Allemagne durant la Seconde Guerre mondiale et d'y avoir dirigé. Ce n'est que le 17 décembre 1946 que le tribunal de dénazification le lavera de toute accusation, sinon de tout soupçon. En juin 1942, il a dirigé le concerto de Schumann, avec Cortot au piano, à Berlin.

direction d'André Cluytens, les samedi 18 et dimanche 19 janvier 1947. Mais le syndicat des artistes musiciens, « en raison de l'attitude de Monsieur Cortot durant les années d'Occupation », interdit à ses adhérents, les musiciens de l'orchestre, de l'accompagner sous peine d'exclusion immédiate. Cortot propose de remplacer le concerto de Schumann par un récital Chopin, qu'il jouerait en lieu et place dans le programme, entre la première Suite de Bach et *la Mer* de Debussy. Le samedi 18 janvier, à dix heures du matin, il n'y a plus un siège dans la salle du théâtre des Champs-Élysées. Il avait été entendu que le secrétaire général de l'Orchestre viendrait à chaque concert annoncer le changement de programme, juste avant l'entrée en scène de Cortot. Mais les auditeurs, croyant que les musiciens refusent à la dernière minute d'accompagner le pianiste, font un chahut digne de la salle qui a accueilli le scandale de la création du *Sacre du Printemps.* D'autant plus que l'attitude du chef et des musiciens est ambiguë, Cluytens refusant de serrer la main que Cortot lui tend...

Cortot s'installe au piano, les bravos et les sifflets se font concurrence. Cortot reçoit les applaudissements mêlés d'injures comme des radis mêlés aux roses ; mais le scandale, ces scandales qui sont la substance des légendes, est énorme. Le même jour, pour le concert de dix-sept heures, les auditeurs scandent à l'orchestre et au chef : « Cortot ! Concerto ! » Ils finissent par monter sur scène et s'en prendre à Cluytens et aux musiciens. Enfin, Cortot paraît. Il a mis au programme la *sonate funèbre* de Chopin et quand il attaque la célébrissime marche, une voix lui lance de la salle : « Vous la dédiez à votre ami Hitler, Monsieur Cortot ? » Mais, stoïque, Cortot revient saluer sept fois et donne deux rappels. À la séance du lendemain, le dimanche 19, les choses dégénèrent encore davantage. Il est à noter qu'à chaque fois Cortot joue son programme en entier.

Le lendemain, le lundi 20 janvier, le biographe de Cortot lui téléphone :

Bernard Gavoty : — Comment êtes-vous ? Avez-vous pu dormir ?

Alfred Cortot : — Qui m'en aurait empêché ? À merveille...

B. G. — Mais...

A. C. — Cela avait du caractère, reconnaissez-le ! Dans une carrière comme la mienne, il faut s'attendre à tout.[282]

282. Bernard Gavoty, *Alfred Cortot*, Éditions Buchet/Chastel, 1977, p. 178.

Pour André qui va régulièrement au concert, il serait incompréhensible qu'il ne se soit pas rendu écouter son maître, qu'il connaît depuis bientôt dix ans. Est-ce que Mimi, la première conservatrice de la légende de son fils, aurait fait disparaître les lettres où André aurait relaté la rentrée de Cortot ? Il est invraisemblable que le pianiste André Mathieu n'ait pas rapporté le scandale à sa famille, et impensable, qu'il n'ait pas assisté à un des trois concerts…

Mais de ce côté-ci de l'Atlantique, Rodolphe défend bec et ongles les intérêts de son fils et l'honneur de la famille. Début janvier, il envoie une lettre acrimonieuse à Paul L'Anglais qui a autorisé « l'exécution d'un fragment du concerto de mon fils (le 30 décembre 1946 à la salle du Plateau) sans mentionner son nom […]. C'est en faisant valoir ce point de publicité que vous avez réussi à obtenir le concerto de mon fils pour un prix vraiment dérisoire… » Le 15 février 1947, c'est le rédacteur en chef du quotidien La Presse qui est admonesté : « M. Chotem[283] se fait de la publicité en disant qu'il a été choisi pour exécuter le *Quebec Concerto* […]. Mais il n'est pas fait mention de l'Auteur de ce concerto qui est mon fils André… » et le 19 février, Rodolphe récidive, et c'est au tour de Pierre Béique de se faire demander « de bien vouloir vérifier si M. Neil Chotem, pianiste, mentionne le nom de l'Auteur du *Quebec Concerto* dans les programmes de vos prochains concerts […] je me verrai forcé d'avoir recours en justice. »[284] Ce début d'année va passer à la vitesse de l'éclair car un grand événement musical et mondain se prépare dans un des salons les plus cotés de Paris. Gilles Lefebvre, dans une lettre du 20 janvier 1947, annonce à sa famille qu'un concert de musique canadienne sera donné dans les salons de Madame Bianchini qui peut recevoir trois cents invités chez elle :

> *Je joue la Sonate d'André ce soir-là. À propos d'André Mathieu, nous sommes de très bons amis et j'ai été fort peiné de constater votre manque de diplomatie en discutant son cas ouvertement au dîner […]. De grâce, ne parlez plus contre ce génie qui est plus à plaindre que tous ceux qui ont une petite existence normale […]. Je vous assure qu'André lui-même est bien peiné de l'incident Mathieu –*

283. Neil Chotem (1920-2007), pianiste, compositeur, arrangeur, chef d'orchestre, a été choisi pour jouer le *Quebec Concerto.* Son nom reste à jamais attaché au groupe Harmonium et à l'album *Heptade* dont il a réalisé les arrangements.

284. Rodolphe Mathieu, lettres à Paul L'Anglais, *La Presse* et Pierre Béique, collection privée.

père et Lefebvre – père, surtout maintenant que nous voulons jouer ensemble à Paris et le père Mathieu s'oppose. Votre rôle est plutôt d'être soit muet ou très invitant pour Rodolphe qui somme toute fut déjà notre ami et aussi mon professeur. Il m'a fait faire du bon travail l'année dernière ; c'est grâce à lui si rien ne me surprend en harmonie, solfège, etc… Excusez ce léger reproche et croyez qu'André à Paris travaille plus que l'on pense. C'est d'abord un génie compositeur et il faut toujours se le rappeler lorsqu'on parle de lui.

Il semble qu'au cours d'un dîner on ait parlé ouvertement de l'alcoolisme d'André et que Rodolphe l'ait appris, ou même ait peut-être été présent. Bref, le torchon brûle entre les familles. Un peu plus loin, Gilles Lefebvre écrit à sa mère :

Pitié pour André Mathieu et s'il vous plaît ne me parle plus de lui en mal. Au contraire, refais devant tout le monde sa réputation qu'il a perdue, il faut donner une chance, il n'a que 18 ans et il est seul à Paris. Malgré ses défauts, il a un cœur d'homme, presque d'enfant. Souvent il s'ennuie. Ses parents, pour lui, c'est comme pour moi, il leur doit le respect et l'amitié. Il n'est pas responsable et nous qui savons mieux que tout le monde sa vie, nous devons l'aider et le soutenir même si c'est dur. O.K. […] En terminant, je te demande une faveur, prie sainte Thérèse d'aider beaucoup le petit André Mathieu.[285]

Bien que Gilles et André aient créé ensemble la Sonate et qu'ils l'aient promenée à Montréal, à Québec et, tout récemment, qu'ils l'aient interprétée pour Honegger, le dimanche 23 janvier, à la Maison canadienne, ils profitent d'un grand cocktail pour présenter la Sonate en public, avant le concert de musique canadienne chez Madame Bianchini. Lefebvre reprend la plume :

[…] Dimanche dernier, il y avait un grand « cocktail » à la Maison canadienne […]. André m'a demandé de jouer sa « Sonate ». Ce fut un grand succès. Et nous avons eu le grand honneur d'être demandés à rejouer son œuvre par le très célèbre philosophe et scientiste M. Étienne Gilson de l'Académie française […]. Je vous avoue que les demandes de récitals pleuvaient de tous côtés. Évidemment Mathieu/Lefebvre est une combinaison difficile à briser. Lorsque nous avons joué sa Sonate pour M. Gilson, nous nous sommes franchement surpassés et

285. Gilles Lefebvre, Paris, le 20 janvier 1947. Fonds Gilles Lefebvre, Archives Nationales, Ottawa.

> *je vous avoue qu'André et moi étions très émus. Nous avons reçu l'offre d'un enregistrement [...]. Je crois qu'on le fera [...]. Nous jouerons ensemble chez Madame Bianchini. Il y aura 400 personnes à son salon. J'espère jouer aussi bien qu'à la Maison canadienne. Au programme de dimanche, [Jean] Gascon et [Jean-Louis] Roux ont donné des extraits de Orphée de Cocteau. Ils furent splendides...*[286]

Gilles et André ont décidé de jouer la *Sonate* sans en parler à Rodolphe. Gilles écrit : « ... Si vous voyez les Mathieu, ne parlez de rien, n'émettez même pas une opinion. Vous connaissez le père Mathieu [...]. Si le père apprend un récital dont André ne lui a pas parlé, s'il fatigue André par un tas de questions [...]. Comme André me dit souvent : "NOS PARENTS NOUS AIMENT TROP ! "... »[287] Pour ce récital de musique canadienne dans les salons de Madame Bianchini, on avait annoncé dans la presse la venue d'Olivier Messiaen (1908-1992), de Francis Poulenc (1899-1963) et de Florent Schmitt (1870-1958). Finalement, seul ce dernier pourra venir. Évidemment, le récital est un triomphe.

Quelques jours avant le récital, André envoie une carte postale à sa sœur :

> *Ma chère Camillette,*
>
> *Je suis très heureux mais je m'ennuie quand même de vous tous. J'espère que c'est la même chose de votre côté. Hier, je suis allé entendre Ninon Vallin. Elle a beaucoup vieilli et sa voix a perdu de son charme. Continue à travailler et tu la dépasseras. Je t'embrasse, ton frère, André Mathieu.*[288]

Une lettre envoyée à Violaine, la compagne d'Henri Tranquille, jette un éclairage tout à fait concordant entre le credo musical et l'attitude d'André Mathieu face à l'évolution de la société. Un artiste se définit bien souvent en prenant ses distances ou en rejetant les idées, la sensibilité ou les choix de la génération qui le précède. Les impressions d'André, la comparaison qu'il établit entre le Paris de son enfance et celui de son adolescence est une véritable radiographie de son approche esthétique.

---

286. Gilles Lefebvre, Paris, le 28 janvier 1947, Fonds Gilles Lefebvre, Archives Nationales, Ottawa.
287. Gilles Lefebvre, Paris, lettre du 18 février 1947. Fonds Gilles Lefebvre, Archives Nationales, Ottawa. C'est nous qui soulignons
288. André Mathieu, carte postale à Camille Mathieu, le 16 février 1947, Fonds Famille Mathieu, Archives Nationales, Ottawa.

15 mars 1947

Chère Violaine,

Quant à moi, tout va bien mais je suis vraiment déçu de Paris. Voyez-vous, Violaine, je réalise que ce qui reste de Paris, ce sont les monuments, les rues et les bistros. Mais les gens qui circulent dans ces rues et qui fréquentent ces bistros ne sont pas du tout les mêmes. Il subissent fortement l'influence américaine. Tout dernièrement, je suis allé boire du « pinard » chez Dupont, un restaurant situé non loin de la Sorbonne. Et bien, les étudiants que j'ai vus mâchaient de la chewing-gum, dansaient le boogie-woogie, les jeunes filles avaient des tenues débraillées comparables à celles des bobby-soxers américaines. Vous admettez que tout cela est décevant pour un canadien [sic] qui croyait trouver dans Paris le paradis terrestre intellectuel qu'il n'avait pas au Canada…[289]

Si la France fait tout en son pouvoir pour retrouver ses titres de « capitale mondiale des arts et de la culture », l'économie, elle, est une catastrophe. Durant tout le séjour parisien d'André, le pays est secoué par les « émeutes de la faim ». Vincent Auriol fait tout pour acheminer le blé canadien vers la France avec, entre autres, l'aide de Paul-Louis Weiller. Entre janvier et juillet 1947, l'augmentation du prix de détail est de 93 %. Le gouvernement ira jusqu'à bloquer les salaires pour combattre l'inflation. À Paris, en mai 47, on chasse les communistes du gouvernement, conséquence de la rupture États-Unis/URSS qui entraîne le début de la guerre froide. Les États-Unis vont proposer le plan Marshall en juin pour reconstruire l'Europe. Toujours en 47, les deux grandes structures qui vont diviser l'échiquier politique pour le prochain demi-siècle s'installent : le rideau de fer va isoler l'URSS du reste du monde. La décolonisation fissure les empires qui se meurent et des grèves de plus en plus âpres paralysent la France. En décembre, André sera rentré à Montréal, et Gabrielle Roy (1909-1983) recevra le prix Femina pour *Bonheur d'occasion*. D'ailleurs, au cours d'une réception dans le grand salon de la Maison des étudiants canadiens à Paris le vendredi 27 juin, André a rencontré Gabrielle Roy et son mari, le Dr Marcel Carbotte, qui sont en voyage de noces. Il se mettra même au piano pour offrir aux jeunes mariés le *Concerto de Québec* devenu

289. André Mathieu, lettre à Violaine, Paris, le 15 mars 1947, Fonds Famille Mathieu, Archives Nationales, Ottawa.

célèbre du jour au lendemain après que le film *La Forteresse* ait pris l'affiche à Montréal et dans toute la province.

En effet, le mercredi 23 avril 1947, *La Forteresse*, le premier film de la Québec Productions, a pris l'affiche. C'est le réalisateur Fedor Ozep qui a dirigé les deux versions du film : *La Forteresse/Whispering City*. Ozep (1895-1948), qui, comme son nom l'indique, est moscovite, a quitté l'URSS pour mener, selon l'historien du cinéma Georges Sadoul, une « médiocre carrière » qui le conduira d'Allemagne en France puis au Canada pour finir en 1948 aux États-Unis.[290] Il a déjà signé la mise en scène du premier long-métrage de la compagnie Renaissance Film en 1944, *Le Père Chopin*, qui a remporté un beau succès tant ici qu'en France. La distribution rassemblée pour notre marché a réuni trois têtes d'affiche qui sont déjà bien connues par la radio. Paul Dupuis est même sous contrat avec J. Arthur Rank. L'intrigue tourne autour d'un triangle composé d'une ingénue, d'un méchant et d'un jeune premier. Une jeune journaliste américaine, Marie Roberts (Nicole Germain) est amenée à enquêter sur la mort de Renée Brancourt, une brillante comédienne dont la carrière a volé en éclats vingt ans plus tôt, quand son très riche fiancé, Robert Marchand, est mort dans un accident. L'enquête mène la journaliste à Albert Frédéric (Jacques Auger), avocat, mélomane et mécène influent, qui soutient un jeune compositeur, Michel Lacoste (Paul Dupuis), dont le nouveau concerto doit être créé. La femme du compositeur, Blanche Lacoste (Mimi d'Estée, la meilleure performance du film), se suicide. Le méchant avocat contraint le jeune et brillant compositeur à tuer la jeune, jolie et encombrante journaliste en la précipitant du haut des chutes de Montmorency… Et le concerto qui doit être créé est, bien sûr, le *Concerto de Québec* d'André, plus précisément le deuxième mouvement, ce même mouvement entendu le 31 octobre 1943, et qu'André avait joué au poste radiophonique du réseau CBS à New York. Pour la musique, Paul L'Anglais fait appel à un jeune chef d'orchestre, Jean Deslauriers (1909-1978), qui est à la tête d'une émission hebdomadaire à Radio-Canada depuis le 1er janvier 1938 : *Sérénade pour Cordes*. Si André avait été à Montréal, il est bien évident que Paul L'Anglais l'aurait choisi comme soliste pour ajouter à son film encore l'éclat du prestige attaché à son nom. C'est un

290. Michel Houle et Alain Julien, *Dictionnaire du Cinéma Québécois*, Fides, 1978, p. 221-222.

jeune pianiste, compositeur lui aussi, Neil Chotem, qui apparaît dans le film. L'orchestre rassemble des musiciens de Montréal. En plus de diriger, Jean Deslauriers devra « orchestrer les cinquante-cinq minutes de musique de film que Morris C. Davis venait composer à côté de lui le soir [...] et de plus, orchestrer le fameux *Concerto de Québec*, œuvre du prodige André Mathieu, qui sera jouée, du moins en partie, à l'écran comme point culminant de l'histoire. »[291]

Le jeudi 24 avril 1947, le journal *Le Canada* titre :

> *La Forteresse* est un succès
>
> Tous les Canadiens doivent se réjouir que le second grand film tourné dans leur pays soit une si belle réussite tant au point de vue technique qu'au point de vue artistique [...] Michel Lacoste (Paul Dupuis) est un compositeur et sa principale composition est un concerto pour piano et orchestre qu'il nomme Concerto de Québec [...]. C'est une version abrégée du Concerto no 3 (d'André Mathieu) [...]. Les amateurs de musique seront séduits par la beauté mélodique de l'œuvre, la richesse de son inspiration, [...] qui font de cette œuvre une des meilleures jamais écrites par un Canadien. Il y a un thème entre autres, qui est d'une beauté prenante et qui est comparable à n'importe quelle autre œuvre du genre...[292]

Le film remporte un beau succès et, sans s'inscrire parmi les chefs-d'œuvre de l'histoire du cinéma, se regarde avec plaisir. La version américaine a été rééditée en format DVD[293]. La version française, ou plutôt canadienne française, porte en elle un relent de nostalgie et nous fait ressentir ce léger malaise devant la profusion d'accents qui tendent tous à bien « peurler » notre langue. Pour André, c'est une sensationnelle vitrine qui lui permet de faire entendre sa musique et de montrer de quoi il est capable. Quelle douce revanche aussi, d'entendre l'œuvre qui a été refusée par New York atteindre encore plus d'auditeurs qu'au concert ou à la radio ! La popularité du *Concerto de Québec* est telle que, l'année suivante, la Southern Music Publishing Co. de Toronto va mettre sur le marché un arrangement pour piano solo, réalisé par André lui-même, qui sera enregistré quelques mois plus tard sous étiquette britannique Parlophone par la pianiste

291. Nicole Deslauriers, *Si mon père m'était conté...*, Montréal, Inedi, p. 96.
292. Journaliste inconnu, *Le Canada*, le 24 avril 1947.
293. *Whispering City*, DVD Alpha Video, ALP4853 D, 2005, www.oldies.com.

Patricia Rossborough. Un deuxième enregistrement, dans un autre arrangement avec orchestre, sera réalisé aux États-Unis celui-là, sous étiquette Columbia, par « Charles Williams and his Concert Orchestra » et le pianiste Arthur Dulay. Preuve définitive du succès du film et surtout de l'intérêt que la musique suscite, dès son retour à Montréal, Radio-Canada va demander à André de jouer sur ses ondes le désormais célèbre *Concerto de Québec.*

Début juin, le succès du film s'ébruite même à Paris et André écrit à son père :

> *Mon cher papa,*
>
> *Votre lettre m'a fait un plaisir immense. Enfin La Forteresse est sortie et avec mon nom bien en évidence, tant mieux. Je suis aussi très content d'apprendre qu'il y ait eu un programme de radio consacrée à mes choses. Je vous avoue cependant que je ne me souviens plus beaucoup du « Spasme Créateur ». Mon trio avance et je vous assure que c'est très bien. Je donne un récital à Lisieux le 13 juin. À ce concert Mademoiselle Suzanne le Comte de l'Opéra de Paris créera deux de mes mélodies :* Colloque Sentimental *et* Le Ciel est si bleu. *C'est magnifique, hein !*
>
> *Je crois papa que vous avez raison. Je m'embarque pour le Canada fin août. Commencez donc dès maintenant à préparer une tournée qui m'emplira les poches comme vous dites, (ce dont j'ai besoin, croyez-moi !) J'ai tellement hâte de tous vous revoir. Dites à Jacques [Dupire] et à Camille que ce sont des « sans cœur » pour ne pas m'écrire plus souvent. Est-il vrai que certains petits jaloux veulent pousser Clermont Pépin contre moi ? C'est François Hertel qui me l'a confié. Maintenant, je vous quitte, cher papa, et écrivez-moi souvent. Votre fils qui pense à vous.*[294]
>
> *André Mathieu*

S'est-il passé un événement qui a modifié l'attitude de son meilleur défenseur et allié, en plus d'être son violoniste attitré, Gilles Lefebvre ? Une lettre datée du 20 juin 1947 amorce un virage qui prélude à la séparation des deux amis. L'admiration passionnée fait place au détachement qui se transformera, avec les années, en indifférence, presque en mépris :

294. André Mathieu, lettre à Rodolphe Mathieu, le 4 juin 1947, Fonds Famille Mathieu, Archives Nationales, Ottawa.

> *Le pauvre André doit retourner au Canada au mois d'août. C'est dommage car depuis quelque temps, il suivait régulièrement ses cours avec M. Jules Gentil et ça je le tiens de M. Gentil lui-même. Il a beaucoup à faire en musique, je me demande souvent s'il consentira à donner le petit effort que ça lui demanderait pour devenir un des plus grands musiciens du monde. ENFIN, C'EST SON PROBLÈME ET NON LE MIEN.*[295]

Gilles Lefebvre sait d'autant mieux et mieux que quiconque de quoi André est capable puisqu'il le suit depuis sept ans et qu'il a assisté à un événement qui aurait pu changer le cours de la vie d'André Mathieu et peut-être notre histoire de la musique.

LE COURS DE MAÎTRE D'ALFRED CORTOT

Jules Gentil était très proche d'Alfred Cortot et comme il est normal pour un maître, occupé par des récitals et des concerts, Cortot voyait sans doute ponctuellement les meilleurs élèves de ses professeurs-satellites qui enseignaient et transmettaient son approche instrumentale. Un beau jour de la fin du printemps, André est invité à participer à un des cours de maître donnés par Cortot à l'École Normale de Musique. Le grand public, les curieux de l'avenir, les gens du métier, agents et imprésarios, et bien sûr tout le gratin artistique, se retrouvent réunis pour ces événements. André, avec Marcel Turgeon, son ami baryton de Québec, et Gilles Lefebvre assistent à cette classe de maître. André est invité à jouer des pièces du répertoire courant, sans doute son cher Debussy, peut-être Chopin (il joue des études et des Préludes depuis dix ans…). Enfin, il propose à Cortot de jouer du André Mathieu; le maître, sans doute, acquiesce. Et ici nous voudrions pouvoir évoquer et vous faire saisir la force de l'extraordinaire hommage de Cortot à Mathieu, en vous disant que Cortot est sans doute possible un des plus grands artistes qui ait jamais foulé le sol de notre planète. Et cet homme, cet incomparable musicien qui aura soixante-dix ans en septembre[296], qui sort de la guerre, y ayant laissé quelques plumes et qui aura payé cher son amour de la culture allemande et son association au gouvernement de Vichy, cet homme déclare à André Mathieu :

---

295. Gilles Lefebvre, Paris, le 20 juin 1947. Fonds Gilles Lefebvre, Archives Nationales, Ottawa.

296. Alfred Cortot, pianiste et chef d'orchestre français, né en Suisse le 26 septembre 1877, mourra à Lausanne le 15 juin 1962.

« Donnez-moi deux ans de votre vie, Monsieur, je ferai de vous le plus grand pianiste du siècle ! »[297] Marcel Turgeon, qui a aussi été témoin de l'événement, se rappelle de la rencontre un peu différemment : « Monsieur, vous êtes un des plus grands pianistes que je connaisse, et croyez moi, je les ai tous entendus. Donnez-moi un an de votre vie... »[298] André, en sortant de ce cours de maître, se serait écrié : « Mais je ne suis pas pianiste, je suis compositeur ! » Et, avec ses amis, il serait allé célébrer et arroser l'événement.

Ce séjour parisien permet donc non seulement à Mathieu de poursuivre ses études de piano, mais de se définir comme compositeur et l'amène à constater que « l'école moderne », même dans sa forme la moins virulente, n'est pas la voie qui lui convient. André ira écouter un concert entièrement consacré aux œuvres de Messiaen, Pierre Schaeffer lui aura offert la plus délirante introduction à sa « musique concrète », mais comme il le dira au micro de Radio-Canada quelques mois plus tard, ce ne sont pas les recherches des modernes qui l'ont impressionné, c'est un compositeur comme Pierre Capdevielle (1906-1969), dont *L'Île Rouge* l'a « fortement intéressé »... Capdevielle étant directeur des émissions de musique de chambre à la radio, a sans doute invité André à jouer sur les ondes.[299]

Trois semaines plus tard, il écrit au libraire Henri Tranquille :

> *24 juin 1947,*
>
> *Mon cher Henri,*
>
> *Enfin, me voici ! J'espère que ta santé est bonne. Quant à moi, j'ai donné plusieurs concertsqui ont tous été des triomphes. J'en suis bien fier. En plus, j'ai joué à la radio française au moins quinze fois [...]. J'ai acheté une très belle édition des Chansons de Bilitis et de Madame Bovary. Je travaille très fort et j'ai fait plusieurs choses nouvelles. As-tu été voir La Forteresse ? Est-ce bien ?*
>
> *J'ai fixé mon retour au Canada pour le début d'août. J'ai tellement hâte de tous vous revoir [...].*
>
> *Ton ami sincère, André Mathieu*

---

297. Gilles Lefebvre, *André Mathieu, musicien*, Jean-Claude Labrecque, 1993.
298. Marcel Turgeon, Entretien avec l'auteur, le 12 août 2007.
299. Toutes les recherches pour retrouver les enregistrements de ses émissions à l'actuelle ORTF sont restées, à ce jour, infructueuses.

Et André envoie à son père la dernière lettre de son séjour parisien qui nous soit parvenue :

> *Paris, ce 25 juin 1947.*
>
> *Mon cher papa,*
>
> *Je me prépare pour mon retour au Canada. J'ai tellement hâte de tous vous revoir. Dernièrement il est arrivé à la Maison canadienne plusieurs nouveaux. Ils m'ont tous félicité pour le* Concerto de Québec. *Ils trouvent cela merveilleux. Ce qui me fait penser que ma popularité est bonne au Canada.*
>
> *Maintenant je vais vous donner d'autres nouvelles me concernant. M. Victor Brault est un salaud ! Il organise pour le premier juillet un grand concert public à l'École Normale de Musique. Il ne m'a rien demandé. J'avais ici toute la partition du Chant du Soldat ainsi que plusieurs nouvelles mélodies. Par contre, il fera entendre des « choses » de Claude Champagne, Léo-Paul [sic] Morin et de lui-même. Cela m'a fait beaucoup de peine. Je le croyais plus sincère avec moi.*
>
> *J'ai donné un concert seul au Cercle Interallié où j'ai remporté un véritable triomphe. Je fus rappelé 8 fois ! Il y avait dans l'assistance la duchesse de La Rochefoucauld ainsi que Mme Marguerite Long.*[300] *Elles sont venues toutes les deux me féliciter avec enthousiasme [...].*
>
> *Dites à maman que je pense souvent à elle et qu'elle recevra une lettre de moi bientôt. Maintenant je vous quitte cher papa, en vous embrassant bien fort.*
>
> *Votre fils. André Mathieu.*[301]

L'année d'études d'André et Gilles à Paris va se terminer par un séjour en Belgique. Début juillet, Gilles Lefebvre mentionne tous les récitals prévus « le 16 juillet, le 23 juillet récital important à Gand et le 27 juillet, nous aurons le grand honneur de jouer pour la reine de Belgique au palais

300. Marguerite Long (1874-1966). Professeur au Conservatoire de Paris depuis 1906, championne du « jeu perlé » à la française ; musicienne avant tout, femme de surcroît, deux obstacles qu'elle circonvint avec aplomb, elle a été l'amie de Debussy, de Ravel, dont elle a créé le *Tombeau de Couperin* en 1919 et le *Concerto en sol* en 1932. Elle sera aussi la servante de la musique de Fauré. Parmi ses élèves on retrouve : Samson François, Yvonne Lefébure, Jacques Février... L'enthousiasme de Madame Long portait loin.

301. André Mathieu, lettre du 25 juin 1947, Paris, Fonds Famille Mathieu, Archives Nationales, Ottawa.

royal. Heureusement, en Belgique, André et moi sommes payés… »[302] Il y a à Gand une famille qui a fondé une association Belgique-Canada . Cette famille le Clément de St-Marcq va beaucoup s'attacher à André et une lettre datée du 11 septembre 1947 jette un éclairage saisissant sur les dernières semaines d'André en Europe. Le ton est familier, amical, maternel et même complice :

> *Gand, ce 11 septembre 1947.*
>
> *Mon cher André,*
>
> *Je viens d'apprendre par Jean que tu n'es parti que la semaine dernière pour le Canada. ! Nous t'avions cru déjà rentré, depuis belle lurette ! !*
>
> *Jean m'a appris que Gilles [Lefebvre] avait réussi à partir lundi dernier en avion ! ! Nous ne sommes nullement contents de lui. Figure-toi qu'il a profité de ce que Jean était en courses avec moi, pour aller voir le père banquier de Pierre Lerey, pour emprunter 20 000 fr. belges, disant heureusement qu'il venait à l'insu de Jean ! C'est raide de tout de même. […] Il faut croire que Gilles a bavardé car il [Hector Allard de l'Ambassade canadienne à Bruxelles] était furieux sur toi, à peine gentil pour moi. Je crois que tu ferais bien de te méfier, mon mari craint que le but de son voyage pourrait bien être de te faire du tort dans ta carrière […]. Ton père a donc eu tout à fait raison de t'avertir. J'ai refusé de le laisser jouer sans toi devant la Reine, malgré toutes ses protestations, aussi est-il parti sans un mot d'adieu ni de remerciement ! »*

La baronne lui demande ensuite un enregistrement du Concerto, puis une Marche pour la cérémonie au cimetière canadien. Elle lui demande aussi une copie du film La Forteresse et elle lui annonce qu'elle viendra au Canada à l'été 1948.

> *Je serais très heureuse de faire la connaissance de tes chers parents et de pouvoir féliciter ton cher papa d'avoir conduit son fils au sommet de l'Art […]. Nous étions déjà tellement habitués à toi dans la maison, que cela nous a fait un grand vide, après ton départ […]. Mon cher André, je te souhaite beaucoup de succès dans tes récitals, je ne doute pas que tu es capable de soulever l'enthousiasme de tout le Canada. Ne te laisse pas faire par Gilles. Il paraît aussi qu'il compte créer un « institut d'échanges musicaux », c'est-à-dire,*

302. Gilles Lefebvre, lettre à sa famille, le 4 juillet 1947, Fonds Gilles Lefebvre, Archives Nationales, Ottawa.

> *l'échange d'artistes Canadiens et Belges ou Français [sic] !!... Il aurait été envoyé à cet effet par l'Ambassade et craignait fort que tu ne lui coupes l'herbe sous le pied. Il paraîtrait que l'abbé Cloutier de Trois-Rivières devait l'introduire chez un ministre de sa famille [...] il faut que tu sois prévenu, afin que tu puisses te défendre contre les attaques d'un jaloux !*
>
> *M. C. le Clément de St-Marcq.* [303]

C'est vraiment à partir de ce moment que cette relation commencée en 1940 à Ottawa semble arriver à son terme. Dans le film de Jean-Claude Labrecque, Gilles Lefebvre déclarera : « Je me souviens encore de Monsieur Victor Doré qui était ambassadeur à Bruxelles, et Monsieur Doré n'était pas content qu'on ait eu une invitation pour jouer au palais royal de Laaken et qu'André Mathieu fasse faux bond. Et il m'a dit ce jour-là : " Vous savez, jeune homme, il est beaucoup plus facile de démolir un pont que de le reconstruire et André Mathieu devrait savoir ça ! " »[304] À la lueur des renseignements contenus dans la lettre de Madame de St-Marcq, pour Gilles Lefebvre, André Mathieu devenait un partenaire irresponsable sur lequel on ne pouvait plus compter. Cette annulation du récital devant la reine des Belges a été le commencement de la fin.

Un autre élément capital de cette lettre a trait à « l'institut d'échanges musicaux » que Lefebvre serait à mettre sur pied. Cette brève description rassemble tous les éléments qui vont constituer les Jeunesses Musicales du Canada. En février 1947, alors qu'André et Gilles sont à Paris à préparer le récital qu'ils vont donner dans les salons de Madame Bianchini, paraît le numéro de février de la revue musicale *Le Passe-Temps*. André publie une des mélodies écrites l'année précédente sur un texte de Verlaine, *Le Ciel est si bleu*, dédiée « À ma sœur Camille ». Dans ce même numéro, sous la rubrique « Thèmes et variations », à la page 3, il y a une nouvelle brève :

> Un exemple : les Jeunesses Musicales de France. Les Jeunesses Musicales de France sont une association de jeunes gens et de jeunes filles dont le but est d'intégrer la connaissance de la musique dans la culture générale. C'est en 1940 que Monsieur René Nicoly

---

303. Madame le Clément de St-Marcq, lettre du 11 septembre 1947, Fonds Famille Mathieu, Archives Nationales du Canada, Ottawa.

304. Gilles Lefebvre, *André Mathieu, musicien*, documentaire de Jean-Claude Labrecque, 1993, interview de Francine Laurendeau.

> jeta les premières bases du mouvement. Les premières conférences furent organisées au cours de l'année 1940-41 dans divers établissements scolaires : Collège Stanislas, École Bossuet, Institut Maintenon, Lycée Louis-le-Grand, avec le concours des plus grands artistes de Paris. En deux ans le chiffre des adhérents passa de 25 000 à plus de 100 000. L'activité des J. M. F. ne se borne pas à Paris. Commencé en 1943, un vaste mouvement de décentralisation musicale se poursuit en province [...].[305]

Cet article paraît à côté de la photographie d'André en page 2. Impossible, ayant reçu un exemplaire à Paris, qu'André n'ait pas montré l'entrefilet à Gilles et que celui-ci n'ait pas lu la nouvelle. Deux ans plus tard, à son retour définitif au Canada, Gilles Lefebvre va fonder les Jeunesses Musicales du Canada avec l'aide de Madame Anaïs Allard Rousseau, de Trois-Rivières, qui mettra à sa disposition la structure mise en place six ans plus tôt pour le Club musical André Mathieu, alors qu'André sera exclu de l'organisation et qu'il ne sera jamais invité à donner ne serait-ce qu'un récital. Dans le documentaire de Jean-Claude Labrecque, Gilles Lefebvre déclarera : « La chose qui m'aurait fait le plus plaisir, ça aurait été de présenter André en tournée Jeunesses Musicales, mais tout à coup il a enchaîné sur les pianothons, il a enchaîné sur une carrière de faux vedettiste [sic] qui a fait finalement tort à toute sa réputation et à sa musique... »[306] Nous y reviendrons.

Un témoignage précieux d'un autre pensionnaire de la Maison canadienne à Paris nous vient de Laurent Chapdelaine, qui débarque à Paris en juin 1947. La règle voulait que deux étudiants partagent une chambre pendant leur séjour à Paris. Dès le début, il avait été clair pour tout le monde qu'André Mathieu devait avoir « sa » chambre. Quand Chapdelaine arrive à la Maison, on lui annonce qu'il devra partager celle d'André Mathieu pour quelques jours. La maîtresse des lieux le prévient qu'André va sûrement vouloir lui emprunter de l'argent... Quand il rencontre André, Chapdelaine lui offre ses félicitations pour le *Concerto de Québec*. André lui dit que le vrai titre de l'œuvre c'est le *Concerto Romantique* mais il est tout de même content du succès du film. Une autre image qui reste dans la mémoire de Chapdelaine, c'est de voir André, tôt le matin, peler des

---

305. *Le Passe-Temps*, février 1947, p. 3.
306. Gilles Lefebvre, *André Mathieu, musicien*, documentaire de Jean-Claude Labrecque, 1993, interview de Francine Laurendeau.

pommes de terre et les manger crues. Ou encore, évocation plus révélatrice, André écrivant une partition d'une main et buvant à même la bouteille de l'autre… Chapdelaine séjournera lui aussi chez la baronne le Clément de St-Marcq, à Gand. C'est elle qui lui apprend qu'André « avait dilapidé la somme que son père lui avait fait parvenir pour son retour, hélas, pour mener une vie dissolue : l'alcool… » André a quand même donné quelques récitals en Belgique comme en font foi plusieurs articles de journaux belges.

Rituel immémorial, la transition de l'adolescent à l'adulte passe par l'éloignement du nid familial et permet à ces jeunes gens d'explorer et d'affirmer leur identité affective et sexuelle. Pour André, qui deux ans avant son départ, s'est retrouvé le cœur brisé, Huguette Oligny lui ayant posé un lapin au théâtre Saint-Denis, Paris serait une occasion rêvée de se trouver. Mais non, en mars, il pense encore à elle et, selon Marcel Turgeon, lui téléphone. Turgeon, qui restera son ami et assistera même à son mariage, se rappelle qu'André était encore habité par cet amour. « Il en parlait souvent. André était bel homme, il ne laissait pas les femmes indifférentes. Même s'il y avait plusieurs femmes qui tournaient autour de lui, à aucun moment l'ai-je vu profiter de l'intérêt qu'une d'elles pouvait lui manifester. Et puis à Paris, quand on a vingt ans, nous allions tous à la rencontre des belles-de-nuit… Jamais André ne nous a accompagnés […]. »[307]

Enfin, André s'embarque début septembre sur le *Mortain*, un navire marchand qui prend aussi des passagers ; ils sont sept à bord. On est loin du *Normandie*. Le jeudi 18 septembre 1947, toute la famille vient l'accueillir à la gare Windsor. André ne le sait pas, mais il vient de revenir pour ne plus jamais repartir pour l'Europe, bien qu'à chaque interview, à chaque article, à chaque émission de télévision ou de radio, il annoncera être sur le point de repartir pour Paris, afin de créer une œuvre ou de partir en tournée pour quelques mois à travers l'Europe… On ne peut s'empêcher d'établir un lien avec cet autre personnage allégorique, l'oncle Édouard du roman *Des nouvelles d'Édouard* de Michel Tremblay. Sans sa famille, sans les siens, loin de ses racines, André n'arrive pas, lui non plus, à réaliser son indépendance. Il y a trop longtemps qu'il vit de l'approbation

---

307. Marcel Turgeon, entretien avec l'auteur, le 12 août 2007.

des siens, de leur admiration, de leur regard, qu'ici, à Paris, personne ne peut vraiment l'atteindre, le soutenir. Il n'arrive pas à remplacer la cellule-père. Il est seul. Une première fois, en 1939, André, sans le savoir, avait quitté Paris pour plusieurs années. Maintenant, presque adulte, fort du réseau que son charme l'a aidé à établir, il choisit de rentrer à Montréal, de fermer à nouveau une porte comme il l'avait fait en quittant New York en 1942. Si de l'autre côté de l'Atlantique on est prêt à en faire un des meilleurs musiciens du monde – l'offre de Cortot est assez éloquente – de ce côté-ci, il est déjà une star, même s'il est privé de cet oxygène culturel qui le replonge dans un désert sans structure, lui permettant de se dépasser et de grandir.

CHAPITRE VII
RETOUR AU PAYS : LA CHUTE ET L'INDIFFÉRENCE

À peine André rentré au bercail rue Berri, son ami Gilles Potvin maintenant journaliste au journal *Le Canada*, accourt pour recueillir *al fresco* les impressions du jeune maître. L'article est important. Pour les projets, pour les souvenirs, mais surtout pour ce ton, si sûr de lui, si confiant et si plein d'espoir :

> ANDRÉ MATHIEU REVIENT ENCHANTÉ
> DE SON VOYAGE D'ÉTUDE À PARIS
>
> Rayonnant de santé et débordant d'enthousiasme, André Mathieu est arrivé hier midi à Montréal après un séjour de près d'une année en Europe. C'était le troisième voyage en France de notre jeune compatriote et ce n'est pas sans émotion, nous avoue-t-il, qu'il a de nouveau posé les pieds sur la terre de France et dans cette ville de Paris où jadis on l'avait proclamé le Mozart de l'Amérique [...].
>
> Le but principal de son dernier voyage était la poursuite de ses études de piano et de composition. André Mathieu a eu le grand privilège d'étudier avec le maître Arthur Honegger qui est indiscutablement un des plus grands compositeurs français de l'heure actuelle. Pour ses études de piano il a trouvé en la personne de Jules Gentil un guide des plus autorisés. Dans ses moments de loisirs, André a traversé des frontières. Il est allé en Belgique où il a été reçu en audience par le Prince-Régent Charles et la reine Elisabeth et où il a donné quelques récitals dont un à Gand. Il a également visité une partie de l'Allemagne d'où il est revenu avec la conviction que le peuple allemand est celui qui souffre le plus actuellement. « J'ai assisté à une représentation de *Tristan et Iseult* dans la ville allemande d'Aix-la-Chapelle. Le toit du théâtre était à plusieurs endroits percé de trous de bombes. La température était très froide. Tous les sièges étaient occupés par des gens qui semblaient vivre dans un autre monde, des gens qui écoutaient avec une ferveur religieuse la divine musique de Wagner. C'est une chose que je n'oublierai certes pas », a dit André Mathieu.

> « J'ai également visité la Normandie, Lisieux, Caen. Un peu partout, on a l'impression de se promener au milieu des ruines datant d'un autre âge. Des villes et des villages complets ont disparu. C'est un spectacle très déprimant. »
>
> « À Paris par contre », continue André, « la vie intellectuelle et artistique est plus florissante que jamais, malgré l'instabilité économique qui règne actuellement. La France, Paris spécialement, demeurera toujours le centre mondial de la vie intellectuelle. »
>
> Durant son séjour à Paris, André Mathieu a écrit plusieurs œuvres dont un Trio pour cordes et plusieurs mélodies pour la voix. Il nous apprend qu'un pianiste américain du nom de Julius Katchen a créé une véritable sensation à Paris. Il a retrouvé de ses amis d'avant-guerre, le compositeur Florent Schmitt, le Comte de Maublanc, le pianiste Lévi Alvarez et il a eu le grand plaisir de rencontrer des personnalités comme Jean Cocteau, les vedettes de cinéma Jean Gabin et Vivianne Romance. Interrogé sur ses projets, notre jeune compatriote répond qu'il doit tout d'abord enregistrer sur disque son Concerto de Québec rendu populaire par le film canadien La Forteresse. Il espère également pouvoir donner à Montréal au moins une audition intégrale de cette œuvre.
>
> Parlant des conditions actuelles de vie à Paris, André Mathieu n'a fait que répéter ce que d'autres, revenus avant lui, nous avaient dit. « Il faut, et très souvent, se serrer la ceinture. Le pain est presque immangeable. La viande, le café et autres aliments sont extrêmement rares et se vendent à prix d'or. En un an, je n'ai pas bu une seule goutte de lait. »
>
> Hier après-midi, André Mathieu, avec quelques amis, s'est rendu à un cinéma montréalais afin de voir le film *La Forteresse* au cours duquel est joué le *Concerto de Québec*, une de ses plus brillantes compositions.[308]

André profite de cette lune de miel que tout voyageur éprouve en revenant au pays. Il est optimiste, il se sent solide. Après tout, n'a-t-il pas survécu un an loin de Mimi et de Rodolphe ? Dès que la nouvelle de son retour est connue, Radio-Canada l'invite comme soliste à donner un récital à l'émission *Radio-Carabin*. Il va créer pour la radio ses nouvelles œuvres : les deuxième et troisième mouvements de son *Concerto no 4* : *Nocturne et Finale* – et également en première canadienne, cette *Laurentienne* qu'il a terminée en janvier à Paris. Il jette dans le programme une transcription pour piano –

308. Gilles Potvin, *Le Canada*, le 19 septembre 1947.

Complainte – une de ses *Scènes de Ballet* écrites probablement pour l'*Orchestre de la Jeunesse* – qui semble-t-il a disparu avec son départ pour Paris. S'il y a une qualité aussi rare que précieuse, c'est bien la fidélité. Il est d'autant plus émouvant de voir le grand Arthur Laurendeau donné le « la » au reste du milieu médiatique. Il célèbre dans son compte rendu critique de l'émission le retour du fils prodigue :

> L'autre soir, à Radio-Canada, André Mathieu donnait son premier concert depuis son retour de Paris. Ce qu'il faut saluer d'abord, c'est la maturité, l'ampleur, la richesse et la variété de ce talent. On assiste à un essor magnifique, à une évolution rapide vers la maîtrise.
>
> Son *Quatrième concerto* pour piano affirme des qualités hors pair. André Mathieu se moque de la forme scolastique. Il conçoit librement d'après les canons de son inspiration – je ne veux pas dire qu'il est ignorant des formules – je veux dire qu'il les oublie dans les jeux de son imagination. Si l'on voulait définir d'un mot ce tempérament, on dirait qu'il est une vitalité enivrée de sa force. Il éclate dans une puissance rythmique frémissante, dans un ruissellement d'arpèges étourdissants. Selon le mot de Goethe, la composition chez André Mathieu est une délivrance. Il arrive à tout le monde d'être obsédé par une mélodie, de ne pouvoir s'en débarrasser qu'en la chantant à satiété. Chez un André Mathieu, cette obsession est enracinée au plus profond de l'esprit. Il s'agit de « désenganguer » cette idée, de la pousser au jour. À l'audition des œuvres de Mathieu, on assiste pour ainsi dire à cette opération primaire. Les éclats en volent de toutes parts, poussés par une force juvénile. En un mot, nous retrouvons toujours dans ces pages la spontanéité la plus rare et la plus authentique. Les cascades éblouissantes reposent sur un fond solide et bien bâti. De plus, le pianiste est à la hauteur du compositeur. Il combine, d'un ensemble rare, la force et le charme, la douceur et l'intensité [...]. On n'en finirait pas de louer cette féerie rythmée et colorée.
>
> Il est difficile de prévoir ce que devient le talent. Si celui-ci maintient sa ligne, son élan, s'il continue de s'inspirer à la source la plus secrète et la plus intime du cœur et des sens, il sera bientôt au sommet.[309]

Six jours plus tard, André donne un récital à l'École supérieure d'Outremont; après un premier groupe de pièces où il reprend ses œuvres d'enfance, il

309. Arthur Laurendeau, *Le Devoir*, octobre 1947.

présente en création montréalaise, les *Bagatelles no 2 et no 3*, et remet au programme les deux derniers mouvements du *Concerto no 4* et la *Laurentienne no 2*. Enfin, moins d'un mois après son récital à l'émission *Radio-Carabin* à Radio-Canada, il est réinvité à l'émission *Radio Concerts Canadiens*. Dans les temps anciens de la radio, les interviews étaient entièrement écrites, et l'annonceur et l'invité lisaient le texte des questions et réponses dont ils avaient convenu de parler. En citant des extraits de cette rencontre radiophonique, nous dresserons un bilan de l'année à Paris et également, à la lueur de ce que nous connaissons, nous pourrons déceler les embellissements apportés par André. L'intervieweur ici, est Albert Duquesne[310] :

Albert Duquesne : Mon cher André, puisque vous avez consenti à m'accorder cet entretien, je vais vous poser un certain nombre de questions [...]. Vous venez de rentrer d'un assez long séjour à Paris [...]. J'imagine avec quelle émotion vous avez dû revoir cette ville qui vous avait fait un si chaleureux accueil [...]. Et je voudrais vous entendre dire ce que vous y avez fait.

André Mathieu : J'ai étudié... Car à mon âge, on n'a pas fini d'étudier... J'ai suivi des cours de perfectionnement avec Honegger... et avec Jules Gentil, à l'École normale de musique... J'étais le seul élève d'Honegger et je sais que je dois cette faveur à l'amitié qui le lie avec mon père. J'ai aussi beaucoup écrit durant ce séjour à Paris... Un *Quatrième Concerto*, que je suis en train de mettre au point... Un *Trio* pour cordes (et piano), quatre *Bagatelles* pour piano... Un *Nocturne* pour violoncelle, sept *Mélodies* pour la voix sur des poèmes de Verlaine et de Pierre Louys, une *Fantaisie normande* pour piano et une deuxième *Laurentienne*...

A. D. — Vous avez déjà fait entendre quelques-unes de ces œuvres à votre récital à l'école de musique d'Outremont, n'est-ce pas?

A. M. — Oui, toutes les compositions pour piano...

A. D. — Mais vous avez aussi joué à Paris...

310. Albert Duquesne (1891-1956). Il a incarné le personnage d'Alexis Labranche du radio feuilleton *Un homme et son péché* de Claude Henri Grignon de1939 à 1956.

A. M. — Oui, j'ai donné quelques récitals à Paris... D'abord, j'ai représenté le Canada à un concert international à la Sorbonne, puis j'ai été invité à jouer chez Madame Bianchini, qui tient le salon musical le plus célèbre de Paris... J'ai fait une tournée en Belgique... À Bruxelles j'ai été invité à jouer à la cour, devant le prince régent et la reine Elisabeth... En tout j'ai donné vingt-trois concerts...

A. D. — Je sais que vous avez joué comme soliste avec plusieurs des grands orchestres symphoniques, dont celui de Montréal, mais vous avez joué avec un grand nombre de chefs d'orchestre...

A. M. — Oui... Avec Sir Thomas Beecham, Désiré Defauw, Wilfrid Pelletier[311], Léon Barzin, André Kostelanetz, Jean Morel, et Rudolf Ganz... Avec l'Orchestre Philharmonique de New York, j'ai joué mon deuxième concerto [concertino]...

A. D. — Combien d'œuvres avez-vous écrites ? Une centaine, probablement ?

A. M. — Un peu plus...

A. D. — Et maintenant, André, puisque vous avez bien voulu y consentir, vous allez jouer votre *Troisième Concerto*, celui que tous vos auditeurs connaissent pour en avoir entendu un mouvement dans le film *La Forteresse*...

A. M. — ...qui n'a pas été composé en vue de cette utilisation par le cinéma... Ce concerto a été écrit quand j'avais treize ans... Ceux qui me suivent savent que c'est bien différent de ce que j'écris maintenant... Mais je suis content de l'occasion que vous m'offrez, car ce sera la première fois que je jouerai moi-même ce concerto...

Et un autre annonceur enchaîne : « Vous allez entendre le *Troisième Concerto* d'André Mathieu, joué par l'auteur, accompagné par l'orchestre,

311. André mentionne toujours Wilfrid Pelletier parmi les chefs d'orchestre avec lesquels il a travaillé. Nous n'avons pu retrouver aucun concert où les deux musiciens se seraient retrouvés sur la même affiche.

sous la direction de Jean Deslauriers. » Pour conclure le programme, André jouera trois de ses *Bagatelles*.

Rentré au pays avec les honneurs que la nation doit réserver à ses fils prodiges, André retrouve son public, ses auditeurs, seule la SCSM n'entend pas son appel. Dans une lettre du 19 novembre 1947, le président de Québec Productions Corporation, René Germain, écrit à André : « … Il me fait plaisir de vous confirmer que nous vous permettons de jouer le concerto dimanche prochain et vous pourrez vous mettre en communication avec Monsieur Jean Deslauriers, notre directeur musical, pour obtenir une copie de celui-ci. Je me souscris, votre tout dévoué, René Germain, président. » Le « dimanche prochain » en question, c'est le 23 novembre, et c'est à nouveau la Société Radio-Canada qui demande à André d'enregistrer l'intégrale du *Concerto de Québec* avec l'orchestre de Radio-Canada dirigé par Jean Baudet, dans le cadre des échanges avec Radio France du service international de Radio-Canada, mais diffusé en direct sur les ondes de Radio-Canada. Cet enregistrement est un témoignage qui nous fait entendre André lui-même au piano et l'orchestration intégrale que Jean Deslauriers a réalisée pour le film *La Forteresse*. Document historique indispensable, qui nous montre le pianiste en action, en direct, sans montage. L'enregistrement étant réalisé pour le Service international de Radio-Canada, André est brièvement interviewé :

Annonceur : Monsieur Mathieu, parmi les concerts parisiens qu'il vous a été donné d'entendre la saison dernière, y en a-t-il un dont vous aimeriez nous parler ?

André Mathieu : À l'École normale de musique, j'ai assisté à une audition des œuvres de Messiaen par les élèves de l'École ; l'exécution en était remarquable.

A. — Et parmi les œuvres nouvelles que nous ne connaissons pas encore ici, y en a-t-il une qui vous paraisse particulièrement représentative des nouveaux courants musicaux ?

A. M. — *L'Île Rouge* de Pierre Capdevielle m'a fortement intéressé parce qu'entièrement dégagée de toute influence debussyste ou ravélienne.

A. — Monsieur Mathieu, pourriez-vous me dire à nos auditeurs d'outre-mer un mot de la jeune musique canadienne?

A. M. — À mon avis, il y a deux courants de la musique canadienne : le premier s'inspire du folklore canadien, et celui qui évolue dans la voie des grands axes contemporains.

A. — Maintenant que vous voici parmi nous, quels sont vos projets Monsieur Mathieu?

A. M. — Je me prépare à partir en tournée à travers tout le Canada avec un programme de mes œuvres anciennes et nouvelles. Mais d'ici là, je dois enregistrer mon *Concerto de Québec* pour une compagnie canadienne. Et l'an prochain, eh bien, j'espère retourner à Paris pour me retrouver dans cette atmosphère intense, stimulante, si nécessaire à la création.[312]

Toujours ses tournées qui ne se réaliseront jamais, toujours ces projets inaboutis, toujours ces rêves avortés… Tout cela fait partie de la mécanique de survie et de création mise en place par les Mathieu. André procède avec la réalité de la même façon qu'avec la musique : il improvise jusqu'à ce qu'une œuvre se dessine et se détache et il fabrique des rêves jusqu'à ce qu'il y en ait un qui devienne réalité. Cela correspond aussi aux images que Jacques Languirand évoque dans le film de Jean-Claude Labrecque : « Une chose qui m'a beaucoup frappé et qui encore aujourd'hui me trouble énormément, c'est que tout le monde vivait dans les bagages; les malles étaient là et quand il se cherchait une chemise, il allait dans la malle, mettait une chemise au linge sale et l'autre, il la trouvait nécessairement dans la malle. Ces gens ont vécu pendant des années dans la perspective de retourner en Europe ou de partir. C'était des gens du voyage qui ne voyageaient pas… »[313] André garde cependant le contact avec ses amis belges et, des deux côtés de l'Atlantique, on nourrit cette nouvelle amitié. Le Baron le Clément de St-Marcq le remercie pour le film *La Forteresse*. André leur a expédié une copie qu'ils ont visionnée à Gand et « à Bruxelles bientôt ». Le baron joint à la lettre quelques coupures de journaux parlant du film. Le post-scriptum est plein de promesses : « Nous désirons obtenir un

312. André Mathieu, interview du 23 novembre 1947, Radio-Canada international.
313. Jacques Languirand, *André Mathieu, musicien*, documentaire de Jean-Claude Labrecque, 1993, interview de Francine Laurendeau.

disque ou deux du *Concerto de Québec*, Sa Majesté la Reine désirerait en avoir un également et voudrait vous écouter, lors de votre rentrée en Belgique!!... »[314] André pourrait retourner en Europe. De plus, Les Jeunesses Musicales, ce mouvement créé sous l'Occupation pour détourner les jeunes de l'action politique, se développe et André pourrait être un excellent candidat pour mettre sur pied les échanges Europe-Canada.

Son retour d'Europe, avec les articles dans les journaux, ce récital à Outremont et ses trois émissions à Radio-Canada en moins de deux mois, ce *Concerto de Québec* qui a ravivé son image et redoré son blason – si besoin était – s'est fait avec panache. Pour son édition du mois de novembre 1947, il fait la couverture de *La Petite Revue* avec la photo la plus connue que nous ayons de lui, celle du studio Larose. Rose Leclerc, l'auteur de l'article, conclut :

> André Mathieu nous déclare du style musical adopté qu'il est du pur « romantique moderne ». Sans doute, ajoute-t-il, ce romantisme sera différent de l'ancien. Il aura cette qualité sans laquelle une musique en cultivant le formalisme au-delà d'une certaine période d'exaltation, s'académise...
>
> Réticent, presque timide quand on veut le forcer à parler de lui-même, l'artiste se livre aisément pour discuter évolution musicale, avenir artistique de notre race. Dans l'ambiance d'un foyer où il règne parce qu'il y est compris, André travaille, il continuera à créer pour les siens, ces Canadiens dont il avoue candide et fier : « Oh! Oui, je sens qu'on m'aime bien!... » Virilisé, ayant appris beaucoup de la vie, sachant où il en est, sûr de lui, sans fatuité, c'est l'artiste, le pianiste-compositeur qui dorénavant s'affirmera dans ses œuvres : il a franchi l'étape délicate, souvent épineuse de « l'enfant prodige ». [315]

Le mois suivant, un autre article paraît dans le magazine anglophone *Horizon*. La journaliste Diane Carel offre un résumé bien documenté et, là encore, cette célébrissime photo du studio Larose, qui ajoute au glamour de ce survol de carrière, cette image du jeune premier dont le charme opère encore une fois.

---

314. Le Baron le Clément de St-Marcq, lettre du 26 octobre 1947, Fonds Famille Mathieu, Archives Nationales du Canada, Ottawa.

315. Rose Leclerc, *La Petite Revue*, novembre 1947.

L'année 1947 se termine avec éclat. L'avenir s'annonce glorieux. Le Canada français a accueilli son « Mozart canadien » comme il le devait. Après un retour aussi réussi, André a dû croire que les offres de récitals et de concerts allaient pleuvoir. Il attend sans doute des commandes importantes, il a prouvé que sa musique passait admirablement au cinéma et, même si l' Orchestre de la Jeunesse est resté un beau rêve, les œuvres qu'il a composées pour lui sont dans ses tiroirs et attendent le prétexte d'une exécution pour être terminées.

Pourquoi alors n'y aura-t-il que quatre événements répertoriés pour l'année 1948 ? Un récital standard présenté par le Club André-Mathieu de Trois-Rivières qui reçoit, pour la première fois, l'artiste qui a donné son nom à cette association. Les trois autres concerts d'André ne sont en fait que des apparitions, des caméos ou des participations. Le lundi 1er mars, il est invité à célébrer les vingt-cinq ans de la station radiophonique CKAC, le vendredi 9 avril, son nom ajoute un peu d'éclat à un débat présenté au Palais Montcalm de Québec, et enfin ses amis O'Leary l'invitent à donner un court récital pour les membres de l'Union des Latins d'Amérique. Tous ces événements auxquels il prête son prestige réussissent sans doute à attirer un plus large public, grâce à sa célébrité, mais ce n'est pas une carrière ! Imperceptiblement, la conjoncture politique, sociale et médiatique qui a fait d'André Mathieu la figure de proue du Canada français se modifie. Preuve supplémentaire que l'artiste est bien décidé à se reprendre en main, André lui-même, peut-être pour la première fois de sa vie, rédige sur une feuille « une tenue de livres d'André », de ses cachets depuis son retour à Montréal :

1'	LES CARABINS	$200.00
2'	OUTREMONT	$200.00
3'	UNIVERSITÉ	$148.00
4'	AMÉRIQUE DU SUD	$125.00
5'	PARIS	$300.00
6'	CHANT DE LA VICTOIRE	$15.00
7'	COMPLAINTE C.K.A.C.	$20.00
8'	MOLSON	$250.00
9'	ACTON VALE	$180.00
	EN CAISSE	$110.00

1948

L'année 1948 s'ouvre donc pour André avec une invitation de Paul L'Anglais lui-même à venir assister, à ses frais, à la première canadienne de *Whispering City*, la version anglaise de *La Forteresse*, au théâtre Palace de Montréal, le 21 janvier à minuit.

Le mardi 17 février, il va jouer pour le Club André-Mathieu. La critique de Trois-Rivières ajoute les siennes au chœur de louanges habituelles et pose le bémol que nous en arrivons presque à anticiper : « Dans la seconde partie du programme, l'immortel *Clair de lune* de Debussy nous faisait connaître et apprécier davantage une technique peu commune chez un jeune interprète. La *Polonaise en la bémol* (Chopin), jouée un peu trop bruyamment et avec moins d'assurance, nous faisait regretter quelque peu la douce et plaisante harmonie du moment précédent ».[316]

À l'été 1948, André avec la collaboration d'un dénommé Philippe Beauchamp et avec bien sûr, l'approbation de Rodolphe qui veille aux intérêts et au renom de la famille, va souhaiter mettre sur pied un organisme : l'Aide aux Jeunes Musiciens. Quatre lettres nous rendent compte de ce projet qui tourne court avant d'être né. Il appert que Philippe Beauchamp aurait ramassé des dons, tant auprès d'institutions que d'entreprises ou d'individus, et que des ennuis financiers personnels l'auraient peut-être temporairement amené à équilibrer son budget à même les fonds récoltés. Rodolphe va comme à son habitude sortir le fouet et inviter ce collaborateur récalcitrant à faire amende honorable : « Si plus tard, il vous fait plaisir de vouloir continuer à travailler à cette œuvre, je serais heureux de vous accepter avec un contrat en conséquence, comme c'est d'ailleurs votre avis ; à condition naturellement que vous ne croyiez pas encore que nous sommes des imbéciles et que nous ne respectons pas notre parole, comme vous nous avez dit cet après-midi. Mais, je ne vous tiens pas rancune, Monsieur Beauchamp, pour ces paroles, car dans une autre circonstance vous n'auriez pas parlé ainsi, je vous sais trop bien élevé pour cela. »[317] André ira jusqu'à écrire à l'honorable Maurice Duplessis pour lui demander son « aide aux Jeunes Musiciens dont je suis le président

316. Journaliste inconnu, *Le Nouvelliste*, le 18 février 1948.
317. Rodolphe Mathieu, lettre à Philippe Beauchamp, Fonds Famille Mathieu, Archives Nationales du Canada, Ottawa.

fondateur… » André décline les buts de l'organisation : « Apporter l'encouragement nécessaire à nos jeunes talents canadiens, en les aidant à se produire en public et en les guidant dans leurs activités, par des conseils précieux d'autorités compétentes qui leur seront distribués par la voix de la revue officielle de notre organisation qui sera distribuée dans tous les milieux aptes à servir notre cause et par des concerts publics […]. J'ai l'honneur de solliciter votre distingué patronage en nous favorisant d'un court message d'approbation ainsi que d'accepter la première présidence d'honneur… » André, dans cette lettre, manifeste au premier ministre Duplessis sa reconnaissance pour avoir été, avec ses parents, l'artisan de « ses succès actuels » grâce à la bourse de 1936.

> Vous ayant suivi et admiré dans vos activités et dans vos actes, j'en suis venu à la conclusion que, à mon humble avis, vous êtes l'un des plus grands Premiers ministres de la Confédération et le SEUL défenseur et représentant actuel de la Race Canadienne Française. Et ce n'est pas un musicien qui vous écrit, mais tout simplement un Canadien français reconnaissant. Pour terminer, Monsieur le Premier Ministre, je tiens à vous dire que j'ai toujours eu comme principe ceci : nous, Canadiens français, avons cessé d'être des vaincus et les « autres » ont cessé depuis longtemps d'être des conquérants…[318]

Si on ajoute ce texte à l'un des trois articles (voir en Annexe : « Écrits d'André Mathieu ») consacrés à la création d'un Centre artistique à Montréal, André Mathieu n'a pas baissé les bras ; il se bat pour mettre en place une structure qui remplacera et succédera aux efforts de son père. Il a dix-neuf ans et Rodolphe cinquante-huit. Il sait qu'il doit s'assumer, il peut rêver l'avenir, mais il n'a pas reçu, on ne lui a pas transmis les outils fondamentaux pour concrétiser ses idées visionnaires. Cette lettre à Duplessis, véritable serment d'allégeance, peut étonner aujourd'hui. Mais il ne faut pas oublier que Duplessis, sans prévenir personne, a hissé le drapeau fleurdelisé au mât du Parlement de Québec le 21 janvier 1948. De plus il vient d'être reporté au pouvoir avec, encore une fois, une majorité écrasante, et le sera encore deux fois avant de mourir en 1959. Il est le rempart de la nation et représente pour la majorité des Québécois ce « gros bon sens » qui rassure tout le monde.

---

318. André Mathieu, lettre à Maurice Duplessis, été 1948, Fonds Famille Mathieu, Archives Nationales, Ottawa.

Y a-t-il une tentative de percée au Canada anglais ? Avec la distribution du film *Whispering city*, nous avons retrouvé un télégramme daté du 8 août 1948 envoyé à Mimi, qui nous apprend que Rodolphe et André sont à Toronto : « quittons Toronto ce jour – train 4:00 – arrive 10:15 – amitiés André ». André a-t-il donné un récital... ? Il ne semble pas y avoir eu de suite.

ANDRÉ MATHIEU ET LA MODERNITÉ

Déjà, pour son récital du 18 novembre 1945, André avait fait l'expérience d'une salle clairsemée. Ce peuple qui l'avait porté aux nues n'est pas venu. Ce retour de Paris le rassure sans doute, mais il sent bien malgré tout que quelque chose, là aussi, a changé. André Mathieu est célèbre et comme c'est un personnage public, il va défrayer les chroniques à potins jusqu'à sa mort (et bien au-delà !) Mais sa musique n'intéresse pas le grand public. Oh ! Il va écrire des pièces plus accessibles, où l'élément populaire se mêle à des relents de jazz et de musique de danse, mais ses œuvres sérieuses, personne ne veut les entendre. Sans doute, naïvement, a-t-il cru acquise la dévotion de ces milliers de personnes qui réclamaient son autographe et le regardaient avec des yeux extasiés. Peut-on lui reprocher d'avoir cru que tout naturellement, la curiosité du public et son intérêt grandiraient en même temps que ses dons ?

C'est qu'avec la fin de la Seconde Guerre mondiale la société canadienne française, malgré elle, a subi de profondes transformations. Une scène du film de Gilles Carles, *Les Plouffe*, illustre cette cassure mieux que dix analyses sociologiques. C'est le retour de Guillaume de la guerre. Il embrasse sa mère, ils échangent un regard et elle sait que quelque chose est mort à jamais : cette innocence, la perte de notre innocence collective qui s'étalera comme un glissement tellurique jusqu'à l'avènement officiel du Québec moderne de la Révolution tranquille. Maman Plouffe a compris mieux que tous les fondamentalistes qu'on ne peut jamais retourner en arrière et qu'on retrouve toujours difficilement une virginité...

Mais ce Québec qui change, qui se cherche confusément et se débat dans les remugles et méandres d'un magma jadis essentiel à sa survie mais devenu obsolète par l'usure des principes qui n'arrivent plus à englober sa réalité, ce nouveau Québec va se donner les leviers nécessaires pour accéder à la modernité et s'approprier, et non plus subir, ses racines.

Cette même année 1948, le 9 août précisément, Henri Tranquille qui vient d'emménager au 67 ouest, rue Sainte-Catherine, dans ce qui sera le dernier local de sa célèbre librairie, a invité sept femmes et neuf hommes à lancer un petit ouvrage tiré à 400 exemplaires : le *Refus Global.* Les peintres Paul-Émile Borduas, Jean-Paul Riopelle, Marcel Barbeau, Pierre Gauvreau, Fernand Leduc, Jean-Paul Mousseau et Marcelle Ferron, la comédienne Muriel Guilbault, les poètes Claude Gauvreau et Thérèse Leduc, la designer Madeleine Arbour, la chorégraphe Françoise Riopelle, le psychiatre Bruno Cormier, le photographe Maurice Perron, l'éclairagiste Louise Renaud et l'artiste multidisciplinaire Françoise Sullivan sont les signataires du texte.

> Rejetons de modestes familles canadiennes-françaises, ouvrières ou petites-bourgeoises, de l'arrivée au pays à nos jours restées françaises et catholiques par résistance au vainqueur, par attachement arbitraire au passé, par plaisir et orgueil sentimental et autre nécessités.[319]

Ce cri assourdissant qui, encore aujourd'hui, nous étourdit par la pertinence de ses revendications, ne sera pas entendu. À l'époque, les journaux, l'Église, Duplessis et la radio étouffent l'ouvrage et ce *Refus Global* est refusé par toute une société qui n'a même pas eu vent de son existence. Aujourd'hui, considéré comme un des moments fondateurs de notre modernité, sa lecture reste douloureusement actuelle. Curieusement, aucun musicien n'a ajouté sa signature au bas du manifeste. Pourtant, André Mathieu connaît bien Henri Tranquille et sa femme. Il leur a écrit quand il était en Europe, sur le ton le plus familier. André ne pouvait pas ne pas avoir rencontré ces peintres et ces artistes et toute cette faune pensante pour lesquels la librairie Tranquille était un passage obligé. L'aquarelliste Maurice Domingue, qui a exposé en 1946 à la librairie Tranquille, a même réalisé trois superbes dessins au plomb de la tête d'André. Pourquoi alors le jeune homme qui rentre de Paris n'appose-t-il pas sa signature au *Refus Global* à côté de celles des autres jeunes loups ?

André, s'il aime ce milieu bohème, artiste, « libéré », n'est pas intéressé par ces nouvelles tendances des arts en général et de la musique en particulier. Il aura des coups de cravache rageurs et écrira des articles vitrioliques sur

---

319. Paul-Émile Borduas, *Refus Global*, Éditions de l'Hexagone, 1990, p. 65.

la musique nouvelle. À la fin de sa vie, Serge Garant deviendra sa tête de Turc. André Mathieu tient donc une position plutôt passéiste ou même réactionnaire face à la modernité. Il n'est pas étonnant de le voir s'exclure lui-même de toute l'avant-garde. Par ailleurs, une fois que le grand public eut déplacé vers une autre idole les espoirs et émerveillements d'une nation avide de miracles et de mystères sacrés, une fois son statut de représentant de la nation, à l'intérieur comme à l'extérieur, épuisé, quand il a revêtu des pantalons longs et qu'il s'est dépouillé de son costume d'enfant prodige, André Mathieu intéresse toujours le grand public, certes, mais sa musique est à la fois trop savante pour les habitués d'opérette ou de chansons et trop populaire pour le milieu musical et l'intelligentsia de Montréal.

De plus, ses choix et positions esthétiques charrient les valeurs d'avant-guerre, donc du passé. Conséquemment, ces valeurs sont à honnir aux oreilles de ceux pour qui une rupture s'impose, ou alors affichent les séductions issues du jazz ou de la musique populaire tout en gardant une facture pianistique du plus haut niveau. La phrase d'André « Je suis venu au monde adulte » prend tout son sens : enfant, il a déjà choisi son esthétique qui ne correspond plus à celle des gens de son âge. À l'orée de la vingtaine, il a déjà depuis longtemps commencé à s'éloigner de la modernité qui frappait les auditeurs de ses premières œuvres pour inclure de plus en plus un romantisme moderne qui flirte parfois avec ce genre facile et accessible de la musique populaire. André a déjà un passé glorieux, pour le compositeur et l'homme, c'est comme si l'avenir avait déjà eu lieu.

Dans un communiqué de presse pour annoncer l'exposition rétrospective[320] d'août 1949, Tranquille écrit : « Ceux qui souhaitent l'épanouissement des arts peuvent y contribuer en marquant de façon efficace leur appréciation de tel ou tel artiste, soit en allant à un récital d'un André Mathieu, soit en lisant les ouvrages de Jean-Jules Richard, soit en faisant l'acquisition d'une toile éloquente du jeune peintre non encore célèbre [...]. »[321]

320. Henri Tranquille a présenté des expositions solo pour les jeunes peintres qui montent durant toute sa carrière. En 1949, il organise une exposition-rétrospective à laquelle treize peintres et un sculpteur sont invités à soumettre deux œuvres de leur production récente.

321. Yves Gauthier, *Monsieur livre, Henri Tranquille*, Septentrion, 2005, p. 215.

Dans une interview qu'il accordera à la radio de Radio-Canada près de vingt-cinq ans plus tard, l'écrivain Jean-Jules Richard, lui aussi ami de Tranquille, se souviendra que c'est à cette époque qu'il avait rencontré André Mathieu « qui avait quatorze ans mais avait l'air d'un homme de vingt-cinq ou vingt-six ans. Il était très mûri physiquement... physiquement en tout cas [...]. Avec André Mathieu, j'ai écrit un livret d'opérette qui s'appelait *Le Marchand de Fruits*, qui se passe à Montréal. Le premier acte se passe dans la ruelle, un bonhomme criait : " Des pommes, des poires, des pêches, des ananas, des fraises etc. Ensuite, le deuxième acte se passe au parc Lafontaine et finalement le troisième à la Montagne...Je suis encore à attendre la musique... " »[322]

Autre facteur non négligeable, la machine à rumeurs s'est mise en marche. Il y a longtemps que les excès d'André lui ont dessiné un personnage de viveur, buveur, mauvais garçon qui effraie l'establishment. Comment expliquer autrement que la Société des Concerts symphoniques de Montréal ne le réinvite pas, soit pour jouer son *Concerto no 3*, soit pour une œuvre du répertoire, lui qui aime tant les *Variations symphoniques* de Franck ? Par ailleurs, il est difficile d'expliquer pourquoi, malgré la popularité d'André Mathieu, et à l'exception du *Concerto de Québec* qui sera publié justement à 1948, aucune de ses œuvres ne sera éditée en musique en feuilles. Pour un artiste, qui fait partie du paysage artistique des Canadiens français, il demeure incompréhensible qu'aucune compagnie de disques n'ait invité le pianiste à enregistrer quelques 78 tours de ses œuvres. Il n'existe que le superbe enregistrement de *La Boîte à Musique* réalisé à Paris en 1939 pour justifier et nous faire comprendre l'enthousiasme qu'André a suscité de part et d'autre de l'Atlantique.

Deux lettres de l'automne 1948 font contrepoids aux projets du jeune artiste et tempèrent les rêves et les idéaux ; la première nous vient du célèbre café Esquire, logé au 1224 de la rue Stanley, endroit légendaire où tous les meilleurs jazzmen et bluesmen se succédaient.

---

322. Jean Jules Richard, émission *Leur Violon d'Ingres*, le 28 novembre 1971, interview de Janine Paquet, Société Radio-Canada.

> *Cher monsieur,*
>
> *Nous avons en main un chèque au montant de $5,00, signé par vous et daté du 6 septembre 1948, qui a été retourné par votre banque pour fermeture de compte... Espérant de vos nouvelles avant le 5 octobre [...].*[323]

Le gérant du *Château Louise*, de Louiseville lui écrit :

> *Votre nom apparaît au débit de notre grand livre pour la somme de 10 $. Je compte qu'une personnalité telle que la vôtre se fera un devoir d'honorer ce montant qui vous a été gracieusement prêté pour vous rendre service... R. Lemieux, gérant.*

Est-il nécessaire d'ajouter un commentaire ?

1949

Au niveau professionnel, l'année 1949 tient en dix jours : du mercredi 27 juillet au vendredi 5 août, et ces dix jours se passent en Abitibi. Sinon, pour fêter ses vingt ans, il n'y a absolument rien, ni concert, ni récital, ni participation, ni invitation. À vingt ans, André Mathieu a, dans tous les sens de l'expression, une réputation qui n'est plus à faire et qui le précède et le suit. L'alcool, déjà présent depuis des années, a taillé une brèche dans sa renommée et après la tournée désastreuse que Pierre Péladeau et Jacques Tétrault organisent à l'été 1949, aucune association de concerts ne voudra prendre le risque de l'engager, de peur qu'André ne respecte pas ses engagements.

Les deux imprésarios qui ont misé sur André et surtout réussi à gagner la confiance de Rodolphe sont Pierre Péladeau, notre Pierre Péladeau qui, à vingt-quatre ans, n'est pas encore devenu le « baron de la presse », le légendaire *self-made-man*, et Jacques Tétrault. Apprivoiser Rodolphe n'a jamais été une tâche aisée, mais il y avait entre les deux hommes des affinités de pensée qui ont dû aplanir la méfiance du père. À cette époque de sa vie, Rodolphe cherche un emploi et continue d'enseigner en donnant des cours privés. Il quitte tous les jours le 4519 pour aller s'installer à « sa » table au restaurant La Lorraine, où il note toutes les recherches, les

323. « Dear sir,We have on hand a chèque to the amount of $5.00, signed by you and dated september 6th 1948 which has been returned by your Bank as account closed... Hoping to hear from you before October 5th [...]. »

réflexions, les questionnements qui traversent son esprit supérieurement curieux, intelligent et perspicace. Rodolphe rédige ce qu'il a baptisé lui-même *Le Dernier Testament ou la Vérité révélée par les faits*. Le nom de plume qu'il s'attribue, Lange A. Tomik, le montre très au fait des inquiétudes de son temps. Dans ce recueil de pensées diverses, non encore publié, il y a beaucoup de textes étonnants qui établissent cette communauté de pensée à travers les générations entre Péladeau et Rodolphe Mathieu. En voici une sélection.

> Les Canadiens ont eu l'honneur d'être choisis, dans la Grande Guerre no 2, pour être les premiers à envahir l'Europe. Cela veut dire en langue sensée, que les Canadiens ont eu l'honneur de se faire tuer pour former un quai, servant au débarquement à sec, aux Messieurs venant de l'autre côté de la Manche. Il n'y a pas à dire, le Canada est suffisamment orgueilleux pour comprendre que cela est vraiment de l'honneur !

En réaction au procès de Nuremberg qui s'est tenu immédiatement après la guerre, Rodolphe écrit :

> Désormais, ceux qui déclencheront ou fomenteront des guerres, seront condamnés à mort. Les grandes nations, (surtout l'Angleterre) se garderont bien de fomenter publiquement des guerres. Heureusement qu'il y a encore des petites nations pour faire cette cuisine, au profit des appétits des grands…

Pour ceux qui croient encore que l'à-plat-ventrisme était la seule position des Québécois après le retour de Duplessis, voilà une autre réflexion qui démontre la lucidité et le cynisme de l'homme de cinquante-neuf ans,

> Il y a des profiteurs de guerre, comme il y a des profiteurs de paix. Ce sont les mêmes, c'est-à-dire, ceux qui ont assez d'argent pour gouverner les gouvernements.

Dans la même veine, une pensée originale qu'il est à peine convenable de rendre publique :

> Hitler, Mussolini, Lénine, Marx, Pasteur, Edison étaient des génies humains bienfaiteurs, car ils voulaient, pour l'existence, le perfectionnement de leur race, et de l'espèce. La plupart des fondateurs de fictions religieuses (pour ne pas dire tous) étaient des génies humains malfaiteurs car ils voulaient pour l'existence, l'anéantissement de la conscience humaine au profit d'un au-delà

> imaginaire, la destruction du génie humain au profit d'un troupeau d'abrutis.

L'antiaméricanisme de Rodolphe est aussi virulent que percutant :

> Ce que l'homme de la terre aura vu de plus ridicule, c'est une Amérique voulant rééduquer une Allemagne vaincue, en lui imposant ses mœurs débraillées, sa littérature en conserve, sa musique « libido », son cinéma-images, sa philosophie enfantine et sa démocratie défaillante.

Cette dernière réflexion révèle bien l'ambiguïté morale qui prévaut au retour de la paix :

> En 1948, au même moment qu'une Société des Nations siège à Paris, la Hollande, s'empare illégalement, dit-on, de Sumatra et Java. Pour être logique, il faudrait que la jeune souveraine de Hollande, ses généraux, son gouvernement, soient exécutés comme criminels de guerre. Autrement, les condamnations de Nuremberg et du Japon deviennent elles-mêmes des farces criminelles, des vengeances militaires personnelles.

Si Rodolphe Mathieu et Pierre Péladeau ont pu sympathiser c'est qu'il y avait concordance dans leurs opinions et leurs visions politiques. Quelques années auparavant, dans un article paru dans le journal étudiant de l'Université de Montréal, *Le Quartier Latin*, Pierre Péladeau avait livré cet article étonnant :

> La Honte d'un Siècle
>
> Le scandale le plus cynique de toute l'humanité vient de se terminer : le tribunal international (au sens strict) de Nuremberg a, comme tous le savent, rendu son jugement. De par ce jugement, onze chefs allemands monteront sur la potence pour avoir cru et combattu pour leur peuple… Onze chefs allemands monteront sur la potence pour avoir combattu les internationaux (au sens large)… Onze chefs allemands monteront sur la potence pour avoir perdu la guerre ! Après vingt siècles d'évolution, la civilisation, la grande et belle civilisation moderne en sera encore à recommencer la tragique histoire de César et de Vercingétorix.
>
> Notre but ici n'est pas de disculper les accusés ni de faire une apothéose des régimes totalitaires fasciste ou nazi. Pas du tout. Nous constatons simplement un fait, en l'occurrence le procès lui-même, nous le déplorons comme étant un événement regrettable et sans raison d'être (du moins dans sa forme actuelle).

Les accusés peuvent être coupables de certains crimes et comme l'a si bien dit Ribbentrop dans son plaidoyer, s'ils le sont ils en sont responsables devant leur peuple et non devant un tribunal étranger. Encore moins le sont-ils devant un tribunal de vainqueurs. Car comment l'élément équité, constitutif de la justice, peut-il être mis en valeur par un tribunal de vainqueurs ? On en nie l'existence et aussi celle d'un critère de vérité objective pour y substituer la rancœur et la vengeance de la victoire. Pour cette raison (et bien d'autres) le procès et ses sentences apparaissent comme la mainmise du vainqueur sur le vaincu, comme le paiement de la défaite.

On reconnaît facilement dans les jugements proclamés l'action lâche et hypocrite de l'esprit de gauche. Le procès était jugé avant même d'être entendu, mais pour la gauche il fallait plus que cela. Il importait de détruire l'idéologie créée par les nazis pour y substituer la leur. En condamnant les accusés, les communistes réalisaient un pas important dans l'accomplissement de leur tâche : la négation de l'autorité et l'exaltation du moi commun pour aboutir à l'internationalisme des peuples.

On a condamné les accusés sous un chef d'accusation assez pittoresque. Évidemment à ce qu'on dit, ils avaient commis des crimes atroces légitimant un procès et des sentences. Mais tout de même ces crimes n'étaient pas encore assez suffisants ; on en a donc inventé un autre qui pourrait tous les condenser en les contenant et qui de plus aurait de par lui-même une responsabilité formidable. On inventa le péché le plus funeste : le crime de la guerre d'agression. Quand on se demande qui a découvert et exploité ce chef d'accusation, alors la farce devient réellement bonne. Peut-on concevoir que les États-Unis, l'Angleterre, la France et l'URSS aient osé se porter auteurs de ce chef-d'œuvre ! Ces puissances victorieuses se croient-elles donc exemptes de ce nouveau crime pour ainsi tabler en mesureurs de la justice ? Pourtant l'histoire nous fournit certains faits qu'il serait peut-être bon de ranimer ici. L'extermination des Boers par les Anglais, par exemple. Celle des Indochinois par les Français. Et l'agression encore toute récente de la Pologne, de la Finlande par la Russie. En condamnant les accusés allemands, les alliés se condamnent eux-mêmes et le monde serait en droit de réclamer un procès pour les autres criminels que l'on semble avoir oubliés. Pour ceux-là aussi le procès est jugé avant d'être entendu, mais pour une toute autre raison : ils ont gagné la guerre...[324]

---

324. Pierre Péladeau, *Le Quartier Latin*, le 8 octobre 1946, p. 8.

À cette époque de sa vie, Péladeau, avocat reçu qui ne plaidera jamais, s'improvise agent, imprésario d'artistes. Le meilleur cheval sur qui miser à l'époque est bel et bien André Mathieu. André et Péladeau avaient aussi des sympathies et des souvenirs communs. À l'époque du Bloc populaire, notre futur avocat avait été renvoyé du collège Brébeuf pour avoir distribué le quotidien *Le Devoir* qui soutenait Jean Drapeau, notre Jean Drapeau, qui s'était présenté comme candidat du Bloc populaire canadien à l'élection fédérale partielle du 30 novembre 1942 contre le général Laflèche, candidat du Parti libéral. Le Bloc populaire, le nationalisme et la politique en général leur fournissent des terrains de rencontre inépuisables ; qui plus est, âgés respectivement de vingt-quatre ans pour Péladeau et de vingt ans pour Mathieu, l'alcool a pour eux des attraits auxquels ils ne songent même pas à résister ! « Souverainiste économique d'abord et avant tout »[325] on se prend à essayer d'imaginer les conversations infinies entre l'homme d'affaires et le musicien. Autre point de ralliement entre les deux hommes, leur passion pour Beethoven, qui a dû contribuer à souder leurs relations.

Péladeau s'était associé à Jacques Tétrault pour organiser cette tournée qui se voulait « la plus longue et la plus complète tournée effectuée dans la province de Québec par un artiste compositeur canadien. »[326] Le jeune maître se fera entendre dans les villes suivantes : Amos, Val-d'Or, Rouyn-Noranda, North Bay, Chicoutimi, Saint-Joseph d'Alma, Jonquière, Roberval, Sudbury, Montmagny, Rivière-du-Loup, Rimouski, Matane, Shawinigan, Saint-Jean, Drummondville, Valleyfield, Saint-Hyacinthe, Granby, Sorel, Sherbrooke...[327] « Vivant retiré depuis son retour d'Europe en 1947, André Mathieu n'a cédé qu'après de pressantes demandes de la part de ses imprésarios Péladeau et Tétrault [...]. Il convient de noter qu'il jouera en première audition une adaptation pour piano de son *quatrième concerto...* »[328] Décidément, les jeunes imprésarios ont bien fait leur travail, les articles paraissent dans tous les journaux et dans plusieurs magazines. « Dès les premiers jours de l'automne, le jeune maître entend partir pour l'Europe. » Même si Péladeau n'a pas encore amorcé sa

325. Julien Brault, *Péladeau*, 2008, Québec Amérique, p. 35.
326. *Photo Journal*, le 28 juillet 1949, p. 41.
327. La liste des villes de « la tournée la plus longue et la plus complète » a été dressée à partir des différents articles du temps.
328. *Photo Journal*, le 28 juillet 1949, p. 41.

fabuleuse carrière il sait déjà manier les médias. Dans son édition d'août 1949, *L'Œil* consacre un article important avec « la » photo du studio Larose en couverture : « Le jeune pianiste et compositeur doit parcourir les quatre grandes régions de la province de Québec : la région du lac Saint-Jean, de la rive sud du Saint-Laurent, de l'Abitibi et de Montréal. » L'entreprise se double d'une autre mission pour André :

> Il entrevoit en effet cette tournée non seulement comme une belle et féconde aventure, mais comme une mission. Il veut servir la cause musicale et stimuler l'essor de tel ou tel talent caché ici ou là [...] s'entretenir avec les artistes, discuter avec eux de leurs problèmes techniques et des difficultés de leur carrière, mais faire partager son expérience, indiquer des solutions possibles aux problèmes de leur avancement.
>
> Mais notre jeune musicien a un autre but en entreprenant cette tournée. Il veut ouvrir une voie. Il veut inaugurer la pratique des tournées de province... « Il faut que le devoir du musicien soit bien peu envisagé sous un angle social et patriotique pour qu'on s'intéresse encore si peu à la province où gisent de nombreux talents qui ne demandent pour s'épanouir que des raisons suffisantes d'émulation ». Mathieu veut contribuer à créer des courants entre les petites villes et les grandes et même avec les grands centres musicaux de l'étranger.[329]

Comme André parle aussi d'une tournée de concerts en France, en Belgique et en Hollande, on peut penser qu'il allait reprendre contact avec les dirigeants des Jeunesses Musicales, un mouvement qui s'internationalise. La vie en décidera autrement, Gilles Lefebvre, nous allons le voir, le battra de vitesse.

Dans le magazine *Le Samedi*, du 20 août 1949, André Mathieu s'entretient avec Gaëtan Robert. L'interview s'écarte des communiqués de presse et donne un portrait saisissant d'André à vingt ans :

> Je me trouvais en présence d'un assez grand gaillard au teint basané et au port tranquille, large d'épaules, souriant et le visage comme celui d'un enfant, rêveur, un peu gâté et n'ayant point perdu son expression d'innocence et de naïveté. On devine une certaine bohème dans cette personnalité qui a quelque chose de créole, d'exotique...

329. Pierre Viviers, *L'Œil*, le 15 août 1949, p. 21.

Gaëtan Robert parle ensuite du 4519 Berri et remarque ce que tous les visiteurs ont abondamment commenté : « Trois chats, dont un solide grisou et un beau chien : quatre drolatiques bêtes d'ailleurs multicolores attendaient le visiteur. [...] Et où sont les autres ? M'informais-je. On m'avait en effet prévenu de leur nombre complet : deux chiens, huit chats !... »[330]

Gaëtan Robert : – Vous aimez donc les chats ?

André Mathieu : – Non, je les déteste absolument...

« Nous passâmes à des choses plus sérieuses... »

G. R. — On m'a dit que vous aviez certaines conceptions particulières relativement à cette tournée, certains projets...

A. M. — Oui, c'est vrai. Je ne trouverais pas de contentement suffisant à faire de ma tournée une quelconque promenade triomphale à travers la province... Il faut quelque chose d'autre, quelque chose de plus désintéressé si l'on peut dire.

G. R. — Vous occuper des autres en quelque sorte ?

A. M. — Oui, c'est cela. Il me semble qu'il y a beaucoup à faire pour la province. Un des buts de ma tournée est d'ouvrir une voie, d'inaugurer, de donner un sens aux tournées de province, de contribuer à démultiplier en plus grand nombre. Il faut faire participer la province à la vie musicale, au mouvement musical actuel.

G. R. — Et vos autres buts ?

A. M. — Un, en particulier. Faire la connaissance des jeunes musiciens des petites et moyennes villes, causer avec eux, les aider, favoriser l'émulation, discuter leurs problèmes, etc.

G. R. — J'aimerais maintenant connaître le sens de vos recherches, vos problèmes de créateur.

330. L'année suivante, le ténor Jean-Paul Jeannotte, venu répéter les quatre mélodies de Verlaine qu'il chantera à l'hôtel Windsor, parlera lui aussi de ses partitions empilées sur le piano sur lesquelles les chats trônaient ou qu'ils faisaient tomber sur le clavier.

A. M. — Je déteste parler de ces choses. J'y suis malhabile. Je ne dirai rien, je pense, qui rendit justice aux conceptions qu'un compositeur forme pour le progrès de son art. [Mais Gaëtan Robert insiste.] Eh bien ! Disons que je tends à un romantisme moderne, par tempérament sans doute.

G. R. — Peut-être parce que vous êtes canadien français et que les Canadiens français sont plutôt sentimentaux.

A. M. — Possible. Quoi qu'il en soit, j'aime beaucoup la mélodie…

G. R. — À ce sujet des personnes qui vous ont connu en Europe et qui ont entendu vos œuvres m'ont dit que le don de la mélodie est peut-être ce que vous possédez de plus remarquable.

A. M. — Oui, j'aime la mélodie et je veux rompre avec la manière qu'ont les modernes de miser surtout sur les effets de rythme, sur les effets sonores. Puis je tends spontanément, par nature profonde, à me distinguer des classiques modernes et à donner ce que je possède en propre.

G. R. — Je voudrais vous compromettre. Écoutez, je veux vous engager sur un sujet délicat. Que pensez-vous des musiciens canadiens ?

A. M. — J'en connais qui sont très doués. Il y a des œuvres intéressantes, très intéressantes.

G. R. — Ce n'est pas précisément ce que je désire… Je voudrais que vous méprisiez. Le mépris s'exprime rarement dans notre pays : on le trouve excessif, trop radical : on trouve qu'il est un signe de prétention ; on le trouve déplacé… Dites, que pensez-vous de vos confrères ?

Mathieu réitère ici l'expression de son intérêt pour les travaux des musiciens canadiens français parmi lesquels il distingue trois écoles : une école folkloriste, une école conservatrice, enfin une école qui s'inspire des grands musiciens modernes, qui s'en inspire trop à son avis et les copie. Sur ce dernier point, Mathieu déplore le manque d'originalité des jeunes.

G. R. — À quoi s'apparente votre propre musique ?

A. M. — Je déteste mentionner ma parenté, parce qu'il y a des critiques qui ont l'esprit de famille un peu trop développé. Ils s'emparent des généalogies et s'intéressent passionnément au portrait de famille [André fait allusion à ces rumeurs voulant que Rodolphe soit le véritable compositeur de ses œuvres...]. Du point de vue du créateur en particulier, c'est absurde...

G. R. — Maintenant le folklore.

A. M. — Le folklore ne m'intéresse pas du tout pour ce qui a trait à mon œuvre. Je n'y trouve rien pour moi d'utilisable.

G. R. — On dit qu'après votre tournée... vous partirez pour l'Europe... Où jouerez-vous ?

A. M. — En Normandie, en Bretagne, en Belgique et évidemment à Paris. Je resterai là-bas quatre ou cinq mois.

G. R. — Étudierez-vous ?

A. M. — Non, je préfère maintenant me donner tout entier à mes propres travaux... J'ai employé les deux dernières années à composer, à travailler ma technique. Je n'ai donné que quelques brefs récitals à la radio...[331]

Cette interview avec Gaëtan Robert est un des rares moments où on a l'impression d'entendre la voix d'André. Les impatiences, l'intelligence, l'agacement et l'enthousiasme... Déjà les blessures et les forces sont apparentes.

En 1949, les troupes qui parcouraient le Québec étaient organisées en phalanstères à quatre roues. Que ce soient les pièces de théâtre ou les compagnies de vaudeville, Jean Grimaldi, Henri Deyglun ou Gratien Gélinas sillonnaient la province et visitaient toutes les régions où ils étaient traités par le public comme de la grande visite qui venait une fois l'an retrouver leur famille éparpillée aux quatre coins du pays. L'idée de Péladeau de refaire les mêmes circuits avec un artiste classique est une nouveauté. Mais la mise en marché a été menée de main de maître. Péladeau et Tétrault vont partir en éclaireurs pour organiser le récital à travers leurs

331. Gaëtan Robert, *Le Samedi*, le 20 août 1949.

contacts sur le terrain même. Il ne semble pas qu'il y ait eu de contrats signés avant leur départ. André part pour l'Abitibi, mais, après à peine trois ou quatre récitals à Val-d'Or, Amos, Bourlamaque et Rouyn Noranda, la tournée déraille et tout ce beau projet, ces rencontres avec les jeunes, ces échanges, ces réseaux à créer vont sombrer dans le néant. André Mathieu et Pierre Péladeau sont deux alcooliques et il n'est peut-être pas impossible que la tournée soit devenue une virée. Avant même que l'aventure tourne au désastre, Rodolphe écrit à Péladeau à Val-d'Or :

> *Je ne sais pas si cela est véridique, mais on m'a fait savoir que le prix d'admission au récital d'André à Val-d'Or était de 1 dollar et 1,25 $.*
>
> *Je crois que vous avez assez d'expérience, cher Monsieur Péladeau, pour savoir que ce n'est pas là le prix régulier d'artistes de concerts. Je vous demande donc de monter le prix d'admission en rapport avec la réputation d'André et la publicité que [vous avez] faite. Vous en serez autant bénéficiaire que mon fils. Il serait bien inutile d'aller si loin pour jouer à des prix de séances de collège, de débats d'étudiants…*[332]

Cinq jours plus tard, Rodolphe écrit directement à André :

> *Comme je n'ai encore reçu aucune nouvelle de Monsieur Péladeau, relativement à tes premiers concerts en Abitibi […]. Je me vois dans l'obligation de t'ordonner de cesser immédiatement de jouer en concert et de t'en revenir à Montréal…*[333]

Enfin, dans une lettre du 10 août 1949, Rodolphe résume la situation, sans doute bien conscient des circonstances, mais sauvant l'honneur et la face de son fils :

> *Messieurs, d'après une entente, vous vous êtes engagés à tenter d'organiser une série de concerts de mon fils André ; vous avez fait beaucoup de publicité autour de cet événement en vous servant de la renommée de mon fils ; vous avez, par des agissements malhabiles, compromis la réputation de mon fils en Abitibi en annonçant des concerts à des prix de 1$ et 1,25 $… Ce procédé a rendu les gens méfiants à l'égard de l'organisation. Résultats : pas de recette, pas de*

332. Rodolphe Mathieu, lettre du 30 juillet 1949, Fonds Famille Mathieu, Archives Nationales, Ottawa.

333. Rodolphe Mathieu, lettre du 4 août 1949, Fonds Famille Mathieu, Archives Nationales, Ottawa.

> *revenus suffisants pour payer l'artiste. André se trouverait donc avoir donné quatre concerts en Abitibi, pour rien, selon vos calculs.*
>
> *En plus, avant que mon fils arrive à Val-d'Or, vous auriez eu la gentille précaution de parler de lui d'une façon tellement équivoque que des personnes m'ont dit qu'elles s'attendaient à voir arriver un « trimpe »[334]. Ce genre de diffamation, qui n'a pas pris de temps à se répandre, n'invitait pas les gens à venir entendre André.*
>
> *Lorsque mon fils est arrivé à Val-d'Or [...] il a dû attendre une semaine que les impresarii aient organisé le concert de Rouyn. Un imprésario n'amène pas un artiste avec lui pour organiser sa tournée, en le faisant attendre que ses concerts soient organisés, surtout quand il est supposé payer ses dépenses. Mon fils est arrivé à Amos, il n'y avait pas de piano dans la salle, c'est lui-même qui a dû parcourir la ville pour s'en trouver un, quelques heures avant le concert. Tout ceci est préjudiciable à mon fils. Heureusement, d'après des rapports sérieux, mon fils André a rempli toutes ses obligations, malgré tout, et le souvenir qu'il a laissé en Abitibi, comme pianiste-compositeur semble être, de toute évidence, bien différent de celui des organisateurs.*[335]

Au cours d'une conférence qu'il a donnée à la Chambre de commerce de Montréal le 30 mars 1993, Pierre Péladeau « relatait qu'après un triomphe à Amos, André Mathieu refusa de jouer à Val-d'Or : " Mon pianiste avait décidé de ne pas jouer. Une crise de vedette." »[336]

Les choses s'arrêtent là. Le reste de la tournée est annulé. La légende familiale veut que les imprésarios aient abandonné André et qu'il ait fallu le rapatrier à grands frais. À qui appartient le blâme ? Une chose est certaine, André essuie un échec. Aurait-il fait salle comble, sa musique, jouée maintenant par un adulte, aurait-elle provoqué le même enthousiasme ? Et ces nouvelles œuvres, ce *Concerto no 4*, malgré le bouleversant deuxième mouvement, aurait-il convaincu ? Une autre trace de cette tournée avortée est le script d'une émission radiophonique en anglais, non datée, mais qui faisait partie de la campagne de publicité orchestrée par Péladeau. Le texte est fantaisiste, ironique, condescendant, mais instructif :

---

334. Trimpe : n.m. Bomme, vagabond, Léandre Bergeron, *Dictionnaire de la langue québécoise*, 1981, VLB Éditeur, p. 500.
335. Rodolphe Mathieu, lettre du 10 août 1949 adressée à Gaëtan Robert, 839, Sherbrooke est, Montréal, Fonds Famille Mathieu, Archives Nationales, Ottawa.
336. Julien Brault, *Péladeau*, Québec Amérique, 2008, p. 46.

> C'était plutôt typique de Mathieu et de sa véritable passion pour son pays, pas les simagrées du patriotisme, mais l'espèce d'amour qui pousse un individu à aller dans les coins les plus reculés, les petites bourgades, les villes minières et les endroits perdus. Il souhaitait jouer pour des gens qui n'avaient peut-être jamais entendu de pianiste de concert [...]. Dans une ville de la région minière de l'Abitibi, il a donné un concert qui s'est terminé à deux heures du matin. On ne voulait plus le laisser partir. Il a donné vingt-deux rappels.[337]

Et l'animateur, le Dr Lambert, annonce ensuite son départ pour l'Europe, pour une tournée de trente-deux concerts...

Une chose est certaine, malgré l'alcool, André peut encore parfaitement galvaniser une foule. Avec son piano, par sa seule énergie et son charisme, il peut l'amener à exiger vingt-deux rappels... Rodolphe et Mimi ont parfaitement canalisé et mené à terme les dons musicaux d'André. Mais ils n'ont pas pu lui transmettre ce qu'ils n'ont jamais eu eux-mêmes : organisation, méthode, rigueur, bref, ils ont raté son apprentissage affectif, social et professionnel. « Il fallait en faire un homme » dira Mimi, et ils ont échoué.

Après sa tournée avortée, André écrit à son amie la Baronne le Clément de St-Marcq une lettre qui donne le ton pour le reste de sa vie. :

> *Montréal, ce 25 août 1949*
>
> *Ma chère maman belge,*
>
> *Je tiens tout d'abord à m'excuser de ne pas vous avoir écrit plus tôt. J'ai été très malade durant trois mois. Cette maladie était une dépression nerveuse. Je n'étais donc pas en condition pour écrire à qui que ce soit... De mon côté je travaille très fort. Je suis maintenant en état de donner une tournée de concerts à travers l'Europe. J'aimerais bien savoir, chère maman belge, s'il vous serait agréable de me faciliter les choses pour une tournée en Belgique.*
>
> *Votre fils adoptif canadien,*
> *André Mathieu*[338]

---

337. Script d'une émission radiophonique anglophone, Fonds famille Mathieu, Archives Nationales à Ottawa : **voir la citation originale en annexe.**

338. André Mathieu, lettre à Madame le Clément de St-Marcq, le 25 août 1949, Fonds Famille Mathieu, Archives Nationales, Ottawa.

Sans ambages, André révèle à sa « maman belge » qu'il a fait une « dépression nerveuse » au moment même où il vient de rater sa chance de réintégrer sa terre natale avec sa musique et non avec des souvenirs. Mais il est aussi tenu à l'écart d'un projet qui aurait, peut-être, changé et simplifié sa vie.

Le 23 août 1949 reste la date officielle de la fondation des Jeunesses Musicales du Canada. La famille Gladu accueille les jeunes enthousiastes à la Pointe-aux-Fourches près de Saint-Hyacinthe. Sont présents des membres des compagnies de l'art de Saint-Hyacinthe, des Compagnons de l'art de la ville de Québec, du club musical André Mathieu de Trois-Rivières, et des Amis de l'art de Montréal : « J'y évoquais la nécessité d'organiser des tournées de concerts, de recruter de nouveaux groupements, de créer des bourses d'études [...] d'organiser un camp d'été pour compléter des stages d'études sous la direction de maîtres chevronnés [...] et de favoriser enfin des échanges de jeunes musiciens canadiens et étrangers. »[339] Les grandes idées, dit-on, voyagent toujours dans l'air du temps, et cette volonté de « fonder un foyer permanent qui agirait à titre de siège social » deviendrait une nécessité si la musique voulait s'implanter dans ce pays. Sans doute ses talents d'organisateur, son sens de la diplomatie, sa profonde compréhension des mécanismes du pouvoir désignaient-ils Gilles Lefebvre comme chef de ce mouvement, qui encore aujourd'hui, grâce à lui, a initié des milliers d'adolescents à la musique et aux arts. « La chose qui m'aurait fait le plus plaisir, ç'aurait été de présenter André en tournées Jeunesses Musicales. Mais tout à coup, il a enchaîné sur les pianothons, il a enchaîné sur toute une carrière de « faux-vedettiste » qui a fait tort à sa réputation et à sa musique. » [340] C'est aller, nous semble-t-il, un peu vite en affaires. Si Gilles Lefebvre avait vraiment eu l'intention de faire tourner André, les cinq années qui séparent la fondation du mouvement (août 1949) et le premier PIANOTHON (décembre 1954) lui auraient aisément permis de l'engager. Il semble bien que l'amitié se soit transformée en rivalité. L'alcool n'explique pas tout. Y avait-il entre les deux hommes une zone d'ombre qui a mené au point de rupture une relation qui ne pouvait pas s'incarner ?

339. Gilles Lefebvre, *Terre des Jeunes*, Fidès, 1999, p. 28.

340. Gilles Lefebvre, *André Mathieu, musicien*, Jean-Claude Labrecque, 1993, interview de Francine Laurendeau.

Décidément, l'année de ses vingt ans n'a pas porté chance à André Mathieu. Cette tournée qui aurait pu être une « promenade triomphale à travers la province » s'est interrompue avant même de prendre son envol. Ce rêve de rencontres, d'échanges, de tournées, qui ressemble étrangement au mouvement que Gilles Lefebvre est à fonder, ce retour piteux rue Berri, où encore une fois tout est à reconstruire, André n'a plus que ce réseau d'amis, de connaissances, qui l'entraînent vers des paradis artificiels qui ne débouchent sur rien.

1950

Le dernier demi-siècle du Vingtième s'ouvre avec deux lettres de Marthe Pocaterra, née Marthe Arcand, la sœur d'Adrien et une cousine de Rodolphe, dont le mari est ambassadeur du Venezuela à Washington. Comment ont-ils pris contact ? Est-ce Rodolphe qui a fait appel à sa cousine pour qu'elle lui apporte son aide et mette à sa disposition son réseau diplomatique pour trouver un poste de professeur de musique ? Car malgré ses compétences éprouvées et reconnues par son fondateur lui-même, Wilfrid Pelletier, le Conservatoire de Musique n'a pas fait appel à Rodolphe pour occuper un des nombreux postes à combler. Non seulement Marthe démarche-t-elle pour trouver un emploi à son cousin, mais dans une lettre du 14 février 1950, elle annonce à son petit cousin André, qu'elle lui a obtenu un récital !

> *Mon cher André, j'ai eu une « pépère » de nouvelle pour vous [...]. Voici, l'Opera Guild va s'occuper d'organiser votre concert [...]. Le concert sera un événement artistique et social, tout ce qu'il y a de mieux à Washington y assistera. Et en plus vous recevrez un cachet de 500 $, peut-être même un peu plus. Il faudra que vous soyez à Washington 10 jours avant la date du concert afin de préparer le programme, [...] d'assister à diverses réceptions, thés etc. dans les ambassades qui « sponsor » votre concert. Dans ces réceptions, il faudra jouer quelques pièces. Vous serez donc « chouchouté » dans les salons pour préparer le terrain [...] et je suis certaine que cette organisation appuyée par tout ce qu'il y a de plus puissant ici ne pourra que faire un grand succès de ce concert.*
>
> *Comme l'imprésario vénézuélien sera ici à cette date et que les imprésarios sont faits pour être impressionnés, ce concert l'impressionnera assez pour obtenir le contrat pour la tournée là-bas [...].*

Votre père sera obligé de venir à W. pour une conférence avec le président d'une université ici, qui s'intéresse beaucoup au travail psychomusical[341] *de votre père et qui tient à le rencontrer au sujet d'une chaire à l'université [...].*

Cher André, ce concert pour lequel j'ai tant travaillé, c'est mon vrai cadeau de fête... Avec mes vœux très sincères pour vos 21 ans. Soignez-vous bien, buvez beaucoup de lait pour être en forme.

Amitié des miens. À bientôt, votre cousine et amie, Marthe

Irez-vous chez le dentiste avant de venir ?

Mais en vérité, pour une rare fois, tout ce branle-bas de combat à Washington a été mis en place pour Camillette, qui aura dix-neuf ans le 22 avril. Camillette et Mimi sont dans la capitale américaine pour que cette superbe jeune femme puisse démarrer une carrière de soprano dramatique. Le pianiste André Asselin (1923-) se souvient encore de son « Pace, Pace, Dio mio... » de *La Forza del Destino* de Verdi. Le conseil de famille a dû décréter que c'était au tour de Camille de tenter sa chance. Elle prend depuis quelque temps des cours de chant avec Adelina Czapska.

Dans une lettre de Washington, datée du 26 mars 1950, Camillette écrit à sa tante Camille :

Ma chère tante, excusez-moi d'avoir tant tardé à vous écrire à toi et à grand-maman, mais franchement depuis mon arrivée, les moments libres sont plutôt rares [...] et puis à une ambassade, tu comprends, il y a toujours du monde.

[...] Comment es-tu toi ? [...] Je m'ennuie de vous tous et de ma vieille cabane, malgré tout le luxe qui m'entoure ici. « Home, sweet Home » comme on dit. Cette pauvre vieille ta tante, si elle vivait, elle serait tellement fière, que je lui conte tout mon voyage et tout ce que j'ai vu. C'est une perte qui ne sera jamais remplaçable. Nous serons à Montréal, tout probable à la fin de la semaine [...].[342]

En date du 27 avril 1950, Dostaler O'Leary, journaliste à *La Patrie*, demande une entrevue au Très Honorable Monsieur Maurice Duplessis

341. Rodolphe Mathieu a mis au point un Manuel de « Tests d'Aptitudes Musicales, l'Orientation Musicale basée sur l'hérédité, l'intuition et les aptitudes physiques », non édité.

342. Camille Mathieu, Washington, lettre du 26 mars 1950, collection privée.

pour Madame Rodolphe Mathieu et Mademoiselle Camille Mathieu, pour le samedi 29 avril prochain, si possible :

> Mademoiselle Camille Mathieu est d'une grande famille de musiciens et elle promet autant que son frère André Mathieu qui présente actuellement un récital à Washington devant tout le monde officiel et diplomatique. Il faudrait que notre gouvernement provincial permette à un tel talent de s'épanouir librement en octroyant à Mlle Camille Mathieu une bourse de deux ans au moins.[343]

Dans la liste des supporters de Camille avec lettres de recommandations à l'appui, il y a Conrad Thibault et Rose Bampton (la femme de Wilfrid Pelletier), tous deux attachés au Metropolitan Opera de New York, Mesdames Adelina Czapska, son professeur, et Marthe Pocaterra, enfin Max Pons et Basil Toutorsky, professeurs de chant à New York et à Washington. Son professeur, Madame Czapska, écrit : « Je suis convaincue, si elle continue sérieusement son chant, qu'elle est assurée d'une belle carrière d'opéra ou de concerts. Étant douée d'une belle voix et d'une personnalité exceptionnelle, Mlle Mathieu est certainement destinée à faire honneur à son pays… »[344] Mais avant de partir rejoindre sa mère et sa sœur à Washington, André, qui est resté à Montréal à la « cabane à sucre » avec son père, envoie une lettre pleine d'humour à l'ambassade du Venezuela à Washington :

> *Mes chères grosses folles !*
>
> *Je m'excuse de ne pas vous avoir écrit plus tôt. Je suis négligent sur ce rapport, mais cela ne m'empêche pas de penser à vous souvent. Papa et moi nous nous ennuyons beaucoup de vous, cela ne veut pas dire que nous ne vous apprécions pas quand vous êtes ici ! Nous espérons vous revoir sous peu. Ici à Montréal, la vie continue comme d'habitude sauf que je travaille plus fort et que je mange moins bien. J'ai beaucoup d'appétit mais si ça continue nous allons installer un poulailler et une vache dans la maison car nous ne mangeons que du steak et des œufs […]. Quant à toi, chère Camille, je suis très heureux de tes succès. Il faut que tu travailles fort. Il faut que tu t'affirmes par la force de ton propre talent. Comme tu commences, ne t'inquiète pas*

343. Dostaler O'Leary, Montréal, lettre du 27 avril 1950, Archives du Centre de Recherche Lionel Groulx.

344. Adelina Capska, lettre du 29 septembre 1949. Collection privée.

> *des petites difficultés qui pourraient surgir sur ton passage. Il faut être tenace et audacieux ! Il me fait tellement plaisir de te voir t'engager sur une voie qui te mènera, j'en suis sûr, aux plus grands succès. Aux yeux du monde, et c'est ce qui me réjouit tellement, tu n'es plus la sœur d'André Mathieu, tu es Camille Mathieu, Artiste. Bonne chance à vous deux, votre vieux fou d'André.*[345]

Finalement, une fois de plus, c'est André qui va profiter de la situation pourtant mise en place pour Camillette, puisqu'il va donner son premier récital à Washington dans le studio du professeur de chant de sa sœur, Basil Toutorsky, le vendredi 28 avril 1950. Les choses se sont sans doute bien passées, puisqu'André a intéressé, à défaut d'impressionner, l'imprésario vénézuélien impressionnable, un « cultural attaché », Elmira Bier, de la célèbre Phillips Gallery pour l'année suivante.

Camillette vient de nous l'apprendre, à la fin du mois de février, le deuil a frappé les Mathieu, au 4519. La ta'tante Alphonsine qui allait avoir quatre-vingt-treize ans le 17 avril, la sœur de la grand-mère Albina, celle qui racontait à André les histoires des Patriotes, celle qui avait allumé sa flamme nationaliste, Alphonsine, l'ancêtre, n'est plus. Le mardi 28 février, la mort est venue la chercher. « Née à Saint-Benoît, comté des Deux-Montagnes, son père, J.-B. Proulx, avait été un des héros de '37 de même que son grand-père maternel, André de Saint-Amant. Mlle. Proulx avait été institutrice durant plus de cinquante ans dans les provinces de Québec, d'Ontario et du Manitoba, et en particulier à Montréal où elle dirigeait une école privée... »[346] Cette maîtresse-femme qui avait accueilli les Langevin, qui avait recueilli les Mathieu et qui hébergeait sa sœur Albina tout en protégeant les amours des uns et des autres, pour cette femme libérale et éclairée, sous quel jour lui serait apparue « l'affaire Bernonville » ?

L'AFFAIRE BERNONVILLE

Car un des événements qui va occuper l'actualité de 1948 à 1951, c'est l'affaire Bernonville. Jacques Dugé de Bernonville arrive au Canada français en novembre 1946. Chef de la milice sous l'Occupation, il a prêté serment personnel d'allégeance à Hitler en 1943 et sa tête est mise à prix pour

---

345. André Mathieu, lettre sa sœur Camillette, le 31 mars 1950, Fonds Famille Mathieu, Archives Nationales, Ottawa.

346. Chronique nécrologique, *Le Canada*, le 3 mars 1950.

crimes de guerre commis à Lyon, en Savoie et en Bourgogne. Il se réfugie à Saint-Pacôme de Kamouraska où il travaille pour l'homme d'affaires Alfred Plourde. L'affaire Bernonville va susciter des passions et diviser l'opinion. De plus, de Bernonville serait entré au pays en profitant de l'aide des autorités ecclésiastiques. De Bernonville est aristocrate, très catholique, il va la messe tous les matins et son nom est associé à celui du maréchal Pétain.

Pour une majorité de Canadiens français, la vraie France, c'est celle de Pétain, et la division des opinions reproduit le schisme du référendum de la conscription de 1942. N'oublions pas que c'est à Londres que de Gaulle a établi ses quartiers généraux et inspiré la Résistance pendant l'Occupation de la France. Quand l'affaire Bernonville éclate, la presse anglophone du pays, aussi bien à Toronto qu'à Montréal, dénonce les agissements du gouvernement fédéral qui a laissé faire et exige l'extradition de Bernonville vers la France.

La presse francophone, qui voit en de Bernonville un représentant et un symbole de la vieille France monarchiste, catholique, attachée à la famille et à la terre, tout ce qui depuis presque deux siècles a permis au Canada français de survivre, l'opinion publique verra donc en lui une victime et en fera surtout un nouvel exemple des abus d'Ottawa qui refuse de laisser le Québec être maître de son immigration. Le quotidien *La Presse* du lundi 17 avril 1950 publie une « pétition pour le Comte de Bernonville », remise au ministre de l'Immigration à Ottawa. La pétition est signée par cent quarante trois éminents Canadiens français. Parmi les signataires, on retrouve Arthur Tremblay, président de la Société Saint-Jean Baptiste de Montréal, le juge Arthur Laramée, président de la Société Saint-Vincent de Paul, Guy Marcotte, président général de l'Association catholique de la Jeunesse canadienne française, André Mathieu, président des Jeunesses Patriotes[347], Rosaire Morin, président général des Jeunesses Laurentiennes,

---

347. « Le premier des mouvements d'indépendance par le Québec est certes celui des Jeunesses Patriotes du Canada français, lequel est né spontanément, en pleine rue, soit au pied du monument Chénier en 1935 […]. Les Jeunesses Patriotes comprenaient des indépendantistes connus tels que W. P. O'Leary, […] Michel Chartrand, Dostaler O'Leary, […] Jean-Louis Gagnon, […] François Hertel […]. » Walter O' Leary, *Petite histoire de l'indépendance du Québec*, publié par le Centre d'études de la Table Ronde du Québec libre, avril 1961.

Mgr Olivier Maurault, recteur de l'Université de Montréal, Édouard-Montpetit, secrétaire général de l'Université de Montréal, une quantité impressionnante de doyens et de vice-doyens, de prêtres, de médecins, de notaires, de banquiers, de maires, d'échevins, enfin Maxime Raymond lui-même, Raymond Denis, chevalier de la Légion d'honneur, Victor Barbeau de l'Académie canadienne française et, avant-dernier nom, docteur Camille Laurin. Est-ce à dire que toute l'intelligentsia canadienne-française était de droite ou même d'extrême-droite et aurait sciemment préféré protéger un collaborateur ayant la mort de centaines de ses compatriotes sur sa conscience? C'était peut-être « la grande noirceur », mais ce n'était pas « une province nazie de langue française : le Québec ». [348]

Celui qui tire les ficelles, dans l'ombre et publiquement, est un des historiens les plus importants du Canada français, du Québec : Robert Rumilly. Comme tous les immigrés qui s'éprennent du Québec, il nous perçoit où nous sommes et non où nous croyons être. Il a aussi cette liberté précieuse de ne pas traîner un passé lourd et torturé, il entrevoit immédiatement les infinies possibilités de cette pucelle qui ne se décide pas à dire Oui!

Quand il vient s'installer au Québec en 1928, l'historien Robert Rumilly, français d'origine, éprouve un véritable coup de foudre. Il a trente ans, il est royaliste et il sera pétainiste, anticommuniste et antisémite. Il a connu de Bernonville en France et il sera pendant toute l'affaire, son bouclier et son violent défenseur. Il croit que la Libération a engendré des vengeances, des chasses aux boucs émissaires et des mises au pilori excessives et que Bernonville est un représentant de cette vieille France si chère aux Canadiens français qui, majoritairement, sont encore attachés à la terre, à la patrie, à Dieu et même au Roi. On doit l'asile à de Bernonville.

Deux semaines auparavant, le vendredi 31 mars, André et ses amis, dans une lettre adressée à l'Honorable Walter Harris, ministre de l'Immigration et de la Citoyenneté à Ottawa, vont apposer leur signature à une lettre revendicatrice et fière :

À l'Honorable Walter Harris, *Montréal, le 31 mars 1950*
Ministre de l'Immigration et de la Citoyenneté,
Ottawa, Canada.

348. Yves Lavertu, *L'affaire Bernonville*, VLB Éditeur, 1994, p. 114 à 117.

Monsieur le Ministre,

Votre nouvelle fonction ne changera malheureusement rien ni au problème de l'immigration ni aux autres problèmes constitutionnels qui divisent réellement et dangereusement le Canada français du Canada anglais.

Malgré le pacte égalitaire anglo-français de 1864 et la Confédération des Provinces de 1867, le Canada est devenu un État central anglo-canadien dans lequel nous sommes devenus une minorité française, contrôlée par la majorité dans tous les domaines politiques.

Vous savez très bien, parce que vous êtes Ministre, que cette situation peut nous conduire à l'assimilation au nom d'un canadianisme et d'une unité « britannique ».

Vous savez aussi très bien, que c'est par le contrôle de l'immigration « raciste » que les Anglo-canadiens ont augmenté la population anglophone du Canada et réduit les Canadiens français au tiers.

Vous savez sans doute aussi que le Canada français par ses droits historiques, constitutionnels et culturels, mais surtout par sa vitalité réelle, ne laissera pas encore contrôler très longtemps, sa vie politique, ni son immigration par une majorité anglo-canadienne qui veut le réduire systématiquement et définitivement à une petite minorité sans droits nationaux ni internationaux.

Les Jeunesses Patriotes du Canada français éclairent depuis 15 ans les Canadiens-français sur le danger perfide de l'immigration « raciste » au Canada. Les Jeunesses Patriotes font déjà comprendre aux canadiens-français que nous devons faire respecter le pacte égalitaire anglo-français quelle que soit notre quantité actuelle et exiger, pour demeurer partenaires dans la Confédération, le contrôle par le gouvernement de Québec de la moitié de l'immigration au Canada.

Aujourd'hui, les Canadiens français sont obligés de vous demander au lieu de l'exiger le droit d'asile pour le Comte de Bernonville. Le cas du Comte de Bernonville éclaire heureusement notre peuple sur le danger de contrôle politique de l'immigration raciste par la majorité anglo-canadienne.

Il y a longtemps que les principes humanitaires d'un pays civilisé et chrétien comme le nôtre auraient dû donner « asile » au Comte de Bernonville, simplement parce qu'il est un être humain et un réfugié politique condamné à mort dans son pays.

Nous savons qu'Ottawa a déjà donné « asile » à d'autres réfugiés politiques de diverses nationalités. Alors pourquoi attendre plus longtemps le geste nécessaire qui s'impose et qui s'imposera pour tout réfugié politique?

Nous n'osons pas croire, comme certains, qu'Ottawa hésiterait, cette fois, dans le cas du Comte de Bernonville, parce qu'il serait français et catholique et parce qu'il aurait été anticommuniste.

De toute façon, nous savons très bien que l'immigration française ne sera jamais sur le même pied que l'immigration anglaise au Canada aussi longtemps que le Canada français ne la contrôlera pas librement.

Nous réclamons ce contrôle de notre immigration parce que nous sommes directement menacés dans notre vie française par le flot anglophone de plus en plus envahissant. Nous voulons choisir nos immigrés comme vous choisissez les vôtres, mais nous nous baserons avant tout sur leur culture et non sur leur race, comme vous l'avez déjà trop fait.

Alors seulement nous pourrons également faire d'un homme comme le Comte de Bernonville, un citoyen canadien-français, comme vous avez fait de tant d'autres immigrés des citoyens anglo-canadiens sous l'étiquette de « Canadiens ».

Sachez Monsieur Harris que nous voulons avant qu'il ne soit trop tard réaliser l'union réelle des deux Canada sur une base égalitaire et non numérique dans une véritable Fédération binationale. C'est la seule façon de conserver les cadres historiques du Canada et d'éviter la division de notre pays par la séparation ou l'annexion.

Nous voulons assurer sur des bases constitutionnelles, politiques et économiques inébranlables la vie et la liberté des cultures françaises et anglaises au Canada. Nous avons foi en notre cause parce qu'elle est juste et c'est pourquoi nous sommes forts.

Dans l'espoir que vous nous comprendrez même si vous ne pensez pas comme nous, nous attendons votre réponse.

Recevez, monsieur le Ministre, nos salutations très distinguées.

Pour le comité des Jeunesses Patriotes du Canada français

Walter O'Leary, fondateur
André Mathieu, président
René Sarrasin, secrétaire

(La présente est envoyée à tous les journaux et agences de presse du Canada et de l'étranger)[349]

349. Walter O'Leary, André Mathieu, René Sarrasin, lettre du 31 mars 1950, Archives Acadiennes, Université de Moncton.

Il est clair dans cette lettre que ce ne sont pas les crimes qu'on endosse, mais qu'on saisit l'occasion de revendiquer une autonomie, une souveraineté, une indépendance qui, sans arrogance et sans larmoiements, ose se manifester. En août 1951, le gouvernement fédéral permet à de Bernonville de s'envoler vers le Brésil. Le 27 avril 1972, le vieil ami de Klaus Barbie est retrouvé étranglé dans son appartement de Rio de Janeiro, pieds et poignets liés, un torchon dans la bouche. Il avait annoncé son intention de publier ses « mémoires »...

ANDRÉ MATHIEU ET LE PREMIER CONGRÈS NATIONAL DES JEUNESSES MUSICALES DU CANADA

Il est toujours facile et passablement idiot de vouloir réécrire l'histoire : si Ève n'avait pas... Si André avait été sollicité pour faire partie du groupe fondateur... Le quotidien *La Presse* du mercredi 16 août 1950, rend compte du premier congrès national des Jeunesses Musicales du Canada. On apprend qu'à l'occasion du 10e anniversaire de la fondation des Jeunesses Musicales, en mai, à Bruxelles, l'organisation canadienne a été officiellement reconnue. Le congrès accueille des délégués de Granby, Grand'mère, Shawinigan, Sherbrooke, Montréal, Saint-Hyacinthe, Sainte-Anne de La Pérade, Québec, Saint-Jean, Ottawa, Cap-de-la-Madeleine et Trois-Rivières. Monsieur l'abbé J.-H. Lemieux, directeur des JMC déclare : « Nous avons préparé un congrès pour donner de l'enthousiasme aux intéressés en nous servant de l'exemple du Club André Mathieu de Trois-Rivières [...]. » André, malgré tout et malgré Gilles Lefebvre, est présent. D'autant plus qu'en lisant et relisant les textes qu'André a publiés, il y a une concordance de pensée et de buts qui aurait pu faire un mariage heureux. Mais à défaut de concerts et de récitals, la célébrité d'André va lui ouvrir les portes de la station de radio CHLP où on l'invite à présenter une émission de musique classique : on imagine très bien André au piano, commentant ses œuvres et celles des autres compositeurs de son répertoire pour un public de jeunes... À son retour de Paris, à l'automne 1947, André avait signé avec Dominion artists and concert management et son représentant, Samuel Harold Schecter, une entente de trois ans, courant du 17 novembre 1947 au 17 novembre 1950, qui vient à échéance quelque temps avant LE concert de rentrée d'André Mathieu à Montréal, le premier vrai concert depuis cinq ans.

Le 13 novembre 1950, André « nomme et désigne, par le présent écrit M. Walter P. O'Leary, demeurant au no 426 de l'avenue Grosvenor à Ouestmont [sic] comme mon imprésario, c'est-à-dire mon seul organisateur pour le prochain concert-récital que je dois donner à Montréal en collaboration avec Messieurs Jean Belland, Gilles Lefebvre, etc. [...] J'accepte qu'il présente ce dit concert-récital sous les auspices des Artistes Indépendants d'Amérique dont il est le directeur fondateur... »

Le loyal Marcel Valois annonce dans sa chronique du samedi 4 novembre le récital-concert du 7 décembre au Ritz Carlton, où André « fera entendre en première audition un *Trio*... et une réduction pour piano de son *quatrième concerto* qui est aussi une nouveauté. Il reprendra ce soir-là sa très belle *Sonate pour violon et piano* avec le concours de Gilles Lefebvre qui l'a créée avec André Mathieu. » Valois continue : « On doit espérer que l'un de nos orchestres permette à André Mathieu de jouer son *quatrième concerto* avec l'ensemble d'instruments pour lequel il est destiné... »[350] Nous sommes en droit d'être étonnés de retrouver le nom de Gilles Lefebvre, à une date aussi tardive. André avait-il l'intention de solliciter son ancien partenaire, de renouer par la musique les liens brisés ? Reste-t-il, quelque part, des traces des véritables raisons de la rupture Mathieu/Lefebvre ?

Le jeudi 7 décembre, à l'hôtel Ritz Carlton, plus de quinze ans après le premier récital du 25 février 1935, au même endroit, dans la même salle, André va donner un des plus beaux concerts de sa vie. Il est d'autant plus possible d'en témoigner aujourd'hui qu'André avait demandé qu'on enregistre le concert sur disque. Mises à part les quatre mélodies sur des textes de Verlaine chantées par le ténor Jean-Paul Jeannotte, tout le concert, incluant les rappels, a été préservé. Hélas, mille fois hélas, le technicien, sans doute plein de bonne volonté, mais incompétent, a réalisé une prise de son favorisant outrageusement le piano, ce qui a pour effet de rejeter à l'arrière-plan le violon et le violoncelle. Étant donné le placement du micro, la distorsion rend, du début à la fin, l'écoute à peu près insupportable, sauf dans les passages doux, alors que les autres instruments ne sont pas complètement ensevelis par le piano. Cependant, on peut entendre toute « la musique » qui sort des mains de Mathieu. Quel pianiste ! Quel artiste ! Et quel compositeur ! Il a vingt et un ans, il est en pleine

350. Marcel Valois, *La Presse*, le 4 novembre 1950.

possession de ses moyens. C'est Georges Lapenson qui remplace Gilles Lefebvre d'abord annoncé, Jean-Paul Jeannotte donne la création nord-américaine des mélodies sur des poèmes de Verlaine. La réaction médiatique entérine notre enthousiasme :

> André Mathieu n'est pas à présenter. Durant les années 30, on parlait partout de sa précocité et de son premier récital au Ritz, où il revenait jeudi soir dernier [...]. Ce qui surprend et réjouit intérieurement dans les procédés de composition d'André Mathieu, c'est qu'il ne troque pas la musique pour de la mathématique, il n'exploite pas le système décadent actuel, il ne se complaît point aux insolences mélodiques ni aux rythmes abracadabrants. Quelles que soient ses audaces, on écoute de la musique. Ainsi se rattache-t-il plus évidemment aux romantiques qu'aux « ultra » de quelque école soient-ils. D'autre part, sa musique est essentiellement symphonique... tout chez lui est clarté, clarté de rythme, clarté d'harmonie, mélodie simple et souple d'un souffle surprenant. Cela lui vient sans doute de ses qualités de virtuose, car il semble toujours emporté par un besoin de mouvement et de timbres où se décèle le compositeur-né [...]. Quant aux œuvres de chambre comme le *Trio*, la *Sonate pour piano et violon* et le *Concerto*, on y retrouve ce besoin de sonorité dont l'auteur apparaît si remarquablement travaillé [sic][...]. André Mathieu ne « pioche » pas. Ce « volume du son » vient de son goût symphonique et de sa technique de virtuose. Le pianiste en effet rappelle Serkin ou Samson François. Comme disait ce voisin : « Il déboule les octaves avec autant de facilité que les gammes ordinaires... » Bref, tous ceux qui ont assisté à l'audition de jeudi sont repartis convaincus qu'André Mathieu a des dons pour remuer ciel et terre s'il veut seulement s'en donner la peine.[351]

Le Petit Journal titre :

> MATHIEU, JEUNE GRAND MAÎTRE
>
> Il semble que les « Artistes Indépendants » [...] aient voulu nous faire assister à la révélation, non plus d'un jeune prodige, mais d'un « maître » de la musique.
>
> André Mathieu a eu la chance de faire mentir le proverbe « Nul n'est prophète dans son pays ». Une assistance nombreuse qui « comptait » les trois quarts du monde qui se prétend intellectuel

351. Eugène Lapierre, *Le Devoir*, le 11 décembre 1950.

> à Montréal» [sic], fut littéralement soulevée d'enthousiasme [...].
>
> Mais c'est le quatrième Concerto qui souleva vraiment l'assistance. Mathieu a exprimé là avec une intensité plus tourmentée que celle de Liszt une puissance néoromantique toujours passionnante.
>
> Retrouve-t-on dans sa composition l'influence d'Arthur Honegger qui fut son maître ou celle d'Alfred Cortot dans sa façon de faire vibrer et chanter son piano? Peut-être! Mais le plus grand compliment que l'on puisse faire à André Mathieu, c'est que sa musique ne s'apparente à aucune autre : elle est «André Mathieu» [...]. Je reste persuadé que le quatrième Concerto... peut soulever l'enthousiasme des grands auditoriums de Paris, de Vienne, et du monde le plus averti des choses de la musique [...].
>
> Les Montréalais, qui sont mélomanes, feront facilement le don de cet artiste au monde de l'art universel, mais ça ne sera pas sans un sentiment d'orgueil national qu'ils se rappelleront qu'André Mathieu est l'un des leurs.[352]

Avec le soutien de ses amis Chevaliers de la Table Ronde, André vient de se poser à nouveau au centre de la vie musicale montréalaise. Avant de basculer dans l'année 1951, il faut parler des Chevaliers de la Table Ronde du Canada. Dostaler O'Leary (1908-1965) et son frère Walter (1910-1989), journalistes, écrivains, vont fonder, en même temps que les Jeunesses Patriotes en 1935, cette confrérie des Chevaliers de la Table Ronde. Walter ayant été candidat du Bloc populaire canadien dans la circonscription Montréal-Laurier aux élections fédérales de 1945. C'est sans doute à cette occasion qu'André Mathieu et lui se sont rencontrés. Ce concert-récital du 7 décembre 1950 était l'application concrète des principes véhiculés par les Chevaliers de la Table Ronde du Canada. Les conditions d'admission au baptême relèvent autant d'un code d'honneur chevaleresque que des débordements épicuriens à la Rabelais.

À deux moments de l'année, les Chevaliers ouvrent leurs portes pour accueillir de nouveaux membres à leur table. L'adoubement est circonscrit à la fête de l'Épiphanie, le 6 janvier, et à la veille de la fête de la Saint-Jean Baptiste, le 23 juin. Les conditions d'admission sont aussi farfelues que révélatrices. En voici une liste partielle :

---

352. Roger Guil, *le Petit Journal*, le 10 décembre 1950.

1 – Au moins une bouteille de vin chacun…

2 – Un livre d'esprit rabelaisien…

3 – Connaître l'histoire de la chevalerie en général et celle de la Table Ronde en particulier…

[…]

6 – Quels sont les buts fondamentaux […]. Et les moyens principaux pour vivre et répandre l'idéal et l'esprit de la table ronde chez les membres […]. En conséquence, avez-vous votre liberté d'esprit et jurez-vous de la garder au prix des plus grands sacrifices personnels ? T'engages-tu sur ton honneur ?

7 – S'engager à servir ou à commander avec son entière responsabilité et avec toutes ses capacités. S'engager à vivre dans la vérité avec toutes les conséquences : honnêteté morale et intellectuelle avec soi-même et les autres, exiger des preuves irréfutables pour toute affirmation, agir avec franchise et loyauté tant avec les amis qu'avec les ennemis. S'engager à vivre dans l'amour et non dans la haine. Lutter contre toutes les doctrines ou sentiments de haine. Le chevalier en tant que membre de l'élite sociale doit favoriser l'amour dans toute sa richesse, dans toute sa force d'union humaine et divine. Seulement ainsi le chevalier s'efforcera de vivre en chevalier pour son idéal tant social que personnel et humain : « Vivre pour la Liberté, la Vérité et l'Amour. »

8 – Pourquoi ne boit-on que du vin à nos réunions ?

Pour André qui a maintenant vingt et un ans, ces réseaux d'amitié et de fraternité sont le terreau dont il a tant besoin. On a parfois l'impression qu'André Mathieu a vécu sa vie en commençant par la fin. Ces O'Leary, qui sont de la même génération que sa mère, lui assurent une écluse affective qui lui permet d'arriver à lui-même et de quitter ce port d'attache qui le rassure mais l'empêche de couper le cordon qui le relie à la rue Berri. D'ailleurs, on ne compte plus les séjours qu'il fera à Saint-Sauveur dans cette famille d'accueil ou les œuvres qu'il a dédiées à Lucille O'Leary, la femme de Dostaler. Il est facile d'imaginer ces soirées où les discours politiques, les spéculations nationalistes, le bon vin et la musique s'entrelaçaient à l'infini.

Au sixième baptême des Rois[353], le 5 janvier 1950, André Mathieu est adoubé et devient le Chevalier de la Touche… évidemment. Cette association

353. Les cérémonies d'adoubement n'avaient pas nécessairement lieu tous les ans.

promouvait la loyauté, l'intégrité et les libations bachiques... André, on l'a vu dans l'affaire Bernonville, a été également nommé président des Jeunesses Patriotes.

Qu'il retrouve chez les fondateurs des Jeunesses Patriotes des idéaux qui l'habitent depuis l'enfance n'est pas surprenant, si l'on considère qu'avec le petit lait André avait été bercé par les histoires que lui racontait la ta'tante Alphonsine et sa grand-mère Albina : comment son grand-père avait combattu avec les Patriotes, comment il s'était sauvé en jetant un chapeau au fond d'un puits pour faire croire qu'il s'était noyé... Mimi, dans sa légende familiale, nous apprend qu'André « en lisant se rend compte que le Canada est une colonie : " Quand je serai grand, je fonderai un parti pour que le Canada, ce pays si riche, devienne indépendant.[354] Les petits Canadiens français ne connaissent rien. Je suis en train de les instruire. Vous savez, nous sommes une colonie anglaise. " »[355]

Ces réflexions rapportées par sa mère expliquent son adhésion à la Ligue pour la défense du Canada et son engagement actif pour le Bloc populaire canadien. Son amitié avec les frères O'Leary lui fait choisir la présidence des Jeunesses Patriotes plutôt que de s'associer, cette même année 1951, aux jeunes intellectuels qui se donnent un nouvel outil pour combattre cette formidable forteresse du conservatisme que représente Maurice Duplessis. Pierre Elliott Trudeau et Gérard Pelletier lancent le magazine *Cité Libre*. André, qui a bien connu Trudeau à Paris, choisit cependant de ne pas se joindre à ce « nouveau pouvoir » qui, de toute façon, ne partage pas sa vision nationaliste. Duplessis, comme pour donner raison aux jeunes loups qui veulent absolument se débarrasser de lui, va brandir les vieux épouvantails et accuser les communistes d'être responsables de l'effondrement du pont de Québec, le 1er février 1951, pont qui porte son nom. Duplessis avait déclaré que « le pont est aussi solide que l'Union Nationale », son parti... Quelle époque opaque !

En avril 1951, André retourne à Washington pour honorer l'engagement qu'il avait décroché à la prestigieuse Phillips Gallery, célèbre maison-musée, qui a été léguée à la ville de Washington à condition de garder les lieux en

354. Mimi Mathieu, entretien du 16 décembre 1975, interview Rudel-Tessier.
355. Mimi Mathieu, entretien du 6 janvier 1976, interview Rudel-Tessier.

état. Que peut-il espérer d'un récital à Washington ? Croit-il pouvoir développer un réseau de tournées à travers les universités américaines ? Quelles qu'aient été ses intentions, le critique du *Washington Post* va lui servir une des critiques les plus violentes et les plus dévastatrices de sa carrière :

> MATHIEU JOUE SES PROPRES ŒUVRES
>
> André Mathieu, pianiste et compositeur canadien, a donné un récital de ses propres œuvres hier soir à la Phillips Gallery. Mathieu n'a que vingt-deux ans. Il possède une grande technique de type spectaculaire qui lui permet de passer au travers de n'importe quelle œuvre. Cependant, il n'approche le piano que d'une seule façon : vite et plutôt fort. Au cours de toute cette soirée, il y eut bien peu de moments d'une sonorité pure et chantante, une faute dont il faut blâmer le pianiste et le compositeur.
>
> Sa musique n'est que le malaxage d'un romantisme excessif récupérant les clichés les plus éculés. Sa palette de couleurs lui vient de la musique de la fin du 19ème siècle, entre Liszt et Rimsky-Korsakoff, incluant les imitations convenues de Debussy et de Rachmaninoff.
>
> Si Mathieu a la prétention de vouloir jouer dans la cour des grands, il doit se plier à la discipline d'un véritable apprentissage. Son style de salon ne retient pas l'intérêt ni n'impose le respect.[356]

Jamais, dans toute sa carrière, Mathieu n'a reçu une telle volée de bois vert d'un critique de musique. De plus, Paul Hume était un excellent critique respecté. Un an auparavant, il s'était rendu célèbre dans le monde entier en publiant le compte rendu d'un récital de la fille du président des États-Unis, Margaret Truman. Il avait, en substance, déclaré qu'elle avait chanté encore plus faux que d'habitude. Le Président lui-même avait envoyé une lettre aux journaux dans laquelle il menaçait publiquement de lui casser la gueule. Nul doute qu'André a dû s'identifier au Président après avoir lu le *Washington Post* du 18 avril 1951 !

Trois semaines plus tard, il est l'invité du Club musical et littéraire de Montréal, le mardi 8 mai 1951, à l'hôtel Ritz Carlton. C'est Gérard Gamache qui a fondé cette série de concerts en 1933, à la même époque que les soirées Mathieu, en reprenant le principe de la conférence-concert. Et comme par hasard, le conférencier invité est Dostaler O'Leary qui parle

---

356. Paul Hume, *Washington Post*, le 18 avril 1951 : **voir la citation originale en annexe.**

des « Romancières de chez nous ». Son récital à Washington et cette invitation au « Club musical… » résument toutes ses activités d'interprète pour 1951.

André va cependant composer une seule œuvre pour cette année 51, le *Prélude Romantique*, mais ce sera un chef-d'œuvre qu'il dédie à Lucille, la femme de son ami Dostaler O'Leary. Événement considérable, le pianiste Paul-André Asselin, qui a rencontré André en 1941, va donner un récital tout Chopin au théâtre His Majesty's de la rue Guy, le mardi 4 décembre 1951. Il a invité toute la famille Mathieu et l'a installée dans une loge. À la fin du récital, comme premier rappel, il crée le *Prélude Romantique* et, pour la première fois de sa vie, ce n'est pas André qui donne la création d'une de ses œuvres. Le public, intrigué, applaudit, et Asselin pointe la loge. André se lève et salue le public enthousiaste. C'est tout pour 1951.

Nous avons retrouvé un document, un indice, une pointe d'iceberg qui est venu jusqu'à nous et qui révèle en quelques mots la profondeur de la détresse qui s'est installée à demeure chez André. Elle ne le quittera plus jamais, sauf pour de brèves éclaircies. Comme tous ses amis, tous ses proches, les O'Leary ont dû le supplier pour qu'André renonce à boire. En date du 17 septembre 1951, à Saint-Sauveur, André écrit sur un bout de papier : « Sur mon honneur d'homme, je promets de ne pas boire à partir de mercredi prochain pour une grande période. André Mathieu ».

On ne saurait dire combien de temps a duré la « grande période », car les Chevaliers se réunissent régulièrement et, dans le journal *Radiomonde* du 26 janvier 1952, une photographie nous montre André au piano, entouré de belles femmes et de jeunes et joyeux lurons. André, à défaut de donner des concerts, a élargi son cercle d'amis. Léo Ayotte, Serge Deyglun, Jacques Dupire, André et Marc Audet, Dostaler, Walter et Lucille O'Leary, etc. remplacent maintenant les amis d'enfance qu'il n'a pas eus. Le pianiste André Asselin va s'ajouter à cette garde rapprochée.

Asselin, qui vient de créer le *Prélude Romantique*, est invité à réveillonner rue Berri la veille du jour de l'an 1952.

> Ce n'était que joyeux propos, conversations animées, que vint couronner une dinde splendide [...]. On s'en doute, André Mathieu avait joué déjà sa *Laurentienne*, *le Printemps canadien*, le mouvement lent du *Concerto de Québec* et, de mon côté, j'avais exécuté *Les Mouettes*, la *Berceuse* et le *Prélude Romantique*. Mais le

clou de la soirée restait à venir et quand il se lança dans une improvisation en jazz (le jitterbug et le boogie-woogie étaient à la mode) où il se donna libre cours [...] j'entrai dans le jeu endiablé d'André Mathieu – il était déchaîné – et cela se termina par un quatre mains qui souleva l'auditoire [...].

Ce qu'il fit ce soir-là était d'un grand improvisateur, parce que placé sous le signe de l'imprévu, de la spontanéité, le tout venant d'une nature très riche [...]. André Mathieu nous avait prouvé [...] sa force d'invention dans un "genre" qui n'était pas particulièrement le sien. Il avait, après, surenchéri, avec une improvisation douce, calme et poétique, aussi tranquille et en demi-teinte, que le jazz avait paru débridé et déchaîné.[357]

1952

Dix jours après ce fastueux réveillon, a lieu à l'Université de Montréal un de ces événements qui ravivent les regrets de ne pouvoir voyager dans le temps. Sans doute prévenu et invité par son ami André Asselin, André, et la chose est si rare qu'elle vaut la peine d'être mentionnée, va se joindre à des collègues, à des confrères, à ce milieu dont jusqu'ici il semble être complètement séparé. André Asselin a présenté durant toute sa carrière des récitals de musique canadienne, de musique écrite par ses contemporains. Sans doute aiguillé par son maître Auguste Descarries, la création l'intéresse[358] et il va couvrir en tant que journaliste cette soirée d'écoute d'enregistrements sur disques qui a ceci d'unique et de particulier, que toutes les œuvres présentées le sont par les compositeurs eux-mêmes.

SOIRÉE D'ŒUVRES CANADIENNES

Vendredi soir dernier, le Cercle Discophile de l'Université de Montréal donnait l'audition, avec entrée libre au public, d'œuvres canadiennes choisies, soirée placée sous la présidence d'honneur de Mgr Olivier Maurault.

La présence dans la salle des auteurs eux-mêmes faisait que, non seulement ces musiciens se touchaient le coude tout en écoutant leurs fils spirituels, mais donnait aussi au public un aperçu véritable des tendances qui agitent l'esprit de nos créateurs. En effet, il serait difficile de voir rassemblés de la sorte autant de styles disparates et autant de personnalités différentes [...].

---

357. André Asselin, *Le Rappel d'un Songe*, 2003, p. 67-70, à éditer.
358. Clermont Pépin a dédié sa *Toccate no 1* à André Asselin.

Quand on voit l'aréopage réuni pour l'occasion, on se rend compte que l'aube commençait à pointer à travers la grande noirceur. Asselin nous apprend que Jean Vallerand (1915-1994) présente son poème symphonique, *Le Diable dans le beffroi* (1942).

> Que Jean Vallerand sente son Ravel, quoi de plus normal ! Ce poème symphonique, *Le Diable dans le beffroi*, [...] bénéficie d'une orchestration variée et l'on voit qu'en violoniste M. Vallerand sait utiliser le quatuor. Malgré un sens mélodique assez conventionnel et une échelle harmonique restreinte, qu'il désavouerait peut-être aujourd'hui, l'œuvre ne manque pas de charme et demeure beaucoup plus qu'un effort.

Autre personnage important de notre histoire qui avait accepté de présenter ses œuvres : Pierre Mercure (1927-1966).

> *Pantomime* (1946) [...] est une pièce de circonstance habile. *Ils ont détruit la ville* (1950), aussi de Mercure, écrit pour chœur et orchestre sur un poème de Gabriel Charpentier, m'a semblé une réussite plus complète et une expression musicale plus authentique. Authentique aussi est la pensée classique de Georges-Émile Tanguay (1895-1964) où une orchestration habile pare le *Lied* (1947) et la *Pavane* (1928) de timbres chers à l'excellent organiste qu'il est [...]. Dans la *Symphonie gaspésienne* (1944), Claude Champagne (1891-1965) redit, avec une longue expérience et un métier évident, une histoire de tous les jours et nous préférons clairement sa *Suite canadienne* (1927), laquelle est plus démonstratrice de son talent.

Le pianiste-critique poursuit sur sa lancée et l'on reste un peu étonné qu'il y a plus d'un demi-siècle, un musicien-interprète ait manifesté un tel souci et un tel intérêt pour la musique d'ici.

> En présentant son œuvre – ainsi que chaque compositeur l'a fait en un bref mot d'introduction – Alexander Brott (1915-2005) a dit que *Critic's Corner* (1950) vient de l'étonnement qu'il éprouva toujours devant les différences d'opinion et surtout devant celles de la critique officielle [...].

Enfin, c'est au tour de Jean Papineau Couture (1916-2000) d'offrir une *Sonate pour violon et piano* (1944) « d'excellente facture dans laquelle il affirme beaucoup de talent et de souci esthétique. Après un premier mouvement assez heurté et fort en contrastes [...] vient une sorte d'*Andante* qui est le point culminant de l'œuvre ». Puis, c'est au tour d'André Mathieu de présenter ses compositions. Comme il n'a pas d'enregistrements sur disque commercial de ses œuvres, André va se mettre au piano et clôturer la soirée en offrant un récital.

> André Mathieu s'est fait l'avocat d'un renouveau musical qui s'appellerait le « romantisme moderne ». En écoutant son *Quatrième Concerto* (1949) dans une réduction pour piano seul, l'on rallierait volontiers ses paroles et l'on décréterait avec lui : « l'époque de la cacophonie est moribonde ». Des thèmes poignants, des rythmes vivants et vibrants, une intensité qui s'apparente au meilleur Rachmaninoff et quelquefois un étrange état d'esprit traverse le concerto. Placé sous le signe de la puissance, une force volcanique soulève le second mouvement. Harmoniquement, c'est d'une écriture très libre et l'auteur n'emploie que douze notes et, en général, il ne chevauche qu'une seule des cent vingt-deux tonalités que ses contemporains prétendent utiliser ! ! ! La forme sonate respectée, elle y prend cependant ses ailes dans une mélodie constante et large qui est comme la signature d'André Mathieu.
>
> *Laurentienne* (1947), pièce d'un rythme solide, bien charpentée, constitue du piano d'une transcendante virtuosité et ne comporte, malgré son titre, aucune intention folklorique. Tant dans le *Quatrième Concerto* que dans la *Laurentienne*, l'auteur au piano est péremptoirement un grand pianiste. André Mathieu a en lui les forces du créateur et du novateur – qu'ils les mettent souvent en une musique pareille et nous verrons avec joie leur éclosion répétée !

En conclusion, André Asselin se fait le porte-parole de tous ces compositeurs pour réclamer une tribune qui leur permettrait de se faire entendre :

> Depuis longtemps une volonté systématique ici aurait pu nous rendre ces artistes familiers. Cela n'a pas été. La radio d'État n'impose-t-elle pas un programme à chaque semaine à ses compositeurs en Argentine ? Au Canada, comme ailleurs, l'Art n'a pas plus de frontière que de religion. Ce respect essentiel de nos talents scellerait le sort de la production musicale canadienne.[359]

Paradoxalement, André étant le plus jeune des compositeurs présents, mais en même temps le plus connu, la curiosité manifestée de part et d'autre devait à elle seule valoir le déplacement : pour André, rencontrer ces gens du métier et les défier avec ses dernières œuvres, et pour ces

359. André Asselin, *Le Haut-Parleur*, le 16 janvier 1952.

professionnels, devoir rendre les armes devant l'interprète tout en se sentant évalués par ce célèbre inconnu... Décidément, s'il s'était produit une catastrophe à l'Université de Montréal ce soir-là, notre paysage culturel aurait été vastement modifié.

Quelques semaines plus tard, André Rufiange, chroniqueur à potins au journal *Radiomonde* conclut son article avec cette nouvelle brève : « Une rumeur a circulé au début de la semaine à l'effet qu'André Mathieu se serait enlevé la vie dans une ville du Nord de la province. Mathieu fut un jour l'espoir du Canada, dans le domaine de la musique. Malheureusement, il est vite rentré dans l'ombre... » [360] André réplique : « Je ne suis pas encore mort [...]. Certaines gens ont fait courir le bruit que j'étais mort. Eh bien ! Je suis encore vivant et j'ai l'intention de vivre aussi longtemps que Dieu me prêtera la vie. Je suis fatigué de toutes les histoires que l'on fait courir sur mon compte et j'ai l'intention de faire des recherches pour savoir qui a fait partir ces rumeurs. »[361] Le potineur offrait à un André de vingt-trois ans un avant-goût de sa future notice nécrologique... : « Malheureusement, il est vite rentré dans l'ombre »... qui est sans doute aussi le reflet de la perception du grand public. Et cette réponse d'André, dépourvue de dignité... L'époque semble loin où, de toute la province, s'élevait un chœur de louanges unanimes.

En février, André est invité dans une soirée de variétés : les Galas de Music-Hall, où il joue sa *Laurentienne* populaire, sa *Fantaisie Romantique*, qui est une de ses œuvres les plus torturées et les plus angoissées – celle qu'il jouera le plus souvent durant ses dernières années – et, comme s'il voulait se faire pardonner d'avoir abusé de ses auditeurs, le *Concerto de Québec*. Au même programme, on retrouve Roger Parent qui présente un numéro de pantomime, Jean Rafa et sa « fantaisie », le trompettiste Buddy Jordan, Marcel Gamache, « le roi des histoires plates », Thérèse Daly, chanteuse, Gérard Barbeau, le jeune soprano qui va faire un malheur dans le film hallucinant, *Le Rossignol et les cloches*, Aline Guay, chanteuse de genre et l'équilibriste Billy King. Juliette Huot et Marcel Gamache sont les animateurs de la soirée. Dans le texte de présentation du programme, on apprend « qu'il (André) prépare actuellement un grand opéra et un poème

360. André Rufiange, *Radiomonde*, janvier 1952.
361. André Mathieu, *Le Canada*, le 25 janvier 1952.

symphonique sur le *Cantique des Cantiques* », oratorio qui était déjà sur le métier en 1945 !

Contrairement à ce que tous les journaux colportent, André n'a pas rendu les armes et multiplie les activités qui lui permettent d'exercer son art. Rodolphe, paternellement, à soixante et un ans, va remettre l'épaule à la roue et tenter de recréer les conditions du miracle et de reculer dans le temps en produisant la dernière « Soirée Mathieu », pour permettre à son fils de se présenter dans la dignité. Le lundi 17 mars 1952, « Sous le distingué patronage de M. Jean Bruchési, sous ministre provincial, et du Marquis et de la Marquise de Ruzé-d'Effiat, au Cercle Universitaire, 515 est, rue Sherbrooke », Rodolphe propose un débat oratoire sur le thème : théâtre d'hier et d'aujourd'hui, avec Madame Léon Mercier Gouin et Guy Beaulne. André va jouer sa *Fantasie no 2,* (*Fantaisie romantique*) et *Laurentienne* et les *Quatre Lieder* (sic) sur des textes de Verlaine avec Mademoiselle Aline Dansereau, mezzo-soprano. Après l'entracte, André reprend son *Trio* avec Belland et Lapenson. Au bas du programme, Rodolphe annonce « la prochaine Soirée Mathieu aura lieu le lundi 21 avril », mais celle-ci allait être la dernière et mettre un point final à une aventure commencée vingt-deux ans auparavant.

Maintenant critique musical au journal *Le Devoir*, Jean Vallerand, qui n'est pourtant pas tendre, assiste à cette soirée historique et écrit, parlant du *Trio :*

> L'œuvre est d'importance et indique, si on la compare aux autres œuvres de Mathieu présentées au même programme, une prise de conscience d'une puissante personnalité musicale. J'avoue franchement ne pas aimer *Laurentienne*, où l'auteur s'est soumis à un style popularisé par le cinéma (genre *Warshaw* [sic] *Concerto*) et qui me déplaît souverainement […]. Avec le *Trio*, nous sommes dans une autre contrée musicale, dans la contrée des grands vents et des tremblements de terre. Et je crois que c'est dans ce pays que Mathieu retrouve son instinct […]. Le *Trio* révèle un Mathieu libre, un Mathieu solitaire, un Mathieu qui cède dans son art à une expérience spirituelle présentée avec brutalité et avec une sincérité sans contrainte. Par cette œuvre, l'auteur entre dans la grande tradition de la musique. Dans ces pages, Mathieu ne répète pas ce que d'autres ont dit avant lui, il dit ce que seul Mathieu

> peut dire et il le dit dans une langue dont la syntaxe est l'image même de la substance spirituelle de l'œuvre [...].[362]

Considérant la position de Jean Vallerand dans le milieu musical, ce compte rendu est beaucoup plus qu'une critique, c'est une prise de position et le plus bel hommage qu'André Mathieu ait jamais reçu. Nous sommes très loin du « ... Seulement, laissez Mozart tranquille... » du 26 janvier 1940 !

La prochaine trace que nous laisse André Mathieu nous mène à Toronto, les 10 et 11 mai 1952. Nous sommes à l'époque de la guerre froide et le traumatisme profond qu'ont provoqué les bombardements d'Hiroshima et de Nagasaki en 1945 étend ses répercussions à travers la planète. La terreur de la prolifération des armes atomiques déclenche des mouvements spontanés. La *National Conference for PEACE, Arms Reduction, and Trade*/la *Nationale Conférence pour la PAIX, la Réduction des Armements et le Commerce* affiche clairement ses couleurs et, le samedi 10 mai 1952, André donne un récital d'une demi-heure au Massey Hall pour un cachet de 50 $. Il inscrit au programme la *Laurentienne* et la *Fantaisie Romantique,* décidément ses préférées. Ce récital donné dans le cadre de la Conférence Nationale pour la paix, nous montre un Mathieu s'écartant de plus en plus du réseau traditionnel des récitals et des concerts pour se rapprocher du « vrai monde » et apporter sa contribution aux grandes préoccupations de l'époque. Il est à noter que les organisateurs de la conférence étaient en avance de seize ans sur les politiques officielles du pays en matière de bilinguisme. André avait une carte lui donnant accès à toutes les présentations. Comment s'est-il retrouvé à Toronto invité à donner un récital ? Une légende persistante voudrait que Glenn Gould ait entendu André Mathieu, soit à Toronto, soit à Montréal, et que les deux hommes aient sympathisé. Tout ce qu'on peut dire c'est que Glenn Gould était à Toronto en mai 1952 et que deux jours avant le récital d'André, il a fait ses débuts avec orchestre...

En juillet 1952, André Mathieu trouve un nouveau débouché à sa créativité. Il écrit et interprète la musique de scène pour la pièce *L'Impasse* de Claude de Cotret et Yves Trudeau, présentée au théâtre des Nouveautés. Peut-être est-ce là le projet de « grand opéra » auquel André aurait été occupé.

362. Jean Vallerand, *Le Devoir,* le 18 mars 1952.

Mais l'événement de cette année 1952 se produit un mois plus tard. Il s'agit du mariage de sa sœur Camillette qui vient d'avoir vingt et un ans. À l'église Notre-Dame du très Saint-Sacrement, à deux pas de la maison familiale, l'abbé Paul Lachapelle, le vieux compagnon d'armes de Rodolphe, va unir par les liens sacrés du mariage Camille Mathieu et Michel Pierre, le fils du docteur et de Madame Jean-Marie Pierre, de Troyes, en France. André est le témoin de l'époux et Rodolphe témoin de l'épouse. Camille est amoureuse et même si le mariage finira en désastre, ces quelques années sont précieuses pour elle. Elle est plus que belle et si elle se livre aux mêmes excès que son frère, au moins arrive-t-elle par ce mariage à quitter ce milieu aimant et dysfonctionnel. Son instinct de survie la chasse de la rue Berri et, même si ses démons finiront par la terrasser, en 1952 elle est rayonnante et passionnément aimée de cet homme, scripteur à la radio, qui travaillera bientôt à l'Office National du Film et au journal *Le Devoir*. Les nouveaux mariés, après avoir habité au 4519 Berri pendant quelques mois, vont partir s'installer au 1558 de la rue Stanley.

En novembre, nous retrouvons la piste d'André à Rivière-du-Loup, à l'hôtel Lapointe. Puis le 14 décembre, il est à la salle paroissiale de Sept-Îles. Il est sans doute à préparer son séjour de février 1953, où il ira rencontrer et présenter sa musique à des populations qui n'ont sans doute jamais entendu de concertistes. Dans son édition du 22 février 1953, *Le Petit Journal* a dépêché le vieil ami d'André, Serge Deyglun, à qui la direction du journal a demandé un reportage détaillé de la visite d'André Mathieu à Sept-Îles. Deyglun titre :

LES JEUNES INDIENS DES SEPT-ÎLES VEULENT S'APPELER ANDRÉ MATHIEU

> Tout Sept-Îles est remué par la grande nouvelle : l'homonyme à l'envers de Mathieu André, chef de la réserve des Montagnais, vient donner un concert ! André Mathieu descendra de l'avion ce matin [...]. Des foules se pressent vers l'aéroport et quelques Indiens qui n'ont pas compris croient que c'est leur chef qui jouera le piano. Une armée de fraîches et babillantes jeunes filles parlent si bémol et triolets et les imprésarios Pagé et Pelletier consultent frénétiquement leur montre-bracelet dans un brouillard d'haleine solidifiée.
>
> Il arrive ! En retard bien sûr, mais l'avion qui emporte un artiste est toujours en retard. Il descend héroïquement et sourit avec

grâce au peuple assemblé. C'est la première fois qu'un artiste de la valeur d'André Mathieu vient semer son art aux Sept-Îles. Comme pour les princes et les monarques étrangers, l'horaire de son séjour est prévu, calculé, agencé sans la moindre anicroche. Il aura un guide, non, une guide, charmante et attentive. Beaucoup de gens ne le reconnaissent pas et on lui explique...

Il y a un autre Mathieu aux Sept-Îles. Non moins célèbre celui-là : le grand chef de la tribu des Montagnais ! À certains points de vue, ils se ressemblent : si l'un a un doigté particulier pour les thèmes compliqués de la haute musique, l'autre a une touche bien sûre dans la disposition de ses trappes [...]. L'un écrit de la musique en sifflant son thème, l'autre écoute siffler ses balles dans le silence des grandes chasses. André Mathieu vient donner un concert aux Sept-Îles, Mathieu André donne du mal à quelque orignal agressif.

Le pianiste visite la ville et cherche un piano. Laborieuse affaire qui le mène dans dix foyers et maintes conversations. Le tout couronné de succès puisque le piano sera dans la salle paroissiale à l'heure dite. En attendant, il est reçu partout. Il donne un concert à l'orgue dans l'église des Sept-Îles et cette matinée est fructueuse. Toute la ville assiste aux deux concerts qu'il donne. Mathieu est ovationné, cela va sans dire. On assaille les coulisses et Mathieu distribue généreusement son autographe et ses sourires. Il est reçu au club des Sept-Îles et promet qu'il visitera la réserve d'Indiens « demain » [...].

Les enfants sont là pour les photos et pour exécuter des chants. « Je m'appelle Mathieu André, dit le fils du chef, et toi ? » « Moi, c'est André Mathieu », répond-il fraternellement. Il assiste à quelques récitations, tapote les joues de la famille du chef. En son honneur, on promet que tous les enfants du chef s'appelleront André Mathieu ! Notre Mozart canadien est ému, il essuie une larme furtive et s'assoit au piano du collège. Mathieu joue inlassablement pour les enfants de la classe, et part léger, le cœur content de toutes ses joies inattendues.

« Je reviendrai ! » Oui André Mathieu reviendra jouer pour tous ces petits-enfants. Je ne crois pas qu'au cours de ses longues tournées à travers l'Europe, l'Amérique et le Canada, il ait eu tant de joie et de pincements de cœur qu'aux Sept-Îles, terre d'avenir, pays de nombreux André Mathieu ![363]

---

363. Serge Deyglun, *Le Petit Journal*, le 22 février 1953.

André est sans doute allé de Sept-Îles à Matane sur le traversier puisqu'il envoie de Matane un télégramme, daté du 14 mars 1953, qui se veut rassurant au 4519 Berri : « Chers parents, opération satisfaisante, soyez sans inquiétude – merci pour téléphone – pense à vous toujours – vous embrasse – André. »

Quelques mois plus tard, toujours de Matane, Odette Arseneault, réalisatrice à la station radiophonique CKBL de Matane, lui écrit le 9 juin 1953 « Aucun malaise vous rappelant votre chute à Matane ? Tel que promis, voici le schéma de votre prochain récital [...] Vendredi soir, le 12 courant [...]. Ce serait charmant si vous étiez à Matane pour vous écouter ! »

André semble-t-il, serait tombé, et aurait été opéré. Avant sa chute il semble avoir enregistré une émission qui doit être diffusée le 12 juin. L'émission *Touche d'Ivoire* de la station radiophonique CKBL diffuse les premier et dernier mouvements du *Concerto no 4* et un *Scherzo* et ce sera sa dernière activité d'interprète pour l'année 1953 !

Un lundi de mai 1953, la dédicataire du *Prélude Romantique*, Lucille O'Leary, écrit de Ermont, en France, où elle séjourne avec son mari : « Espèce d'André ! Comme je pense à vous en entendant du Brahms et du Debussy [...]. Vous êtes donc plongé dans les *Variations Symphoniques* de Franck [...]. Quand il y a de la musique comme cela, j'aurais envie de crier ou – je ne sais quoi ». Elle lui dit qu'elle aimerait apprendre l'allemand et se rendre au festival de Bayreuth à l'été...

> *Mais je crois que ce sera partie remise car DOS (taler) a reçu une invitation pour le festival de musique d'Aix-en-Provence, alors il se pourrait que je l'accompagne [...]. Parfois, j'ai le goût d'étudier la partie de piano de votre Trio – oh, je sais qu'elle est rudement difficile, ne vous moquez pas de moi [...]. Mais si j'avais votre* Nocturne *ou même votre très difficile aussi* Quatrième Concerto *pour piano, je me hasarderais. Vous devez me trouver bien ambitieuse, c'est vrai André – c'est peut-être de la grande ambition, mais c'est autre chose aussi. C'est une grande admiration pour vos œuvres, un désir fou de les posséder et de les connaître mieux que les autres ! Vous me pardonnez ??? Votre musique me va tellement bien aussi, c'est un régal pour moi. Mon tempérament musical (et fougueux parfois !) se retrouve dans votre musique et se plaît. Si un jour vous me disiez : « Ne faites que de la musique », je crois que je serais tentée de vous*

> *écouter [...]. Je ne m'offusquerai pas si vous me dites qu'à mon âge, on ne peut espérer devenir artiste...*[364]

On perçoit aisément la fascination réciproque qu'André et Lucille semblent avoir éprouvée l'un pour l'autre... et la raison pour laquelle André lui a dédié tant d'œuvres.

Le 15 juin 1953, la clinique Saint-Louis envoie une note d'honoraires de 175 $ pour une opération effectuée le 16 avril 1953. Est-ce la suite de sa chute à Matane ? On mentionne une ablation locale...

FRANÇOISE GAUDET-SMET ET LE DOMAINE DE CLAIRE-VALLÉE

Michel Pierre, le mari de Camillette, n'a pas les mêmes raisons que la famille Mathieu de protéger et de tolérer les frasques et les abus d'André. Au travers des confidences que se font les couples, il n'est pas sans avoir remarqué la place écrasante qu'André a occupée et occupe encore dans cette famille et les conséquences et les contrecoups dont sa femme a souffert. Michel ne partage pas tout l'historique et le folklore glorieux qui entourent son beau-frère André et prédisposent tout l'entourage à une grande indulgence. C'est la pittoresque et indestructible Françoise Gaudet-Smet qui a ramené au Canada Michel Pierre, ce fils d'amis français qui, à la fin de la guerre, se cherche une vocation. Françoise connaît bien la famille Mathieu : dans les années 30, elle a fréquenté Rodolphe au moment où il publiait son ouvrage *Parlons Musique* chez l'éditeur Albert Lévesque. Non seulement a-t-elle été l'entremetteuse entre Michel et Camillette, mais elle sera également la marraine de leur fille Catherine, qui naîtra en novembre 1955. Françoise et son mari Paul ont acheté en 1942 un domaine, près de Saint-Sylvère, qu'ils ont baptisé Claire-Vallée. C'est un centre pour les jeunes, une sorte de colonie de vacances, coopérative et école des traditions. Paul et Françoise feront aménager les dortoirs pour les garçons et pour les filles et tout l'été, des professeurs invités viennent dispenser leur science et leurs connaissances. Par exemple, François-Albert Angers vient parler de coopératives, Marius Barbeau de ses recherches sur le folklore, Jehane Benoît initie les jeunes à la diététique, etc. En 1953, Rodolphe et Mimi

---

364. Lucille O'Leary, lettre André Mathieu, mai 1953, Fonds Famille Mathieu, Archives Nationales, à Ottawa.

viennent s'installer pour l'été à Claire Vallée ; Rodolphe sera le professeur de musique attitré de la tribu. Le 11 juillet, Mimi écrit à André :

> *Madame Smet serait heureuse de te recevoir. Viens donc avec Michel et Camille. Tâche de trouver un short ou un vieux pantalon. N'oublie pas de prendre la semaine pour te reposer afin d'arriver ici avec ta belle figure, celle que j'aime. Tu la connais. Ainsi que tes dents, tu n'as qu'à les frotter, elles sont bonnes, c'est comme le reste de toi-même, le fond est bon […]. Ici les jeunes sont anxieux de te rencontrer, c'est toute une génération qui a entendu parler de toi […]. Donc, n'oublie pas les recommandations de la petite mère et tout ira bien…*[365]

La lettre est transparente, prendre une semaine de repos avant de venir se reposer… Tant qu'aux dents, déjà la cousine Marthe Pocaterra, trois ans auparavant y avait fait allusion et on sait que Françoise Gaudet-Smet elle-même voudra l'envoyer chez le dentiste, sa dentition étant dans un état lamentable… Le lendemain, c'est au tour de Rodolphe de relancer l'invitation :

> *Cher André, […] Il fait très beau ici, il y a des jeunes gens très gentils. C'est bien agréable ! Ne manque pas de venir, Mme Smet t'attend. Nous sommes entourés de belles collines, qui bordent une jolie rivière. Il y a du bon lait et de bonnes choses à manger […]. Ton vieux père qui fait le jeune en ce moment. Rodolphe.*[366]

Mais cette belle invitation à une vie idyllique et bucolique va se trouver contrecarrer par une missive que Michel Pierre écrit à ses beaux-parents :

> *Cher Monsieur et chère Madame,*
>
> *Lors de la dernière venue en ville de Camille, nous sommes allés rue Berri. André m'y a montré votre lettre et vous a téléphoné pour vous dire qu'il viendrait à Claire-Vallée en fin de semaine. Bien entendu, nous l'emmènerons avec nous – s'il est toujours dans la même disposition d'esprit.*
>
> *Il semble que j'ai été chargé par vous et Madame Smet de transmettre à André l'invitation de se rendre à Claire-Vallée dimanche dernier.*

---

365. Mimi Mathieu, Claire-Vallée, le 11 juillet 1953, Fonds Famille Mathieu, Archives Nationales, Ottawa.
366. Rodolphe Mathieu, Claire-Vallée, le 12 juillet 1953, Fonds Famille Mathieu, Archives Nationales, Ottawa.

Il est vrai que vous et Madame Smet m'en aviez parlé, mais je vous ai dit les raisons pour lesquelles je ne le ferais pas.

Quand nous avons été nous-mêmes là-bas il y a quelques mois, Camille et moi avons réalisé tout le bien que vous y trouveriez. Mme Mathieu avait un réel besoin de repos, de repos néanmoins actif – sans ennuis matériels, dans une bonne ambiance, dans l'atmosphère de la campagne. M. Mathieu avait besoin, nous semble-t-il, de ces mêmes biens, mais en plus nous étions heureux de l'introduire dans un milieu extrêmement vivant et actif où tout simplement il serait à l'aise pour donner ce qu'il pouvait. À Claire-Vallée, il pouvait trouver un groupe de jeunes enthousiastes, pleins de foi... et pour certains, de talent. Pour eux, Monsieur Mathieu prendrait sa véritable physionomie, non pas seulement de professeur de musique, mais encore de ce qu'il est en vérité – c'est-à-dire infiniment plus [...].

Or, à mon avis personnel, la présence d'André détruit tout ce plan... En effet André détruira la simple atmosphère saine, équilibrée, et apportera une tension incontestable. De plus, injustement, M. Mathieu retrouvera son titre de père d'André Mathieu, le père dévoué, sacrifié si l'on veut. Il n'y a plus aucune raison pour que, Monsieur Mathieu au moins pendant deux mois, soit un peu libre d'être lui-même.

Vous me direz à juste titre que ceci ne me regarde pas et que vous voulez le bien d'André. Je n'ai pas les mêmes raisons de le vouloir et je suis persuadé que ce qui peut être un bien pour André est un mal pour Monsieur Mathieu. Le bien est aléatoire, (d'ailleurs je crois cette lettre bien inutile, car Mme L'Allier[367] *ne laissera pas partir André) ; le mal serait certain. J'estime que M. Mathieu a plus droit qu'André à nos soucis.*

Et puis, si je me place d'un point de vue extra-familial, je n'hésite pas à vous donner une opinion que vous jugerez d'un profane, sinon d'un incompétent : Il y a plus à attendre, en musique, de Monsieur Mathieu que d'André.

[...] Je ne crois pas que quelque bien puisse être retiré par André actuellement. Fin août, septembre, puisque Madame Smet le propose et qu'elle a véritablement la bonne volonté et le talent indispensables pour cette tâche, André pourrait sans nuire à son père, aller faire une cure de santé morale.

---

367. Rose L'Allier, veuve, a mis à la disposition d'André son aisance matérielle. Ils se sont rencontrés en 1949 et leur relation paraît avoir été platonique mais passionnée de la part de Madame L'Allier. Leur lien ne se rompra qu'avec la mort. André Mathieu lui a dédié deux mélodies *Il pleure dans mon cœur* et *Si tu crois.*

Pardonnez-moi si mon ton vous a quelque peu blessés. Je m'en excuse. Vous me connaissez.

Et je vous embrasse affectueusement

Michel[368]

Camillette a enfin trouvé un champion qui la protège et lui donne la place qu'elle n'a jamais eue. Tout au long des entretiens qui ont recueilli ses confidences, Mimi, sa mère, laisse échapper quelques remarques où perce le regret : « Il fallait éviter que Camille ait des complexes… »[369], « Camille était une personne inconstante. Dans quelle mesure n'a-t-elle pas souffert de vivre dans l'ombre de son père et de son frère ? »[370]Et enfin : « Albina avait un faible pour André. Ça a beaucoup aigri Camille, pauvre Camille, c'est pourquoi je lui ai pardonné certaines sautes d'humeur; il y a des souvenirs d'enfance qui ne s'effacent pas… »[371]

Avec les « recommandations » de sa mère et le contenu de la lettre de Michel Pierre, il est bien évident que l'alcoolisme a pris le contrôle de la vie d'André, qui n'ira pas à Claire-Vallée avant l'été 1955 !

Si la vie d'André Mathieu s'est déroulée pendant une décennie en suivant les lois du conte de fées ou la logique des films d'Hollywood, depuis son retour de Paris en 1947, et même depuis le retour de New York en 1942, les cachets mirobolants à 100 $ la minute appartiennent au passé. À la résidence familiale, au 4519 Berri, après la disparition de la tatante Alphonsine en 1950, l'argent manque d'autant plus qu'André n'apporte presque plus rien à la cassette familiale. Rodolphe donne des leçons privées et multiplie les démarches pour se trouver un emploi soit au Conservatoire, soit à l'université, et on imagine bien que ce n'est pas Albina qui va le faire vivre, lui ! Mimi se voit donc réduite à ouvrir une école pour enfants en difficulté scolaire, *l'Oiseau Bleu*, à partir de 1953 et jusqu'à l'avènement des garderies publiques. Mimi, sa sœur Camille et même sa future belle-fille Marie-Ange vont travailler à *l'Oiseau Bleu*. Conséquence inévitable pour les deux hommes, la maison est occupée par les enfants toute la journée, et Rodolphe et André n'ont plus d'intimité pour lire, composer, travailler,

368. Michel Pierre, Montréal, juillet 1953, Fonds Famille Mathieu, Archives Nationales, Ottawa.

369. Mimi Mathieu, entretien du 3 décembre 1975, interview de Rudel-Tessier.

370. Mimi Mathieu, entretien du 10 décembre 1975, interview de Rudel-Tessier.

371. Mimi Mathieu, entretien du 16 décembre 1975, interview de Rudel-Tessier.

pratiquer, le salon et la salle à manger étant les seules aires communes où se trouvent les pianos. Même le piano, sa bouée de sauvetage et son salut, devient inaccessible pour André.

Le début des années 50 devient aussi pour André une période où tous ses démons sont mis à nu, où sa difficulté d'être trouve chez ses amis une solution permanente et radicale. André Audet, son sauveteur, celui qui l'a obligé à vivre, va s'enlever la vie en 1952, quelques mois après la comédienne Muriel Guilbault.[372] L'écrivain-sculpteur André Pouliot, le comédien Jean Saint-Denis, Pierre Morin et enfin le poète Sylvain Garneau, tous mettent fin à leurs jours. Joseph Rudel-Tessier, le premier biographe d'André Mathieu, aura ce cri du cœur pour parler de cette époque : « C'était une sorte de désespérance… C'était comme si on n'appartenait pas à ce peuple, c'était comme s'il ne voulait pas de nous… »[373]

Le Québec de l'époque présentait un tissu social digne de nos courtepointes ancestrales. Le milieu rural et ses valeurs immémoriales constituaient la fondation de notre société. Avec l'avènement, entre autres, de la télévision qui va faire circuler des points de vue nouveaux, ces noyaux durs du passéisme vont voler en éclats et laisser place à un esprit nouveau. D'autre part, si nous considérons aujourd'hui le *Refus Global* comme un des événements fondateurs de notre modernité, à l'époque, grâce à tous ceux qui avaient intérêt à ce que les choses restent ce qu'elles étaient et où elles étaient, la circulation des idées de libération avait été très confidentielle. L'exemple qu'on avait fait de Borduas, perdant immédiatement son poste de professeur à l'École du meuble, avait eu l'effet escompté : le silence et la peur. Mais toute cette jeunesse qui a quitté l'arrière-pays, qui lit, qui étudie à Paris ou aux États-Unis, toutes ces aspirations à plus de liberté sont endiguées par des relents de soutane et de bénitier. À un niveau social et économique, la grève de l'amiante de 1949 a redéfini pour la prochaine décennie le périmètre de nos libertés et les limites de nos rêves de société. Pourquoi s'étonner alors, que la jeunesse, l'époque la moins propice au compromis, choisisse de disparaître plutôt que d'engendrer d'autres nègres blancs ou de s'enfoncer dans une « beigitude » insoutenable ? La

372. Muriel Guilbault (1922-1952), comédienne. Le poète Claude Gauvreau qui en était amoureux fou l'a immortalisée en l'appelant « La Muse Incomparable ». Elle a mis fin à ses jours le 3 janvier 1952.

373. Rudel-Tessier, entretien avec Mimi Mathieu, le 2 janvier 1976.

marginalité est une chose, mais l'exclusion est un prix trop lourd à payer pour des âmes altruistes. Sans doute saisi du même vertige, André Mathieu, dans le journal de son ami André Lecomte, publie un texte à la mémoire de son ami Sylvain Garneau :

> HOMMAGE À MON AMI
>
> Sylvain Garneau est mort. Le Canada français a perdu un des plus grands poètes de notre génération. Sylvain Garneau n'était pas vieux : 23 ans. Il n'avait pas la prétention d'annoncer à ses aînés ce que l'Éternité devait leur apprendre. Mais il s'est toujours efforcé, dans ses œuvres, de diriger par sa pensée poétique notre jeunesse sur une voie digne et pure. Il a été le coup de clairon dans une armée de jeunes soldats endormis. Il a voulu exprimer l'espoir de la jeunesse en la vie. Il a été une lueur dans l'obscurité de notre jeune vie. C'est pourquoi nous ne devons pas seulement considérer Sylvain Garneau comme un poète mais aussi comme un philosophe. Je m'incline devant la tombe de celui qui fut mon ami et je m'émeus au souvenir du grand poète qu'il était.[374]

STOKOWSKI, CARNEGIE HALL, CONCERT SANS ANDRÉ MATHIEU

Au Carnegie Hall, le vendredi 16 octobre 1953, a lieu un événement considérable : le légendaire chef d'orchestre Léopold Stokowski a accepté de diriger un concert, entièrement consacré à des œuvres canadiennes. Stokowski, le chef qu'André a sollicité sept ans auparavant pour venir à Montréal diriger son *Concerto de Québec*, ce même chef auquel Rodolphe avait voulu présenter son fils à Paris en 1939, ce même artiste qu'André a vu dans le film *Fantasia*, Léopold Stokowski, enfin, pourrait diriger une œuvre d'André Mathieu ! Le concert a été organisé par Carl Haverlin, président des sections américaine et canadienne de la maison d'édition Broadcast Music Inc. Le comité de sélection rassemblé pour l'occasion est plus que prestigieux, il est historique : Ernest MacMillan, Claude Champagne, Henry Cowell, Boyd Neel, Wilfrid Pelletier, Walter Piston et William Schuman. André a envoyé une partition, *Dans les champs*, une de ces *Scènes de ballet*. Le comité de sélection n'a pas retenu l'œuvre. Russell Sanjek, de la Broadcast Music, Inc. écrit à André en lui renvoyant sa partition : « Comme vous avez dû l'apprendre, le concert a remporté un formidable succès. L'avenir de la musique canadienne

374. André Mathieu, *L'Œil en Coulisse*, le 28 novembre 1953, texte écrit le 7 octobre 1953.

s'annonce particulièrement radieux. Je crois que nous pouvons nous attendre à d'autres événements de ce genre. »[375]

Les six compositeurs retenus pour ce concert qui se veut le premier d'une série d'événements annuels sont : Pierre Mercure avec *Pantomime*, Alexander Brott, *Concerto pour violon et orchestre* avec, comme soliste, Noël Brunet qui dix ans plus tôt s'était présenté avec André au concert du Chalet de la Montagne. Pour conclure la première partie, Stokowski avait choisi d'inscrire *Tabuh-Tabuhan* de Colin McPhee. C'est *Antiphonie* de François Morel qui lançait le reste du concert. Deux compositeurs canadiens concluaient la soirée : Godfrey Ridout et ses *Two Mystical Songs of John Donne* et Healey Willan avec sa *Coronation Suite.* Ce n'est donc pas parce qu'elle s'inscrit dans la « tradition » que l'œuvre d'André a été rejetée, les deux dernières œuvres au programme s'inscrivant dans une esthétique « *Pomp and Circumstance* » impérialiste. Le concert étant diffusé en direct à la radio, cette constatation dut lui rendre son échec encore plus cuisant. Or, selon la légende familiale, Claude Champagne aurait favorisé Mercure et Morel. Ne serait-ce pas tout simplement que BMI souhaitait pousser « ses » compositeurs maison ?

Ce refus est d'autant plus ironique et malvenu qu'il survient au moment où André a terminé une des partitions les plus importantes de sa vie, son *Quintette* pour quatuor à cordes et piano qui porte la date du 12 mai 1953. André a vingt-quatre ans, et même s'il est presque absurde de dire que Mathieu livre son œuvre la plus achevée, c'est bel et bien la dernière grande œuvre qu'il composera. Il écrira encore des mélodies, des œuvres de circonstance, mais la facture du *Quintette* et la qualité de son désespoir le placent au sommet de la création de Mathieu. Évidemment, nous sommes à des années-lumière des courants qui font *tabula rasa* du passé et inventent des grammaires quand ce n'est pas carrément un alphabet pour extirper les racines de cette culture qui a mené à cette gigantesque catastrophe. Chez nous, l'harmonie chromatique et le romantisme exacerbé qu'on retrouve dans ce *Quintette* sont anathèmes. Mathieu a choisi son camp, et ce n'est pas celui de la rupture et de la contemporanéité.

---

375. Russel Sanjek, New York, le 27 octobre 1953, Fonds Famille Mathieu, Archives nationales à Ottawa : « As you probably know, the concert was a tremendous success, and the future of Canadian music looks particularly bright. I think we can look forward to many more such events. »

Pour André, quel merveilleux *come back* aurait représenté ce concert au Carnegie Hall. Relancer une carrière en stand-by depuis quelques années, faire taire les rumeurs qui circulent et surtout, entendre sa musique, présentée par Stokowski lui-même, dans la salle où il a triomphé dix ans auparavant, c'eut été ressouder les morceaux épars d'une vie qui se disloque de plus en plus. André Mathieu n'existe que pour et par la musique ; ne pas jouer, ne pas être entendu, ne pas sentir le public lui rendre ce qu'il offre, c'est déjà, un peu, la mort. Ce rejet de son milieu, quelles qu'en aient été les raisons véritables, est pour Mathieu, qui ne comprendra jamais rien aux mécanismes de la « carrière », la confirmation de son isolement.

CAHIER PHOTO

Rodolphe, au deuxième piano, regarde le clavier comme s'il s'effaçait derrière son fils. André confirme à son père que Dieu n'existe pas mais que le divin se retrouve dans chaque homme… ou dans chaque enfant.

Rodolphe Mathieu, compositeur, libre-penseur, pédagogue. Cet homme à la « virilité rêveuse » se consacre à l'éducation de son fils.

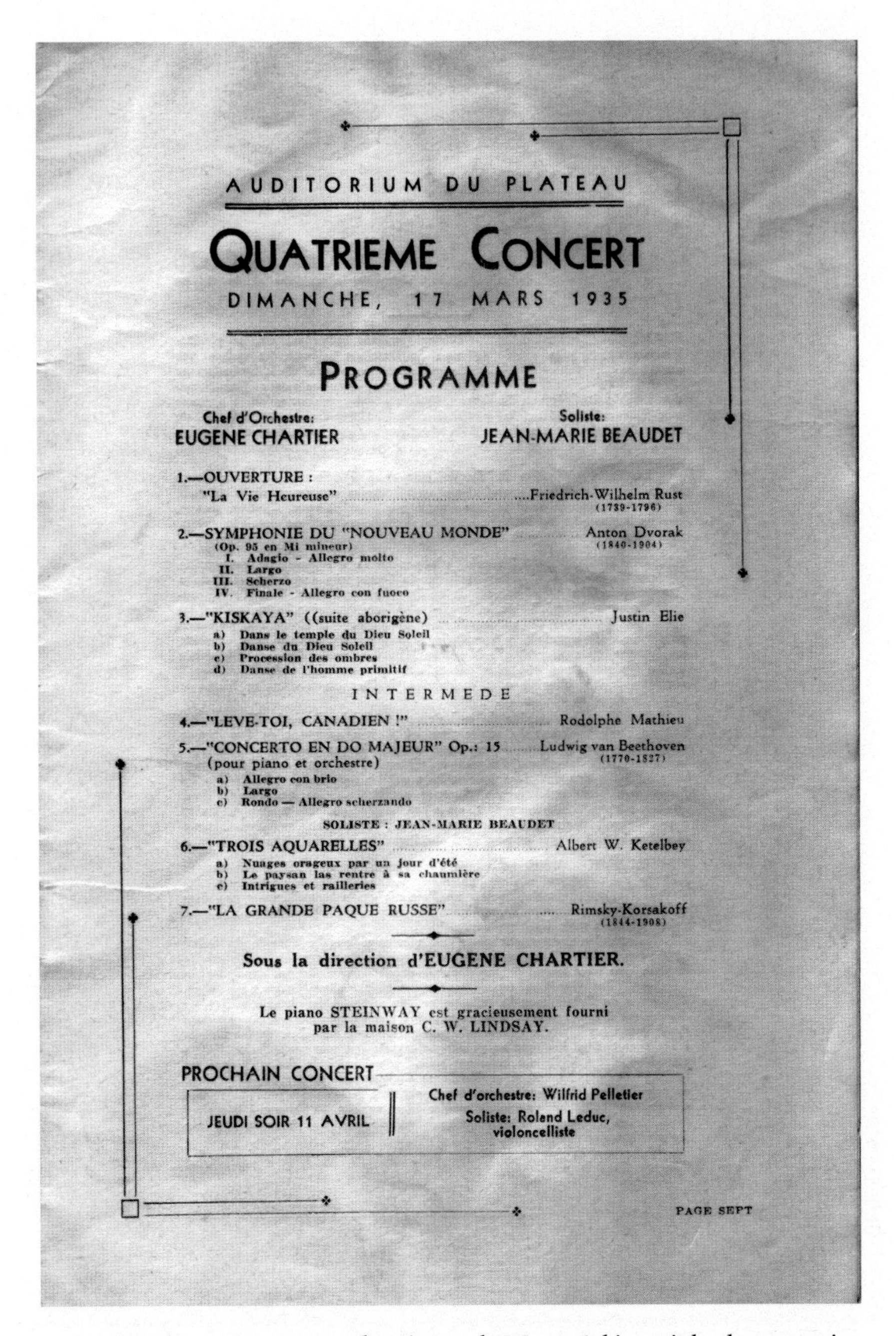

AUDITORIUM DU PLATEAU

QUATRIEME CONCERT

DIMANCHE, 17 MARS 1935

PROGRAMME

Chef d'Orchestre:
EUGENE CHARTIER

Soliste:
JEAN-MARIE BEAUDET

1.—OUVERTURE :
"La Vie Heureuse" .... Friedrich-Wilhelm Rust (1739-1796)

2.—SYMPHONIE DU "NOUVEAU MONDE" .... Anton Dvorak (1840-1904)
(Op. 95 en Mi mineur)
I. Adagio - Allegro molto
II. Largo
III. Scherzo
IV. Finale - Allegro con fuoco

3.—"KISKAYA" ((suite aborigène) .... Justin Elie
a) Dans le temple du Dieu Soleil
b) Danse du Dieu Soleil
c) Procession des ombres
d) Danse de l'homme primitif

INTERMEDE

4.—"LEVE-TOI, CANADIEN !" .... Rodolphe Mathieu

5.—"CONCERTO EN DO MAJEUR" Op.: 15 .... Ludwig van Beethoven (1770-1827)
(pour piano et orchestre)
a) Allegro con brio
b) Largo
c) Rondo — Allegro scherzando

SOLISTE : JEAN-MARIE BEAUDET

6.—"TROIS AQUARELLES" .... Albert W. Ketelbey
a) Nuages orageux par un jour d'été
b) Le paysan las rentre à sa chaumière
c) Intrigues et railleries

7.—"LA GRANDE PAQUE RUSSE" .... Rimsky-Korsakoff (1844-1908)

Sous la direction d'EUGENE CHARTIER.

Le piano STEINWAY est gracieusement fourni
par la maison C. W. LINDSAY.

PROCHAIN CONCERT

JEUDI SOIR 11 AVRIL

Chef d'orchestre: Wilfrid Pelletier
Soliste: Roland Leduc,
violoncelliste

PAGE SEPT

La Société des concerts symphoniques de Montréal inscrit le chant patriotique *Lève-toi, Canadien!* à son quatrième concert.

Wilhelmine Gagnon, dite Mimi, dite Minou, dite « les gros yeux noirs », jeune fille de bonne famille devant le cabinet de médecin de son père, rue St-Hubert.

Mimi à l'époque de sa rencontre avec Rodolphe Mathieu.

La seule photo officielle qui nous soit parvenue du 4519 rue Berri, la maison où André et sa famille ont vécu à partir de 1933. La maison fut démolie en 1960.

Page couverture du programme du premier récital d'André Mathieu, il vient d'avoir 6 ans.

Programme

I. CONCERTINO No. 1 — ANDRE MATHIEU
5 ans

Allegro-Andante
Scherzo Final

Exécuté par l'auteur, au second piano R. Mathieu

II. PIANO SEUL — ANDRE MATHIEU

(A) *Les* "Gros Chars"
(*Composé et exécuté en public à 4 ans*)

(B) *TROIS ÉTUDES*
Sur les Blanches
Sur les Noires et les Blanches
Sur les Noires (Composé et exécuté en public à 4 ans)
ANDRE MATHIEU

III. — ANDRE MATHIEU

(A) *Danse Sauvage*
(B) *Valse pour Enfants*
(C) *Marche Funèbre*
(D) *Dans la Nuit*
(E) *Procession d'Eléphants*
ANDRE MATHIEU

IV. CONCERTINO No. 2

(*Premier mouvement*)
L'auteur et R. Mathieu au second piano

PRESENTATION DES CONFERENCIERS PAR

M. GEORGES LANGLOIS

DEBAT

"La situation des Canadiens-Francais dans tous les domaines, légitime-t-elle une attitude pessimiste ou optimiste ?"

M. ANDRE LAURENDEAU. (optimiste)
M. BERTHELOT BRUNET, (pessimiste)

V. CHANT ET PIANO — RODOLPHE MATHIEU

(a) *Automne*
(b) *Hiver*

M. JEAN BRUNET et L'AUTEUR

Usage des pianos de la Maison WILLIS & CO. exclusivement.

Programme du 25 février 1935 du récital/débat contradictoire. Nous retrouvons le père et le fils dans le *Concertino no 1* et le premier mouvement du *Concertino no 2*, déjà.

Les Gros Chars de la gare de Saint-Constant ont inspiré André mais sa célébrité naissante lui vaut d'entrer en triomphe à la gare Jean-Talon.

André au piano à 6 ans, à 7 ans…

… à 8 ans. Les pieds se rapprochent des pédales.

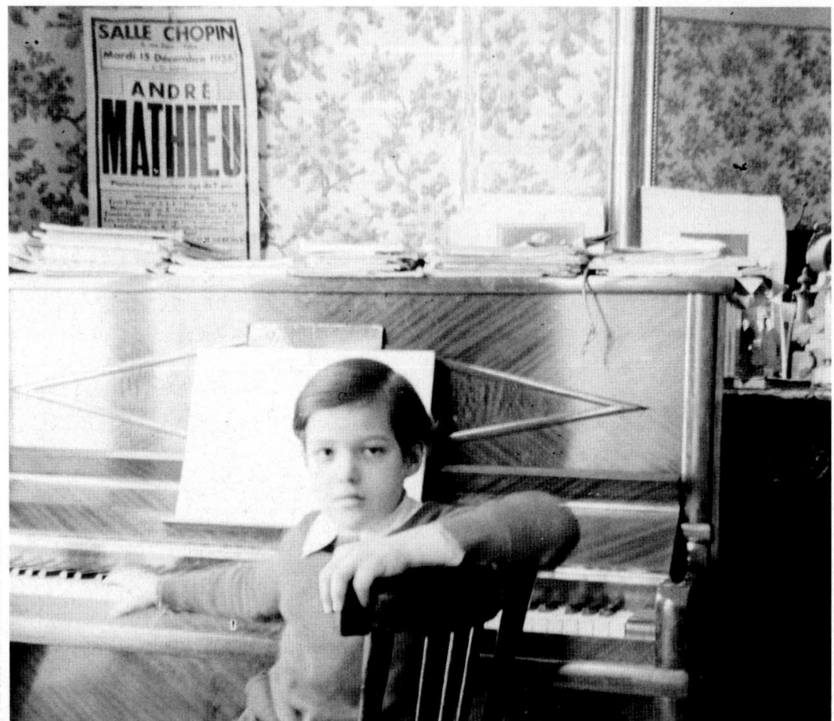

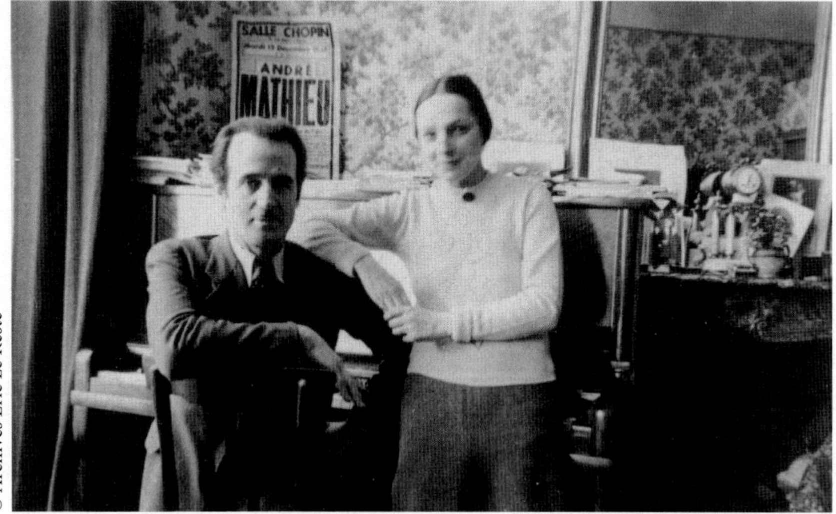

À Paris les Mathieu s'installent au 20 de la rue Servandoni. Au-dessus du piano, l'affiche du récital qu'André a donné à la salle Chopin-Pleyel, le 15 décembre 1936.

André, un peu taciturne, au jardin du Luxembourg.

Les vacances de 1937 à Onival-sur-mer, en Picardie, avec son professeur de composition, Jacques de la Presle.

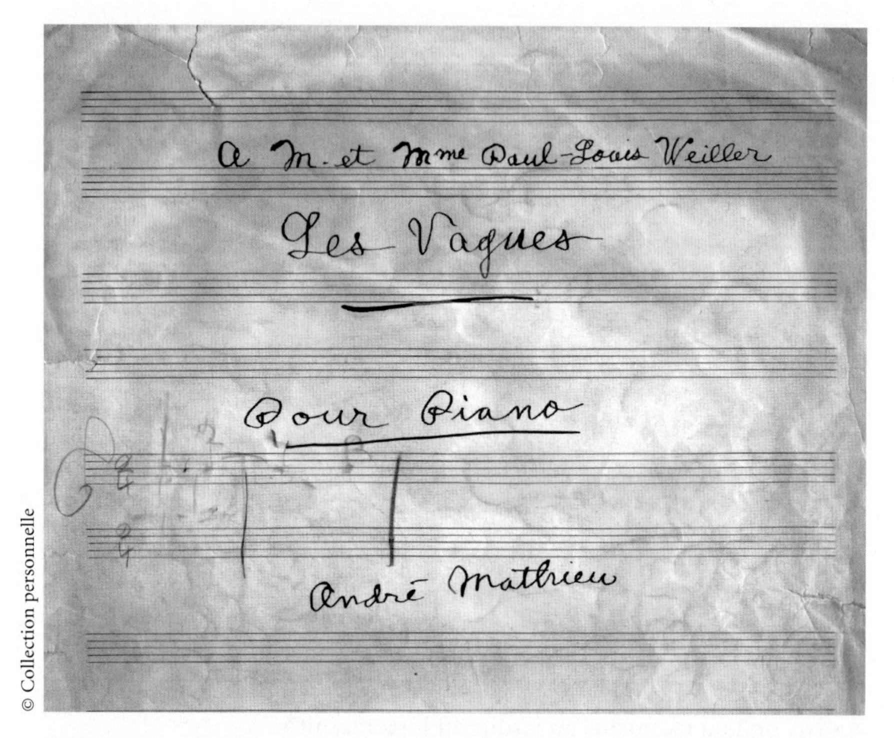

Page-titre de la pièce *Les Vagues* avec dédicace à ses bienfaiteurs, le mécène prestigieux Monsieur Paul-Louis Weiller et sa femme.

Retour en Amérique le 10 juillet 1939 à bord du *Normandie.* Moins de sept mois plus tard, André devra conquérir New York.

André installé sur le balcon arrière de la maison de la tatante Alphonsine et de grand-maman Albina au 4519 rue Berri, avec un des spécimens de la ménagerie.

Aux Grondines, été 1939. Au centre, la matriarche Olivina Arcand-Mathieu et ses deux fils, Alfred et son canotier, Rodolphe et son béret, Mimi, André et Camillette.

Un moment de bonheur… l'homme au chapeau s'appelle Monsieur Gagné.

Hiver 1940, André et Camillette aux sports d'hiver du Plateau Mont-Royal.

Au parc Lafontaine *Les Petits Canards* sont devenus de grands cygnes.

Les Mathieu profitent de ce qu'ils croient être les vacances de l'été 1939 avant le retour en Europe… dans un mois Hitler envahira la Pologne.

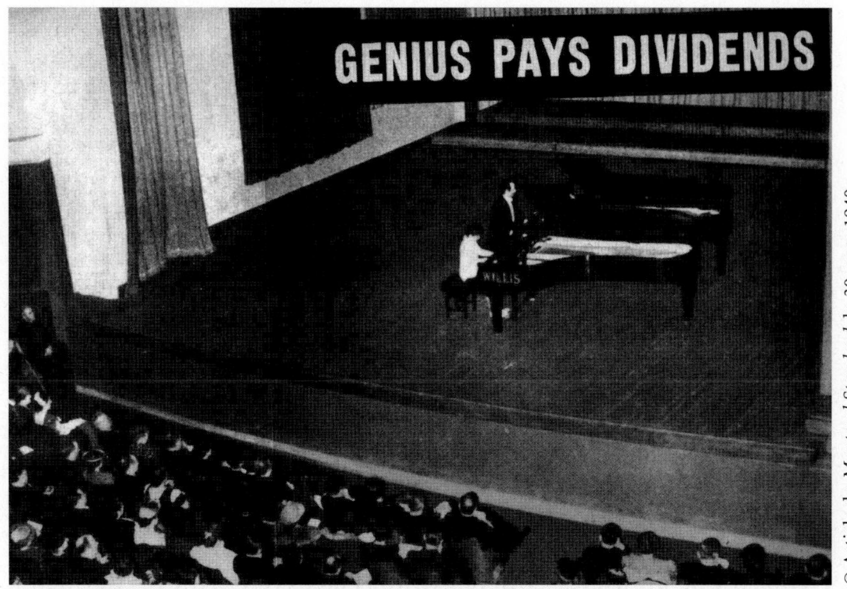

Seule et unique photo d'André et de Rodolphe ensemble sur scène, dans la salle de *l'auditorium du Plateau* où André a donné tant de récitals et de concerts.

Après-concert typique, André accueille ses admirateurs, Rodolphe surveille tout et Mimi se transforme en tragédienne.

Début d'une amitié essentielle, Gilles Lefebvre et André Mathieu à Ottawa en 1940.

Les Mathieu profitent du statut de star d'André et voyagent en avion.

André photographié à New York pour ses débuts au Town Hall le 3 février 1940.

… ses pieds rejoignent enfin les pédales.

À New York André en compagnie de son professeur à l'université Columbia, Harold Morris.

Le compositeur à l'œuvre au 362, Riverside Drive appartement 2A à New York.

En répétition avec Désiré Defauw à la salle du *Plateau* en mars 1941.

Defauw résume en deux mots l'opinion de tous ceux qui ont entendu le jeune artiste : *À André Mathieu, la Musique personnifiée…*

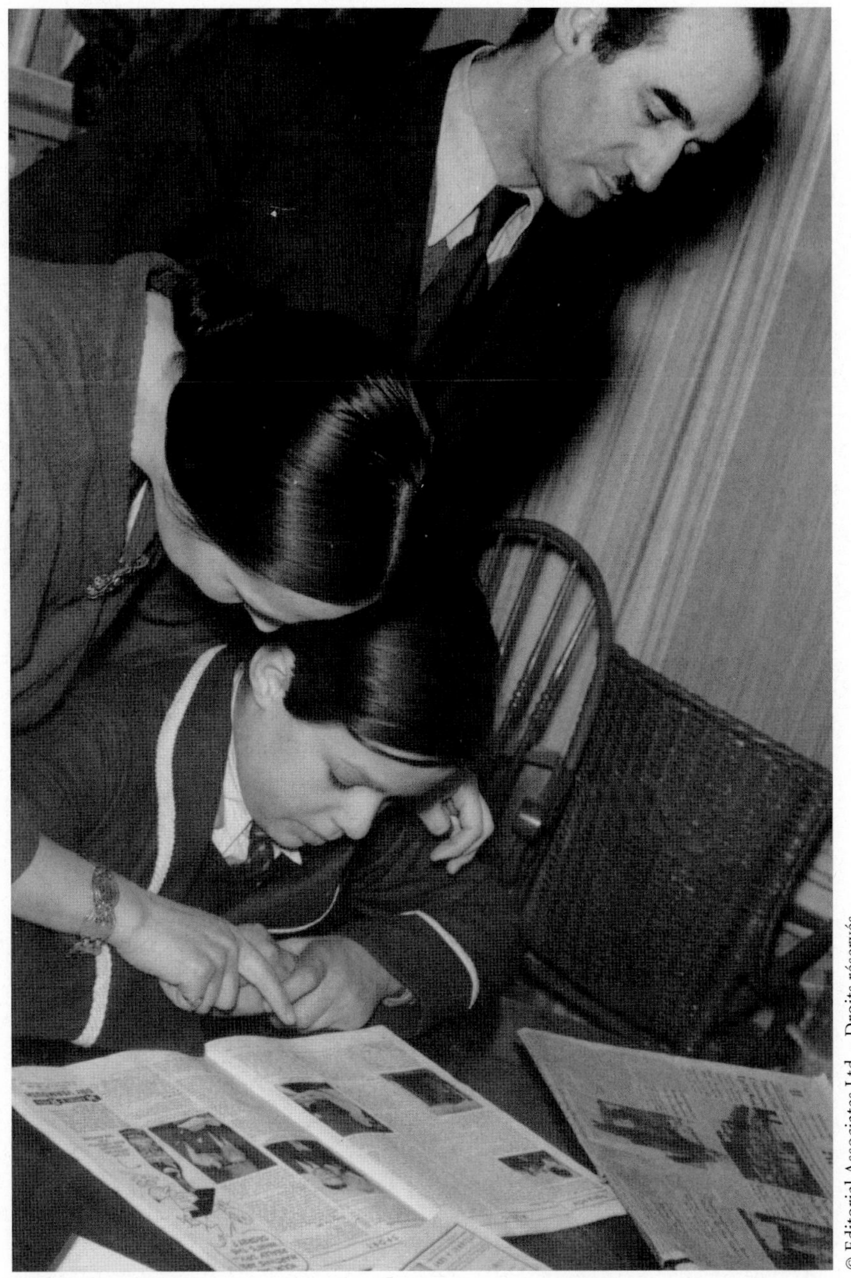

« J'avais l'impression que tout reposait sur mes épaules… »
Confidence d'André à sa femme Marie-Ange.

© Archives Éric Le Reste

Du regard de Camillette et de Mimi se dégage une souffrance qui se mue en révolte dans le visage d'André. Rodolphe, énigmatique ou perplexe, projette son ombre sur sa famille. L'adolescence est commencée.

À New York, André répète avant le concert pour les Nations Alliées du 18 mars 1942.

André sur la scène du *Carnegie Hall* de New York, qui a aussi accueilli Tchaikovsky, Malher, Toscanini, Horowitz, Marian Anderson… quatrième à partir de la gauche, André, à l'extrême droite, Zinka Milanov.

Au *Carnegie Hall*, André représente officiellement le Canada à cette soirée présidée, entre autres, par Eleanor Roosevelt et Fiorello La Guardia, à laquelle Thomas Mann et Albert Einstein apportent leur soutien.

Vu de la scène, *Carnegie Hall* pavoise aux couleurs des Nations Alliées.

André fait ses débuts de chef d'orchestre le 10 juin 1942 à Ottawa. Pour l'occasion, il porte enfin sa première paire de pantalons longs.

« C'est à cette époque qu'André a commencé à boire. Il vidait les verres pendant les réceptions après concert. C'est comme ça. » — Mimi Mathieu

QUEBEC CONCERTO

(Concerto de Quebec)

ARRANGED FOR PIANO

by

ANDRÉ MATHIEU

Anaïs Allard Rousseau
720 rue Ste-Geneviève
Trois-Rivières, P.Q. Canada

$ 1.00

SOUTHERN MUSIC PUBLISHING CO. (CANADA) LTD.
1405 BISHOP ST. MONTREAL, QUE.

Ed. Archambault
MONTRÉAL
$ 1.00 M

SOUTHERN MUSIC PUBLISHING CO. (Canada) Ltd.,
1231 St. Catherine Street West, Montreal, PQ, Canada

Le succès du film *La Forteresse / Whispering City* assure au *Concerto de Québec* et au nom d'André Mathieu une renommée jusqu'aux États-Unis et en Europe. La maison d'édition Southern Music de Toronto lui commande une réduction pour piano solo du mouvement entendu dans le film.

Chez André Mathieu tout va plus vite que chez tout le monde. À peine adolescent le voilà jeune homme.

À la veille de son départ pour Paris en septembre 1946, André rencontre son idole le premier ministre Maurice Duplessis.

Printemps 1947, Robert Goulet, Pierre Elliott Trudeau, André Mathieu, André Larivière et Roger Rolland font les quatre cents coups à la foire de la Place de la Nation à Paris.

André Mathieu, Marcel Turgeon, Gilles Lefebvre à Lisieux, printemps 1947.

André pense encore à Huguette Oligny. Il lui dédie sa mélodie *Pénombre* en mars 1947 à Paris.

Fred Barry, Roger Baulu, Jean Deslauriers, Albert Duquesne, André Mathieu et Paul-Émile Cartier à l'Université de Montréal.

Raymond Guilbault, Yvon Robert, André Mathieu, un inconnu et Jean Lalonde. André est depuis longtemps une célébrité parmi les célébrités.

André Mathieu, jeune adulte, rue Berri, avec la pipe, cadeau de Honegger.

La photo la plus connue d'André Mathieu, celle prise à vingt ans au Studio Larose et grâce à laquelle il est resté dans notre mémoire.

Au Palais du Commerce avec son premier PIANOTHON le 8 décembre 1954 à 22 heures 16 minutes et 58 secondes. André Mathieu triomphe.

Chaque année, André pose pour le photographe et distribue son image à travers le Québec. On ne compte plus les photos dédicacées par André Mathieu.

© Archives Éric Le Reste

© Archives Éric Le Reste

Camillette avait plusieurs talents. Ici elle pose comme modèle et dessinatrice de mode.

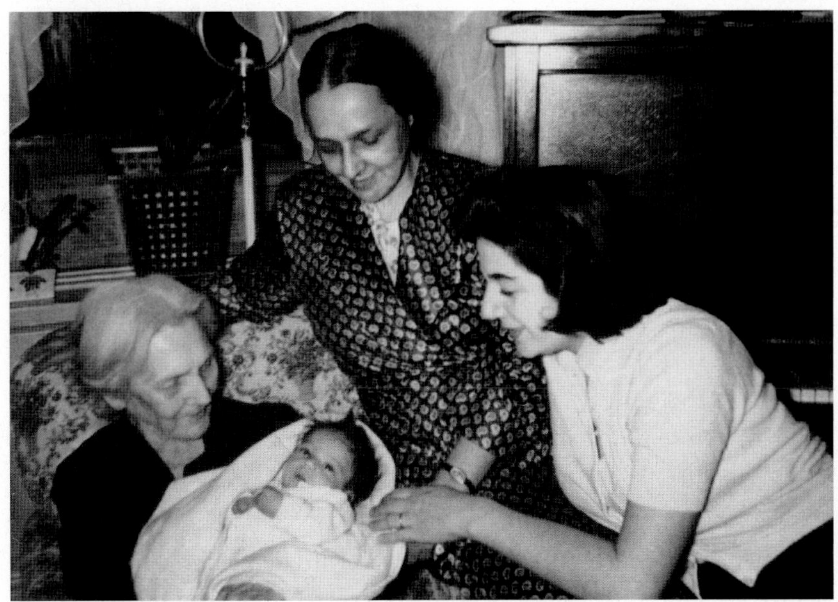

Quatre générations rassemblées pour la première et dernière fois : Albina va mourir bientôt, Mimi, Camillette et Catherine qui vient d'arriver le 26 novembre 1955.

Sortie mondaine en famille avec un inconnu.

André et Rodolphe se retrouvent sous le regard de Beethoven et d'autres géants de la musique. André va porter des verres fumés durant la dernière période de sa vie.

Rodolphe pose en majesté pour sa dernière photo officielle. À remarquer sur le piano les photos d'André et de Camillette et les partitions empilées.

Le samedi 22 octobre 1960 à la Cathédrale Saint-Charles-Borromée de Joliette, mariage de Marie-Ange Massicotte et d'André Mathieu.

Fantaisie romantique, partition dédiée à Madeleine Lemieux retrouvée à Saint-Joseph-de-Sorel, maintenant déposée aux Archives nationales à Ottawa.

Le dimanche 18 février 1962, dernier anniversaire d'André avec son père.
Si le regard est le miroir de l'âme…

De gauche à droite Camille Lavoie, Mimi Mathieu, André, Marie-Ange Mathieu. « On dirait que maman ne veut pas qu'il y ait une deuxième madame Mathieu. » — André Mathieu à sa femme

Distribution des prix de l'école *L'Oiseau bleu* en 1962, une des plus belles photos d'André Mathieu. Le décor est signé Alfred Pellan.

Photo officielle d'André Mathieu. Session commandée par Cécile LeBel à la salle Claude-Champagne de l'école Vincent-d'Indy le 6 février 1968.

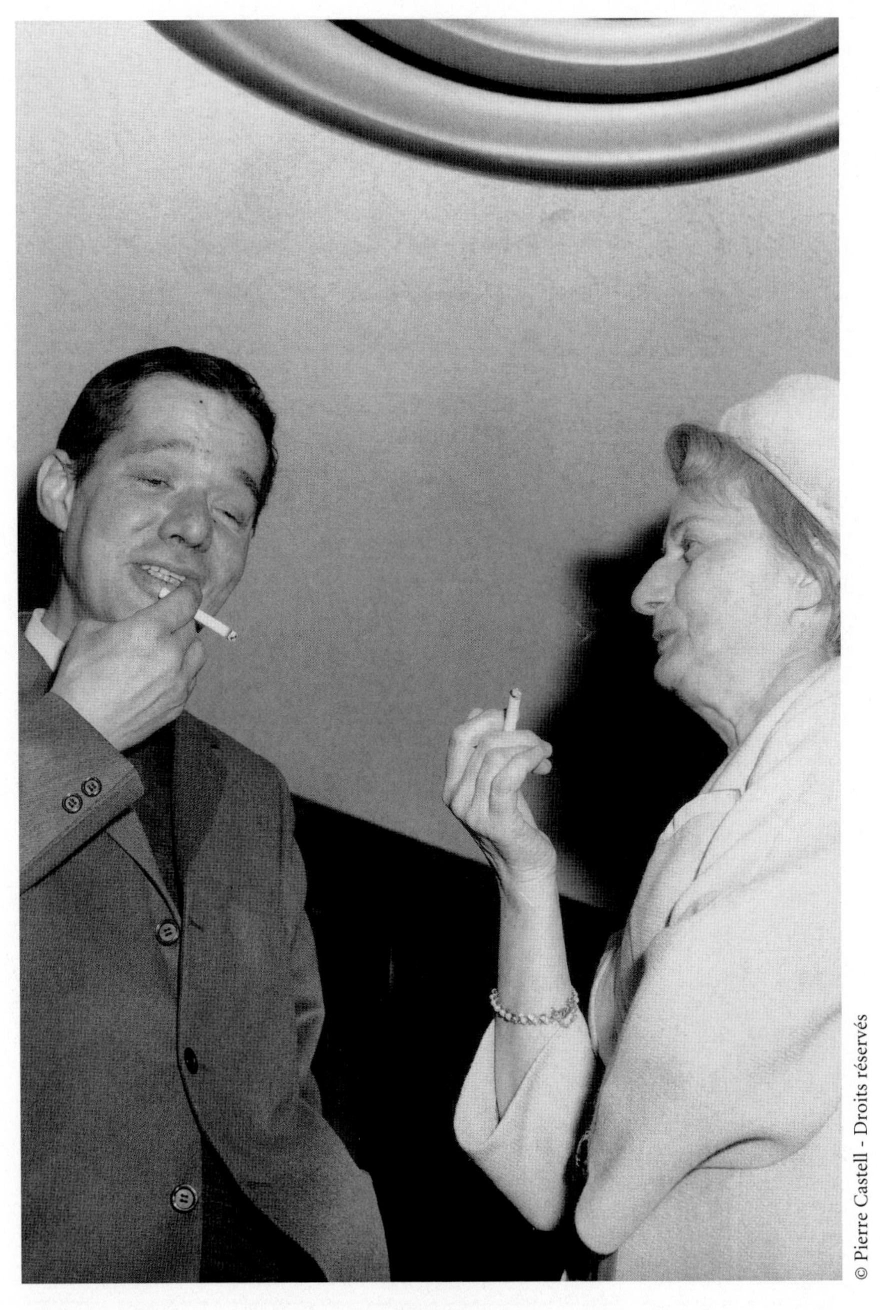

André Mathieu avec Cécile LeBel pendant une pause durant les répétitions en vue de l'enregistrement de son *Trio*.

Le mardi 6 février 1968…

Cortège funèbre, le jeudi 6 juin 1968 rue Saint-Denis, entre les rues Marie-Anne et Rachel. À noter le corps de majorettes *Les Ceinturons dorés.*

À la fin des funérailles, Pierre Gasse joue la *Marche funèbre* d'André Mathieu et à la sortie de l'église Saint Jean-Baptiste, haie « d'honneur ».

Au cimetière Côte-des-Neiges, troisième à gauche, Marie-Ange Mathieu. En blanc avec le chapeau-ruche, Cécile LeBel. Avec chapeau-cloche et verres fumés, Camille Lavoie, marraine d'André. En robe blanche à fleurs imprimées, Mimi Mathieu avec à sa gauche, pour la soutenir, Madeleine Langevin-Lippens.

Dans une ultime tentative de fusion avec son fils, Mimi tente de se jeter dans la fosse. Elle est retenue par la presque sœur d'André, Madeleine Langevin Lippens.

Dernière demeure, les Mathieu reposent sous cette plaque, anonymes et oubliés.

CHAPITRE VIII
LE SAUT DE L'ANGE, LE PREMIER PIANOTHON

L'avant-veille de ses vingt-cinq ans, le 16 février 1954, André donne un récital au Centre paroissial Immaculée-Conception. Il faut attendre neuf mois et le 17 novembre 1954 pour l'entendre donner un autre récital. Ce sera à l'École supérieure Saint-Viateur au 7315 rue de Lanaudière. Dans les deux cas, il s'agit d'un programme standard de ses œuvres car depuis 1950 il ne joue exclusivement que sa musique. Avec cet humour un peu particulier qui le caractérise, à la question : « Pourquoi ne jouez-vous que vos œuvres ? », il a l'habitude de répondre : « À vingt ans j'ai choisi d'exécuter mes œuvres parce que je suis contre la peine de mort. Je ne veux pas faire exécuter mes œuvres par d'autres ». Ce sont les deux seules invitations à jouer qu'il reçoit au cours de cette année, et aucun des deux récitals n'est présenté dans le cadre d'une série de concerts traditionnelle.

Pourtant, l'année 1954 s'est ouverte avec un projet ambitieux. Jacques Languirand, qui avait rencontré André Mathieu à Acton Vale en 1944, a repris contact avec lui lors d'un séjour d'études à Montréal. En 1949, le futur auteur-animateur, ce curieux de vocation, cet explorateur de la psyché, part pour l'Europe où il va demeurer jusqu'en 1953. Dans une lettre datée du 21 août 1949, Languirand écrit :

> *Mon cher André,*
>
> *Si tu te rappelles le « Savoy »*[376] *tu te rappelleras de moi, Jacques Languirand (Dandurand) […].*
>
> *Souvent sur le bateau, dans le train, sur la rue, en un mot, partout, quelques fragments de ta musique (surtout du* Concerto de Québec*) me reviennent en tête. J'aime beaucoup ta musique et j'ai vraiment hâte de la réentendre.*

376. Le Savoy est un café fréquenté par de nombreux artistes français et québécois, dont Charles Aznavour et Jacques Normand.

> *Oui réentendre, car je n'ai pas perdu espoir de te voir prochainement en France [...].*
>
> *Je sais que tu as horreur d'écrire, mais j'ose croire que tu me répondras [...].*
>
> *Excuse-moi d'être aussi prosaïque, mais il est des jours où il faut l'être [...]. Quand arrives-tu? Qu'est-ce que tu fais? En musique? As-tu fini ton sixième concerto?*
>
> *Oh! Musique reposante ou troublante, comme je regrette de ne pas te connaître à fond [...]. Mais je te sens, tu vibres en moi comme le passage d'une femme dans ma vie [...].*
>
> *Je te laisse en espérant que ma lettre te trouvera en période de sagesse et plein de santé [...].*
>
> *Ton ami sincère,*
> *Jacques Languirand*

À peine rentré de France, en juin 1953, Languirand entre au service de Radio-Canada et reprend contact avec le compositeur-pianiste qui l'avait tant impressionné. Il lui propose d'écrire la musique d'un ballet. Les Archives nationales du Canada conservent un synopsis de la main d'André en deux parties : *BALLET-SOLITUDE*, daté de janvier 1954. Grâce au réalisateur Françoys Bernier (1927-1993), Languirand a pu s'installer dans un studio avec André au piano. Ils enregistrent une présentation du ballet, Languirand racontant l'histoire, et André l'accompagnant. Cette bande, ce démo, a été envoyée à l'Office National du Film à Ottawa.

Le 1er février 1954, Jacques Bobet, producteur à l'ONF, écrit à André : « Je serai à Montréal le 9 février. J'essaierai de vous rencontrer. J'ai entendu l'enregistrement que vous avez fait au piano de la musique de ballet pour le ballet de Jacques Languirand et nous aurions sans doute plusieurs choses à discuter... »[377] On se prend à espérer découvrir une nouvelle partition pour un ballet inconnu qu'André aurait écrite sur un argument de Languirand. En fait, dans une lettre non datée, il écrit à Roger Blais : « Je vous confie deux de mes *Scènes de Ballet*; la première est totalement différente de la deuxième puisqu'elle fut composée il y a 10 ans... »[378]

377. Jacques Bobet, lettre André Mathieu, 1er février 1954, Fonds Famille Mathieu, Archives Nationales, Ottawa.

378. André Mathieu, lettre à Roger Blais, non datée, Fonds Famille Mathieu, Archives Nationales, Ottawa.

Licences poétiques ici, sans doute a-t-il envoyé *Dans les Champs*, qui vient d'être soumis à New York, et des notes manuscrites dans la partition de la *Danse des Espiègles*, la quatrième des *Scènes de Ballet*, reprennent les éléments du synopsis de Jacques Languirand. Suivant son habitude, André a recyclé des œuvres… Quelle importance ? Puisqu'elles ne sont ni jouées, ni éditées, mais dorment au fond de ses tiroirs. Dans ce ballet, il est question de solitude, de femmes, d'amour complaisant, il y a même un duo d'amour et le numéro 7 de la première partie aurait sans doute été quelque chose à voir et à entendre : « Il y aura une brève répétition du thème d'amour complaisant et du duo d'amour, en opposition avec le thème du notaire. Cette partie se terminant avec allusion à la marche nuptiale… »[379]

Le 30 mars, c'est Roger Blais, directeur de la production française de l'Office national du film à Ottawa, qui lui annonce que « la partition n'est pas arrivée à temps chez Lou Applebaum et comme résultat on n'a rien pu enregistrer de ton travail […]. Crois bien que je ferai tout mon possible pour défendre tes intérêts. »[380] Nouvelle déception. Nouveau projet avorté.

PREMIERS SYMPTÔMES

Un état de comptes de l'hôpital Sacré-Cœur de Cartierville daté du 21 janvier 1954 nous apprend que : « Ceci est le troisième avis au sujet de votre créance passée due, soit 143.70 $, pour des soins […]. » Et c'est signé du service de recouvrement. Pourquoi André a-t-il été traité ? Toutes les lois de « l'accès à l'information » du monde entier ne sauraient venir à bout des cerbères qui gardent les voûtes où sont enfouis les dossiers médicaux de la population en général ou en particulier. À moins d'être un descendant en ligne directe et de pouvoir prouver que votre condition menace d'une pandémie le reste de vos concitoyens, aucun des secrets contenus dans ces filières ne verra jamais la lumière du jour. Nous savons par son ami Pierre Gasse et par sa femme Marie-Ange Massicotte qu'André Mathieu a fait deux tentatives de suicide, l'une, en 61-62, l'autre, à une date indéterminée,

379. Jacques Languirand – André Mathieu, Ballet-Solitude, janvier 1954, Fonds Famille Mathieu, Archives Nationales, Ottawa.

380. Roger Blais, lettre André Mathieu, 30 mars 1954, Fonds Famille Mathieu, Archives Nationales, Ottawa.

malgré la foi inébranlable qui, selon ces mêmes témoins, l'a habité jusqu'à la fin de sa vie. Sa mère, Wilhelmine Gagnon mentionne également quatre ou cinq cures de désintoxication qu'André aurait suivies entre son premier pianothon et sa mort. Là encore, impossible de percer le mur du secret professionnel…

En septembre, Françoys Bernier, qui à cette époque est réalisateur d'émissions musicales à Radio-Canada, lui écrit pour lui demander :

> *Cher Monsieur Mathieu,*
>
> *Le réseau français de la Société Radio-Canada inaugurera, d'ici peu, une série d'émissions consacrées aux écrivains et aux musiciens canadiens; cette série aura ceci de particulier, que nous n'y jouerons que des œuvres nouvelles. Nous n'y ferons également que de la musique de chambre.*
>
> *Nous aimerions pouvoir collaborer à cette série; en conséquence, auriez-vous dans vos cartons, des mélodies, des œuvres pour piano ou pour petites formations, etc., qui n'auraient pas encore été jouées?…*[381]

Au niveau professionnel, deux récitals, aucune œuvre nouvelle, un projet de collaboration mort-né, la force centrifuge, les sifflements de la spirale descendante creusent leurs sillons, et si André doit survivre, il faut vraiment que quelque chose arrive.

SITUATION D'ANDRÉ MATHIEU EN 1954

En 1954, qu'est-ce que la *musique* au Québec? Qu'est-ce que le Québec pourrait bien offrir à André Mathieu? Et qu'est-ce que le Québec est prêt à accepter de lui? L'Orchestre Symphonique de Montréal (la Société des Concerts Symphoniques de Montréal a changé de nom à la fin de la saison 53/54 et est devenue l'OSM) ne l'a pas invité depuis janvier 1943. Les Jeunesses musicales du Canada qui auraient pu l'envoyer en tournée à travers le pays l'ont ignoré. Sans doute le Ladies Morning Musical Club ou la Société Pro Musica jugent-ils trop « populaire » cet artiste au statut suspect, qui flirte avec le domaine des variétés. De plus, André ne fait partie d'aucune chapelle, d'aucune clique, il ne s'est pas créé de réseaux,

381. Françoys Bernier, lettre du 13 septembre 1954, Fonds Famille Mathieu, Archives Nationales, Ottawa.

ses amis sont des poètes, des peintres, des écrivains, des comédiens. Rodolphe n'a confié son éducation musicale à aucun de ses concitoyens qu'il avait, de toute façon, contribué lui-même à former.

Mise à part cette audition discographique de janvier 1952, où André, peut-être pour la première fois, entre en contact avec son milieu, on ne lui connaît aucune amitié, aucun échange, aucun contact avec ses pairs. D'ailleurs, qui sont-ils ? Pierre Mercure (1927-1966) est allé à Paris travailler avec Darius Milhaud et Nadia Boulanger. Il vient d'être initié en 1951 aux principes du dodécaphonisme, à Tanglewood, auprès de Dallapiccola, et bien que tenté, il se méfie de cette tendance. Serge Garant (1929-1986), l'exact contemporain d'André qui deviendra sa Némésis, est passé par Paris en 1951 et en a rapporté une soif de modernité qui ne s'éteindra qu'avec sa mort, soif qui passe par le sérialisme, une doctrine musicale totalement à l'opposé du spectre des intérêts d'André Mathieu. Il y a Clermont Pépin (1926-2006) que, dès 1940, on a voulu poser comme son rival. Il étudiera lui aussi avec Honegger (décidément) mais cependant après André. Roger Matton (1929-2004), lui, se rattache davantage à l'héritage folkloriste alors qu'André Prévost (1934-2001) et Jacques Hétu (1938-2010) vont travailler tous les deux la composition avec Henri Dutilleux à Paris. François Morel (1926-) dont la carrière a été lancée, on l'a vu, l'année précédente de façon spectaculaire par le concert de musique canadienne dirigé par Stokowski au Carnegie Hall, est le seul compositeur de sa génération à avoir été entièrement formé ici, entre autres par Claude Champagne. Morel manifeste une passion pour les percussions qui aurait sans doute rappelé à André son expérience avec Pierre Schaeffer. Enfin, Gilles Tremblay (1932-), lui, va travailler avec Messiaen et faire la connaissance de Boulez, Stockhausen et Xenakis. Au moment du pianothon, il sera à Paris pour la création de *Déserts* de Varèse (1883-1965), qui va déchaîner les passions le 2 décembre 1954 au théâtre des Champs-Élysées. Nos trois larrons, Garant, Tremblay et Morel, vont organiser un concert de musique contemporaine le 1er mai 1954, où, bien sûr, ils présentent Webern, Messiaen et Boulez, mais également leurs propres compositions. André Mathieu n'a évidemment pas été invité à faire entendre ses œuvres à ce concert, car pour ces jeunes créateurs il représente, bien qu'il ait leur âge, non seulement le passé, mais une forme de romantisme dégénéré, sous-rachmaninoffien, qui les horripile et qu'ils condamnent ; de plus sa gloire populaire le leur rend impopulaire. En fait, de part et d'autre, il n'y a pas d'atomes crochus, de sentiments d'appartenance. Bref, aucun de ces compositeurs ne partage ni les intérêts ni les positions esthétiques d'André qui n'appartient même pas à leur monde.

Depuis le concert avec Gilles Lefebvre, le 18 novembre 1945 au Windsor où déjà le public, son public, n'est pas venu, André n'a pas donné plus de dix concerts importants. Il joue à la radio, on l'invite à des émissions de variétés, il est célèbre, « le petit Mozart canadien » est inoubliable, mais André Mathieu, le musicien, le compositeur, le pianiste, n'intéresse plus, ni le milieu musical, ni le grand public. Ce qui lui reste, c'est un nom. Paradoxalement, sa musique, celle qu'il a écrite pour le concert, son *Trio*, sa *Sonate*, son *Quintette*, cette *Fantaisie Romantique* qu'il joue partout ou le *Concerto no 4* dont il éparpille les mouvements dans tous ses concerts depuis son retour d'Europe, ne retient absolument pas l'intérêt de ses collègues ou des interprètes. Il n'a même pas réussi à créer avec orchestre, en salle, le *Concerto de Québec*. André a rejoint Rodolphe. Ils n'intéressent plus personne. Rodolphe a soixante-quatre ans, André, vingt-cinq. La prédiction de Rodolphe s'est avérée juste, il a formé un autre crève-la-faim.

Quand André rencontre-t-il Guy Richard, qui sera son gérant pour une des étapes les plus médiatisées de toute sa carrière ? Et pourtant Dieu sait que jusqu'ici la presse l'a accompagné depuis vingt ans, littéralement, pas à pas. Mais André Mathieu va poser un geste qui est à la fois un cri de désespoir et une manifestation de survie d'une incroyable audace.

Pendant les années 50, une déferlante de « thons » s'abat sur le monde, les marathons de toutes sortes pullulent. Il y a le « fumothon », le « chantothon », le « chaisothon » ou le « dansothon » comme dans le film *They Shoot Horses, Don't They?* de Sidney Pollack. Il y a même eu un « bécothon » et c'est sans parler des « radiothons » ou des « téléthons ». André rencontre Guy Richard[382] qui prend en charge l'organisation de l'événement : un « pianothon ». La publicité, les interviews, le programme, la location de la salle, les billets, le contrat avec la station de radio CJMS qui a vu le jour en avril 1954 et loge dans le même édifice, le Palais du Commerce, où aura lieu l'événement, et, ce qui relève plus de l'acte de foi

382. Il a été impossible de retrouver la trace de cet homme qui a vraiment tout mis en place pour sauver André Mathieu de lui-même.

et du missionnariat, la préparation et la mise en condition physique et psychologique du « poulain », tout cet édifice est mis en place par Guy Richard, « agent exclusif et gérant ».

Dès la fin novembre, les articles annonçant l'événement commencent à paraître. Dans l'édition du samedi 20 novembre du journal *Samedi-Dimanche*, en première page et en gros titres : « André Mathieu battra-t-il le record mondial d'endurance au piano ? », André Lecomte nous donne ensuite tous les détails sur trois colonnes avec en prime, une photo où André a vraiment l'air hébété.

> Le record mondial d'endurance au piano, actuellement détenu par l'allemand Carl Fletcher, passera-t-il au Canada ? [...]
>
> « Oui ! Je suis bien décidé à battre le record de Fletcher et à donner cette victoire à mon pays... » C'est dans une auberge d'une petite ville allemande, il y a deux ans, que Fletcher enleva [son record] au français Blondin, en jouant du piano sans interruption pendant un peu plus de 19 heures [...]. Le record de Blondin était de 17 heures et quelques minutes. Du jour au lendemain, Fletcher devint ainsi une vedette mondiale. Tous les journaux du monde ont rapporté son exploit qui lui a valu la gloire.
>
> [...] Dans l'auberge et au-dehors, des milliers et des milliers de personnes venues de partout lui crièrent leur admiration [...]. Quand la dernière note fut jouée, il tomba d'épuisement pendant que l'Allemagne et le monde entier l'acclamaient. Fletcher était devenu un héros national pour l'Allemagne. [...] Cet événement marquera un anniversaire dans la vie de notre compatriote. Il y aura en effet vingt ans que Mathieu débutait dans la vie musicale.

Après nous avoir mis en condition et nous avoir pourvu d'un mode d'emploi et d'un manuel d'étiquette pour le parfait pianothon, André Lecomte interviewe notre héros potentiel comme s'il se préparait à participer à un match de hockey :

A. L. — Vous sentez-vous en conditions physiques suffisamment bonnes pour battre un tel record d'endurance ?

A. M. — Oui. J'ai subi un examen général et le médecin m'a assuré que je pourrais y aller sans crainte. Je dois cependant suivre d'ici là un régime très sévère : beaucoup de sommeil, aucune liqueur alcoolique, un régime alimentaire approprié, etc. Je suis déjà ce régime et je ne dérogerai pas aux instructions de mon médecin…

A. L. — … Un comité a-t-il été formé pour fins d'organisation ?

A. M. — Oui. Un aviseur légal, un agent d'affaires et un agent de presse sont chargés de ce travail…

A. L. — Mangerez-vous pendant que vous jouerez du piano ?

A. M. — Oui je mangerai des sandwichs et du chocolat et boirai beaucoup de café.

A. L. — Votre médecin sera-t-il à vos côtés ?

A. M. — Mon médecin ne me quittera pas d'une semelle et surveillera constamment mon état physique. C'est lui seul qui décidera quand je devrai manger et boire.

A. L. — Vous mangerez donc d'une main et jouerez de l'autre ?

A. M. — Exactement. Car la règle de l'épreuve est que le piano ne doit jamais s'arrêter de jouer.

A. L. — Fumerez-vous pendant cette épreuve ?

A. M. — Je suis un gros fumeur et je ne pourrai pas m'empêcher de fumer. Je vais cependant essayer de ne pas abuser de la cigarette.

André Lecomte termine ainsi son article :

> Cet événement prend d'autant plus d'importance qu'André Mathieu jouit déjà d'une réputation mondiale. Ce n'est donc pas un inconnu qui va tenter de battre le record mondial d'endurance au piano, mais une vedette consacrée […]. Il y a donc de fortes chances que Montréal soit témoin, dans une quinzaine, de scènes d'enthousiasme délirant […]. Si André Mathieu réussit son tour de force de battre le record allemand, Montréal sera le point de mire du monde pendant plusieurs jours et notre compatriote n'aura sûrement pas volé ses nouveaux lauriers.[383]

Même *Le Devoir* dans son édition du mardi 7 décembre à la veille de l'événement met la main à la pâte :

383. André Lecomte, *Samedi-Dimanche*, le 20 novembre 1954.

André Mathieu, celui que la critique a comparé à Mozart enfant et dont on s'est plu à vanter le talent prodigieux dans tous les journaux du monde ; celui, qui, également a été plongé presque dans l'oubli par son adolescence [sic] semble résolu à faire sa rentrée officielle dans le monde de l'art musical.

Les journalistes qui se sont rendus à sa conférence de presse, au Lucerne, hier soir, ont été étonnés par cet André Mathieu, vieilli, sérieux, en parfaite condition physique. Fletcher, un pianiste américain, d'origine allemande, a établi son record à Heidelberg en jouant 19 heures, une minute et 20 secondes. André Mathieu a l'intention de rester au clavier pendant au moins vingt heures.

Ce record mondial qu'il entend obtenir, ne sera qu'un prélude à la nouvelle carrière d'André Mathieu. Il projette pour très bientôt de partir en tournée mondiale de concerts. Son manager nous a dit qu'il débuterait par une tournée des principales villes du Québec et des États-Unis, avant de se rendre en Europe.

Projetant de jouer de ses propres œuvres pendant quelque huit heures, il renversera le record établi par le célèbre LISZT [...].

« L'enfant prodige » ambitionne également d'établir un troisième record, celui de l'IMPROVISATION. Plusieurs heures y seront consacrées [...].

Julien Bellemare a été choisi chronométreur officiel. Le Dr Alban Jasmin, qui a préparé le jeune pianiste pour cette épreuve, se tiendra constamment auprès de lui [...]. Une demi-heure avant, André entendra la messe à la chambre 105 du Palais, par permission spéciale de Monseigneur Conrad Chaumont.

Mathieu jouera sur un piano de concert Baldwin. Le public sera admis au pianothon durant toute l'épreuve. André Mathieu débutera par des extraits de son quatrième concerto. Il finira probablement par le célèbre *Concerto de Québec*.[384]

Le même jour, *The Gazette* y va aussi d'un article :

André prévoit d'interpréter les 73 œuvres qu'il a écrites. Ensuite, il improvisera sur ses compositions et sur celles d'auteurs anciens. Mais il ne jouera pas d'airs modernes. Le record à battre est détenu par Carl Fletcher, un G.I. américain resté 19 heures, 1 minute et 30 secondes (suite à un pari) derrière son clavier [...]. Celui qui fut un enfant prodige que le public boude depuis huit ans a continué à pratiquer le piano par pur plaisir [...]. Comme le précisait un de ses amis : « Le piano fait partie de la vie d'André. Il n'en

384. J. B., *Le Devoir*, le 7 décembre 1954.

> connaît pas d'autre. » Le jeune artiste n'a pas le physique de l'emploi [...]. André Mathieu ressemble et s'exprime comme n'importe quel jeune homme originaire des quartiers populaires de l'East end de Montréal...[385]

Un entrefilet fait miroiter la possibilité d'une invitation à l'émission de télévision américaine : « *Toast of the Town* animée par Ed Sullivan, à New York, pour que notre compatriote soit présenté en grande vedette au cours de cette émission [...]. »[386]

Avant même que les médias et le public ne soient remis de leur surprise à l'annonce du retour d'André Mathieu dans ces circonstances si particulières, les encouragements et les réticences se formulent simultanément :

> Évidemment, ce procédé peu ordinaire de s'attirer la faveur du public, ouvre des polémiques. Les sceptiques, ceux qui ne l'ont pas vu à l'œuvre, poussent les hauts cris, trouvent choquant cette façon de traiter un talent génial comme le sien. Mais... un artiste ne peut attendre indéfiniment un miracle pour secouer l'apathie dont on l'entoure [...]. André Mathieu n'a jamais fait les choses comme tout le monde; il ne faut pas s'attendre à ce qu'il change aujourd'hui. Sa mère, Mme Rodolphe Mathieu [...] m'a donné quelques précisions sur l'enfance d'André. « Comment voulez-vous que mon André agisse comme les autres? [...] Je réalise aujourd'hui qu'il n'a même pas eu d'enfance. Il fallait faire attention à ses doigts 24 heures par jour [...]. Pendant que ses compagnons jouaient [...], André restait seul [...]. Ce dont j'ai le plus peur, c'est que fougueux comme il l'est, André ne veuille rester au piano après l'épreuve de dix-neuf heures. Mais je verrai à modérer son enthousiasme [...]. S'il le faut... » André Mathieu au talent fou, n'a pas le droit de nous décevoir. [387]

Le mercredi 8 décembre 1954 à 1 h 15 du matin, André Mathieu monte sur la scène, tout au fond de la salle du Palais du Commerce, angle Berri-Maisonneuve. Les organisateurs ont fait imprimer un très beau programme. Sur la page couverture, une photo récente d'André prise par Gaby, le grand photographe montréalais à la mode. André porte chemise blanche, veston et cravate. Il a les cheveux peignés vers l'arrière. L'expression en est

---

385. Laurie Chisholm, *The Gazette*, le 7 décembre 1954 : **voir la citation originale en annexe.**

386. Journaliste inconnu, journal inconnu, décembre 1954.

387. Suzanne Piuze, *La Patrie*, le 12 décembre 1954.

une de colère rentrée, le regard est appesanti par la lourdeur des paupières, le front est large et magnifique, les lèvres sont charnues, figées dans une expression presque dédaigneuse… Dans le coin en bas à droite, André s'adresse à son public et a écrit : « Si je réussis, c'est parce que vous l'aurez voulu autant que moi » et c'est signé André Mathieu, 8 décembre 1954. Le magasin de musique Archambault a mis à la disposition d'André deux pianos à queue Baldwin. Et pour la millième fois, les mots de Vuillermoz reposent leur question et redisent son émerveillement… « Je ne sais pas si le jeune André Mathieu deviendra un plus grand musicien que Mozart, mais j'affirme qu'à son âge, Mozart n'avait rien créé de comparable à ce que nous a exécuté, avec un brio étourdissant, ce miraculeux garçonnet ». [388] Le visage passablement bouffi et le regard hagard trahissent un peu les promesses contenues dans le « miraculeux garçonnet », mais ces mots ravivent tous les espoirs de chaque femme, de chaque homme, de chaque enfant qui se présente au Palais du Commerce et donne ses cinquante sous.

Le 8 décembre, jour de l'Immaculée Conception, à 1 h 15 du matin, un des événements les plus bizarres de la carrière d'André Mathieu, démarre.

Tous les journaux y sont allés de leurs comptes rendus, de leurs critiques, de leurs jugements, de leurs louanges et de leurs condamnations. Mais aucun journaliste n'a réussi à nous transporter au Palais du Commerce, a retracer la trajectoire qui a permis à Mathieu de se préparer pour l'épreuve, à recréer l'atmosphère et à nous faire revivre ce premier PIANOTHON comme le journaliste Roland Lorrain. Dix jours après son « exploit », le journal *Vrai*,[389] qui ici justifie parfaitement son nom, publie ce reportage et réussit à « filmer » le pianothon avec des mots. Sous la rubrique : Spectacles, *L'étonnante histoire du pianothon d'André Mathieu*, le journaliste se lance :

> C'était extraordinaire et bouleversant ! C'était aussi ridicule et un peu triste. J'ai passé moi-même trois heures vivement intéressé et ému de sensations contradictoires. Dix jours avant son pianothon, André Mathieu s'installait secrètement au luxueux Lucerne

388. Émile Vuillermoz, l'*Excelsior*, le 29 mars 1939.
389. *VRAI*, journal fondé en 1954 par Jacques Hébert (1923-2007), il fonde ensuite les *Éditions du jour* puis, en 1971 *Jeunesse Canada, Monde* et en 1977, *Katimavik*. Il fut sénateur de 1983 à 1998.

Motel de la rue Sherbrooke Ouest et Viau. Accompagné d'un gérant surveillant, André Mathieu commençait une sévère « cure de préparation ». Son gérant surveillant ne le quittait jamais, même pas pendant son sommeil. Dans la seconde chambre de la petite suite, il veillait au meilleur repos possible du célèbre pianiste canadien français qui dormait fort mal : bains chauds alternant avec des bains froids, calmants, soporifiques furent employés à cette fin. Il fallait décupler la force de l'audacieux pianiste qui risquait, par son extrême nervosité, de les anémier dangereusement. Attenant à la suite, une petite salle avait été aménagée par la gérance du Lucerne Motel pour recevoir le piano du jeune artiste et lui assurer, pour ses exercices, la tranquillité et l'isolement avec son surveillant. André Mathieu mangeait seul avec lui dans la salle à manger, quand tous les hôtes du motel l'avaient évacuée. Son alimentation était scrupuleusement contrôlée : viandes rouges et autres aliments très digestibles. Le médecin visitait souvent André Mathieu et transmettait des ordres catégoriques au gérant surveillant. Celui que le fameux critique parisien Vuillermoz surnomma autrefois le « Mozart canadien » était inscrit au Lucerne Motel sous un pseudonyme. Les quelques rares personnes qui connaissaient ce « mot de passe » ne pouvaient visiter, ni même parler à André Mathieu au téléphone, et le gérant surveillant prenait seul les communications. Ces extrêmes précautions s'imposaient parce que l'état de santé du pianiste, depuis plusieurs années, ne laissait pas d'être inquiétant et de compromettre sa carrière. Il fallait un grand éclat d'un goût discutable ou non, pour rejeter le nom d'André Mathieu en pleine lumière. Il le fallait, il le fallait ! Mieux vaut alors s'incliner, en haussant un peu les épaules peut-être, et reconnaître les mérites réels d'une pareille entreprise.

ÇA COMMENCE

Transformé par sa cure draconienne André Mathieu, en pleine nuit du sept au huit décembre, commença joyeusement à jouer. Un véritable concert d'abord, dans l'immense Palais du Commerce. Peu de spectateurs. Et près du pianiste, sans cesse, un médecin, une infirmière, des commentateurs au micro, des organisateurs, des parents, quelques intimes.

Deux images maîtresses accaparaient tous les cerveaux; celle d'André Mathieu d'abord parti avec la musique, toujours classique, pour un long et inhumain voyage dans l'endurance ; et celle froide, brillante, brutale et terrible de deux énormes chronomètres. Avec l'allure et l'entêtement d'un brave taureau dans l'arène André Mathieu joua. Les traits courts et massifs qu'on lui connaît se prêtaient merveilleusement à cette image, à la brutalité de son effort et à son acharnement formidable de bête humaine.

Soins médicaux

Il joua. Il ne cessa jamais une seconde de jouer : d'une main seulement, parfois, pour saisir un verre de jus d'orange, un aliment nutritif et simple, ou pour prêter son bras libre à l'auscultation fréquente du médecin ou à l'examen de sa tension artérielle... Parfois le pianiste disparaissait une minute derrière un écran mais la main musicale n'arrêtait pas.

La fatigue

[...] Seul André Mathieu lui-même et quelques rares imaginations, sauront jamais les fatigues, les angoisses et la griserie que connut le jeune homme pendant la nuit et l'interminable jour que composèrent les dix-huit premières heures. Entre autres œuvres musicales, il joua d'abord soixante-quinze de ses propres compositions. Plus il jouait, plus il voulait jouer, plus il aimait jouer. Tous ceux qui ont atteint, déjà des sommets de vitalité physique, comprendront. Puis la fatigue se fit sentir; l'enthousiasme s'affadit. C'était le moment pénible où les nombreuses heures passées dans l'effort pesaient d'un poids excessif, torturaient le courage, comme une tentation, avec des images de béatitude dans le repos; c'était le moment presque intolérable où les nombreuses heures passées qui séparent encore du but paraissent interminables, inacceptables, d'une impossible traversée; c'était le moment affligeant où les spectateurs étaient le moins nombreux, le plus sceptiques, le plus secrètement désapprobateurs.

Mais le pauvre André devait à son nom pâli, à sa carrière compromise de vaincre. Il savait qu'on disait ou qu'on pensait des mots comme : ridicule, insensé, absurde, bête, honteux. Il savait aussi qu'ils recelaient un peu de vrai [...].

La dernière heure

Sept heures et demie du soir. Des milliers de personnes venaient s'ajouter aux milliers d'autres, depuis des heures entassées dans le Palais du Commerce. Des vieux, des badauds, des curieux, des moqueurs, des dénigreurs, mais surtout des admirateurs, avoués ou non, et des jeunes, des centaines d'enfants et d'adolescents qui trouvaient là pâture pour leur imagination inassouvie et un élan de promesse solennelle et naïve, dans le baroque et émouvant spectacle. Le jeu d'André Mathieu alternait de cinq minutes en cinq minutes de thèmes doux où se détendre, d'arpèges violents où fouetter son énergie. L'émotion de la foule oscillait fidèlement

> à ce rythme ; elle s'exaltait aux arpèges et provoquait des applaudissements qu'André Mathieu remerciait bientôt d'une main ; puis elle s'apaisait aux mélodies et chacun s'asseyait ou se reposait sur une hanche avec un goût de silence.
>
> LA VICTOIRE
>
> Le moment attendu pendant plus de dix-neuf heures approchait. La foule était monstre et un peu folle. À bien observer on voyait nettement frissonner les gens. Télévision, radio, commentateurs, bavards de mauvais goût captaient ou traduisaient le sentiment unique qui fusionnait quinze mille spectateurs. Les dernières secondes furent comptées au micro pour une foule muette et figée. Puis le délire ! L'ovation ! André salua calmement de la main. On vit à peine sur son visage, le passage de sa victoire. Il continuait de jouer. Il joua encore pendant deux heures, pour entraîner bien loin dans l'inaccessible, le nouveau record établi. André Mathieu avait retrouvé un grand nom d'homme. Il lui restera maintenant à prouver son grand nom d'artiste. C'est à cela sans doute qu'il a songé pendant les deux dernières heures, alors qu'affluaient les télégrammes de félicitations lus au micro, les engagements très nombreux et déjà des dons, dont le premier à venir, magnifique et qui souleva la foule : les 500 $ de Charles Trenet[390]. André Mathieu fera son tour du monde, précédé par une publicité rajeunie et bien grasse. Puisse-t-il nous redonner notre « Mozart canadien » et les fruits de la première maturité de ses 25 ans. Après son triomphe, André Mathieu retourna au Lucerne Motel qui avait été pendant 10 jours sa nécessaire prison et qu'il retrouva comme un « Palais des Fêtes » pour le recevoir, mais d'où il ne put, épuisé, monter seul les marches.[391]

Le chroniqueur musical du quotidien *La Presse*, Claude Gingras, qui est entré au service de ce journal le 5 avril 1953, titre : « Un record mondial au piano ».

Claude Gingras complète l'article de Lorrain en y apportant déjà son légendaire souci du détail.

---

390. Les 500 $ de Charles Trenet. Le critique musical du journal *La Presse* et un journaliste français, André Roche, qui travaillait alors à Montréal, ont monté ce canular qui a eu le mérite de déclencher un effet d'entraînement. Claude Gingras, entretien avec l'auteur, le 17 juillet 2007.

391. Roland Lorrain, *VRAI*, le 18 décembre 1954.

André Mathieu a joué 21 heures, 1 minute et 58 secondes sans interruption.

[...] André Mathieu a joué sans interruption de 1 h 15 a.m. à 10 h 16 et 58 secondes [...]. Dès 1:00 du matin, une foule d'environ 500 personnes, estime-t-on, s'était massée autour de la salle de fortune où l'on avait installé deux grands pianos de concert [...]. Tout autour, pour créer un décor, d'immenses gerbes de fleurs, des chaises, des tables, de même qu'un paravent. Cet accessoire s'avéra maintes fois utile lorsqu'il s'est agi par exemple, d'injecter au pianiste les doses d'albumine sans lesquelles il aurait pu difficilement tenir le coup [...].

Surveillance médicale constante.

Un médecin, le Dr Alban Jasmin, une infirmière, garde Rachel Giroux se tenaient près de lui et, à différents intervalles, le frictionnaient, lui donnaient les piqûres stimulatrices ou lui faisait boire des jus d'orange et de pamplemousse, seuls liquides qu'il eut la permission d'ingurgiter (exception faite de trois petites tasses de café). Chaque verre contenait une quantité définie de glucose, ce qui permit un travail musculaire effectif. Il faut toutefois reconnaître qu'André Mathieu en bon artiste qu'il est, ne s'est pas contenté d'un insipide pianotage, comme tant d'autres auraient fait. Ce qu'il a joué était presque toujours très musical. Il s'agissait d'improvisations sur des thèmes qui lui sont chers, c'est-à-dire les thèmes qu'il a recueillis dans la nature québécoise et qui ont servi de base à ses agréables compositions. Le résultat était très heureux et félicitons-le. D'ailleurs, la foule qui grandissait sans cesse à mesure que s'écoulaient les heures, lui a fait de fréquentes ovations, principalement lorsqu'on reconnaissait des thèmes de ses compositions les plus populaires ou encore lorsque le pianiste jouait plus fort qu'ailleurs.

Jeu puissant.

Il est à signaler que le jeu d'André Mathieu demeura du commencement à la fin, plutôt rapide et fort [...]. André Mathieu n'a pas fléchi. Il fut dérangé à chaque minute au moins : les piqûres, le jus de fruit, les télégrammes d'encouragement, les représentants de la radio, etc... Malgré cela il garda sans cesse au moins une main au clavier, l'autre se reposant à l'occasion sur une petite table que l'on transportait.

André Mathieu avait dormi dix heures avant de commencer son exploit. Avant de l'envoyer au lit, son médecin lui avait fait prendre un bon repas : steak, légumes, fruits, lait.

À huit heures, seize minutes, trente secondes, Mathieu battit le record de dix-neuf heures, une minute, trente secondes, tel que chronométré par la compagnie d'horlogerie Pateck-Philippe de Genève. Pour couronner ce triomphe musical, et national, il enchaîna avec *Ô Canada.*

La foule qui à ce moment-là remplissait presque entièrement le Palais du Commerce lui fit une ovation qui dura près de 75 secondes. Mais Mathieu, non satisfait, voulut continuer. Et il continua pendant encore deux heures. L'assistance ne quitta pas les lieux. On voulait demeurer jusqu'au bout. À la fin, alors que le pianiste, malgré un visage crispé par la fatigue s'obstinait à demeurer au piano, la foule exténuée et qui n'en pouvait plus de regarder ni d'attendre marcha lentement mais fermement vers la scène, d'un seul pas, comme pour sommer le pianiste de quitter le clavier, de cesser de la faire languir [...].

ARRACHÉ AU PIANO.

Les parents et les intimes du pianiste, tout autour de lui, le suppliaient de rendre les armes, mais André Mathieu plus obstiné que jamais, s'agrippait à son clavier.

Finalement, on le tira du piano et, tel un pugiliste qui vient de compter un formidable knock-out, André Mathieu se leva et salua la foule en délire, les bras en l'air, en signe de triomphe.

C'est alors que commencèrent à pleuvoir sur la tête du vainqueur les télégrammes de félicitations, les offres d'émissions radiophoniques, les cadeaux (500 $ de Trenet) etc.

Puis André Mathieu sortit de scène. On dut le supporter jusqu'à la sortie et lui tracer un chemin au travers de la foule qui devenait de plus en plus insistante. Mathieu retourna chez lui ou son médecin espère qu'il suivra son conseil d'un sommeil « illimité » !

Nous avons eu André Mathieu Mozart du piano, André Mathieu génie de nos compositeurs, voici maintenant André Mathieu champion mondial d'endurance au piano.

Cet événement avait pour but de célébrer son 25e anniversaire de naissance et le 20e de sa vie musicale. Les organisateurs de ce PIANOTHON vont maintenant remettre André Mathieu en vedette, lui faire recommencer ses tournées de concerts, ici et à l'étranger. On a parlé d'une tournée mondiale et à la porte, on avait disposé pour recueillir les offrandes à cette fin, un petit piano

> blanc, (comme celui de Liberace[392]). On a aussi parlé d'un grand récital André Mathieu au Plateau d'ici quelques semaines.[393]

En collant ensemble tous les petits morceaux d'information ramassés par chacun des journalistes, peu à peu, le pianothon devient réalité.

> Imaginez le Palais du Commerce avec 8000 personnes, debout sur les chaises, en train de vociférer et d'applaudir André jouant le thème de son propre *Concerto de Québec* lors du marathon. Ses doigts déboulant les accords, André chantait le thème avec la foule. Depuis plus de six ans [...] il n'avait pas reçu une telle ovation [...]. André s'est prêté au jeu pour « regagner l'estime de son public d'un seul coup ». Après la dernière note, il est tombé dans les bras de son père, le pianiste compositeur Rodolphe Mathieu, ainsi que dans ceux de sa mère et de sa sœur. [...] Les employés du Palais du Commerce ont estimé que plus de 25 000 personnes avaient payé leur place pour venir entendre le PIANOTHON. Les femmes des premiers rangs ont pleuré à chaudes larmes et certaines se sont même évanouies [...]. Des centaines de télégrammes en provenance du Canada et des États-Unis sont arrivés au Palais du Commerce. Des billets de 10 et de 20 $, accompagnés de quelques mots d'encouragement, passaient de main en main jusqu'à la scène. André Lecomte, l'un des organisateurs de ce spectacle, a révélé à la *Gazette* qu'une entente est sur le point d'aboutir avec Ed Sullivan pour qu'André participe à son émission de télévision *Toast of the Town*. On raconte qu'une boîte de nuit montréalaise a offert 700 $ par semaine à André pour qu'il s'y produise une quinzaine de jours. D'après les organisateurs, Charles Trenet, le chanteur parisien, a envoyé un télégramme à André lui promettant 500 $. Après une vive discussion avec le Dr Jasmin, André a abandonné son piano à 10 h 16 [...]. Hier soir, même Mozart aurait été dépassé.[394]

Si l'exploit embrase les imaginations et soulève l'enthousiasme, l'événement lui-même en laisse plus d'un perplexe.

> Mathieu n'a pas arrêté une seconde. Pendant que d'une main, il buvait un verre de jus d'orange, il jouait de l'autre. Au cours de ces heures il n'a mangé de solide qu'un petit sandwich au poulet...

---

392. Liberace (1919-1987), pianiste de variétés extrêmement populaire, grâce à son émission télévisée *The Liberace Show*, ses costumes extravagants et son candélabre posé sur le piano sont passés à l'histoire du showbiz.

393. Claude Gingras, *La Presse*, le 9 décembre 1954.

394. Peter Desbarats, *The Gazette*, le 9 décembre 1954 : **voir la citation originale en annexe.**

> La population en général est fière d'un tel exploit. Quelques personnes sérieuses s'inclinent devant l'effort physique… mais trouvent le pianothon une formule plus commerciale qu'artistique […].[395]

Le dimanche 12 décembre, l'hebdomadaire *Le Petit Journal* publie un article de Paul Rochon qui est allé chercher des statistiques et des records de pianothon complètement délirants. Le titre de son article en résume le contenu : « André Mathieu n'était qu'à 379 heures du record ». Une semaine plus tard le courrier des lecteurs est volumineux et la rédaction commente :

> Loin de nous l'idée de dénigrer le talent musical de Monsieur Mathieu, mais comme il ne s'agissait pas d'une audition musicale mais d'une performance de music-hall, il nous a semblé que nous avions le droit, avec statistiques à l'appui, de mettre en doute les prétentions de ce nouveau recordman […]. Maintenant nous souhaitons que M. Mathieu revienne aux choses sérieuses et que ses admirateurs […] accourent aux concerts qu'il ne manquera pas de donner.[396]

L'article le plus vicieux, le plus méprisant et le plus cruel, est sans contredit celui du critique musical Eric McLean, du quotidien *The Montreal Star*.

> Bien qu'il n'ait que vingt-cinq ans, André a été affublé de l'humiliant qualificatif de « has been » depuis une dizaine d'années. À huit ans, il était un enfant prodige […]. Il a même émerveillé New York et pour une brève période, tout comme la police montée, Mary Pickford ou les quintuplées Dionne, il a fait partie de la liste des symboles auxquels les Américains associent le Canada. […] La dernière fois que je l'ai entendu jouer remonte à quelques années. C'était au Ritz Carlton. Il avait interprété ses propres œuvres devant un auditoire particulièrement clairsemé. L'événement n'avait pas été exactement un triomphe. Par contre, peu de gens doutent du succès de son retour sur scène cette semaine.
>
> Malgré une énorme couverture du pianothon par les journaux et le fil de presse, je n'ai trouvé aucune critique qui rendait compte de la qualité de la *performance*. Personne n'a dit si Mathieu avait bien ou mal joué ou si ses compositions pourraient s'inscrire dans le répertoire classique. Il semble que le fait d'avoir joué sans arrêt pendant vingt et une heures suspendait tout sens critique.

395. Marcel Thivierge, *Le Devoir*, le 9 décembre 1954.
396. Paul Rochon, *Le Petit Journal*, le 19 décembre 1954.

> Personne ne semble s'être dit que quelqu'un qui aurait épluché des patates pendant le même laps de temps aurait mérité les mêmes honneurs. De sous-entendre que le pianothon n'avait rien à voir avec la musique, Mozart ou les enfants prodiges aurait arraché de hauts cris aux femmes en larmes des premiers rangs alors que l'épreuve arrivait à son terme. Le père d'André, Rodolphe Mathieu, qui lança son fils dans sa carrière mirobolante de pianiste était à ses côtés quand il a reçu les applaudissements de la foule du Palais du Commerce. CE FUT LE COURONNEMENT DE SA CARRIÈRE, l'accomplissement de la promesse qu'incarnait le bambin sur la scène du Carnegie Hall lors de son récital. À propos, lors de sa prochaine tournée, croyez-vous que Mathieu jouera chaque fois vingt et une heures d'affilée à chaque récital ?[397]

Mais le plus beau de cette critique, c'est qu'Eric McLean n'a pas assisté au pianothon, il ne s'y est même pas rendu pour quelques heures. Son article commence par : « Alors que mercredi dernier j'écoutais Douglas Clarke diriger une interprétation de *Brigg Fair*, un autre concert, bien différent celui-là, s'achevait au Palais du Commerce... »[398] Superbe exemple d'éthique professionnelle !

Mais le contrepoids inespéré et inattendu à cet article ignoble, c'est le commentaire du compositeur, secrétaire général du Conservatoire de Musique, professeur, chef d'orchestre, violoniste et critique, Jean Vallerand. Que cet « esprit quelque peu hautain » accueille et reconnaisse un collègue, mieux un confrère, ne laisse d'étonner. Il titre son article :

> La performance d'André Mathieu
>
> Il est une question qu'on m'a posée avec tant d'insistance au cours de cette semaine et dans les milieux les plus divers [...]. Des étudiants de l'Université, des ouvriers, des marchands m'ont demandé : « Que pensez-vous du record d'endurance que veut établir le pianiste André Mathieu ? » J'ai d'abord hésité à répondre : un record d'endurance, même pianistique [...]. À la réflexion toutefois, cette performance sportive se révèle reliée par de multiples liens à la vie musicale [...]. Ici à Montréal, les musiciens

---

397. Eric McLean, *The Montreal Star*, le 11 décembre 1954 : **voir la citation originale en annexe.**

398. *Idem.* : « While I was listening to Douglas Clarke conducting a performance of Brigg Fair this Wednesday, another very different concert was coming to an end at the Show Mart... »

> ne peuvent pas rester indifférents à l'affaire. D'abord parce qu'elle a trait à un musicien de premier ordre : André Mathieu, tout le monde est d'accord là-dessus, est un pianiste prodigieux. Depuis plusieurs années il est resté dans l'ombre et je suis personnellement très heureux que sa performance le mette de nouveau en vedette [...]. Il semble que dans le cas de Mathieu du moins, les procédés ordinaires du métier de musicien ne soient pas toujours les plus susceptibles d'assurer à un artiste la réputation à laquelle lui donne droit son talent. Je souhaite que la performance de Mathieu lui ouvre les portes d'une deuxième carrière internationale ; mais je m'effraie d'une situation qui oblige un artiste à des « publicity stunts » [...]. J'ai entendu des gens dire : « Par la persévérance on finit toujours par percer ». Peut-être, mais on perce à 60 ans et pour un instrumentiste c'est un peu vieux pour commencer une carrière. J'approuve donc sans honte les moyens pris par André Mathieu pour s'imposer de nouveau à l'attention publique. Je les approuve d'autant plus facilement que toute cette affaire est une terrible leçon [...]. Mathieu ne l'ignore pas : il a établi un record sportif [...]. Son record n'en constitue pas moins la plus formidable satire qui se puisse faire de nos mœurs artistiques. C'est sur ce plan surtout que je l'approuve. Puis après ? Après ? Que Mathieu la fasse maintenant cette carrière qui désormais « ne dépendra plus que de lui ». Et qu'il sache bien que l'amitié et l'appui de ses confrères musiciens l'accompagnent. Il leur a donné l'occasion de sourire tristement sur la sottise des gens et il leur donnera sans doute l'occasion de se réjouir de son retour à l'activité professionnelle.[399]

Preuve de la reconquête de son statut de vedette par André Mathieu, la veille de Noël, le vendredi 24 décembre 1954, Claude Gingras du quotidien *La Presse* écrit :

> Immédiatement après être descendu de la scène du Palais du Commerce [...], il se rendit à une petite réception intime donnée par les organisateurs de son « pianothon », but deux coupes de champagne, puis alla se reposer. Il dormit sept heures seulement. À neuf heures du matin, en effet, il était le premier debout. C'est même lui qui réveilla les organisateurs. André Mathieu partit ensuite se reposer à la campagne, puis il rentra en ville. Nous avons pu le rejoindre après maintes tentatives, et l'interroger sur ses projets.

399. Jean Vallerand, *Le Devoir*, décembre 1954.

Récital au Plateau ?...

André Mathieu paraîtra à quelques émissions radiophoniques mais le principal de ses engagements futurs demeure un grand récital de ses œuvres (et peut-être même deux récitals) qu'il veut donner au *Plateau* à la fin de janvier. Il y jouerait quatre ou cinq de ces charmantes piécettes qu'il écrivit avant d'avoir sept ans, ainsi que des compositions toutes récentes.

Des musiciens montréalais se joindraient ensuite à lui pour donner sa *sonate pour violon et piano*, son *trio* pour violon, violoncelle et piano et en première audition, son *quintette* pour cordes et piano.

Une tournée en province suivrait ce concert et conduirait les artistes à Ottawa, Trois-Rivières, Sherbrooke, Québec et jusqu'au lac Saint-Jean.

...et même à Paris ?

On irait ensuite aux États-Unis, d'où le pianiste-compositeur a reçu des offres intéressantes, nous dit-il, et l'on pousserait même jusqu'en Europe [...].

Le « pianothon » d'André Mathieu, on s'en souvient, attira le 8 décembre, au Palais de la rue Berri, plus de 30 000 personnes. Quand à 8 h. 1 m. 30 s. du soir, Mathieu battit le record mondial (il jouait depuis 1h15 du matin du même jour), la foule éclata en applaudissements et en cris : les télégrammes (environ 1400) commencèrent à pleuvoir sur sa tête de même que les offres d'émissions de télévision et de radio, les cadeaux, les chèques, etc.

L'événement retint l'attention du pays, voire du monde entier. On en a parlé plus que du 400e but de Maurice Richard ! Tout le monde s'est intéressé au « pianothon » pour en dire du bien ou, dans certains cas, du mal.

Mise au point

Et, à ce sujet, André Mathieu fait la mise au point suivante :

« Quiconque veut battre mon propre record devra jouer, non seulement pendant plus d'heures que moi, mais jouer pendant au moins 15 heures ses propres compositions. Car pendant 15 heures sur 21, je n'ai joué que mes œuvres. »

En effet, ce n'est pas simplement le record de pianiste qu'il s'agit de battre : c'est aussi le record de compositeur ![400]

400. Claude Gingras, *La Presse*, le 24 décembre 1954.

Mais le coup le plus brutal, le rejet le plus cinglant arrive le jour de Noël. Dans la chronique « Lettres et arts » du *Photo-Journal*, un chroniqueur sous le nom de plume de Diogène, projette le faisceau de sa lanterne sur l'événement et donne le coup de grâce. Sous le titre « SERAIT-CE UNE RENAISSANCE ? ANDRÉ MATHIEU TUE MOZART EN QUELQUE 21 HEURES ! » Ce « philosophe » fait tout pour cacher le soleil de Mathieu.

> Un chameau peut, sans manger ni boire, gambader plus d'un mois dans les dunes de sable. André Mathieu lui, joue du piano durant plus de vingt et une heures. Dans le cas du chameau, il suffit de posséder deux bosses de graisse. Dans celui de Mathieu, il est impératif que les mains ne soient pas sujettes aux crampes et que la musique n'ait pas (pour lui) de vertu soporifique. Depuis des millénaires on célèbre la sobriété et l'endurance du chameau. Il est possible que la performance de Mathieu soit oubliée dans cent ans. Voilà lá supériorité du chameau.
>
> Saint-Saëns avait déjà accueilli le pianiste dans sa ménagerie. Mathieu a sans doute voulu lui donner raison. L'art est un long apprentissage. Allez donc ! Un numéro de chimpanzé savant permet d'escamoter vingt ou trente années d'obscurité laborieuse pour atteindre la célébrité en vingt et une heures. Le gros public n'est sensible qu'aux exploits physiques. Soit ! Montrons-lui l'animal-pianiste en action. Mathieu aurait pu jouer tout ce temps avec les doigts de pied ou avec le nez le résultat aurait été le même. Trente mille personnes seraient quand même venues le voir. La foire aux exploits est ouverte. Qui composera un roman dans une cage de verre pendant vingt-deux heures ? Qui récitera en entier Shakespeare de mémoire ? Qui vaincra André Mathieu ? Le piano mécanique !
>
> LYRISME
>
> Le soir du huit décembre, on délirait à qui mieux mieux au Palais du Commerce. Un speaker de radio, un peu énervé, parlait d'exploit sportif, presque artistique. « Écoutez-moi cette musique qui coule de ses mains comme une source… ces jets d'eau, on dirait du Debussy… Mesdames, Messieurs, André Mathieu refuse la chaise roulante qu'on lui tend et… et il se transporte par lui-même ! » L'infirmière et le médecin en firent quasiment une syncope. Un Canadien français, patriote et catholique avait battu un Allemand. La foule hurlait, la même foule qui crie de façon hystérique lorsqu'elle acclame un nouveau maire ou un prélat. Au sortir de table, je veux dire du piano, Mathieu était littéralement étranglé par des parents qui avaient conservé quelque énergie. Le petit Mozart, le jabot de dentelles et souliers à boucles, révérences

et petits riens, devait sourire. Et Liszt aussi qui, paraît-il, n'avait pas dépassé cinq heures dans un pianothon. Il faudrait vite imprimer cette image du vainqueur pour en faire des casse-tête.

Le lendemain il y avait des rieurs, des cyniques que l'obscurité et l'envie rendent fielleux. Il y avait surtout des admirateurs et quelques amis de la musique sincèrement attristés. Tout le mal, disait-on, vient de notre société qui oblige les artistes à exécuter ces tours de force avant de les reconnaître. Mathieu, autrement, n'eut pas regagné son public avant d'atteindre la soixantaine (allusion évidente à l'article de Jean Vallerand). Un peu comme si Stendhal s'était rendu de Civita-Vecchia à Paris en marchant sur les mains pour retenir l'attention d'un public qui ne l'a reconnu que cinquante ans après sa mort.

ERREUR

De tout temps, l'artiste et même le génie, a dû travailler dans l'ombre. La société n'en est pas plus coupable aujourd'hui qu'hier. Mathieu, excellent pianiste et compositeur – tous en conviennent unanimement – n'a pas à désirer le bruyant succès d'un Frank Sinatra. Par son exploit sportif, il est passé d'une valeur à une autre, très inférieure. La société n'a rien à voir là-dedans. Mathieu a eu la foule qu'il désirait mais il n'a pas eu le public auquel peut s'adresser le pianiste sérieux qu'il veut être. La foule qui réclame la mort des lutteurs dans un stade n'est pas celle qui fréquente les salles de concert. Le pianothon est né d'une aberration d'esprit. Mathieu qui voulait reconquérir un public s'est trompé de porte. Il est entré dans un stade en pensant pénétrer dans une salle de concert. Et ce n'est la faute de personne si le public qui se trouvait là était le public d'un stade.

On ne commence pas impunément une carrière de pianiste à l'âge de quatre ans, dans l'ombre de Mozart. C'est un peu commencer par des numéros de cirque. Le caractère extraordinaire du talent s'efface à mesure que l'enfant prodige vieillit. Et un jour, de génie on devient normal. C'est le lot des débuts fulgurants.

Mozart, lui, a continué jusqu'à l'âge de trente-cinq ans pour mourir phtisique (!!!) et obscur. Un chien errant remplaçait la foule dans le cortège funèbre. Las ! La grandeur s'acquiert à ce prix.

L'ombre de Mozart s'est séparée d'André Mathieu il y a déjà belle lurette, plus précisément depuis qu'il n'est plus le petit garçon à culottes courtes qu'on promenait de par le monde. Le poupon qui jouait du piano mieux que papa est devenu un homme de forte constitution, ce qui lui permet de jouer du piano plus longtemps

> qu'aucun autre. Mais l'homme ne s'est pas encore imposé à l'attention des critiques sérieux aussi fortement que l'avait fait l'enfant. Voilà le drame. Ce n'est pas le public qui a abandonné André Mathieu, mais André Mathieu qui a abandonné les salles de concert ! L'autre soir, il a tendu la main, passé le chapeau, exactement comme le font les saltimbanques sur la place publique. Et le chapeau s'est rempli. Que fera désormais le pianiste qui est descendu dans la rue, piano sous le bras, pour proclamer qu'il existe encore ?
>
> Si le pianothon a convaincu André Mathieu de ne plus jamais tendre la main, s'il le pousse à redevenir un pianiste sérieux, à considérer de nouveau le piano comme instrument d'art et non pas comme tremplin de haute voltige, le pianothon aura eu alors du bon. Il aura peut-être tué aussi le mythe Mozart en enseignant qu'il est peut-être plus difficile d'être prodige à vingt-cinq ans qu'à quatre. André Mathieu, au fond, a peut-être mis vingt et une heures à tuer Mozart, il lui reste une vie pour faire naître André Mathieu. Souhaitons qu'il y parvienne ![401]

Il n'y a pas un clou qui dépasse du cercueil ! Mais, Diogène a-t-il tort ? Après avoir suscité le « scandale », on aurait pu espérer qu'en contrepartie André Mathieu ait amassé les fonds nécessaires à relancer sa carrière « sérieuse ». Mais non ! Pour ajouter l'insulte à l'injure, un article, citant une source non identifiée, mais visiblement bien informée, nous apprend que :

> André Mathieu n'a pas fait fortune avec son pianothon.
>
> Le récent pianothon d'André Mathieu a remporté un succès-monstre au point de vue publicitaire. C'est une réussite sans pareille dans les annales montréalaises.
>
> Mais ceux qui se figurent que Mathieu s'est fait une fortune avec cet événement se trompent lamentablement.
>
> Nous savons de source sûre que le jeune Mathieu ne retirera pas plus que 600 $ pour tous ses efforts surhumains [...].
>
> On a parlé de 30 000 personnes qui avaient assisté au pianothon dans la vaste enceinte du Palais du Commerce. Mais en réalité les admissions payantes n'ont pas dépassé 12 000 billets vendus. Comme l'admission était de 50 sous, ceci représente une recette d'environ 6000 $. Mais les dépenses d'organisation ont été énormes. D'abord, la location de la salle dépasse 1500 $. À ceci il

401. Diogène, *Photo Journal*, le 25 décembre 1954.

> faut ajouter les frais de publicité, d'impressions, de programme, de billets, etc.
>
> Toujours est-il, que tout compte fait, notre jeune gloire nationale ne recevrait pour sa part (qui était fixée à 50 % des revenus nets) que le maigre montant de 600 $.
>
> C'est décevant mais c'est la stricte vérité ![402]

Dans les coûts, il faut ajouter les frais du médecin, de l'infirmière, le séjour au Lucerne Motel… Et le reste.

Le bilan du PIANOTHON est encore beaucoup plus pitoyable que ces dérisoires 600 $. Il n'y aura pas de participation à l'émission d'Ed Sullivan. Charles Trenet promettant 500 $ n'était qu'un canular ! Il n'y aura aucune tournée à travers la province, le pays, les États-Unis ou l'Europe ! Un coup d'épée dans l'eau fait au moins des vagues…

Malgré la surprenante et émouvante défense de Jean Vallerand, André s'est donc ostracisé du milieu musical. Il vient de commettre l'irréparable, il a renoncé à toute dignité. Le PIANOTHON lui-même a laissé à tous les témoins qui ont assisté à l'événement un souvenir pénible, triste, une impression de désolation. Claude Laperrière, un jeune comptable dans la vingtaine est arrivé au PIANOTHON à neuf heures le matin du 8 décembre. André Mathieu était l'idole de son père. Il s'installe au Palais du Commerce sur une des chaises. Il y restera pendant les treize heures qui suivent.

> C'est triste à dire, mais Mathieu avait l'air d'un itinérant. Il n'était pas propre, il avait les cheveux sales. Ses vêtements étaient négligés, on ressentait un malaise, mais la musique était magnifique. Parfois, il n'y avait pas plus de vingt personnes dans la salle. Mais CJMS (la station de radio) rappelait à toutes les heures que le PIANOTHON battait son plein, que Mathieu en était à sa 10e, 13e, 15e heure. Et à toutes les heures, Mathieu répétait le même thème pour les auditeurs de la radio et pour nous dans la salle. Il n'arrêtait pas de jouer, il allait derrière un paravent en continuant de jouer avec une main… À la fin, ça a été l'apothéose.[403]

Que ce soit l'humoriste Yvon Deschamps, le sculpteur Armand Vaillancourt ou le comédien Michel Forget, malgré le triomphe final, l'impression

402. Journaliste, journal et date inconnus.
403. Claude Laperrière, entretien avec l'auteur, le 14 octobre 2007.

générale demeure d'une grande tristesse. Forget se souvient d'être allé avec sa mère qui le tenait par la main : « Mes enfants, regardez cet homme-là, c'est un génie ! Voyez-vous ce que la boisson peut faire... ? »[404] Le pianothon aura aussi attiré par la radio Marie-Ange Massicotte, qui prend l'autobus de Joliette et arrive en après-midi à Montréal. Elle traverse la rue Berri, elle entre au Palais du Commerce ; elle en ressortira à la toute fin pour faire autographier son programme par le héros du jour. Six ans plus tard, Marie-Ange Massicotte deviendra Madame André Mathieu.

On n'a jamais reproché à un artiste sa participation à un spectacle de variétés ou de cirque permettant de ramasser des fonds pour une cause caritative ou humanitaire. On a toujours aussi reconnu la légitimité et le droit pour un artiste d'organiser un événement à son bénéfice lui permettant de survivre ou d'accumuler des fonds pour poursuivre sa carrière. Pour André Mathieu, quelle a été la raison, ou les raisons véritables du PIANOTHON ? Bien sûr, la volonté de se rendre indépendant, de ne plus être à la merci des uns, des autres ou des siens, a dû être un moteur formidable ! 10 000 $ en 1955, c'est une fortune qui lui aurait permis de planifier, d'organiser ses projets de tournée à travers le pays et l'Europe, la sécurité lui permettant de travailler, de secourir sa famille, de se sentir à nouveau le centre du monde, de redevenir indispensable pour ses « gros yeux noirs » et son cher « Dodotte ». Il ne faut pas oublier que c'est le seul mode de vie qu'il connaît, c'est sa seule réalité, c'est le monde de la tendre enfance. André n'a pas développé d'outils de socialisation ou d'intimité qui sont l'apprentissage commun. Il n'est allé vers les autres qu'avec sa musique, il ne sait gagner sa vie qu'avec sa musique, il ne sait que se faire aimer avec sa musique. Son activité politique n'était pour lui que le prolongement des concerts. Créer, plaire, émouvoir, il y est entraîné. Pour André, les pianothons, car il y en aura d'autres, ce premier PIANOTHON, c'est la tentative désespérée de rameuter ses auditeurs émerveillés, ces adultes qui le regardaient, incrédules, et de ressusciter l'époque où ce père lui manifestait une admiration sans bornes. De plus, ce PIANOTHON est la représentation la plus symbolique, la plus emblématique et la plus exemplaire, le reflet parfait d'une société donnée à une époque donnée : les Mathieu ont pris l'Europe comme modèle de carrière, avec les États-Unis en second choix. Ils ont voulu croire qu'un musicien pouvait vivre

404. Michel Forget, Entretien avec l'auteur, le 18 mai 2009.

chez lui de ses œuvres et de ses concerts. Le père s'y était essayé, le fils s'y brisera. Dénoncer le PIANOTHON, c'est chercher un bouc émissaire pour rejeter le blâme, comme s'il y avait quelque chose à blâmer, sur une société ou sur un individu, qui ne sont ni l'un ni l'autre arrivés à ce moment de leur développement et de leur croissance qui leur aurait permis de se nourrir, dans tous les sens du terme, mutuellement. L'aventure du PIANOTHON, c'est le Canada français qui admet, par sa participation massive et ses réticences, qu'il n'est pas prêt à accéder à la « culture », alors que le milieu « culturel » ne peut pas accepter André Mathieu comme un pair, un égal, un frère d'armes, parce que lui, André Mathieu, ne croit pas nécessairement que les temps modernes doivent rompre avec tout ce qui a précédé. L'avènement du PIANOTHON était pour André Mathieu, la plus vigoureuse manifestation de survie et l'embarras, sinon la honte, que l'évènement a déclenchés, est le reflet de notre situation émotive en tant que nation, à ce moment précis de notre Histoire.

En tant que pianiste-compositeur, André a exploité tout son catalogue, il a tout joué, comme un enfant, il a sorti tous ses jouets, de la première à la dernière note, il a tout donné. De plus, il a improvisé, il a créé sur place, il a mis ses mains au service du rêve comme il le faisait enfant. Mais c'était l'enfant qui fascinait, l'adulte qui présente ses œuvres n'a plus ce pouvoir. Non pas que les œuvres aient perdu le leur, oh non ! mais ce sacrifice, ce don total, jusqu'à l'épuisement littéralement, déraille et emportera André encore davantage dans une solitude éthylique où enfin ! il n'aura plus besoin des autres.

Musicalement, toutes celles et ceux qui ont assisté au pianothon le disent : à part ces moments de fatigue inévitables, André a dépassé toutes ses limites, physiques, psychologiques, musicales, pianistiques et humaines. Si la station radiophonique CJMS avait enregistré l'événement, nous aurions certainement un des plus beaux témoignages du génie d'André Mathieu compositeur, pianiste, improvisateur, et bête de scène. Hélas…

Qu'il suscite l'admiration ou la critique, l'événement a remis André Mathieu au centre de l'actualité, musicale et autres. Deux jours après le PIANOTHON il est au théâtre Saint-Denis où il participe avec son père au Gala du Jouet du Club Optimiste Laurentien.

Dans le journal *Nouvelles et Potins* du 25 décembre, André est photographié au café Saint-Jacques dansant avec une ravissante jeune femme.

La légende sous la photo est codée : « La direction artistique du café Saint-Jacques a servi un copieux cocktail très intime à André Mathieu. Ci-dessus, Monsieur Mathieu, qui a réussi à s'échapper pour quelques minutes et qui danse avec une charmante compagne sous les yeux attentifs et braqués de ses gardiens prêts à accourir au moindre danger… » Pour qui veut bien lire entre les lignes, Guy Richard veille sur son investissement et, sans doute comme tous les autres, veut-il sauver André, lui redonner une carrière, l'empêcher de boire… Si on rassemble les témoignages épars entourant le pianothon, il se dégage, en filigrane, une volonté de protéger André contre son milieu et contre lui-même, et de réussir sa désintoxication et sa réinsertion artistique et sociale… pour qui veut bien lire entre les lignes.

Une semaine plus tard, un autre journal rapporte, avec une photo prise à l'hôpital Notre-Dame, qu'André a été mordu au biceps par son chien esquimau Manouk, le jour de Noël, et qu'il a dû annuler le récital, « un troisième récital sur les ondes de CKVL. Il avait spécialement préparé pour ce récital des œuvres de circonstance, à l'occasion de Noël, y compris une prière (en musique) qu'il voulait dédier à son Éminence le Cardinal Paul-Émile Léger. Au micro de CKVL, André Mathieu s'est excusé et a promis aux auditeurs de reprendre dimanche prochain le récital qu'il n'a pu présenter dimanche dernier. »[405]

Profitant du fait que sa notoriété, que sa cote de popularité batte tous les records, André, sans doute pour compenser le cachet catastrophique et les maigres honoraires du PIANOTHON, accepte une invitation du magasin Modernaire, magasin de meubles situé à l'angle des rues Rachel et Saint-Denis. Un piano à queue, on l'imagine blanc, trône en pleine vitrine. Non seulement y a-t-il un piano, mais il y a aussi un pianiste. Pour attirer les acheteurs, une affiche annonce très clairement qu'André Mathieu lui-même aime les meubles et les pianos, et que sa présence est la preuve vivante de leur excellence. On pourrait croire (espérer) que ces images soient la création d'une imagination fertile ; mais le fait est rapporté par l'historienne Mireille Barrière qui est passée là, à l'hiver 1955, avec sa sœur, sur le chemin de l'école. Ce n'est pas que les musicologues n'aient pas d'imagination, mais ils trouvent généralement la réalité et les faits plus passionnants.

---

405. Journaliste inconnu, journal inconnu, le 2 janvier 1955.

Entre ces apparitions publicitaires et le concert donné à l'auditorium du Plateau le 11 février, André va suivre, va se soumettre à sa première cure de désintoxication. Mais le 11 février, Mathieu tient promesse et après son « exploit » se replonge dans la vraie musique. André Lecomte, dans le *Samedi-Dimanche* du 5 février, conclut son article pré-concert sur ces mots : « Cet événement musical d'importance marquera la rentrée officielle d'André Mathieu dans le domaine artistique, après quelques années de travail dans l'ombre. Le pianothon du 8 décembre dernier avait pour but de préparer cette rentrée de Mathieu ».[406]

À l'occasion de ce concert, l'agent exclusif et gérant Guy Richard tente pour la première fois de dresser un catalogue des œuvres d'André Mathieu. Pêle-mêle, des œuvres connues, fréquemment jouées en récital et même éditées, côtoient des œuvres tirées d'un catalogue imaginaire, qu'on ne retrouve ni dans les programmes, ni dans le fonds de la famille Mathieu déposé aux archives nationales à Ottawa. Peut-être ces œuvres sont-elles des projets inaboutis qui auront été vaincus par l'indiscipline et l'alcool du vieux jeune maître. Nous ne citons ici que les titres faisant leur apparition pour la première fois :

Les Papillons
Quatre Fantaisies pour piano
Fantaisie pour flûte et piano
Quatre Lamentations

Il faut aussi noter que l'auteur du catalogue attribue « deux concertinos » et « quatre concertos pour piano » en plus du « Concerto de Québec » à André. De plus, une suite d'orchestre : Cantique des Cantiques, et le poème symphonique Mistassini sont inscrits au catalogue comme des œuvres achevées. Cette liste d'œuvres pour le moins fantaisiste a lancé les chercheurs sur des pistes impossibles qui épuisent la bonne volonté et, conséquence beaucoup plus grave, jette le doute sur l'intégrité du compositeur. Mais enfin…

Pour sa rentrée, André a monté un programme costaud et splendide. Détail émouvant, Rodolphe sera au deuxième piano pour le *Concertino no 2*, que père et fils ont joué ensemble vingt ans auparavant. André, à jeun, sobre, qui retrouve son père au Plateau alors que, incroyable mais vrai, presque quinze ans se sont écoulés depuis qu'ils ont partagé la scène

406. André Lecomte, *Samedi-Dimanche*, le 5 février 1955.

ensemble, le 27 octobre 1940, à Ottawa, dans cette même œuvre. Le lendemain, *La Presse* publie ce compte rendu titré : « MATHIEU FAIT SA RENTRÉE ». Claude Gingras nous y apprend que son record mondial de décembre a

> été abaissé par un Ontarien. Mathieu n'est plus champion mondial. Mais il est redevenu musicien. Et c'est beaucoup mieux ainsi. Car il est trop doué pour être exhibé sur les estrades comme un amuseur public. Il a prouvé maintes fois qu'il avait vraiment du talent. Il l'a démontré une fois de plus hier soir, au cours d'un grand concert de gala tenu à l'auditorium du Plateau [...].
>
> La grande sincérité, l'émotion, la vigueur avec lesquelles André Mathieu a joué ses œuvres tiraient les larmes à plusieurs habitués des concerts qui ont suivi sa marche depuis ses tout premiers pas [...]. Ces œuvres d'enfance [...] Mathieu s'y inspire de la nature canadienne qu'il aimait [sic] tant. Il y raconte ses premiers jeux, ses premiers rêves. La seule préoccupation du compositeur, à cet âge-là, est du domaine purement mélodique. La recherche de la ligne agréable, de l'« air », de la mélodie qui accroche l'oreille. Et Mathieu réussit à « accrocher » l'oreille populaire. Ses thèmes sont faciles à retenir et le public les reconnaît avec joie et très facilement [...].
>
> Mais les œuvres d'André Mathieu ne possèdent pas toutes ces mélodies faciles. Le jeune auteur s'essaie dans la musique « moderne » ; il veut y réussir par divers moyens employés un peu partout par les musiciens. Tels sont ses *concertos* dont nous avons entendu hier le *deuxième* et le *quatrième*; telle est sa *Sonate pour violon et piano*; tel est son *Trio* pour piano violon violoncelle. Le compositeur réussit dans ce genre de très beaux effets ; les œuvres ont dans l'ensemble un ton et un style qui les font s'imposer [...].
>
> Un public chaleureux a vivement ovationné le jeune pianiste-compositeur, mais un public beaucoup moins considérable que celui du Palais du Commerce [...].[407]

Jean Vallerand, qui a défendu Mathieu il y a quelques semaines, y va d'une critique qui démontre le plus grand respect pour l'artiste qu'il pressent et perçoit sous l'indiscipline, le manque de rigueur et le désir de plaire :

---

407. Claude Gingras, *La Presse*, le 12 février 1955.

Le récital André Mathieu

André Mathieu a donné vendredi soir dernier au Plateau, un grand récital de ses œuvres. J'ai été très heureux de réentendre Mathieu qui joue trop peu souvent en public et dont les œuvres ne trouvent malheureusement pas d'hospitalité ailleurs que dans les concerts qu'il organise lui-même.

Au sujet de ce concert, je n'irai pas par quatre chemins pour exprimer mon avis et je serai même très dur, car Mathieu est de ces musiciens d'élite avec qui une seule attitude s'impose : la franchise la plus brutale.

André Mathieu est un pianiste extraordinaire, qui de toute évidence, ne travaille pas assez. Il pourrait être l'un des premiers pianistes du Canada. Les jours où l'on admirait tout ce que jouait l'enfant prodige qu'il fut sont révolus : Mathieu est désormais un homme. Il faut qu'il accepte d'être jugé comme tel et comme pianiste et comme compositeur.

Dans les œuvres au programme, il y avait du meilleur et du pire. Le pire : cette *Fantaisie pour la main droite* qui brode des traits pianistiques de remplissage autour d'un thème sentimental trouvé, dit-on, au cours d'un récent record d'endurance. Le pire également, ces improvisations que Mathieu a servies comme rappel et qui exploitait des thèmes qu'il a jadis pensés pour le cinéma. Beaucoup de compositeurs sont obligés d'écrire des œuvres populaires dont le prototype a été posé par le célèbre *Concerto de Varsovie* écrit par je ne sais plus qui pour je ne sais plus quel film.[408] Mathieu a écrit pour le même médium le *Concerto de Québec* : qu'il le laisse au film.

Le meilleur : les œuvres d'enfance qui sont vraiment étonnantes et d'une valeur intrinsèque indéniable. Mais la seule œuvre véritable du récital, la seule œuvre complète, pensée, mûrie et où tout est essentiel, demeure le *Trio* pour violon, violoncelle et piano. Ici Mathieu prouve ce qu'il peut faire : ces pages sont d'une densité de pensée extraordinaire et écrites dans une langue qui n'admet aucune garniture, aucun effet.

Son *Quatrième concerto* pour piano renferme des pages d'une inspiration aussi vraie dans les deuxième et troisième mouvements ; le premier mouvement est cependant entaché de sensiblerie facile

408. Richard Addinsell (1904-1977) a écrit le *Concerto de Varsovie* pour le film *Dangerous Moonlight* en 1941.

> et commerciale. La *sonate pour piano et violon* attire parfois les mêmes remarques bien qu'elle soit plus ferme d'allure… [409]

Si André avait espéré reculer dans le temps, revenir à l'époque magique où il n'avait qu'à paraître pour déchaîner l'enthousiasme, ce concert où on aurait dû refuser du monde n'a pas provoqué de délire, n'a pas amené le public qui se pressait au Palais du Commerce. Cet échec déguisé en « succès » est d'autant plus cuisant et douloureux que Mathieu, naïvement, a dû croire que la foule du Palais du Commerce allait envahir le Plateau, d'autant plus que dans le programme du PIANOTHON, à la page 14, le but avoué du test d'endurance était annoncé :

> VOS CONTRIBUTIONS À LA TOURNÉE ANDRÉ MATHIEU
>
> « Le pianothon André Mathieu » est le récital inaugural de la tournée mondiale que le jeune pianiste-compositeur de 25 ans va entreprendre au cours des prochains mois. Cette tournée sera réalisable grâce aux contributions officielles et à celles du grand public. Aussi êtes-vous tous invités à apporter votre contribution à cette grande tournée qui permettra à notre compatriote de porter de nouveau à l'étranger le nom du Canada artistique.

Et dans un encadré en bas de page on peut lire :

> PIANOTHON ANDRÉ MATHIEU
>
> 7155 rue Christophe Colomb   Montréal   Dollard 6434

André, pour la première fois en plus d'une décennie, a réuni toutes les conditions gagnantes pour que ce peuple qui l'a tant aimé se présente et qu'ensemble ils reprennent leur histoire d'amour. N'a-t-il pas suivi sa première cure de désintoxication ? N'a-t-il pas trouvé en Guy Richard le parfait substitut paternel, qui croit en lui, prend son bien-être physique et moral en charge et élabore ce plan de carrière à long terme dont il a tant besoin ? Voulant mettre toutes les chances de son côté, le programme qu'il a présenté se voulait exhaustif : quelques œuvres de jeunesse pour raviver les souvenirs, ce *Prélude Romantique* si beau, de 1951, et, clin d'œil au PIANOTHON, cette *Fantaisie pour la main droite* qu'il a improvisée et mise au point pendant l'épreuve de force. Il a même demandé à son père de se joindre à lui sur scène pour jouer ce *Concertino*, comme quand il était

---

409. Jean Vallerand, *Le Devoir*, le 15 février 1955.

petit. Dans le genre promenade nostalgique, on ne fait pas mieux. Enfin, pour montrer à ce peuple ce que son héros était devenu, il lui propose trois œuvres majeures : la *Sonate*, le *Trio* et le *Quatrième Concerto* que, mensongèrement, il annonce comme une première audition. Ce demi-échec, cette réussite tiède, cette désertion, cette absence qui le relance dans le vide vont le précipiter dans le dernier chapitre de sa vie, les pianothons lui fournissant le parfait véhicule pour la descente aux enfers finale.

LA CHUTE DE L'ANGE ET LA DESCENTE AUX ENFERS

Une semaine après ce concert au Plateau, André fête ses vingt-six ans. À quelques semaines de sa première cure de désintoxication, fait-il une rechute qui éloigne définitivement celui qui, comme tant d'autres après et avant lui, a voulu le sauver et relancer sa carrière ? Le nom de l'imprésario-gérant Guy Richard disparaît de sa vie.

Il va donc se rabattre, seul, comme désespéré, sur la formule du pianothon. Une coupure de journal nous montre un André à l'œuvre depuis trente-huit heures :

> Le pianiste virtuose André Mathieu photographié au Café Saint-Jacques où il est en voie de battre le record des pianothons locaux, soit 48 heures de jeu sans arrêt. Au moment où nous écrivons ces lignes à 9:15 du matin, Mathieu jouait depuis 38 heures. Il reste donc une dizaine d'heures à jouer. Toutefois il se peut que Mathieu dépasse cet objectif de 48 heures de jeu. On parle de 50 heures de jeu.[410]

Le lendemain, une autre coupure nous confirme son « triomphe » : « André Mathieu est champion du monde pour l'endurance au piano ! Voilà ce que vient d'annoncer Claude Séguin au micro de CKVL, directement du Café Saint-Jacques… »

Un autre document, en date du 13 juin 1955, montre clairement qu'André n'est pas complètement parti à la dérive, un document signé de sa main dresse un bilan ou un état de comptes, pour la deuxième fois de sa vie, dans lequel il détaille « le montant d'argent […] gagné depuis le mois de septembre 1954 » :

---

410. Journaliste inconnu, *La Patrie*, le 30 juin 1955.

PIANOTHON

Palais du Commerce	600 $	Règlement en suspens chez mon avocat, Raymond Daoust.
Argent reçu pour habits, paletot, chemises, chaussures etc.	270 $	
Concert au Plateau :	98 $	
Poste CKVL :	105 $	
Droits d'auteur :	69 $	Southern Music pour mon *Concerto de Québec*
Grand total	1142 $	

André Mathieu

À la dérive, peut-être, mais il n'a pas encore perdu le nord !

À l'été 1955, André répond à l'invitation lancée deux ans plus tôt par Françoise Gaudet-Smet. Il va séjourner à Claire-Vallée, le domaine féerique de Françoise à Saint-Sylvère. Cet été-là, Claire-Vallée va accueillir le poète Alfred DesRochers et sa famille ainsi qu'un autre poète, un autre géant qui commence à rimailler, Gaston Miron. « Alfred DesRochers, directeur des pages littéraires de *La Tribune* de Sherbrooke [...] avait été viré de son journal par le propriétaire Nichols, jaloux de voir le poète de l'Orford atteindre la célébrité nationale [...]. » Denise Boucher, la poétesse, l'auteure de la pièce *Les Fées ont soif* et de tant d'autres merveilles, raconte dans sa fascinante chronique autobiographique, *Une Voyelle*, cet été 55.

> Rodolphe Mathieu et sa femme accompagnaient leur fils, André, que Françoise avait pris en cure de désintoxication d'alcool. Camille, sa sœur, tout enceinte de Michel Pierre, (Catherine naîtra le 27 novembre 1955), un futur cinéaste de l'Office national du film, se pointait avec lui chaque vendredi de l'été.

Pour nourrir la colonie, Françoise Gaudet-Smet accueillait les noces des villages de la région :

> Dans la maison, les fenêtres du salon s'ouvraient grandes quand les mariés arrivaient dans leur décapotable. André Mathieu, déjà au piano, plaquait pour eux *La marche nuptiale.* Ils se croyaient bénis des dieux, d'être accueillis par un musicien célèbre, une

> gloire nationale et leurs parents entendaient qu'ils en avaient pour leur argent [...]. Jacqueline, l'amoureuse d'André Mathieu, sortait quelquefois du réfectoire en cachant un verre dans sa robe pour le porter au pianiste assoiffé, seul au salon, qui avait promis de ne plus boire. Et chaque dimanche, la désintoxication recommençait avec la visite du médecin d'Aston. Le manège dura jusqu'à la Fête du Travail, où André Mathieu oubliant Jacqueline, s'éprit de Lyse et alla la retrouver à Victoriaville afin de reprendre en main sa carrière, d'échapper à ses parents, de refaire surface en organisant un pianothon [...]. Jacqueline pleurait. Françoise hurlait. Son rescapé lui avait échappé. Sa bonne action pour sauver un talent tombait à zéro.

Et ici, Denise Boucher évoque une vision du couple Rodolphe/Mimi qui fige à jamais l'image extraordinaire que dégageaient ces êtres particuliers :

> Les parents Mathieu, Rodolphe et Wilhelmine continuaient à se promener tout doucement bras dessus bras dessous dans les sentiers près de la rivière, comme si le tonnerre n'avait pas éclaté. Il ne manquait que l'ombrelle. On aurait dit deux personnages de Tchekhov flottant à travers une horde dépressive. Le père si bon, qui avait sacrifié sa propre carrière pour un enfant prodige qu'ils avaient accompagné, lui et sa femme, sur toutes les scènes du monde, était leur seul écho, auquel répondait Françoise devant ses fourneaux, en leur absence, en grommelant : « Quand je pense que ce père-là a étudié la musique avec Vincent d'Indy et la psychologie expérimentale à Paris. Mais qu'est-ce qu'il a appris, bon Dieu, sinon à ne pas savoir faire tenir un génie debout ? »[411]
>
> Le couple Mathieu proposait cette image d'Épinal et il y avait entre eux une grande tendresse – comme dans un rêve – ils s'aimaient comme des tourtereaux. Mais ils traînaient avec eux une immense lourdeur. Ils prenaient la place des enfants et ils disaient tout haut, devant André, que le père s'était sacrifié.[412]

Denise Boucher nous fait rêver en évoquant ces « tournois » où les poètes rompaient des vers :

> Le moment que j'appréciais le plus se passait le dimanche après-midi dans le salon de la maison, quand chacun dans leur coin, assis sur leur chaise berçante, les poètes faisaient la joute. Alfred

---

411. Denise Boucher, *Une Voyelle*, Leméac, 2007, p. 92 à 95.
412. Denise Boucher, entretien du 5 décembre 2008 avec l'auteur.

> DesRochers apostrophait Gaston. Miron savourait l'événement. Alfred sortait de sa poche le poème de Gaston publié dans *Le Devoir* du mercredi et une feuille de papier. Il avait transcrit les vers libres de Miron en un sonnet scandé et rimé. Et là, d'une chaise à l'autre, s'amorçait un duel. L'un citant Victor Hugo et l'autre prenant à témoin Guillaume Apollinaire, ils se criaient des académismes à la tête. La colère rieuse se muait en joie totale quand les deux protagonistes se retrouvaient face à face comme si leurs chaises avaient été des chevaux [...].[413]

De cet été-là il reste aussi une invitation à un « concert André Mathieu à Claire-Vallée le dimanche après-midi 11 septembre 1955, à 3 h précises, afin de célébrer l'Ouverture au Bourg-Joie d'une École-Pilote pour enfants arriérés pédagogiques ». Cet événement a sans doute été annulé après que Françoise Gaudet-Smet ait demandé à Gérard Binet d'organiser un récital pour André à Victoriaville, récital qui, à la demande d'André lui-même, s'est transformé en pianothon au grand dam de son instigatrice qui a tout fait pour stopper l'événement. Binet met tout en place et le lundi de la fin de semaine de la Fête du Travail, le lundi 4 septembre de cette année-là, André jouera vingt-quatre heures.

Pour tenter de cerner le climat de vulnérabilité toxique qu'André Mathieu générait autour de lui, rédigée de sa main, voici une note où il dénonce l'attitude d'un certain Louis Siméon, dont les manœuvres auraient nui au succès de son pianothon. Il semble que Siméon, directeur de la station radiophonique CFDA, aurait refusé d'annoncer la tenue du pianothon, puisque quelques semaines plus tard le Club Richelieu devait présenter un radiothon. André parle de « l'influence du poste CFDA, dimanche pour empêcher toute publicité gratuite... ; crainte d'une menace pour le radiothon du Club Richelieu le 23 septembre. »

« Tentative pour arrêter le pianothon, en essayant de prouver que je recevais des médicaments non permis par le médecin et la loi [...]. » André poursuit son analyse des événements : « Bref, son étroitesse d'esprit, sa déception de ne pas avoir été consulté pour ce pianothon ont contribué à ce qu'une foule moins considérable à laquelle on s'attendait se soit rendue au Centre civique. Et le public qui était là a donné une belle leçon de civisme à

413. Denise Boucher, *Une Voyelle*, *op. cit.*, p. 95-96.

Monsieur Siméon [...]. » Encore une fois, des forces occultes, une coalition, se sont agglomérées pour se mettre en travers des projets d'André.

Françoise Gaudet-Smet va envoyer ses proches pour arrêter le pianothon : « Un génie qui s'abaisse ! » Lyse Deschenaux, la Lyse dont parle Denise Boucher, va rester à ses côtés pendant les vingt-quatre heures que dureront le pianothon. C'est elle dont André Mathieu s'est épris. Et quelque temps après le pianothon, André reviendra à Victoriaville pour retrouver Lyse : « Je suis venu vous demander de porter mon nom ». Il voulait se marier devant le juge de paix. Il était fiévreux et brûlant, et dans son état normal, c'est-à-dire ivre... Le cauchemar alcoolique s'est logé chez André Mathieu et il ne semble pas vouloir vider les lieux.

À Claire-Vallée, durant cet été exceptionnel, André va écrire une *Chanson à boire*, dédiée à Françoise Gaudet-Smet ! Il ne manque pas d'humour ! Comme elle a dû savourer l'ironie de la chose... André va aussi composer une superbe mélodie : *Si Tu Crois*, sur un poème de Jean Laforêt, scénariste à Radio-Canada. Le bilan pour 1955 se lit donc comme suit : deux mélodies, deux pianothons, une demande en mariage, un grand concert en février. Qui dit mieux ? Qui peut mieux ?

LES COPAINS D'ABORD

En 1956, nous retrouvons Jacques Languirand, décidément fidèle, qui montre sa première pièce à André, *Les Insolites*. Il n'avait pas prévu y mettre de musique mais, spontanément, André lui propose de composer une musique de scène. « Je pensais que l'on irait enregistrer ça au piano, peut-être avec un ou deux instruments... On verrait... Mais pas du tout, il me dit : " Je veux jouer la musique en direct sur scène, avec les comédiens. " On devait jouer deux fois, trois fois peut-être... On a joué cent fois, cent-dix, cent-vingt fois dans de petits théâtres. Il est venu tous les soirs et il était discipliné... Donc, vous voyez, il n'était pas complètement perdu, André, il était récupérable... »[414] La pièce est produite par la compagnie de Montréal dont Guy L'Écuyer est le directeur.[415] La pièce est créée le

414. Jacques Languirand, *André Mathieu, musicien*, Jean-Claude Labrecque, 1993, interview de Francine Laurendeau.

415. Le cinéaste Gilles Carle a donné l'immortalité à L'Écuyer en lui confiant le rôle-titre du film : *La vie heureuse de Léopold Z.*

9 mars 1956 au théâtre du Gésu ; André, invisible de la scène, est installé en coulisse et joue, en improvisant un peu.

Cependant, Languirand a inscrit la pièce pour la finale pancanadienne du Festival national d'art dramatique de Sherbrooke. Mais pour cette représentation, avant le lever du rideau, on joue le *God Save the Queen*, alors l'hymne national officiel canadien.[416] André, de la coulisse, entend l'hymne britannique et saute sur son piano et attaque le *Ô Canada* de façon passionnée, le *Ô Canada* étant attaché depuis toujours au Canada français. Edgar Fruitier fait partie de la distribution des *Insolites.* Avec le rôle de Pitt il remporte le prix Jean-Lallemand de la meilleure interprétation d'un rôle de soutien. C'est lui qui rapporte l'incident. Visiblement, sa fibre nationaliste ne supportait pas cet affront. En 1956, ce coup d'éclat a créé une légère tension. La représentation de ce 19 mai a été enregistrée et la pièce en entier, avec les comédiens de la création, est préservée, avec toute la musique d'André Mathieu au piano... Ce jeudi 19 mai, « la pièce rafle cinq des onze prix attribués à la fin du festival, dont le trophée Arthur-Wood à l'auteur pour la meilleure pièce canadienne... »[417] Fort de ce succès, Languirand l'installe dans un petit théâtre de poche au-dessus du restaurant *Anjou* de la rue Crescent. La pièce partira ensuite en tournée à Québec et jusqu'à Jonquière, où le futur Premier ministre du Québec, Lucien Bouchard, connaîtra son baptême du feu théâtral avec *Les Insolites.* André sera présent à chaque représentation sans en manquer une seule... Et comme André improvise toujours à partir d'un canevas précis, un soir il se laisse emporter par sa muse. Les minutes passent sans qu'André interrompe son élan alors que les comédiens sont figés sur scène. Exaspéré, l'un d'eux ferme le couvercle sur le clavier et la pièce de reprendre son cours. Apparemment, le vacarme qui suivit ne venait pas du piano. Roland Laroche, qui jouait le rôle du radiesthésiste, évoque l'image d'André Mathieu à ce moment-là : « Dense, sauvage, brut, hirsute et renfermé. Il était à la fois gentil et pas facile. C'était un être tourmenté et il restait enfermé dans sa bulle. On avait l'impression qu'il avait de la difficulté à vivre avec

416. Le *Ô Canada* ne sera déclaré hymne national officiel que le 27 juin 1980. Rappelons que le compositeur de la musique est Calixa Lavallée, et l'auteur du texte, sir Adolphe-Basile Routhier.

417. Claude Paquette, *Jacques Languirand, biographie*, Montréal, Libre Expression, 1998, p. 101.

lui-même. Jacques [Languirand] était le personnage central, il avait un ascendant sur lui. De toute façon, ce n'était pas quelqu'un qui allait vers les autres. Il jouait en coulisse, il demeurait invisible. » [418]

Mais André, toujours grâce à son ami Languirand, va passer à la télévision de Radio-Canada. La télévision est arrivée sur le marché le 6 septembre 1952 et Languirand, qui collabore à l'émission *Carrefour* animée par Judith Jasmin et René Lévesque, a obtenu de déplacer une équipe de reportage rue Berri. André, du début à la fin de la rencontre est assis au piano. Languirand a réussi à interviewer à la caméra Rodolphe lui-même, qui raconte toute la jeunesse d'André. Timide, fier, l'homme de soixante-cinq ans ne croise qu'une fois le regard de Languirand, regardant sinon dans le vide ou au sol. Il répond de façon précise à toutes les questions. C'est le seul document visuel et sonore que nous ayons de Rodolphe Mathieu. André, lui, a les allures d'un enfant boudeur ou pris en faute. Il est assis devant son piano, la tête enfoncée dans les épaules et il répond à Languirand de façon amicale. Il réagit à la question du pianothon, légèrement embarrassé, en précisant toutefois que si on voulait battre son record, il faudrait que « le candidat ne joue exclusivement que ses propres œuvres ». Enfin, pour les téléspectateurs de *Carrefour*, il joue une pièce qu'il n'a jamais écrite : *Scherzando.*

Il y a quelque chose de troublant à constater que cet homme de vingt-sept ans semble ne pas avoir d'âge. Il a encore sa graisse de bébé et il est d'autant plus étonnant d'entendre cette voix éraillée par l'alcool sortir de ce visage poupin. Seulement, quand il joue, dégage-t-il cette autorité publique, cette évidence qui rassure. Mais on dirait que le visage trahit l'ennui, la lassitude, même si la musique et le pianiste sont éblouissants. « J'avais à la fois le sentiment de côtoyer un génie et un raté, en même temps... De toute façon, je pense qu'il était un peu normal que je me trouve une forme d'association avec lui, étant donné que moi je le considérais comme exceptionnel et que j'avais moi-même l'intention de le devenir. Il n'y a rien comme de fréquenter des gens auxquels on veut ressembler. Quand je l'ai abandonné, pour ainsi dire, ce n'était plus possible... Je ne l'ai pas haï,

418. Roland Laroche, interview avec l'auteur, le 16 décembre 2008.

mais il était temps... »[419] Malgré toute l'affection qu'il lui porte et l'admiration profonde qu'il a pour sa musique et son talent, Languirand va, comme tout le monde, laisser aller André là où il semble de plus en plus déterminé à se claquemurer : dans ce mutisme éthylique dans lequel il se dissout.

Tout de suite après que la pièce de théâtre ait raflé tous les prix à Sherbrooke, le réalisateur Françoys Bernier a tenu parole et a engagé André et le *Quatuor de Montréal* pour créer son *Quintette*. C'est à Radio-Canada, dans le cadre de l'émission *Premières*, que le *Quintette* sera entendu pour la première fois, ce 28 mai 1956. Cette diffusion du *Quintette* sur les ondes de Radio-Canada, une des œuvres maîtresses d'André, un véritable chef-d'œuvre, ferme une porte que la télévision rouvrira onze ans plus tard.

À l'été 1956, le propriétaire du Café Saint-Jacques, François Pilon, l'invite à nouveau à se produire en pianothon. André est devenu une attraction, comme Lily St-Cyr, Denise Filiatrault, Charles Trenet ou Dominique Michel. Mais cette fois, pour ajouter du piquant, Mathieu et un autre marathonien vont se livrer à un pianothon « à mort ». C'est le titre, en première page, que le journal *Samedi-Dimanche* du 21 juillet présente à ses lecteurs. « MATHIEU VS BYRD ». André Rufiange, dans sa chronique à potins, nous apprend que :

> La vogue des pianothons n'est pas terminée, même si ces événements qui tiennent bien plus du cirque que de l'art attirent moins les foules qu'autrefois. Mais cette année, un pianothon pourrait bien être le clou de tout ce que l'on a vu chez nous et attirer des foules considérables. Ce sera un pianothon « à mort » au moins !
>
> En effet, nous apprenons que le pianiste André Mathieu, détenteur du premier record canadien d'endurance au piano, a lancé un défi à un certain monsieur Byrd, de l'Ouest canadien, pour un pianothon et jusqu'à épuisement total. Byrd détient actuellement le record canadien d'endurance au piano avec 77 heures de jeu (sans interruption). C'est dans deux salles différentes du Café Saint-Jacques rue Sainte-Catherine à Montréal, que se déroulera le double pianothon vers la mi-août. Dans l'une des salles, Byrd exécutera des airs populaires tandis que dans l'autre, Mathieu interprétera ses compositions et improvisera. « Je me rendrai au bout de mes forces » a-t-il déclaré avec détermination. Quoi qu'il en soit, ce

419. Jacques Languirand, entretien du 31 juillet 2009 avec l'auteur.

> pianothon soulèvera sûrement beaucoup d'enthousiasme. On prévoit que deux postes de radio radiophonique [sic] adopteront chacun un pianiste et radiodiffuseront cet événement sur leurs ondes respectives.[420]

Dans l'édition du *Petit journal* du 22 juillet 1956, Fernand Denis nous apprend que le « dénommé Tiny Bird, pesant 220 livres, vient de briser le record du pianothon en piochant sans arrêt sur un clavier durant 72 heures et 30 minutes. Ce record ridicule s'est établi à North Bay, en Ontario. Disons pour sauver l'honneur de la musique que ce pianoteur est incapable de lire une seule note. »[421] Ce pianothon aura bel et bien lieu et se terminera par la victoire du Byrd qui aurait été hypnotisé par l'hypnotiseur professionnel « Le grand Morton ». Byrd aurait ainsi joué dans une espèce d'état second lui permettant de surmonter son épuisement et d'écraser André Mathieu. On se surprend à rêver d'une scène tirée du film *Tirez sur le pianiste* de François Truffaut. Le personnage de Charles Aznavour, dans un effort pour déjouer le destin jette le couteau avec lequel il va tuer son adversaire et s'écrit : « On arrête tout ! On efface tout ! » À ce stade-ci de la narration, on aurait bien envie de dire la même chose pour André Mathieu.

1957

Marie-Ange Massicotte, qui depuis le pianothon de décembre 1954 fréquente André Mathieu, décide de lui organiser un récital à la Salle Académique du Séminaire de Joliette, sa ville natale. Elle veut ainsi présenter à sa famille le grand artiste dont elle s'est éprise. Elle a envoyé des dizaines d'invitations au tout Joliette. Le samedi 26 janvier 1957, à quatorze heures, André est annoncé. Après avoir été accueilli à la mairie de Joliette à midi pour signer le livre d'or, André, avec son ami Pierre Gasse, décide d'aller se mettre en train, se mettre en forme. Le récital est annoncé pour deux heures de l'après-midi. Les étudiantes et les étudiants de toute la région avec tout le gratin joliettain, sont réunis et attendent. Il est près de deux heures trente quand André arrive enfin. Comme il s'est « mis très en forme », la direction lui demande de ne pas présenter les pièces au public. Il entre en scène et immédiatement s'adresse aux jeunes. Il parlera du *Concerto de Québec*, des pianothons et, pour amuser les jeunes, il se lancera

420. André Rufiange, *Samedi-Dimanche*, le 21 juillet 1956.
421. Denis Fernand, *Le Petit Journal*, le 22 juillet 1956.

dans un boogie-woogie qui soulève d'enthousiasme des étudiantes et des étudiants qui s'attendaient plutôt à s'ennuyer à ce récital présenté un samedi après-midi. L'affaire tourne à la catastrophe, on baisse le rideau et on arrache littéralement Mathieu de scène. C'est un scandale! La présentation à sa famille a vraiment eu lieu et Marie-Ange, en vraie battante, s'organisera pour qu'André reçoive son cachet. Le journaliste musical local canalise l'indignation de la population affolée :

> MOZART ASSASSINÉ
>
> Parait-il qu'il ne faut rien dire sous l'effet de la colère. C'est assez difficile d'obéir à cette règle en critiquant le concert d'André Mathieu, parce que tous les auditeurs assez avancés d'âge mental, pour comprendre ce qui se passait, en sont sortis non seulement profondément déçus mais encore très irrités. Une publicité fort élogieuse semblait nous mettre en droit d'attendre des manifestations géniales de ce musicien jadis comparé à Mozart, et nous n'avons trouvé que l'exhibition assez idiote d'un homme qui donnait l'impression de n'être pas en possession de toutes ses facultés [...].

Le critique enfonce le clou un peu plus profondément en rappelant les hauts faits de la carrière d'André....

> Si Saint-Exupéry constatait la transformation opérée chez l'enfant prodige, il répéterait certainement ses regrets de voir « Mozart assassiné ». Nous tous qui avons assisté au concert [...] nous avons été saisis de tristesse devant le spectacle d'une vie minée par la médiocrité. À la lumière de la Foi, nous apercevions un talent dont la fructification est mitigée et même supprimée par l'infidélité envers Celui qui détient tout.
>
> Tout en saluant la technique de l'artiste, nous nous insurgeons contre sa façon vulgaire d'attaquer son auditoire et son attitude hautaine et sarcastique. Sans doute, quelques enfants dépourvus de sens musical ont mal distribué leurs applaudissements et marqués d'une façon trop visible leur préférence pour le rock and roll de la fin, mais ce n'est pas dans cette minorité tapageuse qu'on peut juger le public joliettain et nous avons encore assez de culture esthétique et musicale pour savoir que la « musique sérieuse » est un hommage, non au snobisme, mais à la Beauté, et qu'elle mérite une meilleure interprétation et des défenseur plus dignes. Espérons que voilà le dernier concert de ce genre.[422]

422. Evelyn Dumas, *L'Action Populaire*, janvier 1957.

Dans le *Joliette Journal*, un entrefilet n'a même pas la force de s'indigner et le journaliste ne fait état que d'une grande tristesse :

> Le passage d'André Mathieu sur la scène du Séminaire aura laissé une bien pénible impression au jeune auditoire qui était accouru avec confiance pour entendre le prodigieux Mozart canadien [...] la tenue déplorable de Monsieur Mathieu a tout gâté dès le début et a placé les auditeurs dans une situation gênante. Plusieurs ont quitté la salle au cours du récital, amèrement déçus. Les dirigeants des JMC. se félicitaient de n'avoir pas patronné eux-mêmes ce concert auquel le Séminaire, d'ailleurs, est complètement étranger.[423]

Mais malgré le scandale et l'indignation du public, le père Fernand Lindsay[424] se souvient que « son jeu était sensationnel. Il avait un charisme puissant qui imposait sa présence. Même quand il s'est adressé aux jeunes, ce n'était pas trop apparent qu'il avait... Mais l'improvisation à la fin... »

1957 est aussi, apparemment, l'année du dernier pianothon, non pas qu'André y renonce volontairement, mais les foules ne se déplacent plus, en dépit du battage médiatique que provoquent, par charité, ses amis journalistes. Le phénomène a perdu de son pouvoir d'attraction. Le dernier événement recensé a lieu à nouveau au Café Saint-Jacques et cette fois André se mesure au Néo-zélandais Jim Montecino : « Ce pianothon nouveau genre devrait durer jusqu'à l'épuisement total de l'un des deux concurrents... Au moment d'aller sous presse, tous deux y allaient de main ferme. D'une part, Jim Montecino détient le record mondial d'endurance au piano, puisqu'il a joué sans interruption pendant plus de 175 heures. D'autre part, André Mathieu détient le championnat canadien, avec une soixantaine d'heures... Âgé de 53 ans, Montecino est encore un homme solide. Il l'a prouvé, il y a un mois alors qu'il a joué pendant 101 heures au même endroit. Âgé de 28 ans, Mathieu n'avait pas l'intention de céder la victoire... »[425] Est-ce le dernier pianothon ? Même les amis et les proches ne se rappellent plus très bien quand André, qui adore les pianothons, s'est commis dans le dernier. Le spectacle était peut-être pathétique, mais nous ne pouvons nous empêcher de regretter qu'on n'ait

---

423. Journaliste inconnu, *l'Étoile du Nord*, février 1957.
424. Fernand Lindsay (1928-2009), Fondateur du Festival international de Lanaudière, entretien avec l'auteur, le 5 janvier 2008.
425. Journaliste inconnu, *Samedi-Dimanche*, été 1957.

pas enregistré ses glorieux délires. On y trouverait, pêle-mêle, toute sa vie de créateur et d'artiste, malaxée dans une bouillie géniale d'où, sans doute, fuseraient des échappées d'inspiration fulgurante. Mais l'époque n'était pas à la préservation de l'instantané et ces *happenings* avant la lettre n'avaient pas encore acquis leurs lettres de noblesse. Écouter improviser André Mathieu, c'était partir au bout du monde, emporté par un fleuve devenu fou, et ces pianothons sans contrôle ont dû receler des trésors.

Parmi les autres documents qui nous soient parvenus pour l'année 1957, une lettre d'un « bureau financier pour hôpitaux et médecins » réclame 35 $, dus au docteur Leo Forest… Enfin, le *Musicians Guild of Montreal* réclame à André sa cotisation annuelle et ses frais de réinstallation qui, faute d'être réglés, entraîneront sa suspension.

Un coup d'œil sur les œuvres qu'il va composer durant cette année 1957 nous montre que la qualité de son inspiration reste égale à elle-même. En mars 1957, il compose une mélodie qui sera une clé magique, un *Sésame, ouvre-toi* pour le cœur de toutes les femmes qu'il va croiser : *Ô ! Mon bel amour* dont il écrit aussi les paroles. La seule autre pièce pour cette même année est la *Chanson du Carnaval de Québec*, musique seulement, il n'y a pas de texte. Est-ce une commande que les organisateurs du Carnaval de Québec lui ont faite, ou le encore célèbre compositeur du célébrissime *Concerto de Québec* leur propose-t-il sa mélodie ? Ces deux œuvres résument toute sa création pour l'année 1957.

Cette ultime tentative d'arrimage à la société qui l'entoure se referme sur une autre fin de non-recevoir. André aura ce commentaire révélateur quelques années plus tard : « Si tu avais vu tous les ouvriers qui sont venus m'entendre au pianothon avec leurs boîtes à lunch… »[426] Sa musique ne passe pas, ni auprès de ses pairs ni auprès du public, ses pianothons n'attirent plus personne, son mal de vivre est plus lancinant que jamais. Que reste-t-il à André Mathieu ?

---

426. Jeanne Moquin, entretien avec l'auteur, le 22 avril 2009.

CHAPITRE IX
L'ÉCLIPSE

On peut prendre la mesure de la tragédie d'André Mathieu en survolant les prochaines années, de 1958 à 1967. Rarement un créateur a-t-il réussi à retourner tout son génie contre lui de façon aussi rigoureuse et systématique. Les traces que laisse Mathieu tout au long de cette décennie permettent tout au plus de suivre de loin en loin sa prodigieuse descente aux enfers. Même en admettant que la propension au pathos finisse par emporter les témoins, conscients de participer à l'enracinement d'un mythe, il n'en reste pas moins vrai que tous les témoignages concordent. Il n'y a pas une voix pour s'élever et réclamer la lumière, ne serait-ce qu'un jour, tout au long de ce cauchemar éveillé. Déjà, l'impression d'itinérance qui s'est imposée dès le premier pianothon de 1954 se matérialise et va l'amener à dormir à la belle étoile, soit sur le Mont-Royal ou au parc Lafontaine, chez des amis ou à en arriver à se nourrir en explorant les ruelles derrière les restaurants.[427] Enfin ces milliers d'heures englouties dans la quête de l'alcool vital sont un investissement mortel… La vie d'André Mathieu a parcouru tout le circuit qui court du zénith au nadir, il a nourri le ténia qui le fera disparaître avec sa propre substance.

Dans son roman *La Vie mode d'emploi*, Georges Perec peint un personnage immensément riche qui consacre sa vie à peindre des aquarelles et qui, arrivé à la mi-temps de sa vie, retourne à chaque endroit où il les a faites pour les effacer et rendre au papier sa virginité d'origine, pour qu'à la fin, il n'y ait plus aucune trace de sa vie. À partir du dernier pianothon, André Mathieu ne fera plus autre chose. Sa mère, Mimi, ne collectionnera plus scrupuleusement les coupures de presse : ce n'est plus ni possible ni nécessaire, il n'y en aura plus. Rassembler les articles de journaux où son nom apparaît, retrouver des émissions de télévision ou de radio auxquelles il va participer, c'est rendre compte de l'étiolement d'une vie

427. Normand Pigeon, entretien avec l'auteur, le 22 novembre 2008.

et de sa liquéfaction, c'est être le témoin embarrassé et impuissant d'une autodestruction irréversible.

L'AMITIÉ DES FRÈRES MORIN

Pendant le pianothon de 1954, André Morin (1935-), qui n'a pas encore vingt ans, entend à la radio le « thème » qu'André répète inlassablement pour rappeler aux auditeurs de CJMS que l'événement bat son plein et se poursuit. Quelques jours plus tard, son père « Teddy » (Théodore) (1905-1974) lui téléphone à la maison et lui demande de jouer ce « thème » qu'il a retenu à l'oreille. C'est Rodolphe Mathieu qui est à l'autre bout du fil et qui raconte sans doute à son fils André, qu'un admirateur a écrit de mémoire cette « signature » de l'événement. Quelque temps après, le père Morin arrive chez lui, accompagné du célèbre André Mathieu lui-même. Une amitié naîtra et se développera entre les frères Morin, Claude (1937-2003) et André, et André Mathieu. C'est même André qui, à la demande de Mathieu, l'a assisté lors du pianothon « à mort » contre Byrd, en 1956, au café Saint-Jacques.

LA *RHAPSODIE ROMANTIQUE*

À l'automne 1958, les frères Morin invitent André à s'installer dans la maison familiale, rue Beaconsfield. André est accueilli comme un membre de la famille. Le but de l'opération est de lui permettre de travailler dans un environnement calme, serein, propice à la création. Depuis cinq ans que sa mère tient école, André n'a plus accès au piano familial que les soirs, autrement occupés, soit par des concerts, des sorties au cinéma, ou la chasse à l'alcool. Une des règles de base chez les Morin est bien entendu : pas d'alcool ! André, chaque jour, s'installe au grand piano à queue dans le salon familial et la nouvelle œuvre s'élabore. À ce moment de sa vie, Marie-Ange Massicotte continue son va-et-vient entre Joliette et Montréal ; Rose L'Allier lui donne depuis 1949 son appui inconditionnel, et la famille Morin le traite comme un fils, comme un frère. André reste loin de la bouteille qui ne semble pas trop lui manquer. Après deux semaines, (le sent-elle lui échapper ?), Mimi reproche à André de se faire héberger par des étrangers. Puis Rose lui fournit un « 10 onces », qu'il boit, bien évidemment. Premier avertissement des Morin, puis pendant une semaine, c'est le régime « rhapsodie et jus d'orange ». En trois semaines, la *Rhapsodie Romantique* est terminée. Le compositeur de vingt-neuf ans invite tous les Morin dans leur salon et André Morin tourne les pages pendant qu'André Mathieu joue sa nouvelle composition pour la famille réunie. Il dédie l'œuvre à André Morin ; plus tard il biffera cette dédicace et la remplacera par le nom de son père pour enfin inscrire celui de sa femme… Mais cette halte créatrice prend fin quand on trouve une bouteille dans le banc du piano. Comme l'entente a été brisée, le père Morin va reconduire André chez Rose qui lui a sans doute fourni l'alcool et il laisse André avec le « 10 onces » chez son égérie compréhensive. On voit bien que tout en étant encadré, entouré, aimé, soutenu, dorloté… il est déjà trop tard. Mais les Morin ont quand même réussi à lui arracher une œuvre : la *Rhapsodie Romantique.*

Pendant ce séjour chez les Morin, un des frères, Claude, organise une rencontre ahurissante entre l'écrivain Jean-Claude Germain et André Mathieu. L'auteur s'est amené chez Rose L'Allier, 3050 rue Maplewood, où a lieu la rencontre, avec un magnétophone. On entend André au piano, en plein délire, illustrer les aventures de *Mademoiselle X.* Mathieu, un peu à la manière d'Amadeus à la fin du film de Forman, propose le thème de sa *Fantaisie Romantique* dont il expose d'abord la mélodie qu'il habille ensuite d'harmonies pour, enfin, lui ajouter un fondement avec des basses ronflantes, le tout intercalé d'un étourdissant boogie-woogie de quelques mesures. Pour parachever la leçon, il module dans tous les tons et renchérit en présentant la finale de la *Fantaisie* qu'il massacre sur un piano droit audiblement désaccordé. Puis, il désannonce comme s'il animait une émission de radio et propose d'attaquer un *scherzando,* « parce que un scherzo serait trop difficile ». On reconnaît la pièce qu'il a jouée pour l'émission *Carrefour* deux ans auparavant. Comme à son habitude, l'œuvre est vastement réécrite, improvisée et écourtée. Enfin, André enchaîne : « Mesdames et Messieurs, vous allez entendre le *Concerto de Québec* d'André Mathieu. Bien des gens, surtout ceux qui ne m'aiment pas tellement, vont vous dire que c'est une œuvre… Franchement, j'avais treize ans après tout… Il faut pardonner bien des choses à un jeune homme de treize ans, mais mes ennemis ne me pardonnent pas ces choses-là. Et ils ne m'auraient même pas pardonné si j'étais venu au monde adulte. D'ailleurs, je suis venu au monde adulte. C'est pourquoi ma vieillesse ne sera pas tellement longue… Je vais vous jouer le *Concerto de Québec.* D'ailleurs, je n'ai jamais voulu l'appeler *Concerto de Québec.* C'était le thème qui a servi de base au film *La Forteresse.* Il faut croire que c'était une base solide puisqu'on ne se souvient plus du film mais on se souvient du concerto... C'est déjà quelque chose, n'est-ce pas ? En tout cas, ça me fait plaisir, parce qu'à treize ans on peut dire que c'est un péché de jeunesse, et j'aimerais bien en rencontrer d'autres qui en ont commis, des péchés de jeunesse semblables. » André joue intégralement la transcription qu'il a réalisée lui-même et publiée aux éditions Southern dix ans auparavant. Pour couronner la rencontre avec Jean-Claude Germain, André prend un ton mélodramatique et déclare : « Ce que je veux présenter ce soir, c'est une œuvre, une œuvre qui me tient bien à cœur, parce que la personne qui la chantera, est en même temps l'inspiration vivante de ce que j'ai écrit. Si même le soleil dans ses plus beaux jours pouvait éclairer une journée, moi j'étais toujours à la recherche de sa lumière... » C'est la maîtresse des lieux, Rose L'Allier, qui va chanter cette mélodie dont André a écrit les paroles et la musique : *Ô ! Mon bel amour.* C'est à la fois bouleversant, tellement la chanteuse y met tout son cœur, et ridicule, les plus belles années de cette voix cultivée étant à des lustres derrière elle. Dix ans plus tard, il jouera cette mélodie à Cécile LeBel, encore une femme beaucoup plus âgée que lui.[428]

INTIMITÉ FAMILIALE, DÉCORUM ET TRADITIONS CHEZ LES MATHIEU

Dans cette famille magnifiquement dysfonctionnelle, il est cependant des rendez-vous rituels qui sont toujours observés. Même si la maison était dans un état à faire fuir les chats, même si André a été élevé dans la crasse, chez les Mathieu on se présente à table habillé, on observe les bonnes manières et la pauvreté, à aucune époque de leur vie, n'exclut l'élégance. Chaque année, les anniversaires sont soulignés. Chaque année, le 18 février, Mimi fait parvenir à son fils une lettre où elle offre son amour indéfectible et déploie une technique de culpabilisation digne de l'Inquisition. Un exemple parmi tant d'autres, conservé dans le fonds Mathieu à Ottawa : la lettre d'anniversaire de 1958 :

> *Cher André adoré, je voudrais te dire tout bas des mots très doux. Je voudrais te suivre partout et pas à pas, pour que tu saches toute la tendresse et l'amour que j'ai toujours pour mon petit d'hier et mon grand d'aujourd'hui. Le cœur de la maman vieillit peut-être, mais il*

---

428. Jean-Claude Germain, *Le Cœur rouge de la bohème*, Éditions Hurtubise, 2008, p. 75-81.

> *ne change pas… Pour reprendre ta place au perchoir [sic] de la musique canadienne-française, car pour moi tu en as toujours été le coq et si momentanément tu t'es tu, tu n'en as pas perdu la voie et que le jour où on ira t'applaudir n'est pas loin. N'oublie pas que le bon sens, la mesure et le génie sont de la même famille.*
>
> *Ta petite maman qui t'aime, 18 février 1958.*

Si André n'arrive pas à développer les thèmes simples qu'il jette sur le papier et accumule sans jamais les assembler pour écrire les œuvres qu'on attend de lui, ces lambeaux d'œuvres sont comme les derniers soubresauts d'une créativité qui se désertifie. Il va cependant réussir tout au long de cette décennie à mettre au point un réseau infaillible de gens qui lui seront acquis, qui ne peuvent résister à son charme, qui l'aiment, le font vivre, l'hébergent, lui fournissent argent ou alcool. Celle qui deviendra sa femme, Marie-Ange Massicotte, se souvient de l'avoir surpris à fouiller dans le sac à main de Mimi, sa mère. Comme elle lui en fait le reproche, il l'arrête : « Je sais ce que je fais, je les ai fait vivre assez longtemps, c'est à mon tour ».[429] À la même époque, une élève de Rodolphe, Pauline Beaudry, se souvient d'une altercation entre le père et le fils dont elle est témoin. Le père, exaspéré, finit par lancer à André : « Toi, t'aurais jamais dû grandir ! »[430]

Deux autres témoignages accablants sont d'une tristesse infinie. Quand André avait besoin d'argent pour boire, il prenait des livres ou des partitions de la bibliothèque familiale et il allait les vendre. Le comédien Edgar Fruitier possède encore deux tomes de *l'Histoire de la Musique* de Jules Combarieu, ex-libris de Rodolphe Mathieu, qu'André lui a échangés contre quelques dollars. L'ami Pierre Gasse conserve de nombreuses reconnaissances de dettes qui n'ont jamais été remboursées et des partitions de poche de quatuors de Beethoven appartenant à Rodolphe avec des dédicaces amicales d'André, qui finançait sa soif de cette façon.

Un des documents les plus tristes de cette décennie, c'est un mot que Mimi a laissé à André, un parmi sans doute de nombreux courts messages qu'elle a fait disparaître à la mort de son fils afin de protéger son image. Pierre Gasse garde celui-ci depuis un demi-siècle.

---

429. Marie-Ange Mathieu, entretien avec l'auteur, le 25 mai 2008.
430. Clémence Lord, entretien avec l'auteur, le 21 novembre 2008.

Le 14 juillet 1959,

Cher André,

J'étais venue avec les meilleures dispositions à ton égard, mais ayant constaté que tu avais vendu mon Dictionnaire et mes plumes, je te demanderais donc d'avoir la bonté de les ravoir. Je vais revenir demain et j'espère que tu auras assez de loyauté pour aller les chercher, surtout mes plumes. Vraiment André, tu me fais bien de la peine, je te demanderais de ne plus rien vendre. Cela affecte tellement ton père et moi.

Ta maman

La tragédie contenue dans ces quatre phrases est insoutenable. Le fils a trente ans, et cet « enfant né adulte » comme le disait Mimi, n'est devenu qu'un « adulte-enfant ». André a commencé sa vie là où les autres la finissent. Mais son nom est tellement ancré dans la conscience collective qu'il sera malgré tout invité à la radio et à la télévision tout au long de cette période.

Le dimanche 27 mars 1960 André participe à l'émission de télévision *Édition Spéciale.* C'est un jeu-questionnaire sur certains événements historiques qu'à partir d'indices les invités doivent identifier. Le célèbre animateur Henri Bergeron prend le prétexte des vingt-cinq ans de carrière d'André Mathieu pour célébrer avec lui ses noces d'argent avec le public. Le panel d'invités est composé d'Henri Poulain, un des maîtres de cérémonie au micro de CJMS pendant le pianothon du Palais du Commerce, de la journaliste Odette Oligny (1900-1962), la mère d'Huguette, son grand amour, qui le connaît depuis des années, de Jeanne Sauvé (1922-1993), future Gouverneure générale du Canada, et de Marcel Gagnon. Aucun des quatre panélistes n'arrive à découvrir « l'événement historique » que représentent les vingt-cinq ans de carrière d'André Mathieu. André a toujours ce charme irrésistible, mais comme sa dentition est dans un état lamentable, il évite de sourire et se couvre la bouche de la main ;

Marcel Gagnon : [...] Est-ce qu'à l'heure actuelle, vous continuez toujours d'écrire de la musique ?

André Mathieu : Toujours.

M. G. — Est-ce que vous avez quelques projets immédiats?

A. M. — Oui, je vais donner à Paris ma *Rhapsodie pour piano et orchestre.*

Odette Oligny : Alors, vous y allez bientôt à Paris?

A. M. — Dans deux mois!

Tout au long de l'échange, on sent très bien le malaise de part et d'autre. Tout le monde lui souhaite « Bonne chance ».

LA FIN DU 4519 BERRI ET LE MARIAGE D'ANDRÉ

Alors que par le passé les rêves les plus fous étaient le pain quotidien de cette famille, alors qu'il y a quelques années encore, la création d'une nouvelle œuvre ou un engagement prestigieux représentaient des événements importants, les temps forts de cette interminable décennie seront le déménagement de Rodolphe et de Mimi et le mariage de leur premier enfant, leur fils de trente et un ans. André n'a quitté le domicile familial qu'une fois, pendant son séjour à Paris. C'est que Rodolphe a maintenant soixante-dix ans et imagine-t-on ce que peut être la vie de ce vieux couple, déchiré par la déchéance quotidienne de leur fils? Le déménagement et le mariage sont, croyons-nous, inter reliés.

MARIE-ANGE MASSICOTTE

Marie-Ange fréquente André depuis près de six ans. Elle a fait de sérieuses études de piano à l'Institut Pédagogique et, on l'a vu, elle s'est rendue au pianothon du Palais du Commerce. Fascinée par le personnage, elle lui demande des cours de perfectionnement et tout au long de ces années elle éprouvera pour André un sentiment profond et le désir de partager et de porter ce nom célèbre. Elle sait très bien qui elle épouse, elle connaît son homme. Marie-Ange Massicotte n'est pas une victime. Deux semaines avant le mariage, André s'est rendu à Joliette chez le notaire Jean-François Hétu, dont l'étude est située à quelques pas de la maison familiale du docteur Massicotte, pour établir un contrat de mariage en bonne et due forme.

L'AN MILLE NEUF CENT SOIXANTE, le septième jour du mois d'octobre,
DEVANT ME JEAN-FRANCOIS HÉTU, Notaire à Joliette...
ONT COMPARU
Monsieur André Mathieu, musicien-professeur, domicilié en la Cité de Montréal, fils majeur de Rodolphe Mathieu et de Dame Wilhelmine Gagnon.................................... d'une part;
et Demoiselle Cécile Laurette Bonin alias Marie-Ange Massicotte, domiciliée à Joliette, fille majeure de Jean Bonin et de Dame Marie-Ange Massicotte............................. d'une part;
Lesquels ont arrêté ainsi qu'il suit les conventions civiles du mariage projeté entre eux :

1- *Les futurs époux adoptent le régime de la séparation de biens;......*
2- *Il n'y aura pas de douaire;*
3- *En considération du futur mariage, le futur époux fait donation à la future épouse, sous la condition expresse d'insaisissabilité, d'un ameublement de maison d'une valeur de trois mille dollars qu'il s'engage à livrer à la future épouse dans le délai de trois années à compter de la célébration du mariage;.........*
4- *Encore en considération du futur mariage, le futur époux fait donation à la future épouse et comme bien de survie de celle-ci, d'une somme de DIX MILLE dollars ($10 000.00) ainsi que de toutes les compositions musicales et droits d'auteur dudit futur époux;*
5- *Advenant le prédécès de la future épouse, les biens faisant l'objet des dons et avantages ci-dessus, feront retour au futur époux, la future épouse lui en faisant donation à cause de mort en autant que besoin peut être;*

DONT ACTE, à Joliette, sous le numéro seize mille neuf cent quatre-vingt-six des minutes du notaire soussigné,
ET LECTURE FAITE, les parties ont signé en présence du Notaire soussigné,
'CÉCILE LAURETTE BONIN'
'MARIE ANGE MASSICOTTE'
'ANDRÉ MATHIEU'
'JEAN FRANCOIS HÉTU, Notaire'

La chronique familiale veut que Rodolphe, dans un tête-à-tête épique ait déclaré à Marie-Ange : « André ne vous aime pas, il a de l'estime pour vous mais c'est tout. » André lui-même lui aurait dit la même chose. Marie-Ange aurait eu cette réplique sans appel : « Ça m'est égal, je vais m'appeler Mme André Mathieu ! » Et Mimi d'exploser : « Vous comprenez, elle a épousé un nom, elle a épousé un nom ! »[431] « Après quatre (presque six) ans de fréquentation où j'avais été son amie, où il pouvait compter sur moi, nous en étions heureux tous les deux, je crois. »[432]

LE 22 OCTOBRE 1960 : LE MARIAGE

Toute la tribu Mathieu est arrivée la veille à Joliette et est descendue à l'hôtel Château Windsor. Il y a là la tante Camille, sœur de Mimi, Pierre Gasse, le fidèle ami et compagnon des tournées quotidiennes, la famille Beauchemin est représentée par Marion et sa mère (le père est décédé en février 1957). Marcel Turgeon, maintenant avocat à Québec, est non seulement venu retrouver son compagnon de la Maison des étudiants canadiens à Paris, il va aussi chanter et avoir le privilège de conduire les nouveaux mariés en voyage de noces au Château Frontenac à Québec. La fille de leur vieille amie Adrienne Vilandré, Michelle, prête également sa voix pendant la cérémonie. Le pianiste André Asselin est aussi de la noce. Mais pourquoi, après des années de fréquentation, André et Marie-Ange ressentent-ils soudainement le besoin d'unir leurs destins ?

D'un côté, les Mathieu, qui habitaient le 4519 Berri depuis 1933, doivent déménager car les pères de Sainte-Croix, propriétaires de la maison, ont décidé de faire bâtir un nouvel immeuble, qui occupe encore aujourd'hui l'emplacement. Même si Rodolphe a trouvé un emploi de chargé de cours d'analyse musicale au Conservatoire de la province, il vient d'avoir soixante-dix ans, il est déjà malade. Pour la première fois de sa vie, Mimi choisit-elle son mari plutôt que son fils ? D'autant plus qu'elle combat elle-même un cancer du côlon depuis des années et qu'elle continue à tenir école, l'*Oiseau Bleu*. Vivre avec André Mathieu ne devait pas être une sinécure.

D'un autre côté, la rumeur a couru, et Marie-Ange le répétait à qui voulait l'entendre, qu'elle « avait de l'argent, qu'elle recevait une rente de 100 $ par mois », ce qui à l'époque est une petite fortune. Sans être essentiellement intéressé, ce mariage devenait intéressant et simplifiait la vie de tout le monde en plus de libérer les parents du fardeau qu'André était devenu.

431. Mimi Mathieu, entretien du 6 janvier 1976, interview de Rudel-Tessier.
432. Marie-Ange Mathieu, *Jean-Claude Labrecque, André Mathieu, musicien*, 1993, entrevue de Francine Laurendeau.

Ces circonstances ont-elles facilité le mariage ? Toujours est-il qu'au retour du voyage de noces, André, pour la première fois de sa vie, dispose d'un appartement à lui, avec sa femme à lui, au 4090 rue Saint-André, un garage réaménagé, difficile à chauffer, un taudis infesté de rats, une honte. Dans les faits, Marie-Ange devra travailler, d'abord trois mois à la Banque Provinciale, au coin de Rachel et St-Denis, puis elle trouvera un emploi dans un magasin d'articles de luxe chez monsieur Pion, boulevard Mont-Royal, miroirs, bibelots, verre taillé. Elle quittera cette boutique pour fonder, à l'instar de sa belle-mère Mimi, une jardinière pour enfants.

De l'aveu même de Mimi, la veille du mariage, Rodolphe et André ont bu ensemble : « Écoute mon petit garçon, si ça fait pas, marie-toi pas. »[433] Le matin des noces, l'atmosphère est plus au « lendemain de veille » qu'à l'exaltation. La rencontre des deux familles ressemble davantage à la « séparation de l'Allemagne de l'Ouest et de l'Allemagne de l'Est. On avait l'impression que tout ce beau monde s'en allait au martyre. »[434] Le prêtre officiant à la cérémonie du mariage est le prêtre à la mode, le prêtre des artistes, le père Ambroise Lafortune, le célèbre « père Ambroise ». Mais le samedi 22 octobre 1960, le père Ambroise manque l'autobus qui l'amène à Joliette et pendant que toute la noce attend à la cathédrale, Rodolphe qui n'a sans doute pas vu l'intérieur d'un confessionnal depuis soixante ans va se confesser et, geste révélateur, il apporte un billet de confession à André, comme un enfant qui prouve son amour et sa soumission. Rodolphe, l'athée, aime à ce point son fils qu'il va renier ses principes et souscrire à ses croyances. Abdication étrange, le jour même où son fils « s'émancipe » officiellement de sa tutelle.

La légende familiale, alimentée tant par Wilhelmine elle-même que par sa sœur Camille, la tante d'André, donne au mariage des allures de tragédie ou de mélodrame, c'est selon. Après la cérémonie et la réception à l'hôtel Château Windsor, où chaque clan reste sur son quant-à-soi, le docteur Massicotte reçoit un groupe choisi, chez lui, où il ne servira que du ginger-ale…[435] Rodolphe Mathieu, André Asselin et André lui-même

433. Camille Lavoie, entretien du 3 mai 1977, interview de Claude Morin.
434. *Idem.*
435. *Idem.*

vont se mettre au piano et attirer un attroupement d'auditeurs et de curieux sur le trottoir du boulevard Manseau.[436]

Le film des noces est une mine d'or. André est superbe en frac, pantalon rayé et fleur à la boutonnière. Il porte cependant ses verres fumés qui ne le quittent plus depuis plusieurs années ; il a l'air abîmé, déjà si loin, ailleurs. Le visage est bouffi et les yeux affichent une infinie lassitude. Rodolphe, sans doute déjà très malade, a le regard hagard et absent, le visage privé d'expression. Quant à Wilhelmine, elle déploie toutes ses couleurs, de l'impatience aux larmes. Le vieux compagnon d'armes, Marcel Turgeon, conduit le couple à Québec, au Château Frontenac, pour le traditionnel voyage de noces.

Preuve supplémentaire de la pérennité de la popularité et de la célébrité d'André Mathieu, le mariage ne passe pas inaperçu dans la presse locale et montréalaise :

> La mariée entre à l'église au bras de son père. Elle portait un ensemble bleu Dior, rehaussé d'un col blanc, une toque de même ton, des accessoires bleus et une fourrure de vison pastel. Son bouquet était constitué d'œillets blancs.
>
> Mme Rodolphe Mathieu, mère du marié, portait une robe drapée, de crêpe français, teinte aubergine, avec accessoires d'antilope noire, chapeau d'aigrettes blanches et cape de vison naturel. Elle avait un bouquet de corsages composé de roses Talisman [...].
>
> À l'issue de la cérémonie religieuse, une réception a eu lieu au château Windsor de Joliette, où les salons étaient décorés de feuilles d'automne et de pompons. Après quoi, les nouveaux mariés partirent en voyage. La mariée portait alors une robe de fin lainage bleu sarcelle, des accessoires assortis, un manteau de cachemire bleu orné d'un col de vison saphir.
>
> À leur retour, M. et Mme. André Mathieu habiteront Montréal.[437]

Sa sœur Camille, Camillette, n'a pas pu assister au mariage puisqu'en 1958 elle vit en France où elle est allée retrouver ses enfants, Catherine et Christian. Non seulement les époux Pierre sont-ils en instance de divorce, mais Camillette est enceinte du premier enfant de son deuxième mariage,

436. Victor Massicotte, entretien avec l'auteur, le 8 décembre 2008.
437. Journaliste inconnu, journal inconnu, octobre 1960.

Isabelle, qui naîtra le 14 février 1961. André lui envoie un mot qui résume mieux que dix pages d'analyse le rapport qui l'unit à sa sœur :

> *Chère Camillette,*
>
> *Ma femme et moi nous [excusons] regrettons une réponse digne de l'hommage que tu as donné à notre mariage. Je comprends que ta situation qui s'éclaircit avec le jour ne t'a pas permis d'assister à un événement très important dans ma vie. Nos destinées ma chère Camillette nous unissent vers un destin qui [ne] nous mènera seulement devant Dieu. La foi qui est redevenue ta conscience t'a permis d'être une mère. Si j'ai connu des passions qui ne m'ont pas élevé devant Dieu et devant l'humanité c'est parce que Dieu avait la bonté de ne pas me le dire. J'écris cette lettre ma chère sœur parce que nous avons partagé une vie pendant quelques années sans toutefois nous connaître entièrement. Je t'ai toujours aimée Camillette. Je te quitte en t'embrassant,*
>
> *Ton frère*
> *André [Mathieu rayé].*

À peine rentrés de voyage de noces, les Mathieu s'installent donc au 4090 Saint-André, le premier endroit à près de trente-deux ans qu'André ne partage pas avec ses parents. Le potineur qui a déjà annoncé sa mort quelques années auparavant rachète sans doute sa dette en publiant, à la demande d'André, un court article-réclame :

> ANDRÉ MATHIEU RENAÎT !
>
> André Mathieu ouvrira ces jours prochains une école. Une école de piano. « Voudrais-tu m'annoncer ça ? » – celui qui nous demandait d'écrire ce propos laconique était André Mathieu lui-même. Et il ajoutait : « Je crois que ça vaut un potin dans ta chronique. Il y a des gens, probablement, qui se souviennent de moi ! » Des gens qui se souviennent de lui ? Mais tout le monde se souvient d'André Mathieu ! Et le fait qu'il ouvrira bientôt une école vaut plus, immensément plus qu'un potin, il vaut des manchettes entières dans les plus grands journaux du pays.
>
> Faisons le point.

Rufiange ramasse tous les clichés et nous les ressert au goût du jour avec garniture et variations. Le prodige, l'Europe,

> il confondit les sceptiques les plus redoutables et emballa les musicomanes [sic] les plus connus. Sa photo au pupitre de chef – cette photo d'un enfant dirigeant un orchestre symphonique –

fit bien vite le tour du monde. Le Canada, très fier de son prodige, bombait la poitrine. « C'est à nous, André Mathieu », lisait-on un jour dans le *Toronto Star* sous la signature d'un critique qui, en parlant de « nous », parlait des Canadiens en général. « Oh ça non », rétorquait une semaine plus tard un grand hebdo de Montréal, « André Mathieu, c'est à nous, Canadiens français ! »

En somme, on se le disputait.

Puis… plus rien !

[…] Quand Mathieu eut vingt et un ans, personne, toutefois, ne s'occupa de lui. Personne ne l'aida à faire épanouir son génie. Les journaux, qui avaient trouvé bien d'autres choses pour se distraire depuis ses cinq ans, avaient abandonné leur enfant prodige à son sort.

Mathieu, déçu de n'être pas encouragé, prit alors comme habitude de se laisser vivre. Pendant des années et des années, on n'en n'entendit plus parler ; jusqu'à ce jour (désolant) de 1957 (1954 !) où, pour gagner quelque argent, il prêta son talent à un vulgaire pianothon de dix-neuf heures sur la scène du Palais du Commerce. On crut alors que Mathieu allait revivre, mais on se trompa. Trois ans sont passés depuis et pendant ces trois ans le nom spectaculaire d'André Mathieu ne trouva aucune reproduction dans les journaux.

Tel fut le drôle de passé d'André Mathieu. Un passé avec lequel il vient de rompre car Mathieu n'est encore qu'un tout jeune homme, s'est remis à la tâche il y a plusieurs mois. Il a composé en quantité et il a décidé, de plus, de se lancer dans l'enseignement. Ses élèves seront des privilégiés, ils étudieront avec un nouvel André Mathieu, un André Mathieu qui a retrouvé sous sa cape d'homme mûri, l'inspiration et la détermination de ses années d'enfant-prodige, un André Mathieu, jeune, mais dont l'expérience est déjà longue, très longue. Son école, rue Saint-André – LA 3 2528 – répond au désir de plusieurs de ses vrais amis qui, depuis longtemps, le supplient de donner des cours. Il s'est enfin décidé…

RUFI[438]

À noter que le numéro de téléphone qu'André donne dans l'article de Rufiange est celui de la maison paternelle, le 4524 Saint-André, où Rodolphe et Wilhelmine se sont installés après leur déménagement forcé de la rue

438. André Rufiange, *Photo Journal*, novembre 1960.

Berri. Comme Marie-Ange a pris un emploi et qu'André était souvent à l'extérieur, il n'y avait personne pour prendre les appels.

1961

En 1961, c'est le père Gustave Lamarche, clerc de Saint-Viateur très engagé dans la cause nationaliste, qui fait appel à André pour un *Hymne Laurentien*, la Laurentie, ce pays qui n'a pas encore vu le jour. Ce Gustave Lamarche est un des membres fondateurs de l'*Académie canadienne française.*[439] L'œuvre est d'autant plus importante que c'est la première qu'André compose depuis quatre ans, depuis 1957, et la dernière avant sa mort. Gustave Lamarche, enthousiasmé par la nouvelle œuvre, écrit :

> *Joliette, le 24 mai 1961*
>
> *Cher ami André,*
>
> *J'ai reçu votre magnifique composition. J'en suis enchanté sans réserve. L'analyse la plus exigeante laisse tout subsister : chant, rythme, harmonie. Votre deuxième idée, à partir de la sixième mesure, est un cri splendide, de quoi bouleverser l'âme, de quoi l'entraîner mieux qu'un drapeau sur le chemin de la liberté. Quand le 22e entendra cela, il tournera ses fusils dans la bonne direction ! Bravo ! Je vous serre la main, je vous embrasse ! Vous êtes impétueux, simple et sincère, et ce chant me paraît vous traduire entièrement. Il restera au poète à dégager les mots de feu inclus dans cette musique. J'ai déjà commencé à travailler. Et Dieu aidant, j'espère ne pas vous décevoir. […]*
>
> *Au plaisir de vous revoir bientôt, de faire la connaissance de votre compagne, etc.*
>
> *Bien amicalement vôtre, Gustave Lamarche, c.s.v.*

André Mathieu est membre actif pour l'année 1961 de l'Alliance Laurentienne, mouvement patriotique fondé en 1957 pour hâter l'avènement de la République de Laurentie. Son fondateur, Raymond Barbeau, publie en 1961 *J'ai choisi l'indépendance* et l'article 1 du manifeste de l'Alliance Laurentienne veut « Proclamer la souveraineté nationale, constitutionnelle et politique de l'État du Québec en vue d'obtenir la reconnaissance internationale de la RÉPUBLIQUE DE LAURENTIE. Qu'André ait réussi

439. Académie canadienne française, fondée le 9 décembre 1944 à l'initiative de Victor Barbeau.

à secouer l'apathie qui le paralyse et écrive sa dernière œuvre connue éclaire assez son engagement et son idéal. Peut-être Lamarche a-t-il aiguillonné l'inspiration d'André en lui faisant partager certains textes qu'il réunira quelques années plus tard dans son ouvrage *Textes et Discussions*. Il est certain qu'André ne pouvait rester indifférent à des piques comme celles-ci :

> À notre sens, le principal obstacle à la réalisation d'un État français du St-Laurent ne viendrait pas du Canada-Anglais mais d'un certain *esprit timoré* qui anime depuis la conquête les Franco-Canadiens. Quand le loup devient chien, il est exposé à trop se coucher...[440]

Dans un article paru douze ans après la mort d'André, Gustave Lamarche explique l'origine de cette commande :

> Tout état souverain a son drapeau et son hymne. Depuis 1948, le Québec a son drapeau. L'hymne se fait attendre. Le soussigné avait écrit sur une musique admirable d'André Mathieu un texte d'époque exprimant l'espoir de la souveraineté : « lève-toi, ô ma Patrie, lève-toi, brise tes chaînes ».
>
> Ce texte ne pourrait plus convenir, une fois acquise la condition de nation pleinement autonome, c'est-à-dire souveraine. De ce chef, il faut autre chose. En outre, la musique de Mathieu était trop difficile pour devenir un chant de masse [...].

Lamarche propose finalement, une fois la souveraineté acquise, « le Canada étant devenu un peuple fraternellement étranger » de récupérer l'hymne *Ô Canada*, mais évidemment d'en changer le texte... « J'aime à croire que la présente suggestion pourra trouver bon accueil, aussi bien en haut lieu que dans les rangs du peuple québécois. »[441]

Dans les papiers d'André Mathieu recueillis après sa mort se trouve une partition de six portées, comprenant une ligne mélodique sur un texte intitulé *L'Esclave*. Sans nom d'auteur et rédigée ou copiée par une autre main que celle d'André, le papier à musique est ancien, le texte ouvertement nationaliste. Le titre du poème est calligraphié à l'ancienne. Comment ce manifeste digne des plumes de Jean Narrache, d'Alfred DesRochers ou,

440. Gustave Lamarche, *Textes et Discussions, Sujets Nationaux, Légitimité d'un État Laurentien*, Éditions de L'Action Nationale, Montréal, 1969, p. 266.

441. Gustave Lamarche c.s.v., *Le Devoir*, le 29 janvier 1980.

peut-être, du jeune Gaston Miron, a-t-il atterri dans les affaires de notre compositeur ? Nous ne le saurons sans doute jamais.

L'ESCLAVE

Je serai porteur d'eau parce que Canadien
Je courberai l'échine fidèle comme un caniche
Enchaîné à la tâche pour mon os quotidien
Et finirai mes jours courbé sous le fardeau triste
Avec mon seul soutien, mon tout, mon chien
Je serai scieur de bois pour nourrir les miens
Et de mon esclavage ne briserai les liens

Après avoir composé cet hymne nationaliste, André Mathieu, trente-deux ans, pose la plume et range son papier à musique. Il n'écrira plus rien… Ah ! Des thèmes, des mélodies, des esquisses, des projets, des rêves… Est-ce à cette dernière catégorie qu'appartient l'énigmatique *Mistassini* ?

MISTASSINI

Trois mesures au-dessus desquelles André Mathieu a écrit de sa main : « pour Mistassini », c'est la seule trace concrète que nous ayons de l'existence de cette œuvre. La première fois où André mentionne ce titre, c'est en juillet 1961. Le pianiste Paul André Asselin est rentré brièvement au pays et, pour promouvoir, comme toujours, la musique canadienne, Asselin convainc la direction de l'hebdomadaire *Le Petit Journal* de publier une série d'articles consacrés aux compositeurs de chez nous. Asselin retrouve donc son vieil ami Mathieu et, grâce à cette interview, nous avons l'impression d'être accoudé à la fenêtre du passé. « Avec *Mistassini…* André Mathieu reprend un départ prometteur ! »

André Asselin reprend la saga déjà vieille d'un quart de siècle et arrive au temps présent : « Au bout de quelques moments de conversation, je demande à André Mathieu combien de fois il est apparu en concert. »

A. M. — Mes apparitions dépassent le nombre de sept cents.

A. A. — De toutes, laquelle reste dans votre souvenir ?

A. M. — Quand j'avais joué mon deuxième concerto [concertino] pour piano avec comme chef d'orchestre Rudolf Ganz.

A. A. — Avez-vous quelques autres détails, je vous prie ?

A. M. — Eh bien, je me rappelle avoir paru huit fois à Carnegie Hall [...]. À part Rudolf Ganz, [...] j'ai joué mon concerto [concertino] avec des chefs tels que Désiré Defauw, Léon Barzin, Wilfrid Pelletier, sir Thomas Beecham et André Kostelanetz [*Concerto no 3*].

A. A. — Qui sont vos pianistes préférés ?

A. M. — Horowitz et Rachmaninoff.

A. A. — Et votre impression la plus ancrée à la suite d'une première audition ?

A. M. — Pour moi, c'est *L'Oiseau de Feu* de Stravinsky.

Œuvres modernes

A. A. — Que pensez-vous de la musique moderne ?

A. M. — Je n'aime pas la musique moderne. J'aime la musique... la bonne.

A. A. — Et que dites-vous de la technique des douze tons [dodécaphonique] et des réalisations d'ordre électronique ?

A. M. — Je ne prise pas la technique dodécaphonique, parce qu'elle n'a pas de limite sonore ni de limite harmonique. On dit souvent : « réglé comme du papier à musique » et je pense que la musique a besoin d'un ordre et d'un cadre qui la contienne. Dans toutes ces tentatives, il y a trop de techniciens et trop peu de musiciens. Il faudrait moins d'esprit et plus de cœur.

A. A. — Parmi les compositeurs canadiens, quels sont ceux qui vous attirent ?

A. M. — Clermont Pépin, Jean Vallerand et Maurice Blackburn ont écrit des choses intéressantes.

André Asselin survole la carrière d'André Mathieu. Les renseignements sont presque exacts, les années relativement précises, les faits sont réorganisés pour assurer un maximum de prestige et d'éclat au compositeur dont le pelage a bien besoin de regagner un peu de son lustre : « André a aussi fréquenté Arthur Honegger, Rachmaninoff, Cortot, (Florent) Schmitt et tant d'autres encore. »

> 25 ANS DE CARRIÈRE
>
> Ses œuvres sont au nombre de soixante-seize. Parmi les plus importantes, mentionnons seulement les 4 concertos pour piano, le quintette (piano et quatuor à cordes), une sonate pour violon, deux poèmes symphoniques, une suite d'orchestre et plusieurs mélodies et des dizaines de pièces pour piano solo [...].
>
> En l'écoutant jouer l'autre jour une de ses œuvres, je me disais : « Quelle merveilleuse nature musicale. » Don entier, pénétration intense du texte, nécessité de « faire musique », besoin de communiquer, voilà les impressions qui m'assaillaient et qu'il me donnait.
>
> Finalement... il y a deux sortes d'interprètes : les cérébraux (portés vers l'époque classique), et les sensibles (époque romantique moderne) [...].
>
> Son style n'est pas révolutionnaire ni même avancé, il suit une loi simple : on pourrait dire qu'il est « organique » [...].
>
> Avec *Mistassini*, André Mathieu prend un nouveau départ : il se peut que nous n'ayons pas fini d'être étonnés [...]. Car ce sont les « André Mathieu » qui forgent, chez les peuples et dans les cultures, les facettes infinies de la force créatrice.

L'article est accompagné d'une superbe photographie d'André Mathieu en chemise blanche et cravate. La légende accompagnant la photo se lit comme suit : « Une simple planche de "*plywood*" [contre-plaqué], et voilà la table de travail d'André Mathieu. C'est là-dessus, tout simplement, que s'anime et prend corps une œuvre nouvelle, *Mistassini*, qui marquera, dit-on, un nouveau départ de celui qui naguère était surnommé "le petit Mozart canadien". »[442]

Mathieu mentionne à nouveau *Mistassini* en novembre 1967, quand il est interviewé pour l'émission de télévision *Jeunesse Oblige* à Radio-Canada :

> *Mistassini*. Ça fait deux ans que je travaille, il y a deux ans que je travaille sur ce poème-là. Parce que je veux exprimer toute l'immensité et la beauté de cette région que bien peu de Montréalais connaissent. Mais moi, je la connais. Je l'ai survolée, je l'ai parcourue

442. André Asselin, *Le Petit Journal*, semaine du 16 juillet 1961, p. A-48.

> à pied et c'est de toute beauté. Et c'est cette beauté-là que j'ai voulu exprimer dans *Mistassini*. Voilà tout.[443]

D'autres témoignages corroborent l'existence de la partition et de l'œuvre. Le grand ami et compagnon d'aventures d'André, Pierre Gasse, se souvient parfaitement avoir vu la partition sur le piano de l'appartement que Marie-Ange et André ont loué rue Saint-André. Qui plus est, André lui aurait joué l'œuvre du début à la fin. Marion Beauchemin, la fille du médecin vétérinaire Georges Beauchemin de Québec, affirme avoir entendu André lui jouer *Mistassini* à Québec en 1954-1955, et puis quelques années plus tard, alors qu'elle est déménagée à Montréal, rue Sherbrooke, en 1957-1958. André appelait son œuvre le *Concerto Mistassini*. Marion Beauchemin a entendu le *Concerto no 4* et est certaine qu'il ne s'agit pas de *Mistassini*. Seulement, le pianiste Michel Dussault, qui était l'animateur de l'émission *Jeunesse Oblige*, se souvient qu'André Mathieu lui a offert et remis deux manuscrits : *Laurentienne* et *Mistassini*, la première étant la caisse que nous connaissons et *Mistassini* une pièce assez brève. Un incendie a emporté les deux manuscrits mais Dussault se souvient parfaitement de la mélodie de cette courte pièce et elle correspond exactement au thème lyrique du premier mouvement du *Concerto no 4*. Lucien Brisson, homme d'affaires et futur président de la Fondation André Mathieu, est lui aussi catégorique : il a tenu dans ses mains la partition de *Mistassini*... Marion Beauchemin se souvient aussi avoir entendu Mimi Mathieu déclarer : « Il n'y a personne qui aura le *Concerto de Mistassini*. »

Le mystère *Mistassini* reste entier et, à moins que quelqu'un ne fasse resurgir la partition de ce *Concerto-Mistassini*, *Mistassini* sera notre arlésienne canadienne-française : tout le monde en parle mais personne ne l'a jamais vue !

SEMAINE INTERNATIONALE DE MUSIQUE ACTUELLE

Quelques semaines à peine après la rencontre avec André Asselin, Mathieu assiste à un ou plusieurs concerts organisés dans le cadre des Festivals de Montréal. Les événements ont lieu soit à la *Comédie Canadienne* (aujourd'hui le *Théâtre du Nouveau Monde*), théâtre fondé par Gratien Gélinas en 1957, ou à la salle Redpath de l'Université McGill. Pour une

443. André Mathieu, *Jeunesse Oblige*, Société Radio-Canada, le 21 novembre 1967.

semaine, Montréal devient pratiquement le centre mondial de la modernité. Le compositeur Pierre Mercure s'est créé un réseau formidable grâce à l'émission légendaire *L'Heure du Concert* où, avec Françoys Bernier, il a présenté la fine fleur de la création contemporaine. Pour déniaiser le milieu musical montréalais, le réalisateur de télévision organise un événement qui restera unique dans notre vie culturelle : une fracassante *Semaine internationale de musique actuelle* qui se déroule du 3 au 8 août 1961. Mercure veut provoquer des rencontres d'où jaillissent des chocs esthétiques, des illuminations et, si nous sommes chanceux, des épiphanies. En présentant des œuvres incluant les compagnies de danse comme Merce Cunningham, Françoise Sullivan, ou Alwin Nikolais , Mercure favorise la rencontre des arts autres visuels, en montrant également les films de Norman McLaren/Blackburn, de Patris/Chamass et de Louis Portugais ou faisant participer le sculpteur Armand Vaillancourt, en direct, sur la scène de la Comédie Canadienne. John Cage (1912-1992) viendra créer son *Atlas Eclipticalis* le mercredi 3 août, à Montréal, lui-même au pupitre, alors que Mauricio Kagel (1931-2008) va diriger, en création, trois fragments de *Anerca* de Serge Garant. Parmi les compositeurs entendus on retrouve Milton Babbitt (1916-), Ligeti (1923-2006), Mâche (1935-), Maderna (1920-1973), Nono (1924-1990), Penderecki (1933-), Schaeffer (1910-1995), qu'André a rencontré à Paris en 1947, Stockhausen (1928-2007), Varèse (1883-1965), Christian Wolff (1934-). Les compositeurs américains Earle Brown (1926-2002) et Morton Feldman (1926-1987) ont aussi été invités comme conférenciers. Parmi les interprètes, on retrouve David Tudor (1926-1996), Toshi Ichiyanagi (1933-) et, appelée à revenir à Montréal quelques années plus tard dans des circonstances spectaculaires et très différentes, Yoko Ono (1933-). En cinq concerts, Montréal venait, à son corps défendant, de basculer dans la Modernité :

> Dans toute cette « musique » entendue en cinq concerts, il y a sûrement de la valeur et sûrement de la fumisterie. Il est trop tôt pour faire le partage. Il est trop facile de rire et il serait ridicule de vouloir poser un jugement sûr. Le Temps seul sera juge. Peut-être faudra-t-il trouver de nouvelles définitions aux mots « art », « musique », « danse », « beauté », « équilibre », « goût ».[444]

444. Claude Gingras, *La Presse*, le 8 août 1961.

Bien qu'André se définisse lui-même comme « romantique moderne », d'après la formule mise au point par Émile-Charles Hamel en 1945, il ne se retrouve pas du tout dans toutes ses recherches. Dans le « Courrier » des lecteurs du samedi 19 août 1961, du quotidien *La Presse*, André réagit à un des articles de Claude Gingras :

> *Cher Monsieur Gingras,*
>
> *Ayant lu votre article du lundi 7 août 1961, je tiens à vous exprimer toute mon approbation.*
>
> *Certes, il n'est pas agréable pour un vrai mélomane d'entendre un Japonais faire des chinoiseries musicales. Pas très réjouissant non plus de voir une structure métallique quand on espère entendre une structure harmonique !*[445] *Je vous écris aussi, cher Monsieur, pour vous faire connaître le point de vue d'un musicien canadien sur cette supposée « musique » qui s'intitule concrète quand elle est abstraite, et électronique quand elle n'est qu'électrocutée !* [Nous citons le texte original, et non le texte publié.] *Quels frissons doivent ressentir la plupart de nos snobs qui n'ont jamais rien compris devant cette « chose » qu'ils ne comprennent pas non plus.*
>
> *Les bruits électroniques sont des effets sonores qui peuvent trouver une excellente place dans les films, la TV ou le théâtre. Ces effets sonores auraient sûrement une très grande influence dans l'atmosphère d'une pièce de théâtre ou d'un film.*
>
> *Mais grand Dieu ! Qu'on n'appelle pas cela de la musique !*
>
> *Sans crainte de passer pour « vieux jeu », j'affirme que l'Art Musical repose sur des bases fondamentales et solides que nul ne peut renier et c'est ce qui a toujours fait sa grandeur.*
>
> *La musique n'a pas besoin de techniciens en électronique, elle a besoin de musiciens.*
>
> *À défaut d'être ingénieux en musique, que ces gens-là se fassent ingénieurs et qu'ils cessent de se croire musiciens.*
>
> *Voilà, cher monsieur Gingras, ce que je voulais vous dire.*
>
> *Bien à vous, André Mathieu.*[446]

---

445. André Mathieu fait ici allusion à l'œuvre de Pierre Mercure *Sructures métalliques II* où une bande magnétique (perdue) propose un contrepoint aux sons produits par le sculpteur Armand Vaillancourt qui évolue entre des plaques de métal qu'il est à assembler en sculpture sur la scène de la Comédie Canadienne.

446. André Mathieu, *La Presse*, le 19 août 1961, p. 16.

Rien d'étonnant alors à ce que la *Société de Musique Contemporaine du Québec*, qui donnera son premier concert cinq ans plus tard, le 15 décembre 1966, ne fasse pas appel à Mathieu. Il affiche violemment ses couleurs et sa conception de la musique n'a rien à voir avec celle de ses contemporains. De plus, son alcoolisme est de notoriété publique. Un de ses amis, René Isabel qui encore aujourd'hui lui voue une admiration sans bornes, répond à André qui lui demande d'être son gérant : « Non ! Je ne saurais jamais si tu vas jouer. »[447] Enfin, pour le « milieu musical », André a piétiné lui-même ses couronnes de lauriers en s'exhibant dans une épreuve de force qui ravalait leur art commun à une vulgaire parodie. Il n'était donc pas question pour Wilfrid Pelletier, à l'initiative duquel on doit la création de la SMCQ, d'inviter André Mathieu à siéger sur le comité organisateur du nouvel organisme. De toute façon, Pelletier connaît André depuis un quart de siècle et aura encore l'occasion de se manifester dans sa vie quelques mois plus tard, une dernière fois.

LA MUSIQUE D'ANDRÉ MATHIEU ET LA JEUNESSE

Mais la renommée passée et l'aura romantique du musicien maudit stimulent l'imagination des jeunes qui veulent inscrire à leur programme ses œuvres, en signe de rébellion et de révolte. Madeleine Lemieux-Lemaire, que sa mère a amenée entendre André au PIANOTHON du Palais du Commerce quand elle avait dix ans, étudie à l'École normale de musique. Par esprit de défi et de fierté nationale, elle décide d'inscrire des œuvres d'André Mathieu à son programme de concours. Comme, bien sûr, les œuvres ne sont pas éditées, cette jeune femme de dix-sept ans prend contact avec André Mathieu, se rend chez lui, en compagnie de sa mère, rue Saint-André et lui demande de lui prêter quelques manuscrits pour qu'elle puisse les apprendre et les jouer. André va lui prêter la *Bagatelle no 1*, le *Prélude Romantique* et la *Fantaisie Romantique*. André s'engage également à la rencontrer pour lui prodiguer ses conseils. Un peu ivre, il arrivera discrètement à l'École normale de musique en voiture de police et donnera une leçon à Madeleine en présence d'une forte délégation des révérendes mères de la Congrégation Notre-Dame, sœur Corneille en-tête. Madeleine jouera son programme au concours des « festivals de Musique du Québec », où elle se classe deuxième et au « Ottawa Music Festival » où elle décroche

447. René Isabel, entretien avec l'auteur, le 4 décembre 2008.

le premier prix. Comme elle s'est engagée à rendre ses manuscrits au compositeur, elle lui téléphone et lui demande si elle peut garder une des trois partitions. Mathieu lui dit de faire son choix et Madeleine Lemieux choisit la *Fantaisie Romantique* dont André a fini de rédiger la partition uniquement pour qu'elle puisse l'apprendre et la jouer. Suivant son habitude et l'ayant lui-même interprétée plusieurs fois en concert, André ne s'était pas donné la peine de l'écrire jusqu'au bout. Cette méthode de travail explique peut-être pourquoi certains titres d'œuvres inscrites dans les programmes d'André Mathieu n'ont laissé aucune trace. Entièrement composées dans la tête d'André, par négligence ou par paresse peut-être, il ne les a pas déposées sur le papier. Si nous écoutons l'enregistrement qu'il nous a laissé de la *Fantaisie Romantique* et la partition qu'il a complétée pour Madeleine Lemieux-Lemaire, le texte est rigoureusement identique. C'est grâce à ce concours de circonstances que nous avons récupéré une nouvelle œuvre complète d'André Mathieu.

Trois ans plus tard, c'est une des élèves de l'École supérieure de musique, l'Institut des Saints Noms de Jésus et de Marie à Outremont, Denise Massé qui, sur les conseils de son père, grand admirateur du *Concerto de Québec* de Mathieu, décide d'inscrire le troisième mouvement du *Concerto de Québec* à l'un des concerts de l'école Vincent-d'Indy, en préparation du « Concours du Canada ». « Pourquoi jouer du Beethoven si tu peux jouer du André Mathieu ? » lui demandait son père. À la demande de la pianiste, André se présente à l'École et lui donne un cours en présence de sœur Marie Stéphane et d'autres religieuses. « Le diable était dans les murs ! » André lui a prêté la partition puisque, là non plus, elle n'est pas éditée. Le samedi 21 mars 1964, plus de vingt ans après avoir écrit l'œuvre, Mimi et André sont dans la salle pour entendre la jeune pianiste. Denise Massé souhaitera inscrire les trois mouvements du *Concerto de Québec* pour son concours mais les religieuses lui feront comprendre qu'il vaudrait mieux jouer un vrai concerto, de la « vraie » musique.

Amalgame de fierté et de honte, incarnation de l'espoir de la génération précédente et pour l'establishment en place, représentant officiel du duplessisme en musique, André Mathieu continue d'être nulle part chez lui. Cependant, pour la génération montante, « c'est un personnage tellement romantique… Bien sûr, j'étais amoureuse de lui, c'était un personnage de roman. Comme homme, il était extrêmement attachant. J'avais envie de l'aider, j'avais envie de le protéger. Il se livrait entièrement, sans jouer un jeu, sans créer un personnage. C'est fascinant de voir un homme à moitié détruit qui se montre tel qu'il est. Avec André Mathieu, c'était la première fois que je touchais à la grande souffrance… j'ai découvert des choses en moi, parce que je l'ai rencontré. Quand les sœurs se sont rendu compte qu'il me téléphonait souvent, elles ont appelé mes parents, elles ont coupé le contact. »[448]

Est-ce aussi à cette époque qu'André ressuscite l'idée d'un orchestre symphonique portant son nom ? Nous avons pu retracer une « Formule d'Application » qui reprend les questions qui avaient servi à rassembler « l'Orchestre des Jeunes » en 1943. André a même choisi les œuvres qu'il veut présenter au programme du premier concert de « l'Orchestre André Mathieu ».

Ouverture Egmont ....Beethoven
L'Apprenti Sorcier................................Dukas
Nuages et Fêtes ....Debussy
Symphonie du Nouveau Monde ....Dvorak

Sur le deuxième feuillet, André a détaillé par instrument les musiciens à recruter pour sa formation. Ce qui nous amène à penser que Mathieu a voulu relancer ce projet d'orchestre possiblement au début des années 60, c'est cette demande de bourse qu'il remplit à l'été 1962 pour le Conseil des Arts du Canada : « Mon intention est de suivre des cours de perfectionnement en orchestration. L'aide du Conseil des Arts me permettrait de compléter mes connaissances dans un Art qui représente tout pour moi. » Son projet est de partir, vous l'avez deviné, pour Paris pour un an, d'août 1963 à septembre 1964. Le montant total de la bourse demandée s'élève à 2502 $.

C'est à cette occasion que les deux anciens amis que tant de souvenirs unissent se revoient. Gilles Lefebvre raconte sa dernière rencontre avec André Mathieu :

> La dernière fois que j'ai vu André sérieusement, ce devait être aux années 60. Il est venu me voir parce qu'il voulait retourner en Europe pour étudier l'orchestration. Je trouvais le projet très sérieux et je me refusais de ne pas lui faire confiance […]. Alors j'ai

448. Denise Massé, entretien avec l'auteur, le 18 décembre 2009.

> dit à André que j'allais l'aider. Il pensait que je pouvais influencer une bourse du Conseil des Arts ou une bourse du gouvernement du Québec. Et à ma grande déception, tous ceux à qui j'en ai parlé, de grandes personnalités qui l'avaient aidé quand il était jeune, mais dont j'ignorais l'aide qu'eux avaient apportée m'ont dit : « Il a eu toutes ses chances et nous refusons de donner une lettre de recommandation. » Et je n'ose nommer les noms de ces personnalités car ils avaient droit à leur jugement. Mais j'étais extrêmement déçu qu'on ne lui donne pas encore une chance parce que je le croyais très sincère quand il m'a demandé de retourner à Paris.[449]

Ni l'orchestre ni les cours d'orchestration ne se matérialiseront et, à six ans de sa mort, André ajoute ces deuils à sa vie qui, à trente-trois ans, commence déjà à ressembler à un cimetière.

Une autre capsule temporelle nous vient d'une rencontre du 2 mai 1962, à Québec, avec son vieux compagnon de l'époque de la Maison des étudiants canadiens à Paris, l'avocat Marcel Turgeon. André arrive au cabinet de Turgeon avec sa femme Marie-Ange. Un arrangeur de Montréal lui aurait « volé » un thème de sa *sonate pour violon et piano* et André veut consulter afin de poursuivre le malfrat. « Son épouse, [...] d'abord muette comme une carpe [...] profite d'une courte absence de son mari pour me confier en catimini :

Marie-Ange : Me Turgeon, André n'est pas tout à lui depuis quelque temps. Il boit énormément d'alcool, surtout du gros gin à peine coupé d'eau. Quand j'essaie de le modérer, il se fâche et me dit de ne pas l'écœurer. Mon problème, c'est que je l'aime trop pour le laisser.

Marcel Turgeon : Il boit depuis des années. Il buvait déjà beaucoup quand je l'ai connu à Paris [...]. C'est pas d'hier.

M.-A. M. — C'est exact. Nous nous sommes mariés [...]. Je l'aimais comme une folle, c'est le cas de le dire. J'espérais le guérir de son alcoolisme, par amour. On dit que l'amour peut tout.

---

449. Gilles Lefebvre, Jean-Claude Labrecque, *André Mathieu, musicien*, 1993, interview par Francine Laurendeau.

M. T. — Oui mais pas l'amour unilatéral.

M.-A. M. — Voulez-vous insinuer qu'André ne m'aime pas ?

M. T. — S'il vous aimait vraiment, il arrêterait de boire ! »

Turgeon rappelle ensuite leur séjour à Paris, les cours avec Honegger et conclut : « À la vérité, André était un faible qui ne se laissait gouverner que par ses instincts [...]. Il eut fallu peu de chose, je crois, pour que mon génial ami André Mathieu devint l'égal des plus grands : quatre grains de volonté ! Combien de petit Mozart assassinés... par eux-mêmes ! »[450]

LA MORT DE RODOLPHE

Le vendredi 29 juin 1962 à trois heures de l'après-midi, celui qui a compté plus que sa mère, plus que toutes les femmes qui l'ont aimé, celui qui l'a formé, soutenu, poussé, celui dont la sévérité, la dureté et la rigueur représentaient pour André, l'affection, l'amour le plus nécessaire et le plus vital, son père, s'éteint. Au moment où Rodolphe exhale son dernier soupir, André le secoue et lui ordonne : « Papa, réveillez-vous, réveillez-vous ! » Puis il disparaît. Ce père, cette puissante figure-père qui vient, malgré nous, nous forcer à évoquer la figure du « Commandeur » de Mozart était resté le garde-fou ultime, la seule voie qui pouvait rejoindre le cœur de sa conscience embrumée car, pendant trente-trois ans, il avait été le guide, le bourreau et l'ami. Quand André dira, cinq ans plus tard à la télévision de Radio-Canada pour l'émission *Jeunesse Oblige* : « On s'engueulait tout le temps, amicalement, mais c'était toujours une engueulade... Puis on continuait, on parlait d'autre chose. Plus on avançait, moins on parlait de musique, il n'y avait plus de musique à ce moment-là, on ne parlait plus de musique du tout. La, c'était le père qui parlait à son fils [...]. Quand j'ai perdu mon père, j'ai perdu mon meilleur ami. »[451] À partir de ce moment André est peut être libéré de ce regard qui lui rappelle et reflète son échec mais il perd en même temps une des raisons fondamentales de vouloir « s'en sortir ». Non seulement a-t-il perdu son phare, mais de surcroît sa bouée de sauvetage.

---

450. Marcel Turgeon, *Journal d'un avocat québécois*, Le Livre de Chevet, 1991, p. 49 à 51.
451. André Mathieu, *Jeunesse Oblige*, le 21 novembre 1967, interview d'André Mathieu par Jacques Faure.

Le 26 octobre 1962, André est invité à l'émission radiophonique *Le Bel Âge* animée par Lizette Gervais et Pierre Paquette à Radio-Canada. L'interview démarre difficilement, les animateurs essaient de créer un climat mais il y a un malaise palpable. On parle de son premier récital, de l'origine de *Dans la Nuit* et puis le charme d'André opère et s'insinue et la rencontre prend son essor. La bourse de 1936, le départ pour Paris... :

Lizette Gervais : Est-ce que vous vous souvenez de ce que représentait pour vous un concert à l'époque?...

André Mathieu : Quand je voyais le public, quand j'entendais le public applaudir, je me disais en moi-même, dans ma petite tête d'enfant que c'était pour moi et là [...], il y a eu un autre sentiment qui a commencé, on pourrait dire une évolution de mes responsabilités [...] je peux dire que c'est à partir de cet âge-là que j'ai eu mes responsabilités, le sens des responsabilités [...]. Parce que j'étais seul sur la scène et c'est moi qui déclenchais les applaudissements. Et je me disais, c'est pas mon père, c'est pas l'imprésario, c'est pas ma mère, c'est pas ma sœur, c'est moi qui déclenche les applaudissements [...]. J'ai pris conscience de mes responsabilités d'artiste. On pourrait dire que je suis venu au monde, adulte [...].

On sent que ses confidences lui sont arrachées du cœur de façon douloureuse. Lizette Gervais continue : « Est-ce que vous pouvez dire que vous avez déjà été enfant alors? »

A. M. — Bien... Je ne pourrais pas dire que je l'ai connue, l'enfance, comme le petit gars ordinaire. Mais [si] je ne l'ai pas connue, j'ai toujours eu les désirs d'un enfant normal, d'un enfant ordinaire.

L. G. — Est-ce que ces désirs ont toujours été inassouvis [...], jamais comblés?...

Comme s'il réalisait que son ton passionné avait trahi ses blessures d'enfance :

A. M. — Bien, ils étaient bien comblés par la musique que je faisais et par mes occupations musicales.

Pierre Paquette lui parle du trac, aujourd'hui et quand il était petit, et soudain André explose :

A. M. — Vous me posez des questions et ça me met mal à l'aise parce que c'est très difficile pour un homme dans le domaine public de parler de lui-même quand il sait parfaitement qu'il y en a tellement qui s'en chargent…

Les trois y vont d'un petit rire entendu et André leur donne des pistes : « Pourquoi vous ne me posez-vous pas de questions pour savoir qui est André Mathieu à l'heure actuelle ? » Et comme l'interview risque de dérailler, on fait entendre le Concerto de Québec en faisant tourner non pas l'enregistrement qu'André en a fait quinze ans plus tôt, mais en utilisant le disque de Charles Williams. Au retour, André déclare :

A. M. — Je considère que le romantisme moderne c'est l'alliance du cœur et de l'esprit ; c'est une chose assez difficile à réaliser, mais c'est possible.

L. G. — Qu'est-ce que vous pensez de la musique électronique et des nouvelles formes de musique ?

A. M. — Je ne crois pas que ce soit la route pour les compositeurs parce qu'après tout, cette musique-là – Mon Dieu ! Ils appellent ça de la musique ! –, la musique électronique n'est pas une route qui est très longue, je dirais plutôt que c'est un court-circuit.

P. P. — Qu'est-ce que vous faites maintenant ? Est-ce que vous composez toujours ?

A. M. — Oui, toujours, j'enseigne aussi. Mais je me laisse du temps pour composer. En ce moment, je travaille sur une chose qui m'intéresse beaucoup depuis longtemps : *Le Cantique des cantiques*[452], et je veux en faire un drame lyrique… J'espère réussir…

Et pour le reste de l'interview, le malaise initial se réinstalle et après quelques échanges convenus, les animateurs passent au prochain sujet…[453]

---

452. *Le Cantique des cantiques*, André Mathieu en parlait déjà en septembre 1945…
453. André Mathieu, Émission *Le Bel Âge*, animateurs : Lizette Gervais et Pierre Paquette, Société Radio-Canada, le 26 octobre 1962.

Des apparitions publiques comme celle-ci ne font que mettre en évidence l'imprédictibilité d'André et l'isolent encore d'avantage.

Chaque été à partir du décès de son mari, Wilhelmine s'envole pour la France visiter sa fille Camillette et ses petits-enfants et André prend l'habitude de s'installer chez elle, puis de revenir chez sa femme, en alternance. Mimi vient de déménager rue Saint-Hubert, au 4375, où elle a déménagé son piano, ses meubles, le splendide tableau que le peintre Adrien Hébert a réalisé de son mari et tout l'équipement nécessaire pour donner ses cours à l'*Oiseau Bleu.* Cette même année, Marie-Ange, la femme d'André ouvre elle aussi une école pour les petits. André se retrouve donc une fois de plus mis à la porte de ses deux chez lui. En bon fils, le jour du déménagement, il prête main-forte et s'installe au piano dans la boîte du camion et se lance dans une improvisation « jazzée » du plus bel effet tout le long du parcours, du 4524 Saint-André jusqu'au 4375 de la rue Saint-Hubert... Ah ! Si la machine à voyager dans le temps existait vraiment. Les seules traces qui nous restent de ces dernières années d'André sont quelques lettres éparses envoyées à sa mère lorsqu'elle est en France, sinon, c'est l'anonymat opaque, le silence aveugle, la musique imaginaire :

> *Montréal, ce 3 août 1963*
>
> *Ma chère maman,... et « gros yeux noirs » . ! .*[454]
>
> *Tu n'es pas sans savoir que ton fils est un musicien et non un écrivain . !. C'est pourquoi je te prie de m'excuser pour un silence qui n'a rien à voir avec l'Amour que j'ai pour toi. Depuis ton départ il s'est passé bien des choses ! Des problèmes surtout. Quelques-uns sont réglés, d'autres restent en suspens. Nous attendons, Marie-Ange et moi, ton retour avec impatience. Embrasse bien fort Camillette pour moi ainsi que mes neveux et nièces. J'attends de te serrer dans mes bras.*
>
> *Ton fils et qui t'aime, André*

Il n'y a rien à signaler pour l'année 1964, sinon le déménagement du 4090 Saint-André au 4703 Saint-André, Marie-Ange ayant hérité à la mort de son père de la somme nécessaire pour qu'André et elle puissent s'installer, chez eux.

Mais, à défaut de pouvoir sauver son fils, Mimi poursuit son combat pour l'œuvre de son cher Rodolphe. Un signe de l'activité de Mimi pour la

454. « . ! . » est un signe de ponctuation particulier à André Mathieu.

propagation du nom et de l'œuvre de son mari est la parution d'un article consacré à Rodolphe Mathieu : « Évocation d'un grand méconnu, Rodolphe Mathieu, un maître, un précurseur, un novateur ! », dans l'édition de la semaine du 15 mars 1964 de l'hebdomadaire *Le Petit Journal.* Mais le grand coup, le coup de maître, c'est le mardi 2 mars 1965 qu'il se produit. Ce mardi fut sans doute une journée glorieuse pour les Mathieu. L'Orchestre Symphonique de Montréal et son chef invité, André Vandernoot, avait mis au programme les *Trois Préludes* de Rodolphe Mathieu. Comme disent les Anglais : « Too little, too late ». Il est facile d'imaginer Mimi, sa sœur Camille, André et Marie-Ange assis dans une loge, Mimi a dû insister pour que ce soit une loge, et revoir défiler devant leurs yeux les images de toute une vie… qu'elle souhaite évidemment faire revivre. Sans doute sollicite-t-elle l'aide de Gilles Potvin, qui est maintenant devenu chef du service des auditions et distributions à la Société Radio-Canada. Le 15 juillet 1965 il lui écrit :

> Comme je vous l'ai dit avant votre départ, j'ai bien l'intention de mettre en marche le projet d'écrire la biographie de M. Mathieu ainsi [que] de rédiger le catalogue de ses œuvres […]. Il me faut en premier lieu une lettre de vous spécifiant que vous êtes disposée à me donner votre collaboration et aussi de mettre à ma disposition tous les manuscrits, correspondance et autres documents susceptibles de servir à ce travail. Vous devinez bien qu'il s'agit d'un travail assez considérable et qu'il faudra passablement de recherche si l'on veut que cette biographie soit relativement complète. Je suis prêt à y consacrer au moins une année et même plus si nécessaire […].
>
> Gilles Potvin[455]

Mimi repart rejoindre sa fille l'été 65, André prend ses vacances dans l'appartement de sa mère de la rue Saint-Hubert, Marie-Ange lui rend parfois visite, ensemble ils regardent la télévision, ils vont au cinéma, et André écrit à sa mère :

> *Montréal, ce 9 juillet 1965.*
>
> *Chère « P'tite mère »,*
>
> *D'après ta lettre et ta carte, je constate avec plaisir que ton voyage s'est bien effectué. Comme tu dois être heureuse d'être avec Camille et tes petits-enfants ! Et quelle sensation de bien-être tu dois ressentir*

455. Gilles Potvin, lettre du 15 juillet 1965 à Madame Mathieu, Fonds Famille Mathieu, Archives Nationales, Ottawa.

dans cette atmosphère de joie et d'Amour! J'espère bien qu'un jour qui n'est pas tellement lointain, j'irai moi aussi en Bretagne embrasser ma chère « Natacha » ainsi que Catherine, Christian et Éric et Marianne que je n'ai pas encore le bonheur de connaître.

En ce qui me concerne, ma vie matrimoniale à moi continue toujours! Tu seras sans doute heureuse d'apprendre que mon concert chez les Lacordaire[456] *a été un triomphe. Ils m'ont rappelé une dizaine de fois. André Mathieu chez les Lacordaire, et invité par eux! On aura tout vu! Tu vois que la musique mène à tout en autant qu'on n'en sorte pas!*

Moi aussi, chère maman, je compte les jours qui me séparent du moment où je pourrai t'embrasser. À bientôt « p'tite mère »

Ton fils qui t'aime, André

P.S. embrasse pour moi Camillette et les enfants.

1966

La nouvelle année s'ouvre avec un petit mot de Mimi à André. Elle est à nouveau chez sa fille pour les vacances de Noël et elle envoie ce mot laconique qui répète inlassablement le même refrain et lui assure la mainmise et le contrôle de son fils : « Je te souhaite de prendre et tenir des bonnes résolutions pour 1966. Maman »

Il semble que le réalisateur Françoys Bernier ait gardé pour André une réelle affection. Dans le désert professionnel que représente cette décennie, le petit mot d'André, suite à l'offre de Bernier, est comme une bouteille à la mer :

Montréal, ce 10 mars 1966

Cher François,

J'espère que tout va bien pour toi. Tel que convenu, ci-inclus, la partition de mon Trio. *En attendant de tes nouvelles, je te prie de croire à ma sincère amitié.*

André Mathieu

Mimi repart en France l'été 66 et envoie une missive à André qui résume leur rapport mère-fils de façon incroyablement précise et quasi clinique.

456. Mimi quittant Montréal chaque année à la mi-juin, ce récital « chez les Lacordaire » a lieu vers la fin juin 1965.

Elle y tend tous ses fils, elle tisse sa trame et noue les franges ! Elle joue de son fils en virtuose. Il n'y a pas d'issue.

Ce 26 juillet 1966,

Mon cher André,

Tu ne saurais croire la joie immense que ton petit mot si court soit-il m'a causée et rassurée en même temps. J'étais tellement inquiète, je m'imaginais toutes sortes de choses, je faisais des cauchemars et je ne dormais que trois à quatre heures par nuit. Camille se demandait : « Mais maman, qu'as-tu ? Qu'est-ce qui te tracasse ainsi ? » Et je ne disais rien tu penses bien. Tu sais, le fait de te savoir sobre me rend si heureuse mon cher enfant, que je n'ai plus besoin de médicaments. C'est toi qui possèdes la meilleure ordonnance pour me maintenir en vie et si tu veux avoir encore quelque temps le plaisir de prononcer le mot « maman » avec toute la douceur et la compréhension qu'il contient, il n'en tient qu'à toi André. Écoute-moi. Il y a deux semaines que tu es sobre, tu n'es pas mort, tu [ne] t'en portes que mieux [...]. Un mois bientôt, c'est le premier qui compte, les autres semaines comme les jours se succèdent sans effort renouvelé, (car avec la volonté on peut tout) et tu rattraperas ainsi le temps perdu. Tu as tant de choses encore à dire et tant de possibilités à ta disposition qu'il ne faut pas, et tu n'as pas le droit de tarir pareille source. C'est dans l'accomplissement de ta musique que tu trouveras ta raison de vivre et le bonheur ! La vie, tu sais, ne taille pas toujours là destinée à la grandeur des possibilités de chacun. Elle nous laisse dans les mains l'outil nécessaire qui sont les jours dont elle est faite, pour en mesurer la valeur. Et cela s'appelle le travail [...]. Relis mes lettres, cher André et tu verras que ta petite mère n'est pas si folle. Tu devrais même les conserver et je suis certaine que tu puiserais toujours un conseil pratique car je ne crains rien de ce que je t'écris car tout est dicté par mon cœur de mère qui est celui qui donne tout sans espoir de retour, sans attendre aucun bénéfice. Le seul intérêt est ton bonheur et la réussite dans ta carrière. C'est pourquoi on n'a qu'une maman et il est idiot de comparer l'amour maternel à tout autre [car] c'est le plus sincère et le plus désintéressé et en même temps le plus ferme et le plus indulgent – tout paradoxal que cela puisse paraître. Évidemment André, je n'ai pas la prétention au point de vue style d'être une Madame de Staël ni de Sévigné, mais il faut voir le fond. J'espère André que tu me feras le plaisir de m'écrire une lettre personnelle et – non pas seulement un petit bout de papier. J'espère aussi que quand tu recevras ma lettre, tu auras eu les miennes et celle de Camille. Christian t'a écrit un petit mot. Tu comprends, ils sont toujours à la mer. Il fait un temps splendide et chaud ; je suis bronzée mais l'eau de la mer est bien froide. J'espère que tu es toujours sage. Sois gentil avec ta tante, tu sais, je crois que c'est encore nous deux qui t'aimons le plus... Alors fais en sorte de nous conserver le plus longtemps possible. Pour ma part, quand tu ne bois pas et que tu travailles ton piano, je pourrais te donner la lune et ses satellites. Tu dois me ressembler André. Ne fait pas mentir la loi de l'hérédité qui veut que les garçons ressemblent à leur mère. Alors moi qui ai une volonté de fer, il ne faut pas que la tienne soit de bambou. Ici, j'enjambe, pour ainsi dire, par dessus les bouteilles et je suis des journées sans y goûter. Je n'ai pas grand mérite car tu [me] fais tant pleurer par la boisson que cela ne me dit plus rien. Parfois je prends un petit apéritif car Camille me trouve bien amaigrie [et] veut absolument m'engraisser. Je te quitte cher André, espérant avoir le plaisir de lire une longue longue lettre de toi. Dis-moi ce que tu fais de ton temps. Es-tu allé chez Morgan ou Eaton? Je t'embrasse

Maman

On aurait envie de boire à moins. Cette femme, cette mère, écrit à son fils de trente-six ans et distille la culpabilité avec la même dextérité que les évêques faisaient jaillir la fumée de leurs encensoirs. La tendresse se love au milieu du reproche et la froideur étrangle tous les élans du cœur. L'amour inconditionnel est à portée de cœur à condition que tu composes, que tu donnes des concerts, que tu me redonnes notre passé. Je suis à reconquérir par le travail, la musique et la carrière. L'alcool te tue et me tue et si tu veux que je vive et que je t'aime... «Car c'est encore nous qui t'aimons le mieux» (il faut quand même se rappeler qu'André est marié depuis bientôt six ans), fais ce que je dis, fais ce que dois! Après avoir reçu une telle lettre, n'importe quelle taverne ferait l'affaire.

Mais la nouvelle la plus importante de cette lettre, noyée sous ce déluge de tyrannie, nous fait oublier qu'André est «sobre» depuis plusieurs semaines. Depuis près d'un quart de siècle qu'André s'adonne à la boisson, son état physique et sa santé ont été hypothéqués et une visite à l'hôpital pour des analyses ou des cultures ou encore pour cette «pyelo-endoveneuse» du 22 février 1966 ne sont que les pointes de l'iceberg qui nous indiquent qu'André achève de vider sa coquille de sa substance et devient de plus en plus une épave. En fait, la lettre de Mimi est une des ultimes tentatives dont il nous reste trace de toutes ces tentatives d'André pour s'arracher à ses démons. Nous avons retrouvé un relevé de comptes de l'Hôpital Crescent inc. au 2165 rue Crescent à Montréal. André y est entré le 2 avril 1966 et il y est resté treize jours pour en ressortir le 15 avril 1966. C'est le docteur Jean Tranquil qui est un ami de sa tante Camille qui l'a admis. L'infirmière auxiliaire Anna Landry, qui a travaillé à l'hôpital Crescent de 1965 à 1970, se souvient que l'établissement disposait de vingt-sept lits et que la spécialité de la maison était le traitement de l'alcoolisme. Un séjour de cinq jours coûtait 500 $. Ce genre de clinique garantissait une remise sur pied, une discrétion feutrée et un anonymat qui protégeait la réputation de ses patients. La première journée était consacrée au sommeil et le patient recevait un soluté vitaminique pour éviter de se déshydrater. Le traitement comprenait également des injections de thiamine.[457] Sans être miraculeux, le séjour permettait au moins aux patients de se ressaisir. Pendant tout son séjour André a partagé une chambre semi-privée, numéro 48. Sans doute André a-t-il eu une entente financière abordable grâce à la « grande Camille », car tout au long de ces années, ses dernières années, les agences de recouvrement vont accumuler les rappels et exiger les paiements dûs et passés dûs.

Pendant ce temps, son ami André Morin (1935-) est entré à Radio-Canada où il fait tous les métiers pour apprendre celui qui sera le sien, réalisateur à la télévision. Il compte parmi ses relations un allié de poids, le légendaire Jean Drapeau, maire de Montréal. Drapeau, qui dans sa jeunesse a été ouvreur à la salle de l'auditorium du Plateau y a sûrement entendu André. De plus, en 1942, il avait été un des directeurs de la Ligue pour la Défense du Canada et il s'est présenté sous la bannière du Bloc populaire canadien dans Outremont contre le général Laflèche, alors ministre de la Défense nationale. André ayant été le président-fondateur de la section junior du Bloc populaire canadien, Jean Drapeau porte le souvenir d'André Mathieu dans son cœur. Lorsqu'André Morin lui propose un grand concert radiodiffusé et télédiffusé simultanément sur les réseaux français et anglais de Radio-Canada et, première historique, conjointement avec Télé-Métropole pour lancer les célébrations du 325e anniversaire de la fondation de Montréal, le maire accepte sa proposition.

Quand, de surcroît, Morin lui suggère d'offrir la création mondiale d'une œuvre qu'André Morin a vu naître dans la maison familiale neuf ans auparavant, une œuvre d'André Mathieu, la *Rhapsodie Romantique*, le plus

457. Anna Landry, entretien avec l'auteur, avril 2009.

grand édile qu'ait connu Montréal lui donne le feu vert. Pour bien prouver à André que cet engagement n'est pas une promesse dans le vent et que le projet est sérieux, André Morin organise une rencontre entre Jean Drapeau et André Mathieu. Le magistrat lui témoigne toute son admiration passée et se réjouit d'avance d'entendre la création de ce qui ne peut être qu'un chef-d'œuvre. André Morin faisait mentir et contredisait son ami Mathieu qui lui avait déclaré le jour même où il jouait pour la famille réunie dans leur salon cette *Rhapsodie Romantique* : « Moi, je ne l'entendrai sûrement pas, mais toi André, tu l'entendras peut-être un jour ! » Avec la création de cette œuvre jouée par André Mathieu au piano et l'Orchestre symphonique de Montréal dirigé par Wilfrid Pelletier dans une émission diffusée partout et également proposée aux réseaux de télévision européens, Morin offrait à Mathieu la plus extraordinaire vitrine qui lui permettrait de remettre sa carrière sur les rails et de réveiller par ce coup d'éclat l'affection du public et le respect des musiciens. Mais cela ne devait pas être.

CHAPITRE X
1967

Comme le dira plus tard la chanson, « c'était l'année de l'Expo », la véritable naissance du Québec contemporain. C'est aussi l'officialisation de la transition du statut de « Canadien français » à celui de « Québécois ». C'est également l'époque où l'érosion et l'effritement de l'emprise et de l'empire clérical à bout de souffle atteignent le point de non-retour. Les séminaires et les églises se vident, et jamais autant de vocations se seront défaites et d'hommes de Dieu ne se seront repris pour s'offrir à « Satan et à ses pompes ». Le projet insensé de Jean Drapeau d'inventer et d'agrandir des îles en plein milieu du Saint-Laurent va se matérialiser et devenir le rite de passage qui va consacrer l'avènement de la modernité chez nous. Montréal va éprouver la sensation enivrante de devenir pour six mois, du 28 avril au 29 octobre, le point focal de la planète. Les millions et les millions de visiteurs qui débarquent ou atterrissent à Montréal vont polliniser la population et transformer cette vitrine en portail, qui, une fois franchi, rattache comme par une grâce baptismale les Québécois au reste du monde, pour la première fois depuis plus de deux siècles.

André Mathieu n'échappe pas à la fascination qu'exerce l'Exposition Universelle de Montréal et, pour ce voyageur qui n'arrive pas à partir et à vivre ailleurs, l'Expo nourrit sa soif d'altérité et relance sans doute ses rêves ou ravive ses souvenirs de tournée... Estampillés dans son « Passeport pour la Terre des hommes », on retrouve les destinations que Mathieu a visitées : l'Autriche, l'URSS, l'Inde, la République de Chine, plusieurs fois, la Corée, la Tchécoslovaquie, l'Allemagne, la Suisse, le Mexique, la France, la Belgique. Sa femme Marie-Ange se souvient d'être allée au Musée avec lui et d'avoir fait la file d'attente qui était inévitablement le prix à payer pour l'accès aux pavillons.

Montréal célèbre aussi les 325 ans de sa fondation et André Morin a été nommé superviseur des émissions des fêtes du Centenaire de la

Confédération. Il décide d'organiser un concert qui présentera un échantillonnage complet de la vie musicale au Canada, au Québec, à Montréal. Comme les historiens débattent encore du jour de fondation de Montréal – est-ce le 17 ou le 18 mai? –, Morin s'organise pour que le concert chevauche les deux journées en le faisant commencer à 23 heures le 17 pour faire le pont avec les premières heures du 18 mai. Pour bien souligner l'importance de l'événement et ses liens avec l'Exposition Universelle, l'émission sera diffusée en direct, depuis le grand studio du centre international de radio télédiffusion, comme à la grande époque de *L'Heure du Concert.* Une seconde équipe s'arrimera à la diffusion en intégrant des images d'une autre cérémonie qui se déroule simultanément sur la Place d'Armes. *La Nuit de Montréal* est aussi un partenariat entre les réseaux français et anglais de Radio-Canada et le réseau de télévision Télé-Métropole. De plus, l'émission est offerte à tous les pays qui voudront bien la diffuser. Cette grosse machine s'ébranle finalement à 23 heures 35 par un film sur Montréal pour lequel François Morel a composé une musique originale, *Trajectoire.* Après une allocution du Gouverneur général du Canada, Roland Michener, l'Orchestre Symphonique de Montréal dirigé par Wilfrid Pelletier présente *Antiphonie*, une autre œuvre de François Morel, « un hommage au père Vimont que tous les écoliers du Québec connaissent pour être l'ancêtre du concepteur d'Hydro-Québec car, pour célébrer la première messe à Ville-Marie, à défaut de cierges, il enferma des lucioles dans une jarre qu'il plaça sur l'autel… »[458] Parmi les solistes invités, on retrouve les noms de Richard Verreau, Maureen Forrester, Napoléon Bisson, Sylvia Saurette, Claire Gagnier, Pierre Duval, Réjanne Cardinal, Gaston Germain; pour représenter le jazz, Lee Gagnon, Pierre Leduc, et, pour signer l'événement, Gilles Vigneault va chanter *Mon Pays*, et les chefs Wilfrid Pelletier et Paul de Margerie se partagent la direction de l'Orchestre Symphonique de Montréal et du chœur de cent cinquante voix préparé par Marcel Laurencelle. Au programme, un duo de *La Bohème*, un trio de *Faust*, le quatuor de *Rigoletto* et le sextuor de *Lucia de Lammermoor*… On trouve également au programme une autre œuvre symphonique, *L'Escaouette*, de Roger Matton, pour quatre solistes, chœur mixte et orchestre. Cette « salade russe » prend des allures de concert-marathon, c'est un concert-fleuve. Il y aurait suffisamment de musique

458. Jean V. Dufresne, *Le Devoir*, le 17 mai 1967.

pour plusieurs soirées. Si on ajoute les allocutions du Premier ministre du Québec, Daniel Johnson, du maire de Montréal, Jean Drapeau, et du Premier ministre du Canada, Lester B. Pearson, relayée en direct d'Ottawa, il pourrait sembler que la fondation de Montréal a été bien honorée. Il faut aussi incorporer à ce concert monté comme le mécanisme d'une horlogerie suisse, la retransmission, à minuit, huit minutes, d'images en direct de la Place d'Armes ou la Compagnie franche de la Marine va tirer une salve et le baryton-basse Marcel Tessier entonner le *Ô Canada*.

C'est dans le contexte de cette émission officielle dont le déroulement en direct est exposé à toutes les catastrophes et dont le succès tient du miracle, qu'André Morin a eu l'idée d'inscrire au programme la création de cette *Rhapsodie Romantique* qu'il est parvenu à arracher à Mathieu neuf ans auparavant. Morin a téléphoné à Madame Mathieu mère pour lui demander d'organiser une rencontre chez elle avec André au 4375 rue Saint-Hubert. Morin s'amène et annonce alors à Mimi et à André que le maire de Montréal, Jean Drapeau, a été enchanté à l'idée de présenter une création d'un homme et d'un compositeur qu'il admire depuis toujours. On imagine la joie que cette nouvelle provoque : « Tu vois, maman, nous avions raison de croire »[459].

André Morin pique l'orgueil de Mathieu en lui soumettant une liste de pianistes possibles pour assumer la création de la nouvelle œuvre. André lui assure être capable de la jouer, mais il est évident qu'il doit se remettre en condition. Il faut aussi orchestrer la partition entière, André ayant réalisé une partition pour deux pianos. Les trois célèbrent l'événement en prenant un verre de vin et Morin repart avec le manuscrit pour le confier à Ovide Averman chargé de réaliser en un temps record l'orchestration complète. Page après page, un copiste devra rédiger les parties pour chaque instrument. D'après les souvenirs de sœur Eugénie de Jésus recueillis à la demande des frères Morin par Rose Legault en avril 1976, sœur Eugénie reçoit, quelques jours après la rencontre, un appel téléphonique du maire Jean Drapeau. Il lui demande de prendre André Mathieu en charge, de l'héberger, de le protéger, bref, il lui demande de réaliser le tour de force de rendre André Mathieu à lui-même et de réussir là où tous les autres ont échoué depuis toujours.

459. André Morin, entretien avec l'auteur, le 15 avril 2009.

André arrive à l'École de musique Vincent d'Indy et sœur Eugénie le conduit à sa « suite » : un petit vivoir composé d'une chambre et une salle de bains. Il est clair que pour remettre la machine en état il faut désintoxiquer André en évitant de le sevrer trop rapidement, ce qui pourrait être dangereux. Au début, il est pris de frissons, il est tout en sueurs, et une infirmière-religieuse suggère de faciliter son retour à la terre avec du... cognac. Mais, au bout d'une semaine, André décide de ne plus boire du tout. C'est à ce moment que Mimi vient lui rendre visite et restera dormir dans une suite adjacente... Il travaille son piano et pratique très sérieusement pendant une dizaine de jours. André est très conscient de l'importance de l'événement : jouer devant des dizaines de milliers de téléspectateurs, quelle rentrée ! quel retour ! quelle revanche ! quel pied de nez à ses détracteurs ! Mais Morin, qui vient régulièrement encourager l'artiste qu'il admire, est convoqué au bureau du maire pour une rencontre avec Wilfrid Pelletier. Tous les artistes de ce concert, solistes, choristes, musiciens, chefs, participent gracieusement à l'événement. Pour créer une œuvre nouvelle il faudrait ajouter un « service », des heures supplémentaires de répétition à un horaire déjà bien rempli. Le vieux chef regrette, mais il ne sera pas possible de monter la *Rhapsodie Romantique* en si peu de temps, d'autant plus que l'orchestration n'est pas encore terminée et que dans les dix-huit pages qu'il a pu consulter à ce jour, il y a beaucoup d'erreurs. La mort dans l'âme, Morin se rend à Vincent-d'Indy et annonce la nouvelle à André. En dix minutes, le beau rêve a volé en éclats. À l'invitation de sœur Eugénie, André restera encore quelques jours et reprendra ensuite, ses habitudes. Il aura séjourné dans sa petite suite un peu moins de trois semaines.

On a voulu charger Wilfrid Pelletier de tous les péchés d'Israël : il se serait vengé, il aurait consciemment détruit la dernière chance d'André, « Wilfrid Pelletier a été dégoûtant, vous savez » dira Mimi des années plus tard. Depuis trente-deux ans qu'il connaît cet enfant, cet homme, qui a rêvé pour lui un destin qui ne lui aurait certainement pas convenu, qui l'a soutenu en mettant à la disposition des Mathieu son important réseau à New York, aurait renoncé à inclure une nouvelle œuvre d'André Mathieu ? L'image ternie par les pianothons et la réputation sulfureuse qui entoure André ont sans doute eu leur part dans sa décision, mais aussi, comme chef, il est confronté à une partition qui n'est pas achevée. Tous ces facteurs ont amené le septuagénaire à rendre les armes et à baisser les bras (ou plutôt à ne pas les lever). Il était sans doute impossible de monter l'œuvre en si peu de temps et, selon sœur Eugénie, qui a des yeux et des oreilles dans tout le milieu musical de Montréal, Wilfrid Pelletier aurait voulu entendre l'œuvre de Mathieu. Cette religieuse, charitable par vocation, affirme sans rubans qu'André Mathieu, à ce stade de sa vie, n'aurait jamais pu se reprendre en main : « Il était brûlé par l'alcool, il n'avait ni la discipline ni la volonté de relancer sa carrière ! »[460]

Évidemment, c'est un coup dur, un coup terrible, mais André avait très bien préparé son échec lui-même. Et André Morin ne le reverra plus après cette ultime tentative de sauvetage. Une semaine avant le concert, beau joueur, André envoie tout de même un petit mot à sa bienfaitrice : « Pour vous, sœur Eugénie, cet hommage de ma reconnaissance et de ma sincère amitié. André Mathieu, Montréal, ce 10 mai 1967. »

Bien que le projet n'ait pas été ébruité, qu'aucun journal ou média n'en ait fait état, André est invité à une des émissions de télévision les plus populaires à l'époque : *Réal Giguère Illimité*, à Télémétropole. Il reçoit un cachet de 107,85 $ alors qu'un quart de siècle plus tôt, Rodolphe demandait et obtenait 1000 $ pour un concert ! Sa mère, comme chaque été depuis la mort de son mari, passe la saison estivale en Europe auprès de sa fille et de ses petits-enfants, Catherine, Christian, Éric, Marianne et Isabelle et, comme chaque été, André s'est installé chez elle, au calme, avec piano, télévision et alcool. Il est ainsi lui aussi en vacances et il lui écrit :

> *Montréal, ce 10 juillet 1967*
>
> *Chère « Petite Mère »,*
>
> *Ta lettre m'a donné beaucoup de joie. Il est vrai que j'aurais dû y répondre plus tôt. Je m'en excuse. J'espère que toi et ma « tante Manille »*[461] *trouvez votre séjour enchanteur en cette belle Bretagne que je ne connais que par des photos ! Ici, à Montréal, tout va bien. Mon émission a été un « Hit » pour employer l'expression de Réal Giguère. Je jouerai au Pavillon de la Grèce dans le courant du mois. L'Expo est un triomphe. Nous avons à date reçu plus de 20 millions de visiteurs ! Et cela en l'espace de 2 mois. Il faut en déduire que le*

---

460. Sœur Eugénie de Jésus, entretien avec Rose Legault, printemps 1976.
461. Tante Manille, c'est la grande Camille dont André, enfant, avait déformé le prénom, la sœur de Mimi, la tante et la marraine d'André.

Canada est un pays qui prend enfin la place qui lui revient dans le Monde.

Ma chère maman, je te laisse maintenant en t'embrassant de tout mon cœur, ce cœur que tu m'as donné ! Ton fils qui t'aime, André.

P.S. Embrasse bien fort Camillette, les enfants, et une grosse bise à Marianne. Bons baisers à ma « tante Manille » André.

Neuf jours plus tard, André envoie ses souhaits à sa mère à l'occasion de son 60e anniversaire, qu'elle n'admettra jamais avoir !

Montréal, ce 19 juillet 1967

Joyeux Anniversaire « Petite Mère » ! Et je t'en souhaite plusieurs autres. J'aurais bien aimé être parmi vous tous pour célébrer ce beau jour, espérons que ce sera possible l'année prochaine. Chère maman, je ne sais vraiment pas ce que j'aurais fait si tu ne m'avais pas permis d'aller chez toi. Je t'en suis très reconnaissant. Encore une fois, Joyeux Anniversaire.

Je t'embrasse, ton fils qui t'aime

André

Il est surprenant de ne pas disposer de lettre où André aurait commenté et confié ses réactions à sa mère au discours du Général de Gaulle du haut du balcon de l'Hôtel de Ville de Montréal le 24 juillet 1967. Son « Vive le Québec Libre » avait fait le tour du monde. Peut-être Mimi a-t-elle supprimé les lettres jugées compromettantes. Néanmoins, André, en 1967, est membre d'une association dont la carte présente le dessin d'un homme enchaîné : « Le Comité d'Aide aux Patriotes Prisonniers ». Monsieur André Mathieu est membre du C.A.P.P. de l'État du Québec, Case Postale 334 – Place d'Armes, Montréal 1. André devient aussi membre de l'Association de l'Union Nationale du comté de Montréal-Mercier. André considérait avoir contracté une dette à vie, puisque Duplessis et l'Union Nationale avaient changé la sienne.

Avec l'arrivée de l'été, André dérive doucement ; il peut se « rafraîchir » sans essuyer de remontrances, ni maternelles, ni conjugales. Durant l'été 67, dans l'édition de la semaine du 16 au 23 août, l'hebdomadaire *Photo Journal* publie un article consacré à son père, Rodolphe Mathieu. C'est son ami de longue date, le grand journaliste Arthur Prévost, qui évoque le souvenir de son vieux compagnon. On voit une photo de Rodolphe, en habit et cravate, qui regarde le portrait qu'Adrien Hébert a fait de lui.[462] Ces quelques soubresauts médiatiques sont comme les signes avant-coureurs d'une renaissance tant attendue, tant espérée, même si à ce moment de sa vie, Mathieu a parfaitement réglé la mécanique de sa lente et inexorable autodestruction.

En 1962, Mimi a accueilli à son école l'*Oiseau Bleu* un jeune orphelin du nom de Jacques Prénovost, qui restera auprès d'elle pendant les sept prochaines années. Quand il arrive chez Mimi, il a cinq ans, et c'est avec ce regard d'enfant qu'il enregistrera pêle-mêle les va-et-vient, les échanges, la vie de cette famille. L'éclairage qu'il jette sur les dernières années d'André est unique, c'est un regard de l'intérieur de la famille.

> Les Mathieu, c'étaient des bohèmes, c'étaient des originaux! Madame Mathieu était colérique, elle explosait, elle faisait des scènes... André Mathieu n'était pas un homme heureux, c'était un homme troublé, il a refusé la vie. Il était impuissant. Le côté sexuel de la vie ne l'intéressait pas. On est asexué quand on est alcoolique. Derrière ses lunettes fumées, il avait les cils brûlés, le visage bouffi, avec des plaies qui saignaient. Sa seule préoccupation, c'était de boire. Rendu à ce point-là, ça prend toute la vie. Personne ne peut vous rejoindre. Ça crée une souffrance intellectuelle et en même temps, dans cet état éthylique, tu te suffis, tu n'as plus rien à prouver à personne. André avait décroché... Quand il avait bu, ça faisait peur. Mais quand il improvisait...[463]

Si la seule préoccupation d'un alcoolique est de boire, André a établi ses deux réseaux de survie. D'une part, les tavernes et les bars (ceux dont l'accès ne lui est pas interdit), Le Café Caprice rue St-Denis, Chez Marcil coin Saint-Hubert et Duluth, Chez Boudrias coin Saint-Hubert et Rachel, le Press Club, le Café Saint-Jacques coin Saint-Denis Sainte-Catherine, j'en passe et des meilleurs, sans oublier le Café Lincoln sur St-Denis près de Mont-Royal, où les frères Lépine l'ont toujours bien accueilli. Les témoignages innombrables, tous plus déprimants les uns que les autres, nous ne croyons pas nécessaire de les détailler ni de les énumérer. Ils incluent des scènes d'hallucinations visuelles et auditives pouvant déboucher sur la violence. Son circuit est suffisamment garni et varié pour qu'il

462. Le portrait de Rodolphe Mathieu peint par Adrien Hébert fait maintenant partie de la collection du Musée national du Canada à Ottawa.

463. Jacques Prénovost, entretien avec l'auteur, le 9 juin 2008.

puisse se présenter au maximum trois fois par mois dans chacun de ces endroits. Cette tactique lui évite d'épuiser son capital de sympathie et de tolérance.Il maintient ainsi l'emprise de son charme et de son esprit auprès des patrons et des clients sur lesquels l'ombre de sa célébrité continue d'exercer son pouvoir. De plus, s'il y a un piano, ses improvisations achètent une tournée et rassemblent tous les cœurs. Si les lieux publics de consommation lui l'offrent une inépuisable réserve d'alcool, parallèlement, Mathieu a assemblé une collection d'amis qu'il doit percevoir comme autant de robinets humains, toujours prêts à céder, à leur cœur défendant, à ses demandes d'argent ou d'alcool. À cette époque, il lui faut 10 $ par jour, un 40 onces d'alcool coûtant 8,50 $ et le reste couvrant ses cigarettes. À ce moment de sa vie, qui aurait pu croire, qui pouvait encore imaginer une « renaissance » pour André Mathieu ? Et pourtant, les sept derniers mois de sa brève existence le verront apparaître quatre fois au petit écran, donner des interviews à la radio de Radio-Canada ou à des journalistes de la presse écrite.

JEUNESSE OBLIGE

À la fin des années 60, la télévision de Radio-Canada met à l'antenne une émission quotidienne dont le marché cible est l'adolescence dans toute sa splendeur, *Jeunesse Oblige*. Les sujets abordés sont l'actualité, la musique yé-yé et, miracle, l'émission du mardi est consacrée à la musique classique. Encore plus stupéfiant, le réalisateur Jacques Faure, aidé d'Edgar Fruitier à la recherche, choisissent de présenter les compositeurs d'ici, tant passés que présents. L'émission couvrira un large spectre de sujets allant de la musique religieuse des débuts de la colonie et du folklore originaire de France à l'avènement de compositeurs d'ici : Joseph Quesnel, Joseph Vézina, Ernest Gagnon, Calixa Lavallée, Alexis Contant et, parmi les créateurs plus près de nous, Alfred LaLiberté, Rodolphe Mathieu, Claude Champagne, ou les contemporains, Jacques Hétu, Clermont Pépin, Pierre Mercure, Jean Papineau Couture, Roger Matton, André Prévost, etc. Jacques Faure propose André Mathieu et, après avoir vaincu quelques réserves chez ses collaborateurs, le tournage s'organise pour le samedi 4 novembre, chez sa mère, rue Saint-Hubert.

L'équipe technique s'amène avec le réalisateur et la scripte de l'émission, Jeanne Moquin. La réputation qui suit et précède André Mathieu est arrivée aux oreilles des membres du tournage qui, le voyant arriver, bien habillé, bien coiffé et tout à fait cohérent, sont plutôt surpris. Bien sûr qu'il a l'air « magané »[464], mais il dégage une force et une assurance qui étonnent tout le monde. Jeanne Moquin aura ce mot : « On veut avoir des génies mais qui ressemblent à des enfants de chœur ! »[465] C'est le réalisateur lui-même qui mène l'interview. André, tout au long de l'entretien, garde ses verres fumés. Jambes croisées, il est assis sur un divan style « provincial français », adossé à des rideaux transparents, le piano droit offert par la maison Willis occupe la droite de l'écran.

André raconte le refus de son père de lui enseigner la musique, puis sa reddition face à l'évidence. Ensuite, le rapport avec le père est évoqué de façon non équivoque. Viennent après le retour de Paris et le départ pour New York… Bien sûr, la voix est éraillée, mais le visage, bien que bouffi, reste magnifique. Il fume tout au long de l'interview et on aperçoit ses boutons de manchettes mis élégamment en évidence. André enchaîne sur l'enseignement et sur les compositeurs – ses grands compositeurs, et il commence par :

A. M. — Bach, au XVIIIe siècle, je n'en vois pas d'autres, Mozart, c'est de la musique de dentelle, très agréable, mais si on danse sur la musique de Mozart, sur la musique de Bach, on réfléchit, c'est toute la différence. Évidemment, il y a Beethoven, il y a Schumann, puis il y a Wagner, le géant qui est arrivé ensuite. Il y a tous les Russes, Rimski-Korsakoff, Moussorgsky, chez les Occidentaux, de notre côté, Debussy, Ravel. Je parle des plus grands, je nomme les plus grands. Ce sont ces gens qui ont fait la musique d'aujourd'hui… La musique sérielle, ce n'est pas sérieux. C'est une forme d'écriture qui ne me plaît pas du tout et d'ailleurs ils ne font pas de la musique sérielle, ils font de la musique en série. La musique électronique, je ne considère pas que c'est de la musique, je considère que ce sont des bruits. Très bon pour les « suspenses » à la télévision ou dans les films, au cinéma, très bien. Mais, mon Dieu, qu'on n'appelle pas ça de la musique, cette musique par équation.[466]

---

464. Maganer : v.tr. maltraiter, malmener, fatiguer, affaiblir. Léandre Bergeron, *Dictionnaire de la langue québécoise*, VLB Éditeur, 1981, p. 302.

465. Jeanne Moquin, André Mathieu, musicien, documentaire de Jean-Claude Labrecque, 1993, interview de Francine Laurendeau.

466. André Mathieu, émission *Jeunesse Oblige*, le 21 novembre 1967, Société Radio-Canada.

Avec la chaleur que dégagent les projecteurs braqués sur lui, André transpire de plus en plus et quand il s'installe au piano, le génie pianistique est intact, mais la technique et la concentration ne sont plus vraiment au rendez-vous. Il se dégage de lui un tel écœurement et un désenchantement si profond, que son mal de vivre est palpable et se rend jusqu'à nous. Les mains sont immenses et balaient encore le clavier magistralement. Il ne reste plus que des ruines, c'est vrai, mais elles sont splendides.

Douze jours plus tard, le jeudi 16 novembre, André est invité à se rendre au studio 45 à Ville Saint-Laurent. Il y a là un grand piano à queue sur lequel André va jouer ses œuvres pour compléter l'émission. De 14 heures 30 à 18 heures, André Mathieu va faire défiler tout son répertoire ; il passe d'une œuvre à l'autre, il improvise, il ajoute des variations, en fait, il livre un mini-pianothon à la caméra. L'animateur de l'émission, Michel Dussault, pianiste lui-même, se souvient avoir remarqué qu'André ne se rendait pas toujours à la fin de chacune des pièces. Mais malgré tout, il y a suffisamment de matériel enregistré pour l'émission, dont la diffusion est prévue pour le mardi 21 novembre, à 18 heures. La réaction du public est si forte que Radio-Canada décide de rediffuser l'émission dans le temps des Fêtes. De plus, Jacques Faure propose à André d'enregistrer un récital de ses propres compositions dans le cadre de l'émission *Jeunesse Oblige.* C'est une situation exceptionnelle et une chance extraordinaire qui s'offrent à André. Il se doit d'être à son meilleur.

L'enregistrement du « récital » est prévu pour le mardi 19 décembre. Un état de compte de l'hôpital Crescent, spécialisé, on l'a vu, en désintoxication ou du moins en remise en condition rapide, nous apprend qu'André est arrivé à l'hôpital à 22 heures le soir du jeudi14 décembre et qu'il a eu son congé autorisé par le Dr Gagnon le lundi 19 décembre à 14 heures, la veille de l'enregistrement. Sur son contrat, la session de travail est partagée en deux périodes, la première de 15 à 17 heures, suivie d'une pause et une dernière heure de 18 heures 30 à 19 heures 30. Il y a suffisamment de « matériel » pour réaliser deux émissions. Quatre jours de désintoxication accélérée pour être en état de livrer la marchandise ! Ces cures cosmétiques qui ne font que maquiller le problème sont l'illustration d'un état de dilapidation spirituelle et de fonctionnement physique limite, annonciateur d'une fin prochaine.

Une des retombées importantes de ces enregistrements pour l'émission *Jeunesse Oblige* est la rencontre qu'il fait à ce moment-là avec la scripte de la série classique, Jeanne Moquin. Spontanément, après l'enregistrement à Ville Saint-Laurent, Jeanne l'a félicité en l'embrassant sur les deux joues. André, en bon prédateur, a bien senti la tendresse et la vulnérabilité de Jeanne. Il lui téléphone et lui propose de dîner ensemble. Nerveuse, mal à l'aise, ne sachant quelle attitude prendre avec cet homme blessé, brisé, mais encore si fort, elle repousse jusqu'après les fêtes son invitation et, finalement, le mardi 2 janvier elle passe le prendre chez sa mère, un peu surprise de la reconnaître et de la revoir chez elle. Ils vont manger au Mont-Royal B.B.Q., un restaurant à la mode. L'hôtesse les installe à l'étage, à une petite table pour deux. Commence une relation qui ne se terminera qu'avec la mort d'André Mathieu, exactement cinq mois jour pour jour après leur première sortie. Le vin blanc délie les langues et ouvre les cœurs…

Cependant, quelques jours auparavant, l'avant-veille de Noël pour être exact, Mimi a rassemblé chez elle quelques amis pour un dîner du temps des fêtes. Elle a invité, entre autres, une femme journaliste qu'elle connaît depuis toujours, Cécile LeBel (1907-2002), femme du peintre Maurice LeBel (1898-1963). Mimi et elle sont exactement contemporaines. Mimi a placé André à côté de Cécile qui a assisté à son premier récital au Ritz Carlton, le 25 février 1935. Il avait six ans, et elle, vingt-sept. Après le dîner, comme de bien entendu, tout un chacun s'attend à ce que le fils de la maison se mette au piano. Il obtempère et pour « faire contraste avec le froid sibérien qui perdure », dit-il, il joue *Printemps Canadien.* Cécile raconte : « En fin de soirée, il me demande : « Est-ce que je peux venir te voir ? » Quelques jours plus tard, la conversation se poursuit dans mon appartement. « Comme c'est tranquille, on entend que nos paroles. C'est merveilleux ; est-ce que je peux revenir ? »[467] Et c'est ainsi que le 1er janvier 1968 Cécile écrit dans son journal :

> [L]undi : – l'année commence bizarrement en compagnie d'André Mathieu tandis que sur disque se joue le deuxième concerto de Rachmaninoff. André dit m'aimer. C'est sympathique. Il est attachant, sensible, un peu sur le versant d'une névrose morbide.

467. Cécile LeBel, note rédigée en vue d'un essai biographique sur André Mathieu, inédit, collection privée.

> Dommage, un si grand talent. Je garde ma tête à l'encontre de mon cœur. Enfant adulé trop jeune. Une âme d'adolescent dans un corps d'adulte. Le malheur pour moi est que je le crois quand il dit m'aimer. Est-il fidèle dans ses amours, ses amitiés ? Je le connais si peu sous cet angle.
>
> Je dois aller dîner chez Camille et Yvette, ce qui met un terme à ce tête-à-tête avec André. C'est mieux ainsi. Il y a chez lui un penchant trop marqué pour la dive bouteille. Bacchus me laisse un grand point d'interrogation… Retour à la maison, déçue d'avoir quitté André. Il m'a offert une carte d'invitation pour son prochain récital.[468]

Cécile LeBel, en bonne journaliste et femme de lettres qu'elle est, a jeté dans un minuscule journal, pour chaque journée de cette année 1968, ses rendez-vous professionnels et privés et ses états d'âme. Document capital pour accompagner André Mathieu dans les derniers mois de sa vie, chaque rencontre est consignée et commentée. On peut donc suivre au jour le jour les humeurs, les caprices, les joies, les désespoirs, les excès, les moments de bonheur, les trahisons, les mensonges, les triomphes et faire la chronique quotidienne de la fin de cette comète.

« Mardi – 2 janvier – journée calme. Téléphone d'André M. je résiste à son désir de venir me voir. La dive bouteille s'interpose toujours. Dommage… »[469] Comme il ne peut voir Cécile ce jour-là, il téléphone à Jeanne Moquin, nous l'avons vu. En fait, il apparaît clairement que non seulement André a consolidé son réseau de tavernes et de bars, mais que Jeanne Moquin et Cécile LeBel sont les derniers fleurons d'un circuit savamment élaboré et qui compte déjà les conquêtes de longue date, Mimi sa mère, Camille sa tante, Rose L'Allier, la première alliée hors du gynécée familial, Marie-Ange sa femme et enfin, sans doute pour donner un répit aux autres, Jeanne et Cécile. Habitant toutes deux à quelques rues de distance, elles lui permettent toutes les permutations possibles. Il peut alterner de l'une à l'autre, d'un jour à l'autre, d'une heure à l'autre dans la même journée et jouer de l'amour et de l'affection des deux femmes comme d'un piano. André Mathieu a transporté sa virtuosité ailleurs.

---

468. Cécile LeBel, journal inédit, collection privée.
469. À partir d'ici, à moins d'indication contraire, toutes les citations sont tirées du « petit journal » de Cécile LeBel.

Le samedi 6 janvier, il rend visite à Cécile. Le dimanche 7, c'est au tour de Mimi de rendre visite à Cécile. André lui téléphone et veut venir la voir. Il la rappelle le lendemain et le surlendemain. Le mercredi 10 janvier, il réussit à la convaincre et vient passer la soirée chez elle. Ils ont une longue conversation. Le vendredi 12 :

> André Mathieu me rend visite de 9:00 p.m. à 2:00 a.m. André est heureux de sa première répétition Salle Claude Champagne. N'ai pu y assister. Lui ai donné livre Calixa Lavallée. Invitation de Jules Gagnon pour dimanche ! lui propose d'être accompagnée d'André. Jules G. refuse.

Finalement, le dimanche 14 janvier André peut proclamer : « Veni, Vedi, Vici. » : « André avec moi. Je l'aime ». Le 15, il lui rend visite, le mercredi 17 : « André passe journée avec moi ». Quelques jours s'écoulent mais André lui téléphone le lundi 22 : « Heureux de ses répétitions. Balounes [sic] ! »

En janvier 1968, il y a presque treize ans qu'André Mathieu n'a pas joué en concert. Ces répétitions dont parle Cécile préparent sa rentrée sur la scène même où il a fait ses débuts trente-trois ans auparavant, le Salon Ovale de l'hôtel Ritz Carlton. Gérard Gamache (1903-1995), fondateur-directeur du Club musical et littéraire de Montréal, qui a déjà invité André Mathieu seize ans auparavant, lui tend à nouveau la main et l'invite comme soliste de sa conférence concert du 25 janvier 1968. La partie conférence est assurée par Monsieur René de Chantal, doyen de la faculté des lettres de l'Université de Montréal qui propose comme sujet : « L'Amour chez Marcel Proust »[470]. En deuxième partie, pour le volet concert, André a mis au programme *Les Mouettes*, *La Laurencienne* [sic], et une réduction pour piano solo de la *Rhapsodie Romantique*. Pour clore le programme, André présente son *Trio* que Montréal aura ainsi entendu quatre fois, 1950, 1952, 1955 et ce 25 janvier 1968. Conseillé par sœur Eugénie de Jésus, une étudiante de Vincent-d'Indy, la violoniste Danielle Madge Dubé et une étudiante de l'Université McGill, la violoncelliste Arminè Alexanian, se joignent à lui. Jeanne Moquin, qui s'est rendue la

---

470. André Mathieu se moquait avec malice et assez lourdement des homosexuels. Jacques Languirand se rappelle des imitations dont Mathieu stigmatisait les maniérismes et les zézaiements, au point d'en devenir lassant. On imagine le spectacle en coulisse pendant la conférence…
(Jacques Languirand, entretien avec l'auteur, le 31 juillet 2009.)

veille au Ritz Carlton avec André pour essayer le piano, assiste au concert, ainsi que Cécile, Marie-Ange, Camille, Mimi, etc. À la fin de la soirée, la Marquise de Ruzé-d'Effiat donne une réception à la Salle Redpath. Cécile note dans son journal : « 25 janvier : concert émouvant – grand succès pour André – Heureuse pour lui. » Aucun critique ne s'est déplacé et il n'y a aucune trace de l'évènement dans les journaux les jours suivants.

Cependant, le mercredi 31 janvier, dans le cadre de l'émission radiophonique *Présent*, la grande Andréanne Lafond interviewe André et va débusquer des émotions que nous n'avions jamais entendues ailleurs. C'est la dernière interview radiophonique qui nous soit parvenue d'André Mathieu.

Andréanne Lafond : Comment s'est passée votre enfance ?

André Mathieu : Ça a été l'enfance d'un enfant qui était marqué par le destin. Je n'ai pas connu l'enfance. Je ne peux pas dire... Comme les petits garçons qui jouaient. J'ai eu quelques périodes. Mais pour dire que j'ai connu l'enfance, je ne l'ai pas connue...

Andréanne Lafond lui demande ensuite combien d'heures par jour il travaille et de raconter son premier concert. Cette fois-ci, il n'a plus besoin de Mimi pour se rajeunir, il le fait lui-même en s'exclamant :

A. M. — À quatre ans, au Ritz Carlton.

A. L. — Est-ce que ce sont vos parents qui ont décidé de vous lancer dans une vie publique ?

A. M. — Non ! Parce que mon père disait toujours... C'est ma mère, ma mère, et moi aussi, parce que mon père disait toujours : « Il y a assez d'un musicien dans la famille » [...].

Puis il reprend l'anecdote de *Dans la Nuit* et Andréanne Lafond enchaîne :

A. L. — Mais... Quelle est la réaction d'un enfant quand des adultes lui disent que c'est un petit génie... quelle a été votre réaction ?

A. M. — Je n'aime pas l'expression « petit génie »...

A. L. — Grand génie !

A. M. — J'aime mieux… [Rires] Je ne suis pas prétentieux, mais je sais exactement ce que je vaux, pas plus, mais pas moins… Pour moi c'était surtout le plaisir de jouer du piano… Du moment que je commence à jouer, je ne sais plus qu'il y a du public… Là, c'est fini, je suis tout seul avec ma musique, avec mon art. Et c'est ça qui compte. J'ai trente-cinq ans…[471] Je m'aperçois que je n'en ai plus quinze ni vingt… Et ça m'a manqué, ça m'a manqué de jouer avec les autres… Mais j'ai eu un si bon père, qui était tellement compréhensif… je l'ai déjà dit ici, à la télévision de Radio-Canada, quand j'ai perdu mon père, je lui ai fermé les yeux, j'ai perdu mon meilleur ami. Ça, je tiens à vous le dire.

A. L. — L'adolescent, comment a-t-il pris la célébrité ?

A. M. — Je l'ai accueillie comme on accueille un invité, quelqu'un qui vous est sympathique en tout cas.

A. L. — Alors il y a eu cette éclipse, puis on vous a retrouvé dans un fameux pianothon, en 1959. Pourquoi avez-vous fait le pianothon ?

A. M. — C'était un pari. C'était une expérience que je tentais. Je n'ai pas joué une note d'un autre compositeur, je n'ai pas cessé de jouer une seconde pendant 96 heures.[472] J'ai joué simplement toutes mes compositions à cette époque et j'ai improvisé par la suite.

A. L. — Comment ça s'est passé ces 96 heures ? C'est dur !

A. M. — Comme je vous le disais tout à l'heure, Andréanne, j'ai joué ma peau, et je l'ai sauvée, heureusement.

A. L. — … 96 heures sans dormir…

A. M. — Et sans arrêter.

A. L. — Vous avez mangé quand même ?

---

471. André Mathieu a très exactement 38 ans et dans 18 jours, il en aura 39.
472. Le PIANOTHON de 1954 a duré 21 heures… et des poussières.

A. M. — Non, c'était du pablum dans du jus d'orange, je n'ai mangé rien de solide. Mais c'est tout de même une expérience extraordinaire.

A. L. — Mais André Mathieu, pour revenir à vos éclipses, certains ont dit que vous étiez malade, il y en a d'autres qui ont dit que vous vous étiez retirés dans une tour d'ivoire, il y en a d'autres qui ont dit que vous buviez trop...

Presque brutalement, André la coupe... Andréanne Lafond a touché un nerf ultra sensible...

A. M. — Je ne bois pas plus que Jacques Normand ! [473]

A. L. — Alors tout ce que les gens ont dit, ce n'était pas vrai. Simplement, vous vous étiez retiré volontairement.

A. M. — Complètement faux ! Je me suis retiré volontairement.

A. L. — Mais vous enseignez ?

A. M. — Oui, j'ai 17 élèves à l'heure actuelle.[474]

A. L. — Alors, vous avez l'impression de repartir ?

A. M. — Une deuxième carrière. À 35 ans, je pense que je suis encore assez jeune.

A. L. — Est-ce que ça vous a gêné d'être un enfant prodige. Est-ce que ça gêne l'adulte ?

A. M. — Je vais vous dire une chose, Andréanne, j'ai cessé d'être un enfant mais je n'ai pas cessé... Ha la, la, je vais me vanter... Mais je pense que les auditeurs auront compris...

A. L. — Vous voulez dire que vous n'avez pas cessé d'être un génie ?

A. M. — Génie, c'est un grand mot...

---

473. Jacques Normand (1922-1998), animateur avec Roger Baulu (1910-1997) de l'une des émissions les plus populaires des années 60 à la télévision de Radio-Canada : *Les Couche-Tard.*

474. André Mathieu accumule dans cette interview, les licences poétiques...

A. L. — On l'a dit de vous…

A. M. — Oui!… [longue pause]… C'est une longue patience…

A. L. — Vous travaillez toujours beaucoup?

A. M. — Oui, toujours.

A. L. — Vous pratiquez toujours beaucoup?

A. M. — Toujours!

A. L. — Alors le 27 février, à *Jeunesse Oblige* on va vous voir…[475]

À la lecture de cette interview, il manque une chose essentielle, la voix d'André Mathieu, graveleuse, feutrée, blessée. Cette voix, comme sa musique, vous arrache le cœur. Et on se met à comprendre toutes ces femmes qui ont voulu le protéger, le sauver, le materner et tous ces hommes qui ont fini par l'abandonner par crainte de couler avec lui dans le gouffre dont on sent bien qu'il ne sortira pas.

Un mois après leur première rencontre chez elle, le jeudi 1er février, Cécile note :

> *André vient en soirée. Musique. Reste à demeure. De bonne compagnie… et le reste. Présence devenue indispensable! «J'ai coupé les ponts avec ma femme. Je l'ai quittée pour de bon. J'ai maintenant un nouveau foyer. Je suis maintenant avec toi pour la vie» m'a dit André. Nous sommes heureux.*

Le lendemain, ils écoutent ensemble la diffusion de l'interview avec Andréanne Lafond. À partir de ce moment André va diviser ses semaines de façon simple et efficace : les jours de semaine, c'est Cécile, le week-end, c'est Jeanne, Marie-Ange assurant sa base. Cécile note le samedi 3 février : «André, sorti avec des amis.» Le lendemain : «André passe soirée avec moi. Écouter César Franck, Rachmaninoff à ses côtés. Grandes joies.»

Depuis l'aventure du 325e anniversaire de Montréal, sœur Eugénie de Jésus est devenue comme une amie et une confidente pour André. Elle met la salle Claud-Champagne à sa disposition pour les répétitions préparatoires

475. André Mathieu, émission *Présent*, le 2 février 1968, Société Radio-Canada, interview d'Andréanne Lafond.

à l'enregistrement du *Trio* comme elle l'avait fait pour le concert de 25 janvier. Le mardi 6 février, Cécile LeBel a engagé un photographe, Monsieur Castell, pour immortaliser la journée sur pellicule. Un incident met le feu aux poudres lorsqu'André réalise qu'il manque des pages à son manuscrit :

> *Le 6 février, André est furieux. Il manque une partition ou des pages au manuscrit… « Encore un truc de Minna Planer. »* [476] *C'est ainsi qu'André surnommait sa femme pour montrer ou sa méchanceté ou sa stupidité, selon le cas. Après un téléphone d'une humeur massacrante, l'épouse envoie par taxi les pages qui manquent à la partition…*[477]

Les photos que Moniseur Castell a prises ce jour-là résument à elles seules la fin de la vie d'André Mathieu. Si une image vaut mille mots ces photos sont un cri[478]. Après la répétition, sœur Eugénie invite tout le monde à dîner. Le lendemain, Cécile la remercie dans un petit mot fervent :

> *Le 7 février 1968*
>
> *Chère sœur Eugénie,*
>
> *Encore une fois merci pour ce festin du cœur et de l'esprit et aussi celui du palais auquel vous m'avez si gentiment conviée hier en compagnie de notre grand et cher André Mathieu et de ses sympathiques interprètes […].*
>
> *Je fais des vœux pour que Dieu nous conserve toujours l'auteur de ce merveilleux Trio. Son esprit créateur n'a pas fini de nous livrer tout ce qu'il possède encore de grand, de puissant. André est un géant. Il nous faut l'entourer de notre amitié, nous tenir à ses côtés comme vous l'avez dit hier. Dans sa présente montée en flèche, il a besoin de sentir autour de lui tous ceux qui ont foi en lui […]. Et ceux qui l'aiment. André est un être d'élite. Mes sentiments pour lui son profonds… Je sais que vous me comprenez.*
>
> *C'est pour lui prouver l'amitié de tous ceux qui l'entourent que je me fais une joie de recevoir en son honneur à l'occasion de son anniversaire de naissance, le dimanche 18 février, de 7:00 à 9:00 [p.m.].*

---

476. Minna Planer (1809-1866) est la première femme du compositeur Richard Wagner. Elle avait réputation d'être très belle et d'être très préoccupée par l'argent…
477. Cécile LeBel, *Souvenirs*, inédit, collection privée.
478. Voir cahier photo.

J'ai bien hâte de vous revoir ce jour-là avec sœur Jeanne et aussi ses interprètes et M. Dubé. Je vous prie d'accepter mes sentiments les plus respectueux et affectueux,

Cécile LeBel

Le soir, dans son petit journal, Cécile note qu'André passe la soirée et reste jusqu'au lendemain. Pour la première fois, elle note : « Indisposition ». Il repart le lendemain à 14 heures 30. Il lui téléphone le lendemain et le samedi 10 février, Cécile fait état d'une lettre que nous n'avons pu retrouver : « lettre – effets désastreux. Il faut du calme, détente et tendresse avant qu'il ne sombre de désespoir. Il n'est pourtant pas si difficile de comprendre. »

Enfin, le mardi 13 février, André se rend à la salle Claude-Champagne et enregistre son *Trio* avec les mêmes interprètes qu'au concert présenté au Ritz Carlton, Danielle Madge Dubé et Arminè Alexanian. Les deux étudiantes sont presque de niveau professionnel et, grâce à la présence d'André Mathieu, cet enregistrement devient un document inestimable ; l'une des œuvres majeures d'André est captée avec une qualité technique qui rend justice aux interprètes et à l'œuvre. Cécile note qu'après l'enregistrement, André est « plus calme, plus détendu, semble heureux… »

Le dimanche 18 février 1968, c'est l'anniversaire de naissance d'André. Il entre dans sa 40e année et Cécile a organisé une soirée où elle reçoit vingt-cinq invités triés sur le volet. Sœur Eugénie de Jésus, la Marquise de Ruzé-d'Effiat, le réalisateur Jacques Faure et même Jeanne Moquin sont présents. Mimi viendra elle aussi célébrer la naissance de son fils en étant « désagréable au possible ». La soirée a sans doute été un peu gâchée du fait qu'André avait passé la journée avec Jeanne Moquin, et qu'ils avaient déjà copieusement célébré son anniversaire. Dans son petit journal, Cécile, blessée, note : « soirée réussie ? André heureux, je crois. – demeure jusqu'au lendemain. » Ils se voient tous les jours, mais le vendredi 23 : « André venu après-midi – repart soirée – je le regrette. Prend grave décision – foyer conjugal. »

Le samedi 24 février, Cécile s'inquiète. Elle n'a pas encore compris que les week-ends sont consacrés à Jeanne. « Attendu en vain appel d'André – ni à midi – ni soirée. Que fait-il ? » Le dimanche 25 février en soirée, André revient : « Quelle sorte de chambreur je suis donc ? » Mais le lundi 26, l'atmosphère est à l'allégresse : « André s'installe à demeure ! » note Cécile dans son journal.

Le lendemain, c'est la télédiffusion de cet unique récital jamais enregistré dans des conditions idéales, tant sonores que visuelles. Des photos prises à toutes les époques de la vie d'André ont été agrandies et la caméra, pendant qu'il joue, se promène d'un visage à l'autre, illustrant les étapes de la vie de celui qu'on entend. Hélas, cette émission n'a pas été conservée dans les archives de Radio-Canada ; l'émission *Jeunesse Oblige* étant une émission quotidienne, on ne gardait qu'une émission par semaine et c'est celle du 29 février qui a été retenue. Le récital d'André a donc été détruit. Cécile et André sont installés devant le téléviseur. « Écoute émission avec André – émission de grande classe. Champagne. Cadeau magnifique d'André, album de disques. » C'est l'enregistrement de son *Trio* qu'André offre à son égérie. Le mercredi 28 : « André apporte garde-robe. Malade au cours de la nuit, fièvre. » « Réveil brutal pour André, malade – fiévreux – œil à soigner. André revient avec Gasse. » Les 3 et 5 mars, André et Cécile se rendent à la salle Claude-Champagne pour des concerts et des réceptions au champagne.

Mais André ne saurait vivre sans avoir un piano à se mettre sous la main. Même si André a trouvé deux nids d'amoureux, il n'y a d'instrument ni chez l'une ni chez l'autre. Depuis la fin février, Jeanne lui a confié la clé de son appartement, car il faut comprendre qu'André fait une cour assidue aux deux femmes. Cécile a été la première à tomber sous le charme, Jeanne résistera quelques semaines de plus. Alors qu'il approche de la fin de sa vie, André a maintenant réussi à créer un environnement, un univers, un harem, chaste malgré lui, parfaitement fonctionnel. Sa mère, sa tante, sa femme, Cécile, Jeanne, Rose, et sans doute plusieurs autres bienfaiteurs anonymes lui assurent affection et compréhension. Un mécanisme de vases communicants lui permet d'emprunter à l'une pour rendre à l'autre, les remboursant en honorant de sa présence ces femmes qui l'idolâtrent. En parfait musicien, dont on a tant célébré le sens du rythme, il a trouvé une cadence qui lui permet de ne presque jamais faire de fausses notes et de ne pas décourager la tendresse ou épuiser le réservoir d'amour et d'alcool qui sont son seul barrage contre la douleur de vivre.

Il faut se rappeler qu'André, compositeur, pianiste, improvisateur, n'avait plus de « chez lui » depuis 1953, l'année où sa mère a dû ouvrir son école

L'*Oiseau Bleu*, puisqu'il ne rapportait plus suffisamment d'argent à la maison. Depuis 1960 qu'il habite avec Marie-Ange, celle-ci, à partir de l'automne 1963, emboîtant le pas à sa belle-mère, ouvre également une jardinière d'enfants. Les pianos étant ainsi inaccessibles, André va chercher et enfin trouver ailleurs ce calme, ce silence, cette paix qui lui font tant défaut. Avec Cécile et Jeanne, il ne lui manquait plus que le piano.

Dans une version destinée au grand public, Cécile LeBel a résumé la séquence des événements depuis le début de ces retrouvailles :

> André… aimait cette tranquillité, ce calme de mon appartement. Il se plaignait du peu de calme qu'il avait dans son entourage immédiat. Il cherchait la solitude propice à la création musicale. Je lui offris de venir quand bon lui semblerait. Cette invitation lui plût. Il s'amena un jour avec « son baluchon » comme il aimait le dire lui-même et s'installa à demeure chez moi. Il fut convenu par la suite que mon appartement lui servirait de studio, qu'il aurait la possibilité d'avoir des élèves… Je fis part de ce projet à une amie commune, sœur Eugénie de Jésus, la directrice de la salle de concert de l'école Vincent d'Indy. Elle m'aida à trouver un piano digne de ce musicien. Sur le champ, avec André, je me suis rendue à Longüeuil et l'instrument plût à André et fut acheté rubis sur l'ongle [sic]. Le propriétaire nous apprit qu'il avait appartenu au titulaire d'un Prix d'Europe qui, hélas, n'avait jamais pu jouir de ce Grand prix de la province, s'étant noyé quelques jours avant son départ pour Paris.[479] La résonance de cet instrument construit en Angleterre avait séduit André. L'école Vincent d'Indy se chargea de mettre au point la table d'harmonie.[480]

Enfin, entrée triomphante dans le journal de cette grande amoureuse, le vendredi 15 mars : « reçu piano (Enfin) pour A. sommes heureux tous les deux. Ai téléphoné à sœur Eugénie – elle envoie un accordeur demain 11:00. » Le lendemain : « accordeur apporte le châssis d'acier du piano. André part vers ? pour fin de semaine – poli qui ment avec une franchise imperturbable – Mad. Thib. ou Moquin mais pas Gasse. Prêté deux dollars – Retour à 4:00 p.m. » Mais le lendemain, « André est de retour à 10:00 a.m. Mon cœur est triste – toute la journée – le visage contrefait

479. Il s'agit du pianiste Marcel Hébert, qui s'est noyé le 23 août 1938. Le montant de sa bourse a été partagé entre le pianiste Georges Savaria, Prix d'Europe 1937 et Noël Brunet, Prix d'Europe 1936.

480. Cécile LeBel, notes pour une biographie d'André Mathieu, inédit, collection particulière.

– penaud » Le lendemain, pour ajouter l'inquiétude au chagrin : « André – malade ? » Cécile et Jeanne commencent à découvrir ce qu'elles savent toutes, de Mimi à Marie-Ange : « Il fallait toujours le remonter… Tout le monde voulait lui faire recommencer sa carrière. Il n'avait pas la santé, il n'avait pas la discipline. Moi, je le prenais tel qu'il était… »[481]

À ce stade-ci de notre parcours, nous avons presque oublié qu'André Mathieu était, depuis le 22 octobre 1960, un homme marié, qui ne doit pas être très facile à vivre. Le moment est venu d'ajouter une troisième voix aux regards croisés de ces nouveaux cœurs qui palpitent et de citer le témoignage de sa femme. Avec la lettre qui suit, elle pose la pierre d'achoppement à cet édifice qui s'écroule. Cette lettre de Marie-Ange Mathieu, envoyée six mois après la mort d'André à sa sœur Camillette, qu'elle n'a jamais rencontrée, résume à elle seule l'amour passionné et les relations tourmentées qui l'ont unie à cet homme, pour le meilleur et pour le pire.

> *16 décembre 1968*
>
> *Chère Madame,*
>
> *Vous serez sans doute très surprise de recevoir une lettre de moi, mais il fallait au moins une fois que quelqu'un vous renseigne sur certains points qu'on a dû vous cacher.*
>
> *J'aurais préféré que cette personne en soit une autre mais je porte tout ceci à votre jugement. Quand j'ai épousé votre frère, nous sortions depuis quatre [six] ans. Je l'ai aimé tout de suite et il avait pour moi du respect et de l'amitié. On se voyait qu'une fois ou deux par semaine mais je lui téléphonais très souvent. Dès cette époque, 1956 [1954] il était affreusement malheureux. Je l'ai vu pleurer très souvent et je l'ai aidé en l'entourant d'amour, de compréhension et surtout en lui donnant des espoirs dans la vie.*
>
> *En octobre 1960, nous avons décidé de nous épouser. André paraissait heureux et moi j'étais au comble du bonheur. Les relations avec votre famille étaient excellentes. Très bientôt, je me suis aperçue que la vie avec un alcoolique était très difficile. Il ne travaillait pas à son piano, lui qui me répétait souvent « Si ma mère n'était pas obligée d'enseigner et que j'aie un endroit pour composer, j'en serais ravi ». Il l'avait maintenant et il ne travaillait pas. Comme je [ne] lui demandais que cela, j'étais déçue et je ne comprenais rien à son attitude.*

481. Marie-Ange Mathieu, entretien avec l'auteur, le 21 avril et le 25 mai 2008.

Et le temps passait. Votre père ne détruisait pas notre ménage, je l'aimais bien et il semblait me trouver gentille. André buvait sans cesse et à part quelques jours exceptionnels, nous n'étions pas heureux. Je faisais tout pour lui plaire mais il était trop malade et je ne le comprenais pas. Alors, on se chicanait et il allait passer un mois chez sa mère puis il me revenait et continuait de boire. Après six mois, un an, il retournait encore chez maman pour revenir quelque temps après, aussi malheureux. Nous avons vécu comme cela presque tout le temps. Il a été à l'hôpital pour se faire désintoxiquer six, sept fois, et ça n'a rien donné. Malgré tout, je l'aimais énormément et le lui prouvais. Lui, était fier de moi, le respect et l'amitié du début, il les éprouvait encore et même sous des apparences dures il conservait par ses principes une âme d'enfant. Il venait quelquefois dans ma famille et tout le monde l'aimait et l'entourait. André était content surtout de leur sincérité. Nous ne sortions presque jamais mais à l'occasion je rencontrais ses amis et des amies de votre mère. Tous étaient unanimes à plaindre André. On l'aimait partout où il se présentait et on déplorait avec un sanglot dans la gorge une mauvaise influence qu'il avait dû subir dès sa plus tendre enfance, destin inexorable, cruel. Tous les gens qui l'approchaient voulaient l'aider mais s'apercevaient très vite que c'était inutile. J'ai même offert 3000 $ à un médecin pour le faire soigner et il m'a répondu de garder mon argent. Il n'y avait rien à faire tant que votre mère et votre tante seraient près de lui. Et comme un enfant, il ne pouvait pas s'en détacher. Alors, je le laissais faire tout ce qu'il voulait et on se querellait seulement quand il dépassait les limites. C'était terrible de vivre auprès de quelqu'un qu'on admire, qu'on aime, en sachant que cette personne est très malade, qu'elle est foncièrement bonne et qu'elle mérite au moins un peu de bonheur. Je me détruisais physiquement et moralement à le voir tant souffrir et si malheureux.

Au dire d'André, votre mère n'acceptait pas qu'il y ait une autre Madame Mathieu et j'ajoute que si j'avais été sa maîtresse, je n'aurais pas fait naître en elle toute cette haine qu'elle ressent. Votre mère n'est pas méchante mais elle a certain côté incompréhensible même pour ses amies qui m'appellent au téléphone pour me dire « Mais dites-moi donc, qu'est-ce qu'elle a tant à vous reprocher votre belle-mère ? » Peut-être de ne pas penser comme elle. Un jour, je souhaite que vous rencontriez ces personnes qui ne sont pas tout à fait étrangères et qui vous éclaireront davantage. Votre mère encourage Madame Lippens[482] *à se séparer de son mari ; elle le traite de déséquilibré et de bien d'autres choses. Mais il réussit quand même bien sa vie. Pour nous,*

482. Madeleine Langevin, la presque demi-sœur d'André Mathieu, a épousé Léandre Lippens en 1949.

elle aurait voulu depuis bien longtemps qu'on se sépare mais André et moi nous ne le désirons pas. Le 25 janvier dernier, André a donné un concert au Ritz Carlton. Ça a été un véritable succès, il était très beau et il a joué comme un artiste de grande classe. Enfin, ce soir-là, je l'ai vu heureux; eh bien, votre mère ne voulait pas que j'assiste à ce concert sans aucune raison. Elle l'avait décidé comme cela, un point c'est tout. J'ai vu André pleurer de l'incompréhension et de l'injustice de sa mère. Il m'a défendu contre ces deux tigresses et quand vous rencontrerez celles qui ont assisté à cette scène ridicule, vous verrez comment on les a jugées.

Mme LeBel, une amie de votre mère qui a pratiquement son âge, décide tout d'un coup d'aider André. Elle lui achète un piano et l'invite à demeurer avec elle. C'est le grand amour, chéri par ci, chéri par là, enfin George Sand est ressuscitée. André refuse puis il hésite, sentant que sa mère l'encourage qu'elle le pousse dans cette maison; à la première petite querelle avec moi, il y consent. Nous sommes au début de mars, je le laisse partir puisqu'il le désire et il appelle très souvent au téléphone; nos conversations sont très amicales. Il ne m'avouera jamais qu'il demeure avec cette femme. À ce moment, je l'ignore et je ne l'apprendrai seulement qu'au mois de mai. Je lui en suis très reconnaissante et considère cela comme une preuve d'amour de ne jamais m'avoir avoué qu'il était chez une autre. Si au moins c'était une femme de son âge pour laquelle il avait éprouvé une grande passion, alors la situation aurait été différente et explicable. Quelqu'un m'a téléphoné quelques jours avant sa mort pour me dire qu'il le trouvait perdu, égaré. Au dire de votre mère, il était maintenant heureux […]. Alors comment expliquer […] que le jour de sa mort il était dans l'appartement d'une autre femme. D'ailleurs sa mort est très mystérieuse vous savez. Je regrette ici de vous faire de la peine. Depuis le mois de juin votre mère répète à qui veut l'entendre qu'André et moi on devait se séparer. Je vous jure, chère Madame, que c'est faux. André ne m'a jamais parlé d'une séparation, d'ailleurs il était contre en principe il ne l'approuvait pas chez d'autres couples. [Camillette arrive à son deuxième divorce!] *Malgré cette mort prématurée, puisqu'il était une victime entre plusieurs mains, ne le pleurez plus. Il est maintenant délivré de toutes ses attaches qui ont fait sa perte au point de vue humain. Je suis moi-même inconsolable et, puisque je suis croyante, j'ai hâte d'aller le rejoindre. Je vous adresse cette lettre le plus simplement du monde, sans aucune forme de littérature. Un jour, quand vous connaîtrez la vérité, sachez reconnaître que je vous avais prévenue.*

Je vous souhaite le plus de bonheur possible, Camille, ainsi qu'à votre mari et à vos enfants. Sincèrement,

Madame André Mathieu

Il nous semble qu'ajouter quelque commentaire que ce soit à cette lettre serait un pléonasme dissonant.

Cécile et Jeanne, chacune de leur côté, travaillent à remettre leur homme dans le circuit. Une lettre du 11 mars envoyée à André Mathieu, mais à l'adresse de sa mère, fait état d'une conversation téléphonique avec Jeanne Moquin : « Il me fait plaisir d'inclure sous pli une formule d'application pour une affiliation à BMI Canada en tant que compositeur... » On lui demande des : « copies manuscrites ou de[s] disques de vos chansons [...]. Afin de nous permettre de les vérifier et verser les droits pour les exécutions [...]. »[483] D'autre part, Cécile LeBel entreprend d'inscrire André et ses œuvres à la Société des Compositeurs, Auteurs et Éditeurs du Canada Limitée (CAPAC). Une Convention intervenue le 28 mars 1968 dûment signée par toutes les parties fait foi des efforts déployés pour relancer la carrière, non seulement avec des récitals et éventuellement des tournées, mais également de remettre sur le marché le catalogue d'œuvres qu'André a écrites depuis près de trente-cinq ans. Moquin, travaillant à Radio-Canada, et LeBel, femme d'artiste, connaissent le « business » et elles prennent les moyens concrets pour sauver l'homme qu'elles aiment et lui assurer sa survie.

Grâce à la bienveillance amicale de sœur Eugénie de Jésus, André a accès à tous les concerts présentés à la salle Claude-Champagne, ainsi qu'à toutes les réceptions d'après concert; et il en profite. Le jeudi 21 mars, accompagné de Cécile LeBel, ils vont entendre le neuvième concert de la Société de Musique Contemporaine du Québec avec Serge Garant à la direction de l'ensemble de la SMCQ. En première partie, des œuvres de Ian Heard, Harry Somers et R. Murray-Schafer. Une œuvre de Bruce Mather ouvre la deuxième partie du programme mais ce qui crée l'événement ce soir-là, c'est Gilles Tremblay qui présente en création mondiale, *Souffles (Champs II)*. C'est un baptême pour la jeune Société qui a commandé l'œuvre à un compositeur d'ici, la première commande de la SMCQ. Garant a placé ses interprètes aux quatre coins de la salle Claude-Champagne : les deux flûtes, hautbois, clarinettes, cor, trompettes, trombones, piano, percussions et contrebasse se retrouvent distribués dans l'espace. Cécile résume la soirée :

> *Un jour, j'assistai avec lui à un concert à la salle Vincent d'Indy. Au programme, Serge Garant, le compositeur de musique atonique* [sic]

483. Denise Meloche, lettre à André Mathieu, le 11 mars 1968, collection privée.

> *avait placé ses interprètes aux quatre coins de la salle. Une première dans les annales de cette maison de haut savoir. André Mathieu qui ne digérait pas cette musique me dit à voix haute : « Regarde-moi donc ce fou à Garant qui dirige ses musiciens aux quatre coins de la salle ! » Un homme assis devant nous se retourne et dit : « On voit bien que monsieur ne connaît pas la musique. » À peine ses paroles prononcées, un auditeur vient saluer mon voisin de fauteuil. « Salut André Mathieu, c'est un plaisir de vous revoir. » Vous imaginez facilement le visage déconfit de notre savant interlocuteur.*[484]

Dans son journal, elle note plus laconiquement : « concert Vincent d'Indy – musique contemporaine. Protestations d'André M. – je quitte la salle en sa compagnie. » André Mathieu est tellement outré de ce qu'il a vu et entendu, qu'il envoie à tous les journaux, une lettre ouverte dénonçant ce qu'il considère comme une hérésie :

> *Monsieur le rédacteur* — *Montréal le 25 mars 1968*
>
> *Rubrique « Opinion du lecteur »*
> *Montréal*
>
> **Les théoriciens de la laideur**
>
> *Monsieur le rédacteur,*
>
> *Il est inconcevable qu'au 20ième siècle, en 1968, l'on puisse assister à une manifestation de musique primitive.*
>
> *Si certains pseudo musiciens ont de la rancœur contre ceux qui en sont de véritables, il n'est pas nécessaire d'assommer les oreilles des mélomanes.*
>
> *La soirée du 21 mars organisée par la Société de musique contemporaine du Québec nous en a donné la preuve.*
>
> *Quand on veux faire du neuf, on imite pas ce qui a déjà été créé. Ce que j'ai entendu l'autre soir à la Salle Claude-Champagne m'a fait penser à du sous Alban Berg, du sous Webern. Même le pauvre Schoenberg n'était pas présent à cette manifestation d'une médiocrité incontestable.*
>
> *Il y a une chose que ces messieurs ne peuvent pas me reprocher, c'est de contester leur médiocrité. Ces gens-là ne sont pas des musiciens, ce sont des théoriciens de la laideur . Ils en veulent à tous ceux qui s'efforcent de créer de la Beauté en Art. Je dirais même que ce sont des anarchistes en art. […]*

---

484. Cécile LeBel, notes pour une biographie d'André Mathieu, inédit, collection privée.

> *Ils sont cependant assez lucides pour constater qu'ils ne valent rien. Voilà le motif de leur haine, de leur mécontentement. On ne bâtit rien de durable sur la haine.*
>
> *L'Agriculture a toujours besoin de bras, et la musique n'a pas besoin d'eunuques musicaux !*
>
> *À bon entendeur salut !*
>
> *André Mathieu*

Le samedi 23 mars, le rêve salvateur, l'enthousiasme optimiste laissent percevoir leurs premières fissures : « attendons toujours la table d'harmonie promise. André, autre fin de semaine désastreuse. » Jeanne Moquin continue de le recevoir chez elle, mais il ne passe jamais la nuit, elle le reconduit toujours chez Madame LeBel. Le dimanche 24 mars, André « malade dans la nuit », mais le mardi 26 André se rend à sa première répétition à la salle Claude-Champagne pour travailler son *Quintette* qu'il doit jouer dans trois semaines. Faute de témoignages médiatiques, il faut croire que le concert de janvier a vraiment été un succès puisque, moins de trois mois plus tard, André est engagé à nouveau au Club musical et littéraire de Montréal. André a signé un contrat et comme c'est le dernier, le voici :

> *J'accepte avec plaisir l'invitation du Club Musical et Littéraire de Montréal à inscrire mon nom comme artiste invité à la Conférence-Concert du jeudi 18 avril 1968 à 9:00 p.m. en la Salle Ovale de l'hôtel Ritz Carlton, à Montréal, pour 50 minutes de piano (solo) et ce pour la somme totale de cent dollars ($100.00), y compris les cachets de madame Danielle Madge Dubé ; mademoiselle Solange Asselin ; Katherine Boghie et monsieur Claude-André Lachance. L'artiste invité est présenté à 10:00 p.m.*
>
> *André Mathieu*

Cécile l'a-t-elle sommé de se reprendre en main, André est-il allé s'installer chez sa mère, chez sa femme, pendant huit jours, pour la première fois depuis janvier, le journal est muet.

Mais en fait, c'est l'infirmière auxiliaire Anna Landry qui éclaire cette « disparition ». André a pris l'habitude de se réfugier à l'Hôpital Crescent avant chaque engagement professionnel afin de se remettre en condition pour une interview, réaliser un enregistrement ou donner un concert. André se présente donc pour un dernier séjour de désintoxication rapide. Son état de santé se dégradant de plus en plus, Madame Landry se souvient que le médecin ne voulait pas lui donner son congé parce qu'il souffrait d'une pneumonie. André a dû signer une décharge pour dégager l'hôpital de toutes responsabilités. L'infirmière se souvient qu'à ce stade son visage était couvert de bubons purulents.[485]

Le lundi 15 avril, cinq mots secs : « Vincent d'Indy – soirée avec André ». De plus en plus fréquentes sont les entrées de Cécile faisant état d'une détérioration physique : « A. malade dans la nuit ». Le foie ne peut pas être soumis à un quart de siècle de macération éthylique sans accuser des signes de déroute et tous ces malaises sont les manifestations d'un dérèglement hépatique permanent. La prochaine entrée dans le journal de Cécile LeBel est pour noter qu'André, comme c'est son habitude le week-end, est « sorti », langage codé pour dire qu'il est allé chez Jeanne. Puis, le dimanche 14 avril, André et Cécile sablent le champagne pour son dernier dimanche de Pâques.

Le jeudi 18 avril, André va boucler la boucle et se retrouver à la case départ puisque c'est au même endroit que se seront tenus ses premier et dernier concerts. Quelques jours avant, Cécile a envoyé un communiqué de presse et une invitation pour le concert à tous les journalistes qui tiennent une chronique musicale dans les journaux de l'époque : Claude Gingras de *La Presse*, Manuel Maître de *La Patrie*, J. Marc Provost pour *Le Petit Journal*, Joseph Bourdon du *Montréal Matin*, Thomas Archer at *The Gazette*, etc. :

> Monsieur André Mathieu, pianiste-compositeur canadien français présentera en première mondiale son *Quintette pour quatuor à cordes et piano* au Ritz Carlton, le jeudi 18 avril prochain, sous les auspices du Club musical et littéraire de Montréal. Au même programme, s'inscrivent *Fantaisie Romantique* et le premier mouvement de la *Sonate pour piano*[486], deux autres œuvres de ce musicien de réputation internationale.

Le mardi 16, dernière répétition avant le concert et le mercredi 17, André, sans doute grâce à l'intervention de son ami André Morin, est invité à nouveau à la télévision de Radio-Canada pour participer à l'émission

---

485. Anna Landry, entretien avec l'auteur, le 14 mars 2009.

486. Nos recherches nous obligent à rejeter tout espoir de découvrir une œuvre nouvelle et inconnue dans cette *sonate*. Il s'agit du premier mouvement du *Concerto no 4* dans sa réduction pour piano solo qu'André a hardiment recyclé en mouvement de *sonate*, sûr et certain que personne dans l'auditoire ne démasquerait sa « coquetterie ».

Femme d'Aujourd'hui, animée par Aline Desjardins et Yoland Guérard et réalisée par André Groulx. Pas plus que l'émission *Jeunesse Oblige* du 27 février, cette rencontre à la veille du dernier concert de sa vie n'a été conservée dans les archives de Radio-Canada. Selon le contrat d'engagement, André donne comme adresse le 454 avenue Willowdale app. 8, preuve officielle de son emménagement chez Cécile LeBel.

Le grand jour arrive enfin, et la partie littéraire est consacrée à une conférence de Jean-Raymond Boudou, écrivain, poète ayant pour sujet : « Les Nuits d'Alfred de Musset ». André monte sur scène pour la dernière fois. La liste des invités pour cet ultime concert est impressionnante. Ont-ils tous honoré de leur présence ce récital dans la Salle Ovale ? L'Honorable premier ministre et Madame Daniel Johnson, son Honneur Monsieur Jean Drapeau, Madame Françoise Gaudet-Smet, Monsieur et Madame Jacques Faure, réalisateur à Radio-Canada, Monsieur Jacques Bertrand, directeur des émissions musicales à Radio-Canada (c'est le violoniste de son « Orchestre de la Jeunesse », avec lequel André a donné un récital à Acton Vale en 1944), Monsieur Gilles Potvin, service international Radio-Canada, Monsieur et Madame Roger Bachand, son élève, Mademoiselle Michelle Vilandré, Monsieur Pierre Gasse, etc. Après le concert, sœur Eugénie offre une réception à l'école de musique Vincent-d'Indy. Pour la dernière fois, les critiques ne se sont pas déplacés mais Cécile note :

> *André – Club Musical. Ritz. Ovation pour André. Mimi Mathieu malade – réception Vincent d'Indy – hospitalisée en ambulance avec André et la malade – Hôtel-Dieu. Retour 3:00 a.m. Gamache paie comptant 200 $.*

Mais cet ultime concert a bien failli ne pas avoir lieu. C'est Gérard Gamache qui raconte : « Le soir de son concert au Club Musical et Littéraire, le barman d'une taverne de la rue Sainte-Catherine ouest m'appelle : « C'est André qui joue ce soir ? Il n'est pas en état, il n'est pas en état, pas du tout. » « J'ai dit : " Laissez le faire, je connais André, peut-être qu'il va… " Et vous savez, c'est peut-être un des plus beaux concerts qu'il a donnés. On aurait dit que son âme s'était détachée de son corps, comprenez-vous ? Et ça a été formidable ! »[487] Cela explique peut-être que Gamache ait doublé

487. Gérard Gamache, *André Mathieu, musicien*, documentaire de Jean-Claude Labrecque, 1993, interview de Francine Laurendeau.

le cachet d'André ce soir-là. Des années plus tard, Cécile reprochera à Mimi d'avoir une fois de plus accaparé l'attention au moment où André venait de triompher et avait le plus besoin de la reconnaissance et du regard admiratif des siens. En effet, à la réception après concert, Mimi est si malade qu'elle doit être conduite en ambulance à l'hôpital Hôtel-Dieu, obligeant André et Cécile à l'accompagner. « Mimi était une femme très possessive [...], c'était de la névrose. »[488]

Le lendemain, André s'acquitte de sa dette à Cécile et, le samedi 20 avril, André qui écrit si peu laisse cette note : « Ma chère Cécile, je vais rencontrer Pierre Gasse pour quelques heures. Je serai de retour au foyer dans la soirée. Comme toujours, je t'embrasse avec tout mon cœur. André » et Cécile note : « André sorti avec Pierre Gasse – retour 11:30 p.m. »

Si elle veut avoir un avenir avec André, si bien sûr André doit avoir un avenir, Cécile a bien compris qu'il faut le préparer. Après les émissions qui lui sont consacrées à Radio-Canada, les interviews à la radio, à la télévision, et ces deux récitals de janvier et avril au Ritz Carlton, Cécile commence à croire qu'André a peut-être raison quand il lui répète : « La roue tourne en ma faveur, 1968 sera mon année ! » Le dimanche 21 avril, le journal *La Patrie* publie un article ayant pour titre :

> LE PIANISTE-PRODIGE ANDRÉ MATHIEU SORT ENFIN DE SON ÉCLIPSE
>
> André Mathieu donnait cette semaine, chose qui ne lui était pas arrivée depuis quelques années déjà, un récital au Ritz Carlton. Depuis son dernier pianothon (68 heures d'affilée) en 1956, il lui est arrivé de sortir à quelques reprises de sa retraite : un récital en province, un autre à Montréal, sans publicité, sans bruit.
>
> Cette année, cependant, il semble décidé à mettre fin à une longue éclipse. « Les Concerts Mathieu (Soirées Mathieu), créés par mon père, Rodolphe Mathieu, vont renaître à l'automne. Non je n'ai jamais abandonné le piano et je continuerai de composer jusqu'à 90 ans. Si je vis jusque-là. »
>
> Ce qui, surtout, attire l'attention, ce sont ses mains. Extraordinairement longues et puissantes, avec des doigts spatulés.

---

488. Cécile LeBel, *André Mathieu musicien*, documentaire de Jean-Claude Labrecque, 1993, interview de Francine Laurendeau.

Puis André reprend du début : sa première pièce à quatre ans, la bourse qui les amène à Paris, le départ pour New York, les études à l'Université Columbia : « À la remise des diplômes, j'étais le plus jeune : 14 ans [...]. Heureusement, je n'avais pas trop l'air gamin puisque je mesurais déjà 5 pieds 10 pouces. »

Journaliste : Mais qu'est-il arrivé à l'enfant prodige pour qu'on en vienne presque à l'oublier ?

André Mathieu : Certaines personnes ont tout fait pour que je disparaisse. Je les gênais [...]. Je n'ai jamais cessé de jouer. J'enseigne. J'ai onze élèves. Pas des débutants – je n'ai pas la patience de mon père, mais des jeunes parvenus à un niveau avancé.

J. — Et vous composez toujours ?

A. M. — Je n'ai jamais joué d'autres œuvres que les miennes. Je fais du romantisme moderne – l'alliance du cœur et de l'esprit. Durant mes trois pianothons (28, 52 et 68 heures), je jouais toutes mes œuvres, puis j'improvisais. [...] Mon médecin, à l'époque, a eu cette réflexion : « Mathieu, ce n'est pas du fer mais de l'acier inoxydable. »

Ses projets ? Retourner l'été prochain en France où vit sa sœur Camille [...].[489]

Cécile a bien sûr lu l'article puisque c'est elle qui a fourni la photographie (Castell) qui accompagne l'interview. Elle va visiter Mimi qui est toujours hospitalisée à l'Hôtel Dieu et en soirée, avec André, elle « ébauche les Soirées Mathieu ». Dès le lendemain, elle téléphone à André Beauchamp, un organisateur de concerts que connaît André.

Le mardi 23, Cécile organise une première « réunion-maison – André Mathieu, Marcel Tessier, André Beauchamp et moi pour fonder *Société Artistique du Québec* de 1:00 à 6:00 p.m... Récitals André Mathieu et Marcel Tessier – tournée province - ». Marcel Tessier est à ce moment de sa carrière une star en bonne et due forme. Il a remporté le premier prix « Couronne d'Or » de Radio-Canada. C'est André Beauchamp qui

489. Journaliste inconnu, *La Patrie*, semaine du 21 avril 1968.

l'a contacté et il se retrouve tous chez Cécile dans son appartement d'Outremont. Les membres fondateurs se partagent les tâches ainsi : André Beauchamp est le président, Marcel Tessier le vice-président, le directeur artistique est évidemment André Mathieu et Cécile est nommée secrétaire-trésorière.

Cécile prend vraiment les choses en main et si André a fait un mensonge pieux en déclarant à Andréanne Lafond qu'il avait dix-sept élèves, le mercredi 24 il va donner une « leçon de piano à Claire Bachand ». Le 25, c'est Marcel Tessier qui téléphone et « confirme le développement – tournée Province ». Cécile, qui est une véritable battante, a compris que si on veut réintégrer la vie sociale il faut être invité aux baptêmes, aux mariages et à tous les lancements et vernissages. Dans ce métier, il faut être vu pour durer, et pour être vu il faut se montrer. Cécile et André vont donc « faire visite au salon mortuaire – Miville Couture », ce grand artiste qui vient de disparaître. Le samedi 27, André est sans doute allé rendre visite à Jeanne, ce n'est que le dimanche 28 que Cécile parle d'une sortie à « Vincent-d'Indy, avec André. Bouteilles de champagne, sœur Eugénie. »

Le 1er mai, fraîchement sortie de l'hôpital Hôtel-Dieu, Mimi a quand même eu la force de préparer son ultime déménagement. Elle quitte le 4375 de la rue Saint-Hubert pour emménager au 4360 St-Denis, appartement 12. « Chez Mimi Mathieu, avec André – journée déménagement chez les Mathieu. Mimi malade. » Le samedi 4 mai, « André parti tôt ce matin 8:30 – soirée chez Mimi-déménagement. Retour 11:30 et André minuit. Bonne humeur, énumérateur-élections ». Sans doute pour se faire un peu d'argent de poche, André s'est inscrit comme « énumérateur » de l'arrondissement de votation numéro 38 du District électoral Laurier. Les jours suivants, André fait du porte-à-porte, mais le mardi 7, Cécile affiche un désarroi poignant : « André découche pour la première fois – ne sais où ? – tel. Tessier. Mimi [dit que la] Société Artistique du Québec-fumisterie - ». Mimi parle de « fumisterie » au sujet de la Société Artistique, alors que jamais depuis les efforts de Guy Richard, le gérant exclusif des pianothons, personne ne s'est autant battu pour relancer la carrière d'André Mathieu. Le lendemain matin, André téléphone à Cécile à 9 heures : « me dit avoir passé la nuit chez les Langevin ? André ne se rend pas à son rendez-vous au bureau du docteur Duquette, malade fin de journée et toute la nuit. » Le lendemain 9 mai : « André, mine piteuse, malade...

Leçon Claire Bachand, André est très malade au cours de la nuit. » Malgré les nuits blanches, Cécile va de l'avant et dresse elle-même le programme que Marcel Tessier et André ont mis au point :

La Société Artistique du Québec enrg.
PROGRAMME

Printemps Canadien	André Mathieu
Deux Études	André Mathieu
Les Mouettes	André Mathieu
André Mathieu	
« In Felice », *Ernani*	Verdi
La Puce	Moussorgsky
« Non Piu Andrai », *Le Nozze di Figaro*	Mozart
« Quand la flamme de l'amour », *La jolie fille de Perth*	Bizet
Marcel Tessier	
Entracte	
« Se Vuol Ballare », *Le Nozze Di Figaro*	Mozart
« Go Down Moses »	arr. Burleigh
« Were You There »	arr. Burleigh
« La Calunnia... » *Il Barbiere di Siviglia*	Rossini
« Ô Mon Bel Amour »	André Mathieu
Marcel Tessier	
Laurentienne	André Mathieu
Fantaisie Romantique	André Mathieu
Sonate, premier mouvement	André Mathieu
André Mathieu	

Récital conjoint, où sans doute André n'apparaît au piano que dans ses œuvres.

Les choses s'organisent tambour battant. Cécile téléphone et écrit à toutes les organisations de concerts ayant déjà engagé Mathieu, en leur offrant en prime, le baryton de l'heure. Nous avons retrouvé le plan d'une première partie de tournée :

Huntington	14 mai	Trois-Rivières	12 juin (abbé Turcotte)
Valleyfield	15 mai	Granby	19 juin (Horace Boivin)
Sorel	29 mai	Sherbrooke	26 juin (J. O. Trépanier)
Joliette	5 juin (Séminaire)		

Le deuxième segment de la tournée énumère une série de villes mais sans avoir arrêté aucune date :

Chicoutimi	Roberval
Jonquière	Baie-Comeau
Arvida	Sept-Îles

Les conditions prévues pour les artistes sont les suivantes : 200 $ +33 1/3 % des profits, payables avant chaque concert.

Mais l'entrée du « journal » du 10 mai ne laisse d'être inquiétante : « André malade, démangeaisons, bain d'amidon. » Le samedi 11, Cécile a déjoué la routine habituelle en invitant sœur Eugénie à dîner. « Soirée avec André – bonne humeur ». C'est aussi au cours de la semaine qui vient de s'écouler que Cécile a enregistré sur magnétophone André qui joue ses deux *Nocturnes,* qu'il n'a, bien sûr, jamais écrits et qui sont absolument magnifiques. Sur la même bande, on entend André faire une imitation de musique dodécaphonique et se laisser aller à un jazz phénoménal, qu'entrecoupent de larges extraits de son *Quintette.* Pour finir, à la demande de Cécile, il joue *Ô mon Bel Amour.* Mais Jeanne Moquin reprend la main le lendemain : « André dîne chez des amis ? De retour-minuit. »

Le mercredi 15 mai est un temps fort de la relation intense qu'André et Cécile ont développée :

> « Home, sweet home » A. heureux. André me donne sa musique, ses manuscrits, par testament. Téléphone à sœur Eugénie et à Pierre Gasse, arrivent à la maison – signent comme témoins. André joue de ses œuvres. Je l'aime, je l'adore. Il me dit : « réciproque ma chérie ».

Le ton de cette intimité confiante se retrouve dans un mot qu'André a laissé à Cécile : « Chère petite chatte, Je serai de retour dans la soirée. Je t'embrasse de tout mon cœur. André Mathieu, pianiste-compositeur, organiste, chef d'orchestre et… faiseur de patates frites ! »

Tout à l'euphorie de cette tournée qui s'annonce, de ces projets qui aboutissent, André profite de ce que la vie le porte pour définir ses positions esthétiques et pourfendre ceux qui lui paraissent errer :

Chronique « On nous écrit » *Montréal le 15 mai 1968*
Sept jours
1500 rue Stanley
Montréal 2 – Qué

Cher monsieur Bédard,

Après avoir lu votre article paru dans la livraison du 12 au 18 mai, je me demande sincèrement si vous êtes vraiment un musicien.

Dans votre article, vous semblez oublier que la musique véritable est de tous les temps et que ses bases fondamentales ne peuvent être changées. Vous divisez la musique au Canada en trois catégories ; dans la première, vous placez des hommes comme Serge Garand – qui entre parenthèses avoue publiquement ne pas aimer la musique – Otto Joachim et Gilles Tremblay. J'ai pour ces messieurs beaucoup de respect envers leurs convictions en art musical. Par contre, vous semblez ignorer, monsieur Bédard, qu'il n'y a pas que le style qui fait l'homme. Il y a aussi le cœur. Vous oubliez aussi que les machines électroniques de toutes sortes ont été conçues et construites par des êtres humains. Vous êtes à la remorque du matérialisme, alors que nous, nous sommes non pas à la remorque, mais au service d'un humanisme sincère.

Le langage musical que vous défendez me fait penser à un robot. Avez-vous déjà entendu parler, monsieur Bédard, d'un robot, si perfectionné soit-il, qui aurait un cœur ?

Le véritable sens humanitaire ne sera jamais détruit. L'histoire de l'humanité est rempli d'exemples qui nous prouvent que le fait de détruire n'a jamais permis à qui que ce soit de construire.

Vous dites, pour votre troisième groupe, que les musiciens qui en font partie sont à la remorque de quelques célèbres disparus. Je regrette de vous le dire, monsieur Bédard, mais vous et vos amis serez disparus bien avant eux.

Bien sincèrement, André Mathieu

P. S. À propos, monsieur Bédard, où sont vos œuvres ?

Le vendredi 17 : « André me dit avoir travaillé trois heures… » Depuis quelques années, le compositeur écrit lui-même les poèmes qu'il met en musique. En 1966 il a jeté quelques vers libres qu'il reprend et retravaille chez sa bienfaitrice, dans le but d'écrire une nouvelle mélodie pour la plus grande joie de Cécile : son homme se remet à créer.

Le Rêve…

Et pourtant je dois te le dire
Que notre amour s'est enfui.
Ô nuit, donne-moi tes rêves
Ô toi, ma vérité, redis-moi tes mensonges.
Mes larmes touchent ton cœur
Comme un baume.
Fais revivre l'Aurore de notre amour
Et que les étoiles remplacent le soleil
Pour que chacune d'elles soit
Des témoignages de bonheur
Et si un jour je m'éveille,
Je souhaiterai toujours avoir rêvé.
Ô toi ma vérité, ne me dis plus rien
Ne me dis plus rien !

Mais un coup de tonnerre va déchirer et réduire à néant cet état de grâce. André croit-il vraiment qu'il puisse encore une fois, pour la millième fois, reprendre cette carrière en rejouant éternellement des œuvres qui doivent lui sembler dater d'une autre vie ? Le mardi 21 mai 1968, Cécile écrit : « Marcel Tessier apporte mauvaise nouvelle. Tél à Michelle [Vilandré ?] pour emprunter le chalet de St-Donat. tél. à sœur Eugénie, – à Roger Bélair, à sœur supérieure de l'École Normale. Je suggère un concert d'André à cet endroit. » Cécile est prise de panique et frappe à toutes les portes pour éviter le naufrage…

C'est le lendemain, le mercredi 22 mai que devait débuter cette tournée avec un premier concert à Valleyfield dont André Beauchamp était le producteur. Cécile inscrit : « Concert annulé par André Beauchamp – 40 billets seulement de vendus – avec André, je pars pour St-Donat. » Le jeudi 23, ce séjour champêtre en pleine nature, loin du monde, prend des allures de cauchemar : « Journée de soleil, mais André préfère l'intérieur. – toujours sa faiblesse pour sa dive – un 40 onces de whisky, deux bouteilles de vin… Dans la nuit… Mal de dents – enflure. Dès 8:15 a.m., en route vers Montréal – téléphone à Mme Claire B. pour leçon – André oublie son rendez-vous, il dort. […] André, pas drôle. »

Le samedi 25, André semble vraiment avoir été atterré par l'annulation de cette tournée : « Journée terne. André – réveil midi – humeur massacrante – achète 12 bières – 25 onces d'alcool – voudrait me voir d'humeur gaie !! Je suis très triste ce soir. tél. à Mimi, à Rose L['Allier]. » Dans le fond du désespoir, les ennemies, les rivales deviennent des alliées. Sœur Eugénie écrit à Cécile : « J'aime bien à partager tout avec vous, joie et contrariété, c'est moins lourd [...]. Toutes les deux nous seront ses vraies imprésarios à l'automne si André n'y met pas d'objection et le succès en est assuré. Soyez optimistes tous les deux. Toujours affectueusement, sœur Eugénie. »

Cette religieuse étonnante écrit simultanément à André : « Ne soyez pas déçu de ce contretemps survenu à la dernière heure ! Je préfère pour vous un début plus sensationnel pour une reprise de carrière pianistique et ce sera à la salle Claude-Champagne, à l'automne ! Vous êtes né pour le haut plateau et non pour les vallées ! Amitiés, sœur Eugénie. »

Plus tard, Cécile ouvre son cœur et essaie d'ordonner les émotions qui la bouleversent depuis quelques jours dans un texte qui résume, au-delà de l'annulation, la situation réelle d'André Mathieu.

Un choc qu'il encaisse mal

25 mai 1968 – Pourquoi suis-je si triste ce soir ? En faisant le bilan des événements de la semaine qui vient de s'achever, les raisons qui motivent cette tristesse sont nombreuses, elles l'emportent sur celles qui me porteraient à la bonne humeur.

Le premier échec qui marque la semaine, c'est l'annulation du concert qui devait avoir lieu dans la petite ville de Valleyfield. Pour André, ce récital qui devait marquer le début d'une série de concerts à travers la province, avait une grande importance pour reprendre définitivement sa carrière de musicien. Déjà la saison musicale si bien remplie de promesses allait vers un aboutissement normal, d'une suite de contrats pour l'artiste. Je m'occuperai seule, tel que commencé, à m'intéresser à le produire. C'est déjà promis par écrit il y a une dizaine de jours. En tout cas, un mauvais choc pour André.

Mais là n'est pas, je crois, le véritable motif de ma tristesse ce soir. Car un récital décommandé n'est pas en soi une catastrophe. Il sera repris. Pour moi le véritable motif réside dans la stagnation psychique dans laquelle André semble s'enliser. Hélas, le pauvre tombe à nouveau dans son terrible défaut... Que dois-je faire ? Le laisser ainsi sans réprimande, pour le retenir auprès de moi et toujours là, pour le secourir ? Ou encore lui « couper les vivres » ? Je veux tout faire pour qu'il reprenne sa place au firmament des grands artistes, celle qu'il a quittée trop tôt. Les récents récitals, à la TV ou au Ritz Carlton, prouvent que le public réclame toujours André Mathieu, celui qui a été l'idole de toute une génération d'amateurs de belle musique,

> *de sa musique. Je veux tout faire pour lui. Je désire l'éloigner de cette « sordide » personne qui l'entretient dans son alcoolisme. Elle est indigne de son amitié, de son amour. L'aime-t-il ? Peut-être y a-t-il de la place dans son cœur pour deux ? [...] André est faible – sa santé influence beaucoup son comportement. Aussi faut-il lui tendre la main pour l'aider à sortir de son ornière.*[490]

André retourne peut-être sa déception contre lui-même, mais dans un dernier sursaut d'indignation désenchantée, il va diriger sa colère contre celui qui, à ses yeux, est devenu le symbole de tout ce qu'il déteste en musique, de toute cette dérive qui l'isole complètement de ses contemporains : Serge Garant.

Tête d'affiche et fer de lance de la modernité ici, Garant, non seulement par ses œuvres, mais aussi par son action à travers la SMCQ, jouit d'une visibilité qui lui permet de rayonner sur les ondes radiophoniques et télévisuelles publiques. On peut imaginer que, si le regroupement de compositeurs Les Mélodistes indépendants avait existé à l'époque, André aurait sûrement apposé sa signature à leur manifeste :

« Nous nous identifions à une musique où la mélodie domine et prend une part essentielle à la communication [...]. En résumé, notre but est avant tout la communication, car les réactions du public s'avèrent pour nous, de première importance [...].[491]

Mais, monsieur Bédard, du magazine *Sept Jours* provoque André Mathieu à réagir plus violemment au panégyrique qu'il a consacré à Serge Garant. Garant pour Mathieu, c'est la négation incarnée de tout ce en quoi il croit. Si on ajoute que Garant était discrètement homosexuel et que Mathieu, pour des raisons obscures, a toujours été homophobe, André envoie ce brûlot le mercredi 29 mai :

> *Serge Garant Musicien « Enragé »*
>
> *Cher monsieur Bédard,*
>
> *Décidément, après avoir lu votre article, vous n'êtes vraiment pas musicien !!*

---

490. Cécile LeBel, Journal inédit, collection privée. La « sordide personne » est la douce Jeanne Moquin.

491. *Pour l'amour de la musique, Les Mélodistes indépendants*, ouvrage collectif de Raymond Daveluy, Rachel Laurin, Anne Lauber, etc. Éditions l'Essentiel, 1996, p. 8 et 9.

L'apologie que vous avez faite à M. Garant tient du ridicule. Mais ne vous en faites pas, le ridicule ne tue pas.

Vous écrivez que M. Garant « est probablement le plus rationnel de nos musiciens ». Je crois pour ma part qu'il est plutôt le plus rationné de nos musiciens, et cela par la musique elle-même. Au lieu d'écrire des PHRASES avec un grand P, M. Garant aurait dû faire plutôt de la musique. Il aurait été plus compréhensible aux yeux de ses confrères et du public.

Au début de votre article, vous dites que M. Garant « organise sa matière d'une façon très rigoureuse ». Encore faut-il avoir de la matière ! Pensez-vous que ceux qui vous lisent vous suivront en 7/8 ? -Non. Les gens sensés marcheront à leurs pas. Et ce ne seront pas les tapes en dessous du clavier qui les empêcheront d'apprécier les véritables pianistes. […].

Voyez-vous, cher monsieur Bédard, la musique n'est pas une partie de plaisir. Même les musicologues, sans être des musiciens ratés, comme quelques-uns d'ici et d'ailleurs, ne peuvent faire autrement que de s'incliner devant la valeur de ces grands hommes et de cet illustre vieillard, M. Igor Stravinsky, que vous n'avez pas osé nommer et qui demeure encore plus jeune que vous.

Pour terminer, je vous offre, M. Bédard, l'occasion d'un débat public, au jour et à l'heure qui vous conviendra [sic]. J'ose espérer que le sujet que vous choisirez sera la musique. Pour une fois !

Veuillez accepter […] *André Mathieu*

Si l'esprit combatif est toujours intact, le ton du dénigrement quasi démagogique qu'André emploie ne convient plus pour gagner les batailles d'une époque qui pourfend le passé, parce qu'il lui rappelle ses origines et qu'à ce stade-ci de son évolution, une chaise en bois de teck vaut mieux qu'une armoire antique. André a perdu d'avance la bataille !

Il n'y a aucune entrée dans le journal de Cécile jusqu'au mercredi 29 mai où l'exaspération est déclarée et résumée en deux mots : « André exagère ! ! » Les deux points d'exclamation sont de Cécile ! Puis le jeudi 30 mai : « prêter André 10 $ […]. Retour à 11:00. André endormi – leçon à Madame C. Bachand ratée – il dort… »

L'autre témoin rapproché et tendre de cette période, Jeanne Moquin, raconte elle aussi : « Après l'annonce de l'annulation de la tournée, ce n'était plus le même, il a décroché, il a décidé qu'il s'en allait. » Jeanne a senti que c'était la fin. « Il s'est senti trompé. " L'alcool ne m'a jamais trompé " »[492].

Le 31 mai, André vient souper chez Jeanne, en fait c'est lui qui a proposé le menu, il lui a demandé de lui faire du boudin. Elle achète une bouteille d'alcool et, quand elle arrive, il est déjà là. Il lui demande s'il peut venir se reposer le dimanche suivant, le 2 juin, alors qu'elle a prévu rendre visite à sa cousine à Saint-Blaise. « Il m'a regardé, ç'a été doux, doux, doux [...]. »[493]

De son côté, Cécile écrit dans son journal pour le vendredi 31 mai : « André sort à 2:30 p.m -. deux téls. Il m'aime. Il l'a dit à sa mère – 10:00 du soir, je m'inquiète de lui. Retour à 11:30 p.m. – état déplorable – avec fiole – me remet les 10 $ empruntés. »

Mais le samedi 1er juin, Cécile comme toutes les grandes amoureuses, a laissé parler son cœur, a tout oublié, tout pardonné : « Déjà quatre mois qu'André est ici. Bonheur ! Musée des Beaux-Arts – expo Lautrec [...]. Retour 5:30 p.m. André dort – André à la maison – une autre nuit éveillée. »

LE DERNIER JOUR

Le lendemain, le dimanche 2 juin 1968, Cécile est en service commandé. Elle doit se rendre à la place Bonaventure pour couvrir un congrès de l'Association des Esthéticiennes pour la revue *Coiffure et Beauté*. Plusieurs mois plus tard, elle écrira : « Il s'était mis au piano pour jouer les deux *Nocturnes* qu'il m'avait dédicacés et le poème lyrique qu'il venait de terminer dans sa version musicale. Il avait joué ce dimanche, avec son âme de poète cette musique néoromantique qui est la sienne, que lui seul pouvait interpréter avec tant de fougue et de douceur à la fois. »[494] Cécile le taquine en l'invitant : « Tu devrais m'accompagner. Il y aura quelques jolies jeunes filles... » Il avait été entendu avec André qu'ils iraient manger chez Mimi pour le repas du soir. En quittant la place Bonaventure, elle téléphone à Mimi pour apprendre qu'André n'est pas chez sa mère.

492. Jeanne Moquin, entretien avec Rose Legault, printemps 1976.
493. Jeanne Moquin, entretien avec l'auteur, le 22 avril 2009.
494. Cécile LeBel, *Il venait de jouer pour la dernière fois*, L'Avenir, le 20 novembre 1968, p. 18.

Elle rentre chez elle, et toujours dans l'espoir de rassembler autour d'André toutes les personnes susceptibles de lui tendre la main et de l'aider, elle appelle l'abbé Paul Lachapelle, un ami de toujours de la famille Mathieu, un témoin des premiers triomphes d'André à Paris. Comme tous les autres, il est un peu las de toutes les promesses brisées d'André et il finit par dire à Cécile qu'elle le dérange puisqu'il écoute de la « belle musique ». Elle a à peine raccroché que le téléphone sonne. Il est près de 10:00 p.m. Elle souhaite que ce soit André qui appelle mais c'est Jeanne Moquin qui est au bout du fil : « Mme LeBel, venez vite, je crois qu'André est mort ! » Cécile appelle Mimi mais l'épargne, en lui disant que son fils est très malade, qu'elle passe la prendre et elles iront ensemble, là où il a choisi de mourir, au 5591 de l'avenue Gatineau, appartement 11. Les avenues Gatineau et Willowdale étant très rapprochées l'une de l'autre, les deux femmes arrivent vers 10:45 p.m. L'ambulance de la police (à l'époque c'était le même service) est déjà à la porte. Arrivée à l'appartement, Cécile se précipite dans la pièce où elle trouve André, étendu par terre, un policier lui appliquant le masque pour la respiration artificielle. Cécile veut s'approcher mais le policier lui dit de sortir de la pièce pour lui laisser tout l'oxygène. En quittant la pièce, elle croise un médecin de l'hôpital St-Mary's qui ne peut que constater la mort. « Je dois dire que Mimi Mathieu n'a pas vu son fils un seul instant tout le temps qu'elle était chez Mlle Moquin. » En fait, accablée de douleur, éperdue de chagrin, Mimi jette le blâme sur la maîtresse de céans et Cécile LeBel lance à Jeanne une volée de questions pour essayer de comprendre l'inexplicable, d'assimiler l'insupportable.

Le rapport d'incident des services de la police de Montréal est loin d'être poétique. Sous « genre d'incident », on a dactylographié : mort subite – et pour une fois la date de naissance est authentique : 18 – 2 – 29. Adresse : 454 Willowdale, Outremont. Endroit exact de l'incident : 5591 Gatineau, appartement 11. Heure : 22:30. Et voici le résumé de l'incident :

> Monsieur André Mathieu a été trouvé mort à la résidence de Mlle Moquin, par celle-ci, alors qu'elle revenait de la campagne. Il était un ami de Mlle Moquin. Il lui avait téléphoné qu'il irait durant l'après-midi pour y écouter la télévision. Lorsque celle-ci rentra chez elle, elle le trouva étendu sur le dos dans son lit, vêtu d'une chemise et d'un pantalon mais pas de soulier[s]. Elle se rendit alors chez le concierge, M. Armand Tremblay, 5591 Gatineau apt 10

> et celui-ci appela la police. Les constables 2521 Hébert et 978 Deslauriers de l'ambulance 15-15 se rendirent sur les lieux.
>
> Monsieur Mathieu était pianiste-compositeur et demeurait chez une amie de la famille, Madame Cécile LeBel, date de naissance inconnue [18-12-07], 454 Willowdale apt 8 depuis quelques mois. Il serait un alcoolique très avancé depuis quelques années mais aurait tenté de se faire soigner dernièrement. Il n'était traité pour aucune autre maladie.
>
> Rien ne suspecte un suicide [sic] n'ayant remarqué aucune marque. Dans la chambre tout était en ordre, Le lit n'était pas défait. Il aurait été dans l'appartement depuis après 12:00 heures mais personne[s] ne l'a vu arrivé [sic].
>
> Il est le fils de Mme Rodolphe Mathieu, Date ? 4360 St-Denis, téléphone 845 9535. Elle sera à la cour ainsi que Mlle Moquin.
>
> La mort fut constaté[e] par le docteur GIRGIS de l'hôpital St-Mary 's a constaté la mort à 23:20. [sic] Ambulance appelé[e] à 23:03 arrivé[e] à 23:17.
>
> Le corps fut transporté à la morgue par Nantel et Ledoux.
>
> Rapport rédigé par D. Guimond Lieut.
>
> Poste 15 – 1:00a.m. – 3 juin 1968
>
> Signé : Denis Guimond, Lt.

Mimi s'est évanouie deux fois. On a dû lui administrer un calmant et elle repart en ambulance avec Cécile qui la ramène chez elle. Elle appelle la « grande Camille », qui accourt.

Le lendemain, à 11:00, Jeanne Moquin, Mimi Mathieu et Cécile LeBel sont convoquées à la morgue de Montréal, au 1701 rue Parthenais. :

> à l'enquête du coroner, je me suis rendue avec le directeur des funérailles de Laprairie, M. Guérin, représentant Madame Mathieu. Cette dernière était demeurée dans la voiture avec sa sœur, Mme Camile Lavoie, durant l'enquête. À notre grande surprise, à M. Guérin et à moi, Mlle Jeanne Moquin était déjà « passée » avant nous. Nous n'avons donc pas connu sa déposition. Le jugement porté a été assez vague – « crise cardiaque » – disons – ou cirrhose du foie – « vous savez madame comme tous les alcooliques meurent. » C'était la première fois que j'assistais une enquête du coroner [...].[495]

495. Cécile LeBel, notes en vue d'une biographie d'André Mathieu, inédit, collection privée.

Dans le PROCÈS-VERBAL DU CORONER EN CAS DE RECHERCHES, le Docteur Jean Hould, après avoir mené un examen externe déclare comme cause de la mort un « État éthylisme [sic] chronique – Insuffisance myocardique. Les recherches faites établissent que la mort est due à *mort soudaine « naturelle »* [...]. Et qu'il n'y avait pas lieu de tenir une enquête ». Laurin Lapointe, C. R. Coroner du district de Montréal.

Le coroner remet à Cécile la montre d'André et huit dollars. Elle donne tout à Mimi. André sera exposé chez sa mère.

Le mardi 4 juin, Cécile se rend chez Mimi : « André semble avoir enfin trouvé le repos. Il est beau dans sa tombe. Je dépose un coussin de fleurs blanches et rouges – dernier cadeau à mon bien-aimé... Soirée chez Mimi auprès d'André. Beaucoup de monde. Sa femme est là et m'apostrophe – lui demande de la décence... » Puis le mercredi 5 : « Auprès d'André dans un jardin de fleurs. Mon cœur est extrêmement triste. »

Les visiteurs défilent par centaines dans le salon de Wilhelmine Gagnon Mathieu surchargé de fleurs afin de saluer une dernière fois celui qui aura porté sur ses épaules une parcelle du rêve, qui aura assuré par sa musique et ses récitals la survie, pour quelques années, d'une identité aussi fragile que résistante. Tous les journaux, quotidiens et hebdomadaires y vont de leurs articles avec textes et photos et déplorent la perte, mais surtout le souvenir, d'un artiste fauché bien avant sa mort par l'oubli.

LES FUNÉRAILLES

Avant de quitter le 4360 St-Denis, Mimi prend conscience que c'est la dernière fois qu'elle voit « son André » et extériorise sa douleur à sa façon : « ...je ne sais pas comment elle faisait, elle l'embrassait, elle lui léchait le front, le directeur de funérailles disait : « Mon Dieu, quand est-ce qu'elle va s'arrêter ? » elle l'embrassait de la tête aux pieds. »[496] Le cortège funèbre s'ébranle vers l'église Saint-Jean-Baptiste, escorté de deux policiers à motocyclette offerts par la ville de Montréal. Il n'y a sans doute qu'au Québec de cette époque qu'on puisse voir une chose semblable : le corbillard est précédé du corps des majorettes Les Ceinturons Dorés ! Le ridicule

496. Colombe Rivard, entretien avec Danielle Chiasson, le 17 mai 1978. Colombe Rivard est la femme de Wilfrid Mathieu, frère de Rodolphe.

ajoute au pathétique et ces images amplifient la tragédie de cette vie perdue. Dans le cortège, on retrouve Monsieur et Madame Roland Leduc, Gilles Lefebvre, Monsieur et Madame Roland Chenail, Monsieur et Madame Wilfrid Pelletier, sœur Marguerite Mathieu, sœur Eugénie de Jésus, Monsieur et Madame Roger Bachand, Pierre Dupire, Wilfrid Mathieu, Jacques Prénovost, Dr. Robert Pagé, Monsieur et Madame Léandre Lippens, Mademoiselle Michèle Vilandré, Roger Guil, Fleurette Beauchamp Huppé, Jacques Faure, Walter O'Leary... Trois landaus de fleurs suivent le corbillard alors qu'une foule impressionnante descend lentement la rue St-Denis jusqu'au temple de la rue Rachel. Cécile note : « Une foule considérable ».

Au moment où le cercueil va franchir les portes de l'église, les porteurs s'arrêtent et l'ami de toujours, Pierre Gasse, fait résonner au grand Casavant de Saint-Jean-Baptiste la *Marche Funèbre* qu'André avait mise au programme de son premier récital, trente-trois ans plus tôt.[497]

> *Le six juin mil neuf cent soixante-et-huit, nous, Prêtre soussigné avons inhumé dans le cimetière de cette paroisse le corps d'André Mathieu pianiste-compositeur, époux de Marie-Ange Massicotte, décédé aux 5591 Gatineau apt. 11 le deux du mois courant, âgé de 39 ans, de la paroisse Saint-Jean Baptiste.*
> *Étaient présents à la sépulture Camille Gagnon Lavoie, tante, Mme Rodolphe Mathieu, Mimi Gagnon, mère, soussignés ainsi que une autre.*
> *Témoins : Camille Gagnon Lavoie*
> *Mme Rodolphe Mathieu, Mimi Gagnon*
> *Madeleine Langevin Lippens*

Au cimetière Côte-des-Neiges, Mimi, en robe blanche à fleurs imprimées veut se jeter dans la fosse sur le cercueil d'André. Madeleine Lippens la retient. Marie-Ange, très digne et triste, se tient à l'écart pendant que Cécile et Madame Lavoie contiennent leur douleur. André repose dans le terrain familial acheté par son grand-père J. A. Gagnon. Sa grand-mère Albina et son père Rodolphe y sont déjà et sa sœur Camillette et sa mère l'y rejoindront huit ans plus tard. Sur une simple plaque de pierre posée au sol est gravée l'inscription, dépouillée d'informations jusqu'au secret :

497. Pierre Gasse, entendu la veille par un des organisateurs du service funèbre commémoratif pour Robert Kennedy, assassiné à Los Angeles le jour des funérailles d'André, se retrouvera aux grandes orgues de la cathédrale Marie-Reine-du-Monde et offrira à la mémoire du sénateur cette même *Marche Funèbre*.

FAMILLE J. A. GAGNON. Ni noms, ni dates, ni monument. Deux des plus grands musiciens que le Québec ait produits reposent dans une paix anonyme, leurs noms pas plus que leur musique ne devant laisser de trace.

Il est pertinent de se pencher sur la dernière salve d'articles consacrés à André Mathieu que leur teneur et leur contenu ont teinté jusqu'à aujourd'hui l'image et le souvenir du compositeur-pianiste. Chose certaine, la mort d'André Mathieu ne passe pas inaperçue :

> LE QUÉBEC PERD UN GRAND PIANISTE : ANDRÉ MATHIEU
>
> Il fut un adolescent et un adulte mal à l'aise dans un monde où il n'avait pas été un enfant comme les autres.[498]

« André Mathieu n'est plus », titre un autre journal. Après avoir répété ce que tout le monde sait, le journaliste anonyme enchaîne :

> Tout d'un coup : un drame inexplicable. Drame que jamais personne n'a pu vraiment percer mais que l'on dit être d'ordre familial. André Mathieu disparaît ; il ne joue plus ou presque plus. Il vit en bohême, s'adonne à certains abus. Son nom s'efface graduellement. Jamais il ne refera les manchettes, sauf la semaine dernière, quand les journaux nous ont annoncé sa mort.
>
> Connaîtra-t-on un jour les dessous des dix dernières années de la vie d'André Mathieu ? Saura-t-on pourquoi sa carrière, sa gloire se sont effondrées comme un château de cartes ? L'histoire nous le dira peut-être, comme elle nous a révélé après leur mort, bien des aspects de la vie des génies.[499]

Si certains journalistes semblent n'avoir aucune idée de ce qu'a représenté André Mathieu pour leurs compatriotes, il y en a d'autres où l'on sent percer la sympathie.

> ANDRÉ MATHIEU À SON DERNIER REPOS
>
> Au moment où la vie semblait lui sourire à nouveau [...] tout doucement, sans tapage, ce jeune homme de 36 ans que d'aucuns qualifiaient de génie de la grande musique, s'est éteint, laissant derrière lui quelques-unes des plus belles œuvres de la musique contemporaine [...]. Il délaissa pendant quelques années la musique, sa seule raison de vivre, pour se laisser aller au désespoir...[500]

---

498. Journaliste inconnu, *Photo-Journal*, semaine du 5 au 12 juin 1968, p. 62.
499. Journaliste inconnu, *Échos-Vedettes*, le 15 juin 1968, p. 25.
500. Journaliste inconnu, *Télé-Radiomonde*, le 22 juin 1968, p. 7.

Au lendemain même de la mort d'André Mathieu, Lévy-Beaulieu se rend chez Cécile LeBel et recueille une authentique émotion à même la douleur de cette femme :

> LE DESTIN TRAGIQUE D'UN ENFANT PRODIGE,
> ANDRÉ MATHIEU N'A PU DONNER LA MESURE DE SON GÉNIE.
>
> Il avait du génie, il ne sut pas l'exploiter pleinement. À un âge encore tendre, quelque chose se brisa en lui. Peut-être se sentait-il prisonnier d'un monde absurde. Il essaya de maîtriser une sensibilité presque maladive, de noyer son désespoir intime dans un flot d'alcool, d'échapper à la réalité. Avec les années, il était devenu l'ombre de lui-même. Puis, par une sorte de miracle, un retour sur lui-même, il entreprit de se réhabiliter, sans doute conscient du temps perdu. La mort l'a surpris en pleine période fiévreuse, alors qu'il s'apprêtait à faire une spectaculaire rentrée dans le monde enchanteur de la grande musique.[501]

Dans un tout autre registre, une plume revendicatrice stigmatise et jette le blâme, déjà, sur les vautours qui auraient, depuis toujours, encerclé André Mathieu.

> AUX FUNÉRAILLES D'ANDRÉ MATHIEU
>
> Il est plus facile, semble-t-il, d'être un enfant prodige à l'âge de 5 ans que d'être un homme respecté et entouré à l'âge de 36 ans. Le décès prématuré d'André Mathieu vient d'en faire la preuve. Jeudi matin, à l'église Saint-Jean Baptiste, bien peu nombreux étaient ceux qui, autrefois, chantaient sa louange et volaient de son argent.[502]

Enfin, l'émission *Jeunesse Oblige* annonce la rediffusion de l'émission du 21 novembre 1967 pour le mardi 11 juin à 18 heures, en dernier hommage à André Mathieu.

Les dernières images médiatisées de cette vie confirment l'enfance pas comme les autres, le mystère des dernières années et, ultime épine à sa couronne, on commence à tout justifier en le posant en victime.

Au moment où Mathieu meurt, le monde est en pleine métamorphose. Martin Luther King a été assassiné en avril, le printemps de Prague est suivi en France de Mai 68 et, le jour de l'enterrement d'André, le 6 juin,

---

501. Lévy-Beaulieu, *La Semaine*, 10 au 16 juin 1968, p. 3.
502. Journaliste inconnu, *Dimanche/Dernière Heure*, le 9 juillet 1968.

le sénateur Robert Kennedy est abattu à Los Angeles. Le film *2001, l'Odyssée de l'Espace* prend l'affiche un mois après l'élection de Pierre Elliott Trudeau au poste de Premier ministre du Canada et Berio compose *Sinfonia.*

Nous ne saurons jamais comment aurait réagi André Mathieu à l'élection du 25 juin 1968 qui portait son « ami » Pierre Elliott Trudeau au pouvoir.

D'autre part, lui, si conservateur, mais simultanément si fier de son identité canadienne française, aurait-il célébré la création de la pièce de Michel Tremblay *Les Belles Sœurs* au Théâtre du Rideau Vert le 28 août 1968, comme le premier signe de la fin du statu quo qui nous maintenait dans le doute et nous empêchait d'être nous-mêmes ?

André Mathieu aurait-il épousé la vision et le projet de société du Parti Québécois qui naît le 14 octobre 1968, quelques mois après sa mort ? Était-il prêt, après avoir souhaité un Québec libre dans un Canada libre, à passer à l'étape suivante et à rêver d'un Québec, libre du Canada ? Nous ne le saurons jamais.

Cette mort si prévisible, si soigneusement préparée, ce gaspillage insensé et cette dilapidation d'un don simplement exceptionnel rejoignent l'archétype du destin plus grand que nature qui, par sa trajectoire, débouche sur le mythe. Dons prodigieux, incandescence précoce, amours malheureuses, déchéance inéluctable et mort prématurée, tout y est ! En plus de reprendre à son compte la mécanique classique, André Mathieu est aussi le reflet du Canada français de cette époque, qui n'est pas encore le Québec. Cette pugnacité et cette force de survivance souveraines sont neutralisées par cette peur de s'assumer, qui déclenche, et c'est notre bouée de sauvetage, une volonté d'incarnation dans la création. Cette incroyable capacité d'invention fait un Gibraltar isolé et imprenable de ces quelques arpents égrenés le long du Saint-Laurent. Ils nous ont donné l'assurance qu'André n'abandonnera vraiment le combat que lorsqu'il lui semblera qu'il n'a vraiment plus sa place et qu'il est de trop. Est-il même imaginable de compter André Mathieu parmi les premiers spectateurs de *l'Osstidcho ?*

André, qui vivait en enfer depuis des décennies, venait avec sa mort d'entrer au purgatoire. Son œuvre, qui était déjà oubliée, passera aux oubliettes. On effacera le souvenir de cette vie un peu honteuse qui avait brillé de façon si spectaculaire pour ne décevoir que plus durement ceux qui avaient placé en elle des espoirs impossibles.

Ensuite, il y aura la saga des Jeux olympiques et la tentative de réhabilitation de son œuvre, le documentaire de Jean-Claude Labrecque, et arrivera enfin Alain Lefèvre. Mais tout ça, c'est une autre histoire…

ANNEXE I
CATALOGUE DES ŒUVRES D'ANDRÉ MATHIEU

Les œuvres sont classées d'abord selon leurs numéros d'opus (notez que les numéros d'opus manquants ne sont pas attribués), puis selon la datation autographe des manuscrits ou copies, ou la date de création établie à partir des programmes ou critiques de concerts. Les œuvres pour lesquelles aucune date autographe ou de création n'est disponible sont listées à la fin du catalogue.

Sauf indication contraire, tous les manuscrits ou copies de manuscrits se retrouvent dans le Fonds de la famille Mathieu des Archives Nationales du Canada à Ottawa. Les éditions du Nouveau Théâtre Musical et Orchestra Bella ont toujours court.

André Mathieu a créé ces œuvres; les interprètes ayant participé à ces créations sont nommés lorsque l'information nous était connue.

Abréviations : ms = manuscrit,
Éd. = Édition,
AM = André Mathieu,
RM = Rodolphe Mathieu

COMPOSITION	ŒUVRE	OPUS	INSTRUMENTATION	CRÉATION	PARTITIONS
1933-34	*Étude sur les noires*	1	Piano	13 février 1934 Montréal, Académie Notre-Dame de Grâce	ms plomb AM ms encre RM Éd. International Society of Music (1935) Éd. du Nouveau Théâtre Musical (2005)
1933-34	*Les Gros Chars*	2	Piano	13 février 1934, Montréal, Académie Notre-Dame de Grâce	aucun ms Éd. International Society of Music (1935) Éd. du Nouveau Théâtre Musical (2005)
1934-35	*Étude sur les noires et blanches*	3	Piano	25 février 1935, Montréal, Hôtel Ritz Carlton	ms plomb AM ms encre RM Éd. International Society of Music (1935) Éd. du Nouveau Théâtre Musical (2005)
1934-35	*Étude sur les blanches*	4	Piano	25 février 1935, Montréal, Hôtel Ritz Carlton	ms plomb AM ms encre RM Éd. International Society of Music (1935) Éd. du Nouveau Théâtre Musical (2005)
1934-35	*Procession d'éléphants*	5	Piano	25 février 1935, Montréal, Hôtel Ritz Carlton	ms plomb RM ms plomb incomplet Éd. Maurice Senart – Paris (1939) Éd. du Nouveau Théâtre Musical (2005)

COMPOSITION	ŒUVRE	OPUS	INSTRUMENTATION	CRÉATION	PARTITIONS
1934-35	*Marche funèbre*	7	Piano	25 février 1935, Montréal, Hôtel Ritz Carlton	copie ms Éd. International Society of Music (aucun exemplaire à ce jour) Éd. du Nouveau Théâtre Musical (2005)
1934-35	*Danse sauvage*	8	Piano	25 février 1935, Montréal, Hôtel Ritz Carlton	aucun ms Éd. International Society of Music (aucun exemplaire à ce jour) Éd. Maurice Senart – Paris (1939) Éd. du Nouveau Théâtre Musical (2005)
1935	*Les Cloches*	9	Piano	12 novembre 1935, Saint-Hyacinthe, Salle du Patronage des Jeunes Filles de Notre-Dame-du-Bon-Conseil	ms plomb ms encre RM Éd. International Society of Music (aucun exemplaire à ce jour) Éd. du Nouveau Théâtre Musical (2005)
1935	*Tristesse*	11	Piano	12 novembre 1935, Saint-Hyacinthe, Salle du Patronage des Jeunes Filles de Notre-Dame-du-Bon-Conseil	ms plomb AM ms encre RM Éd. Maurice Senart – Paris (1939) dédiée au Dr. J. E. Dubé Éd. du Nouveau Théâtre Musical (2005) Éd. Orchestra Bella (2007)
1934-35	*Dans la nuit*	12	Piano	25 février 1935, Montréal, Hôtel Ritz Carlton	ms plomb AM Éd. International Society of Music (1935) Éd. du Nouveau Théâtre Musical (2005) Éd. Orchestra Bella (2007)

COMPOSITION	ŒUVRE	OPUS	INSTRUMENTATION	CRÉATION	PARTITIONS
1934-35	*Concertino no 2*	13	Piano et orch.	13 mai 1940, Ottawa, Château-Laurier, Symphonie La Salle, dir. Wilfrid Charette	ms encre version piano et orch. copie ms encre, 2e et 3e mvts Éd. Orchestra Bella (2006)
			Piano	25 février 1935, Montréal, Hôtel Ritz Carlton, avec RM, 1er mvt 12 novembre 1935, Saint-Hyacinthe, Salle du Patronage des Jeunes Filles de Notre-Dame-du-Bon-Conseil, avec RM, intégrale	ms encre RM version deux pianos ms plomb AM version pour deux pianos (1er mvt incomplet, 2e et 3e mvts complets)
(1942)	*cadence du 3e mvt*			11 janvier 1943, New York, Carnegie Hall, National Orchestral Association, dir. Léon Barzin	ms plomb AM cadence ms encre RM cadence Éd. Orchestra Bella (2006)
1934	*Valse pour enfant*	14	Piano	25 février 1935, Montréal, Hôtel Ritz Carlton	ms encre Éd. du Nouveau Théâtre Musical (2005)

COMPOSITION	ŒUVRE	OPUS	INSTRUMENTATION	CRÉATION	PARTITIONS
1935	*Les Abeilles piquantes*	17	Piano	12 novembre 1935, Sainte-Hyacinthe, Salle du Patronage des Jeunes Filles du Notre-Dame-du-Bon-Conseil	ms plomb AM ms plomb RM ms encre RM ms plomb Éd. International Society of Music (1935) Éd. du Nouveau Théâtre Musical (2005) Éd. Orchestra Bella (2007)
1937	*Les Mouettes*	19	Piano	22 octobre 1937, Montréal, station de radio CKAC	ms encre RM Éd. Maurice Senart – Paris (1939) Éd. du Nouveau Théâtre Musical (2005) Éd. Orchestra Bella (2007)
1937	*Hommage à Mozart enfant*	20	Piano	28 octobre 1937, Québec, Palais Montcalm	ms encre RM, dédiée à Madame Octave Homberg Éd. Maurice Senart – Paris (1939) Éd. du Nouveau Théâtre Musical (2005)
1938	*Berceuse*		Piano	26 mars 1939, Paris, Salle Gaveau	aucun ms Éd. Maurice Senart – Paris (1939), dédiée « à mon Maître M. Jacques de la Presle » Éd. Orchestra Bella (2007) version orchestre, voir *Scènes de ballet*, 1944-45 version violon et piano, voir *Scènes de ballet*, 1944-45

COMPOSITION	ŒUVRE	OPUS	INSTRUMENTATION	CRÉATION	PARTITIONS
1939	*Les Vagues*		Piano	26 mars 1939, Paris, Salle Gaveau	ms encre RM (janvier 1939), dédiée à M. et Madame Paul-Louis Weiller photocopie ms RM
1939	*Suite pour deux pianos* *1. Dans les champs* *2. Repos* *3. Orage*		Piano	26 mars 1939, Paris, Salle Gaveau, avec RM	ms encre *Dans les champs* et *Repos* aucun ms *Orage* (voir Œuvres perdues)
1940	*Printemps canadien*		Piano	10 juin 1942, Ottawa, École Technique	ms plomb AM présenté comme un extrait de la Suite romantique *Les Saisons* ms plomb AM incomplet ms encre par Allan McIver Éd. du Nouveau Théâtre Musical (2005) Éd. Orchestra Bella (2007)
1941	*Étude no 4*		Piano	29 septembre 1941, Montréal, Collège Sainte-Marie	ms plomb AM
1942	*Ballade-Fantaisie*	27	Violon et piano	13 juin 1945, Ottawa, Salle académique de l'Univ. d'Ottawa, avec Gilles Lefebvre	ms encre (avril 1942) 2 ms encre dont un titré *Ballade* (Fonds Gilles Lefebvre) dédiée à Gilles Lefebvre

COMPOSITION	ŒUVRE	OPUS	INSTRUMENTATION	CRÉATION	PARTITIONS
1943	*Été canadien*		Piano	13 octobre 1942, Montréal, École primaire Querbes d'Outremont	1re version ms encre AM (mai 1939) 2e version ms encre et plomb AM (11 septembre 1943) Éd. du Nouveau Théâtre Musical (2005) Éd. Orchestra Bella (2007)
1943	*Concerto no 3* *dit :* – *Symphonie romantique* – *Concerto romantique* – *Concerto de Québec*	25	Piano et orch.	31 octobre 1943, New York, CBS Studio (arrangement du 2e mvt, *Andante*) dir. André Kostelanetz 3 novembre 1947, Montréal, Radio-Canada (intégrale) dir. Jean Deslauriers	ms plomb AM, introduction du 1er mvt (Montréal, 1942) ms plomb AM version deux pianos (juin 1943) copie ms encre incomplet version deux pianos ms encre piano et orchestre sous le titre *Symphonie Romantique*, orchestration Jean Deslauriers ms encre parties orchestrales
(1948)	*Concerto de Québec*		Piano	printemps 1952 24 novembre 2005, Megaron, The Athens Concert Hall	aucun ms, arr. par AM, piano solo Éd. Southern Music Publishing (1948) Éd. du Nouveau Théâtre Musical (2005) version Alain Lefèvre Éd. Orchestra Bella (2007)

COMPOSITION	ŒUVRE	OPUS	INSTRUMENTATION	CRÉATION	PARTITIONS
1943	*Marche du Bloc populaire (paroles en collaboration avec Madeleine Langevin Lippens), autre titre : Chant du Bloc populaire*		Voix d'hommes et piano	5 février 1944, Montréal, Hotel Windsor	ms encre et plomb, voix d'homme et piano, dédiée à M. Maxime Raymond, chef du Bloc Populaire Canadien ms encre pour chœur d'hommes et piano ms encre AM voix d'homme et piano 2 ms plomb AM, partie piano (dont un daté du 14 mars 1943) Éd. CIM (1944) sous le titre *Chant du Bloc populaire*, pour chœur d'hommes et piano
			Voix d'hommes et orchestre		ms encre parties orchestre (violon I et II, alto, violoncelle, contrebasse, flûte, clarinette, basson, cor en *mi*, trompette, trombone, timbales) et chœur d'hommes (TBB)
1944	*Sonate*	29	Violon et piano	18 novembre 1945, Montréal, Hotel Windsor, avec Gilles Lefebvre	ms encre et plomb AM (Montréal, mars 1944) copie ms encre ms encre partie violon
1944	*Bagatelle no 1*		Piano	14 octobre 1944, Montréal, Salle du Christ-Roi	copie ms (1946) Éd. du Nouveau Théâtre Musical (2005) Éd. Orchestra Bella (2007)

COMPOSITION	ŒUVRE	OPUS	INSTRUMENTATION	CRÉATION	PARTITIONS
1944-45	*Scènes de ballet* *1. Berceuse*		Orchestre	22 octobre 1998, Salle Pratt et Whitney Canada, Orchestre symphonique de la Montérégie, dir. Marc David (version intégrale)	1. *Berceuse* : ms encre AM (mai 1944) ms ençre, initialement 1er mvt de *Scènes enfantines*, oeuvre qui devait comprendre des orchestrations de *Procession d'éléphants* et *Les gros chars* (août 1944)
				Enregistrement mai 1978, Montréal, Salle Claude Champagne, Orchestre du Capitole de Youlouse, dir. Michel Plasson	
			Violon et piano	18 novembre 1945, Montréal, Hotel Windsor, avec Gilles Lefebvre	ms plomb violon seul
	2. Complainte		Orchestre		2. *Complainte* : ms encre et plomb AM (mars 1944)w
			Violon et piano	13 juin 1945, Ottawa, Salle académique de l'Univ. d'Ottawa, avec Gilles Lefebvre	ms encre violon seul, version violon et piano, (Montréal, 1945) ms plomb AM violon et piano (Fonds Gilles Lefebvre)

COMPOSITION	ŒUVRE	OPUS	INSTRUMENTATION	CRÉATION	PARTITIONS
			Piano	8 octobre 1947, Montréal, École supérieure de musique d'Outremont	aucun ms version piano
	3. Dans les champs		Orchestre	28 avril 1977, créé par l'Orchestre symphonique tunisien, dir. Ahmed Achour, Tunis, Théâtre de la ville	3. *Dans les champs* : ms encre AM ms encre parties orchestrales divers
			Violon et piano	22 avril 1944, Acton Vale, avec Jacques Bertrand	ms version violon et piano
			Piano	18 novembre 1945, Montréal, Hotel Windsor	ms plomb version piano (4 octobre 1945)
	4. Danse des espiègles		Orchestre		4. *Danse des espiègles* : ms encre AM (mars 1945)
			Piano		ms plomb, pour deux pianos (17 octobre 1944)

COMPOSITION	ŒUVRE	OPUS	INSTRUMENTATION	CRÉATION	PARTITIONS
1945	*Chant de la victoire*		Choeur et piano	20 août 1946, Montréal, Radio-Canada	ms encre AM voix et piano (mai 1945) ms encre AM choeur et piano incomplet, dit *Chant du soldat* ms encre AM voix seule et piano incomplet, dit *Chant de l'armistice* ms plomb AM pour choeur et orchestre, incomplet
1945	*Nocturne pour violon et piano*		Violon et piano		ms AM (juillet 1945)
1945	*Ouverture Romantique*		Orchestre		ms plomb et stylo AM, titre rayé : 1ère Symphonique Romantique Nous croyons que l'Ouverture Romantique est le seul mvt complet de la Symphonie no 1 écrite pour l'Orchestre de la Jeunesse. *Hantise* et *Chants des ténèbres*, œuvres inachevées, en seraient les deux autres mvts.
1946	*Colloque sentimental (Paul Verlaine)*		Voix et piano	7 juin 1947, Breteuil, avec Suzanne Lecomte, soprano	ms, collection privée (avril 1946), dédicace postérieure à Pierre Gasse Éd. du Nouveau Théâtre Musical (2004)

COMPOSITION	ŒUVRE	OPUS	INSTRUMENTATION	CRÉATION	PARTITIONS
1946	*Il pleure dans mon cœur (Paul Verlaine)*		Voix et piano	7 décembre 1950, Montréal, Hôtel Winsdor, avec Jean-Paul Jeannotte, ténor	ms plomb AM (20 mai 1946), dédicace postérieure à Rose L'Allier Éd. du Nouveau Théâtre Musical (2004)
1946	*Le Ciel est si bleu (Paul Verlaine)*		Voix et piano	7 juin 1947, Breteuil, avec Suzanne Lecomte, soprano	ms encre AM incomplet, dédiée « à ma sœur Camille » (juillet 1946) Éd. dans la Revue musicale *Le Passe-Temps* (février 1947) Éd. du Nouveau Théâtre Musical (2004)
avril 1946	*Les Chères Mains (Paul Verlaine)*		Voix et piano	7 décembre 1950, Montréal, Hotel Winsdor, avec Jean-Paul Jeannotte, ténor	ms (Fonds Jean-Paul Jeannotte) ms plomb AM (22 juillet 1946), dédiée « à ma mère » Éd. du Nouveau Théâtre Musical (2004)
1946	*Désir*		Violon et piano		ms plomb AM (6 mai 1946)
1946	*Fantaisie brésilienne*		Piano et violon	9 février 1947, Paris, Maison des étudiants canadiens	ms (Fonds G. Lefebvre) Éd. Parnasse musical – Lachute (1946)
1946	*Bagatelle no 2*		Piano	18 octobre 1947, Montréal, École supérieure d'Outremont	ms plomb AM (juillet 1946) Éd. du Nouveau Théâtre Musical (2005) sous le titre *Bagatelle (hors opus)*, édition réalisée à partir d'un enregistrement sonore d'André Mathieu d'octobre 1964

COMPOSITION	ŒUVRE	OPUS	INSTRUMENTATION	CRÉATION	PARTITIONS
1947	*Laurentienne no 2*		Piano	18 octobre 1947, Montréal, École supérieure d'Outremont	copie ms AM (juillet 1946) corrigée par AM, dédiée à Mlle Marguerite Cloutier ms AM (8 janvier 1947) Éd. du Nouveau Théâtre Musical (2005) Éd. Orchestra Bella (2007)
1947	*Bagatelle no 3 (hommage à Gershwin)*		Piano	18 octobre 1947, Montréal, École supérieure d'Outremont	ms encre AM (février 1947)
1947	*Bagatelle no 4*		Piano		ms encre AM (mars 1947) Éd. du Nouveau Théâtre Musical (2005) Éd. Orchestra Bella (2007)
1948	*Musique avec expérience*		Piano		ms encre AM mélodie seule (1er janvier 1948), dédiée à Alain Gravel
1947-49	*Concerto no 4*		Piano et orchestre	8 mai 2008, Tucson, Arizona, USA, Tucson Symphony Orchestra, dir. George Hanson ; Alain Lefèvre, piano	Éd. Orchestra Bella (2008), reconstitution et orchestration de Gilles Bellemare, réalisées à partir d'enregistrements du Concerto no 4, dans la version piano solo intégrale du 7 décembre 1950 et d'autres enregistrements d'extraits isolés. ms encre AM incomplet, schéma harmonique au piano du 2e mvt (*Andante*), travail d'orchestration

COMPOSITION	ŒUVRE	OPUS	INSTRUMENTATION	CRÉATION	PARTITIONS
			Piano	8 octobre 1947, Montréal, Radio-Canada, 2e mvt (*Nocturne*) et 3e mvt (*Final*) 17 février 1948, Trois-Rivières, Auditorium de la Salle (intégrale)	ms plomb et stylo AM incomplet, 3e mvt pour deux pianos (1950) aucun ms version piano solo
1949	*Trio*		Violon, violoncelle et piano	7 décembre 1950, Montréal, Hôtel Ritz-Carlton, avec Georges Lapenson, violon, et Jean Belland, violoncelle	ms encre, stylo et plomb AM (avril 1949), dédicace à Lucille O'Leary rayée copie ms encre et plomb (15 septembre 1952) incomplet, dédiée à Lucille O'Leary
1949	*Fantaisie romantique, pastiche romantique no 1*		Piano	7 décembre 1950, Montréal, Hôtel Ritz-Carlton	ms (commencé en novembre 1949 et complété le 10 novembre 1961), dédicace postérieure à Madeleine Lemieux photocopie ms AM incomplet
1951	*Prélude Romantique*		Piano	4 décembre 1951, Montréal, Théâtre His Majesty's, André Asselin, piano	ms encre (novembre 1951) par André Asselin, dédié à Madame Lucille O'Leary photocopie ms AM Éd. Centreum (1977) sous le titre *Prélude no 5* Éd. du Nouveau Théâtre Musical (2005) Éd. Orchestra Bella (2007) sous le titre *Prélude no 5*

COMPOSITION	ŒUVRE	OPUS	INSTRUMENTATION	CRÉATION	PARTITIONS
1953	*Quintette*		Quatuor à cordes et piano	28 mai 1956, Montréal, Radio-Canada, émission radiophonique *Présences*, Quatuor de Montréal	ms stylo et plomb AM (18 mai 1953) copie ms encre copie ms encre parties violon I et II, alto, violoncelle ms stylo AM, 6 mes. (16 mars 1953)
1953	*Danse pastorale*		Piano		ms plomb AM (14 août 1953) Éd. du Nouveau Théâtre Musical (2005)
1955	*Mélodie pour une chanson à boire*		Voix seule		ms AM (août 1955) sans parole, dédiée à Madame Gaudet-Smet
1955	*Si tu crois (Jean Laforest)*		Voix et piano		ms plomb AM (18 septembre 1955), dédicace à Madame Rose L'Allier, rayée Éd. du Nouveau Théâtre Musical (2004)
1956	*Musique de scène pour la pièce Les Insolites de Jacques Languirand*		Piano	9 mars 1956, Montréal, Théâtre Gesù	aucun ms un enregistrement sonore de l'intégrale d'une représentation a été réalisé par Radio-Canada (19 mai 1956, Sherbrooke)
1957	*Oh! Mon bel amour (André Mathieu)*		Voix et piano		ms encre AM dédié à Madame Claire Gagnier ms stylo AM (16 mars 1957) ms plomb AM (16 décembre 1957) ms stylo AM, incomplet Éd. du Nouveau Théâtre Musical (2004)

COMPOSITION	ŒUVRE	OPUS	INSTRUMENTATION	CRÉATION	PARTITIONS
1957	*Chanson du Carnaval de Québec*		Voix et piano		ms plomb AM (5 décembre 1957) sans parole
1958	*Rhapsodie romantique*		Piano et orch.	5 avril 2006, version pour piano et orchestre, Montréal, Salle Wilfrid-Pelletier, Alain Lefèvre, piano, Orchestre symphonique de Montréal, dir. Matthias Bamert	ms plomb AM (31 octobre 1958), dédiée « Au maître Rodolphe Mathieu avec toute l'admiration et l'Amour de son fils » (dédicace originale « À André Morin », rayée) ms plomb AM (juin 1958) version deux pianos (collection privée), dédiée « À mon père » copie ms version deux pianos, dédiée « À ma très chère femme » Éd. Orchestra Bella (2005)
			Piano	25 janvier 1968, Montréal, Hôtel Ritz-Carlton	aucun ms version pour piano seul
1961	*Hymne laurentien (Gustave Lamarche)*		Voix et piano		ms encre AM (22 mai 1961) ms encre (Fonds Gustave Lamarche)
1962	*Vive la Gaieté*		Voix seule		ms stylo voix seule avec paroles (juillet 1962), auteur inconnu
nd	*Pour acclamer la Charité*		Voix et piano		ms plomb AM

COMPOSITION	ŒUVRE	OPUS	INSTRUMENTATION	CRÉATION	PARTITIONS
nd	*C'est au bord d'un petit ruisseau*		Voix		ms encre AM voix seule
nd	*Musique pour French Can Can*		Hautbois		ms plomb AM
nd	*The Man I Love (d'après Gershwin)*				ms plomb AM
nd	*Thème simple pour une chanson*				ms plomb AM
nd	*sans titre*		Piano		ms encre RM 2e mvt. (9/8 en *do* majeur), pour deux pianos

ANNEXE II
CATALOGUE DES ŒUVRES INCOMPLÈTES D'ANDRÉ MATHIEU

Les œuvres incomplètes sont classées selon la datation autographe des manuscrits ou des copies. Celles pour lesquelles aucune date autographe n'est indiquée sont listées à la fin du catalogue.

Sauf indication contraire, tous les manuscrits ou copies de manuscrits se retrouvent dans le Fonds de la famille Mathieu des Archives Nationales du Canada, à Ottawa.

Abréviations : ms = manuscrit,
mes. = mesures

COMPOSITION	ŒUVRE	INSTRUMENTATION	PARTITIONS
1942	*Laurencie*	Piano	ms plomb AM, 9 mes. (27 juin 1942)
1945	*Le Chant des ténèbres*	Orchestre	ms encre et plomb AM, jusqu'à p. 26, 75 mes. (août 1945), manquent p. 1 et 2
1945	*Hantise (Symphonie no 1)*	Orchestre	ms plomb 12 p., 93 mes., réduction pour deux pianos
1945	*Cantique des cantiques*	Chœur, solistes et orchestre	ms fragment 1 p.
1946	*Étude no 5*	Piano	ms 20 mes.
1945	*Open My Eyes to Beauty*	Orchestre	ms encre AM, parties violon, clarinette et trompette, propriété de l'Orchestre de la Jeunesse
1946	*Concerto pour violon*	Violon	ms thème simple « pour le concerto de violon, dédié à Arthur LeBlanc »; 3 mes. (20 avril 1946)
1946	*Chants folkloriques harmonisés par André Mathieu : Youpe youpe sur la rivière*	Voix et piano	ms piano seul, 8 mes. (création : 9 février 1947, Paris, Maison des étudiants canadiens)
1947	*Fantaisie pour hautbois ou violon et piano*	Hautbois ou violon et piano	ms 14 mes., p.1 et 2 (mars 1947) ms encre AM (mars 1947)
1947	*Pénombre (Pierre Louys)*	Voix et piano	ms encre AM, 34 mes. (mars 1947), dédiée à Huguette Oligny

COMPOSITION	ŒUVRE	INSTRUMENTATION	PARTITIONS
1947	*Ma mie (Jacques Dupire)*	Voix et piano	ms encre AM, 5 mes. (novembre 1947)
1948	*Bagatelle no 5*	Piano	ms encre et plomb AM, 10 mes. (janvier 1948)
1948	*Bagatelle no 6*	Piano	ms plomb AM, 3 mes. (décembre 1948)
1952	*Thème pour une prière*		ms, 11 mes. (22 juillet 1952)
1954	*Ballet Solitude*	Orchestre	ms plan du ballet, sur un argument de Jacques Languirand, dont le *Thème initial* de 5 mes., le *Thème de la femme* de 3 mes., le *Duo d'amour complaisant* 7 mes. et le *Duo d'amour* 10 mes. (janvier 1954)
1954	*Thème*	Piano	ms, 17 mes. (26 mars 1954)
1955	*Mélodie*	Voix et piano	ms, 2 mes. (10 août 1955)
1957	*Valse romantique*	Piano	ms plomb AM, mélodie seule, 29 mes. (janvier 1957)
1958	*Thème simple pour une marche*		ms, 8 mes. (février 1958)
1959	*Thèmes simples pour un Nocturne (3)*		ms, 16 mes., dédiée « à Mlle Denise White ; avec tout mon cœur… » (novembre 1959)

COMPOSITION	ŒUVRE	INSTRUMENTATION	PARTITIONS
1962	*Scherzo*	Piano	ms stylo AM, 3 mes. ms stylo AM 4 mes. Interprété à la télévision de Radio-Canada (1956) sous le titre *Scherzando*
1966	*Le Rêve (paroles d'André Mathieu)*	Voix et piano	ms, 7 mes. (juillet 1966)
nd	*1ère symphonie*		ms, 1 portée
nd	*Broadway Rhapsodie*	Piano	ms plomb AM, 7 mes.
nd	*Prélude*		ms, 3 mes.
nd	*Mistassini*		ms stylo AM, 3 mes. parties orchestrales
nd	*Scherzo I*	Orchestre	ms, parties basson, violon II et clarinette II
nd	*Prélude no 1 opus 135*	Piano	ms, 4 mes.
nd	*Sous-bois (Georges B.)*	Voix et piano	ms plomb AM, 14 mes.
nd	*Recueil de thèmes simples*		transcriptions d'André Morin (39 thèmes non datés et sans titre)
nd	*Thèmes simples*		nombreux ms non datés et sans titre
nd	*Marche des cadets de la Marine*		ms plomb, 15 mes.

ANNEXE III
CATALOGUE DES ŒUVRES PERDUES D'ANDRÉ MATHIEU

Les œuvres sont classées d'abord selon leurs numéros d'opus (notez que les numéros d'opus manquants ne sont pas attribués), puis selon la datation autographe des manuscrits ou copies, ou la date de création établie à partir des programmes ou critiques de concerts. Les œuvres pour lesquelles aucune date autographe ou de création n'est disponible sont listées à la fin du catalogue.

Sauf indication contraire, tous les manuscrits ou copies de manuscrits se retrouvent dans le Fonds de la famille Mathieu des Archives Nationales du Canada à Ottawa. Les éditions du Nouveau Théâtre Musical et Orchestra Bella ont toujours court.

André Mathieu a créé ces œuvres; les interprètes ayant participé à ces créations sont nommés lorsque l'information nous était connue.

Abréviation : ms = manuscrit

COMPOSITION	OEUVRE	OPUS	INSTRUMENTATION	CRÉATION	PARTITIONS
1933-34	*Le Père Noël*		Piano	13 février 1934, Montréal, Académie Notre-Dame de Grâce	aucun ms
1934-35	*Concertino no 1*	10	Piano et orch.	24 janvier 1936, Montréal, Station CRCM, « Radio-concert canadien », Petite Symphonie, dir. J.-J. Gagnier (*Andante* et *Final*)	aucun ms
			Piano	25 février 1935, Montréal, Hôtel Ritz Carlton, avec RM (*Allegro*, *Andante*, *Scherzo*, *Final*)	aucun ms version 2 pianos Nous croyons que le *Concertino no 1* a été remanié pour devenir la *Suite pour deux pianos* (1939)
1934-35	*Tombeau (sur un poème de Paul Quintal Dubé)*	18	Piano	5 novembre 1936, Montréal, Salle du Conseil Lafontaine des Chevaliers de Colomb	aucun ms

COMPOSITION	OEUVRE	OPUS	INSTRUMENTATION	CRÉATION	PARTITIONS
1939	*Suite pour deux pianos* *3. Orage*		Piano	26 mars 1939, Paris, Salle Gaveau	aucun ms
1944	*Fantaisie*		Piano	14 octobre 1944, Montréal, Salle du Christ-Roi	aucun ms
1945	*Automne*		Piano	18 novembre 1945, Montréal, Hôtel Windsor	aucun ms
1945	*Laurentienne (no 1)*		Piano	18 novembre 1945, Montréal, Hôtel Windsor	aucun ms
1946	*Chants folkloriques harmonisés par André Mathieu :* *– Youpe youpe sur la rivière* *– À la claire fontaine* *– Marie ta fille* *– V'là le bon vent*		Voix et piano	8 décembre 1946, Paris, Amphithéâtre Richelieu, Université de la Sorbonne Marcel Turgeon baryton	ms *Youpe youpe sur la rivière* incomplet (voir œuvres incomplètes) aucun ms *À la claire fontaine* aucun ms *Marie ta fille* aucun ms *V'là le bon vent*

COMPOSITION	OEUVRE	OPUS	INSTRUMENTATION	CRÉATION	PARTITIONS
1947	*Fantaisie normande*		Piano	18 octobre 1947, Montréal, École supérieure d'Outremont	aucun ms
1947	*Fantaisie no 2*		Piano	18 octobre 1947, Montréal, École supérieure d'Outremont	aucun ms
1952	*Musique de scène pour la pièce L'Impasse de Claude de Cotret et Yves Trudeau*		Piano	Juillet 1952, Montréal, Théâtre des Nouveautés	aucun ms

ANNEXE IV
RÉPERTOIRE PIANISTIQUE D'ANDRÉ MATHIEU

(outre ses œuvres)

DATE	COMPOSITEUR	TITRE	LIEU
25 février 1935	R. Schumann	La Marche des petits soldats	Hôtel Ritz-Carlton, Montréal
1 octobre 1935	C. Debussy	Le Petit Berger (The Little Shepherd), extrait de Children's Corner	Studio CKAC, Montréal
1 octobre 1935	J.-S. Bach	Bourrée	Studio CKAC, Montréal
12 novembre 1935	L. v. Beethoven	Marche funèbre (andante de la Sonate opus 26	Salle du Patronage des Jeunes Filles de Notre-Dame-du-Bon-Conseil, Saint-Hyacinthe
24 janvier 1936	J.-S. Bach	Gavotte en sol	Station CRCM, Montréal
23 avril 1936	C. Debussy	Golliwogg's Cakewalk, extrait de Children's Corner	Collège de Montréal, Montréal
4 novembre 1936	J. Ibert	Le Petit Âne Blanc	Café du Parlement, Québec
28 octobre 1937	J.-S. Bach	Menuet, 3e suite anglaise	Palais Montcalm, Québec
28 octobre 1937	L.-C. Daquin	Le Coucou	Palais Montcalm, Québec
28 octobre 1937	F. Schubert	Impromptu, opus 90 no 2	Palais Montcalm, Québec

DATE	COMPOSITEUR	TITRE	LIEU
28 octobre 1937	M. Ravel	Pavane de la Belle au bois dormant, de Ma mère l'Oye	Palais Montcalm, Québec
28 octobre 1937	M. Ravel	Menuet (Mouvement de menuet), de la Sonatine	Palais Montcalm, Québec
3 octobre 1939	F. Chopin	Trois préludes (de l'Opus 28)	Palais Montcalm, Québec
3 octobre 1939	C. Debussy	Danseuses de Delphes, prélude no 1 du Livre 1	Palais Montcalm, Québec
3 octobre 1939	C. Debussy	Doctor Gradus ad Parnassum, extrait de Children's Corner	Palais Montcalm, Québec
3 octobre 1939	J. de la Presle	Images (Dédicace, les Moutons, les Poules)	Palais Montcalm, Québec
11 janvier 1940	F. Chopin	Préludes opus 28, nos 10, 3, 15, 14, 20 et 22	Auditorium Le Plateau, Montréal
11 janvier 1940	C. Debussy	Clair de lune, de la Suite bergamasque	Auditorium Le Plateau, Montréal
février 1940	F. Chopin	Études opus 10, no 12, opus 25, nos 2 et 9	Valleyfield

DATE	COMPOSITEUR	TITRE	LIEU
février 1940	C. Debussy	La Fille aux cheveux de lin, prélude no 8 du Livre 1	Valleyfield
3 décembre 1940	F. Liszt	Rhapsodie hongroise no 2	Château Frontenac, Québec
1 avril 1941	C. Debussy	Minstrels, prélude no 12 du Livre 1	Collège Brébeuf, Montréal
4 juin 1941	F. Chopin	Étude opus 10, no 5	Théâtre Capitole, Chicoutimi
29 septembre 1941	F. Chopin	Étude opus 10, no 3	Collège Sainte-Marie, Montréal
23 janvier 1943	L. v. Beethoven	Concerto no 1, opus 15	Auditorium Le Plateau, Montréal
22 avril 1944	C. Gounod / J.-S. Bach	Ave Maria	Acton Vale
14 octobre 1944	J.-S. Bach	Prélude et fugue en sol majeur, Clavier bien tempéré	Salle du Christ-Roi, Montréal
6 avril 1946	F. Chopin	Études opus 10, nos 2 et 8	Demi-Pensionnat du Sacré-Cœur, Montréal
6 avril 1946	F. Chopin	Polonaise opus 53	Demi-Pensionnat du Sacré-Cœur, Montréal

ANNEXE V
RÉCITALS ET CONCERTS D'ANDRÉ MATHIEU

(d'après les programmes conservés dans le Fonds de la Famille Mathieu, les collections privées et les comptes-rendus critiques)

Les œuvres d'André Mathieu sont présentées dans l'ordre des programmes et les autres œuvres sont énumérées suivant l'ordre alphabétique des compositeurs. Dans les concerts collectifs, ne sont mentionnées que les œuvres interprétées par André Mathieu.

Mardi, **13 février 1934** Montréal, Académie Notre-Dame-de-Grâce	Le Père Noël Étude sur les noires, opus 1 Les Gros Chars, opus 2
Vendredi, **1er février 1935** Montréal, École Notre-Dame-du-Très-Saint-Sacrement	œuvre(s) pour piano (titre(s) non mentionné(s) au programme)
Lundi, **25 février 1935** Montréal, Hôtel Ritz-Carlton (Soirées Mathieu) Rodolphe Mathieu, piano 2 M. Jean Brunet, chant	Concertino no 1, opus 10 (Allegro, Andante, Scherzo et Final) Les Gros Chars, opus 2 Études : - Sur les blanches, opus 4 - Sur les noires et sur les blanches, opus 3 - Sur les noires, opus 1 Danse sauvage, opus 8 Valse pour enfants, opus 14 Marche funèbre, opus 7 Dans la nuit, opus 12 Procession d'éléphants, opus 5 Concertino no 2, opus 13 (premier mouvement) **Rodolphe Mathieu** 2 mélodies : Automne, Hiver **Robert Schumann** La Marche des petits soldats

Mardi,
1er octobre 1935

Montréal,
Station CKAC,
« L'Heure Provinciale »

Rodolphe Mathieu, piano 2

Concertino no 1, opus 10
Les Abeilles piquantes, opus 17
Études opus 4, 1 et 3
Danse sauvage, opus 8
Dans la nuit, opus 12
Les Gros Chars, opus 2

J.-S. Bach

Bourrée

Claude Debussy

Le Petit Berger (The Little Shepherd de Children's Corner)

Mardi,
12 novembre 1935

St-Hyacinthe,
Salle du Patronage des Jeunes Filles de Notre-Dame-du-Bon-Conseil

Rodolphe Mathieu, piano 2

Concertino no 1, opus 10
Les Gros Chars, opus 2
Études opus 4, 1 et 3
Dans la nuit, opus 12
Danse sauvage, opus 8
Procession d'éléphants, opus 5
Valse pour enfants, opus 14
Marche funèbre, opus 7
Les Cloches, opus 9
Tristesse, opus 11
Les Abeilles piquantes, opus 17
Concertino no 2, opus 13

J.-S. Bach

Bourrée

Ludwig van Beethoven

Andante de la Sonate, opus 26

Claude Debussy

Le Petit Berger (The Little Shepherd de Children's Corner)

Rodolphe Mathieu

Fantaisie no 2
Chevauchée Opus 12

Samedi,
18 janvier 1936

Montréal,
Pensionnat Notre-Dame-des-Anges
(Saint-Laurent)

Rodolphe Mathieu, piano 2

Concertino no 1, opus 10
Études opus 4, 1 et 3
Les Gros Chars, opus 2
Dans la nuit, opus 12
Danse sauvage, opus 8
Valse pour enfants, opus 14
Procession d'éléphants, opus 5
Marche funèbre, opus 7
Les Cloches, opus 9
Tristesse, opus 11
Les Abeilles piquantes, opus 17
Concertino no 2, opus 13

J.-S. Bach

Bourrée

Ludwig van Beethoven

Andante de la Sonate, opus 26

Claude Debussy

Le Petit Berger (The Little Shepherd de Children's Corner)

Vendredi,
24 janvier 1936

Montréal,
Station CRCM,
« Radio-concert canadien »

Petite Symphonie

dir. Jean-Josaphat Gagnier

Concertino no 1, opus 10, avec orchestre (Andante et Final)
Les Abeilles piquantes, opus 17
Les Gros Chars, opus 2
Études opus 4, 1 et 3

J.-S. Bach

Gavotte

Claude Debussy

Le Petit Berger (The Little Shepherd de Children's Corner)
Golliwogg's Cakewalk (extrait de Children's Corner)

Rodolphe Mathieu

Fantaisie no 2
Chevauchée, opus 12

Jeudi,
23 avril 1936

Montréal,
Collège de Montréal

Rodolphe Mathieu, piano 2

Concertino no 1, opus 10 (Scherzo, Andante et Final)
Études opus 4, 1 et 3
Dans la nuit, opus 12
Danse sauvage, opus 8
Les Abeilles piquantes, opus 17
Marche funèbre, opus 7
Valse pour enfant, opus 14
Procession d'éléphants, opus 5
Les Cloches, opus 9
Les Gros Chars, opus 2

J.-S. Bach

Gavotte en sol mineur

Claude Debussy

Le Petit Berger (The Little Shepherd de Children's Corner)
Golliwogg's Cakewalk (extrait de Children's Corner)

Rodolphe Mathieu

Fantaisie no 2
Chevauchée, opus 12

Mardi,
12 mai 1936

Trois-Rivières,
Auditorium de
l'Académie de La Salle,

Rodolphe Mathieu, piano 2

Concertino no 1, opus 10
Concertino no 2, opus 13
Les Gros Chars, opus 2
Les Abeilles piquantes, opus 17
Danse sauvage, opus 8
Procession d'éléphants, opus 5
Études opus 4, 1 et 3

J.-S. Bach

œuvre non identifiée

Ludwig van Beethoven

œuvre non identifiée

Claude Debussy

œuvre non identifiée

Rodolphe Mathieu

Fantaisie no 2
Chevauchée, opus 12

Jeudi,
29 octobre 1936

Montréal,
salle paroissiale
Notre-Dame du
Saint-Sacrement

Rodolphe Mathieu, piano 2

Concertino no 1, opus 10

J.-S. Bach

œuvre non identifiée

Claude Debussy

Golliwogg's Cakewalk (extrait de Children's Corner)

Mercredi, 4 novembre 1936 Québec, café du Parlement	Les Abeilles piquantes, opus 17 Les Gros Chars, opus 2 Scherzo (Concertino no 1) **Claude Debussy** Golliwogg's Cakewalk (extrait de Children's Corner) **Jacques Ibert** Le Petit Âne Blanc
Jeudi, 5 novembre 1936 Montréal, Chevaliers de Colomb Salle du Conseil Lafontaine Rodolphe Mathieu, piano 2	Études, opus 4, 1 et 3 Dans la nuit, opus 12 Danse sauvage, opus 8 Concertino no 1, opus 10 (Scherzo, Andante et Final) Tombeau, opus 18, sur un poème de Paul Quintal Dubé Procession d'éléphants, opus 5 Les Abeilles piquantes, opus 17 Valse pour enfant, opus 14 Les Cloches, opus 9 Marche funèbre, opus 7 Les Gros Chars, opus 2 **J.-S. Bach** Gavotte en sol mineur **Claude Debussy** Le Petit Berger (The Little Shepherd de Children's Corner) Golliwogg's Cakewalk (extrait de Children's Corner) **Jacques Ibert** Le Petit Âne Blanc
Mercredi, 11 novembre 1936 Paquebot « S.S. Duchess of Richmond »	Études, opus 4, 1 et 3 **J.-S. Bach** Gavotte en sol mineur **Jacques Ibert** Le Petit Âne Blanc
Vendredi, 20 novembre 1936 Londres, BBC, Studio radio	Programme inconnu

Mardi,
15 décembre 1936

Paris,
Salle Chopin

Rodolphe Mathieu, piano 2

Études, opus 4, 1 et 3
Dans la nuit, opus 12
Danse sauvage, opus 8
Concertino no 1, opus 10 (Scherzo, Andante et Final)
Tombeau, opus 18
Procession d'éléphants, opus 5
Les Abeilles piquantes, opus 17
Valse pour enfant, opus 14
Les Cloches, opus 9
Marche funèbre, opus 7
Les Gros Chars (Locomotive), opus 2

J.-S. Bach

Gavotte en sol mineur

Claude Debussy

Le Petit Berger (The Little Shepherd de Children's Corner)
Golliwogg's Cakewalk (extrait de Children's Corner)

Jacques Ibert

Le Petit Âne Blanc

Vendredi,
4 juin 1937

Paris,
salon de Madame
Postel-Vinay

Programme inconnu

Vendredi,
22 octobre 1937

Montréal,
Station CKAC,
« L'Heure provinciale »

Tristesse, opus 11
Les Mouettes, opus 19

Jeudi, 28 octobre 1937 Québec, Palais Montcalm Rodolphe Mathieu, piano 2	Hommage à Mozart enfant, opus 20 Études, opus 4, 1 et 3 Tristesse, opus 11 Danse sauvage, opus 8 Concertino no 2, opus 13 (Allegro, Andante et Final) Procession d'éléphants, opus 5 Les Abeilles piquantes, opus 17 Dans la nuit, opus 12 Les Cloches, opus 9 Les Mouettes, opus 19 (extrait de la Suite Sur le « Duchess of Richmond ») **J.-S. Bach** Menuet (3e suite anglaise) **Louis-Claude Daquin** Le Coucou **Claude Debussy** Le Petit Berger (The Little Shepherd de Children's Corner) Golliwogg's Cakewalk (extrait de Children's Corner) **Jacques Ibert** Le Petit Âne Blanc **Maurice Ravel** Pavane de la Belle au bois dormant (extrait de Ma Mère L'Oye) Sonatine (2e mouvement, Mouvement de menuet) **Franz Schubert** Impromptu, opus 90 no 2
Mercredi, 8 mars 1939 Paris, Radio Luxembourg	Études, opus 4, 1 et 3 Les Abeilles piquantes, opus 17 Danse sauvage, opus 8

Dimanche, 26 mars 1939 Paris, salle Gaveau Rodolphe Mathieu, piano 2	Études, opus 4, 1 et 3 Dans la nuit, opus 12 Les Abeilles piquantes, opus 17 Procession d'éléphants, opus 5 Tristesse, opus 11 Les Cloches, opus 9 Valse pour enfant, opus 14 Marche funèbre, opus 7 Danse sauvage, opus 8 Concertino no 2, opus 13 (Allegro, Andante et Final) Hommage à Mozart enfant, opus 20 Les Mouettes, opus 19 Berceuse Les Vagues Suite pour deux pianos (Allegretto « Dans les champs », Andante « Repos » et Final « Orage »)
juin 1939 Paris, Lycée Bossuet, Distribution des Prix	Études, opus 4, 1 et 3 Dans la nuit, opus 12 Les Abeilles piquantes, opus 1 Berceuse Les Mouettes, opus 19
Samedi, 8 juillet 1939 Paquebot « Normandie »	Études, opus 4, 1 et 3 Dans la nuit, opus 12 Les Abeilles piquantes, opus 17 Hommage à Mozart enfant, opus 20 Les Mouettes, opus 19

Mardi,
3 octobre 1939

Québec,
Palais Montcalm

Rodolphe Mathieu, piano 2

Études, opus 4, 1 et 3
Dans la nuit, opus 12
Procession d'éléphants, opus 5
Les Abeilles piquantes, opus 17
Berceuse
Menuet (Hommage à Mozart), opus 20
Danse sauvage, opus 8
Tristesse, opus 11
Les Vagues
Suite pour deux pianos (Allegretto « Dans les champs », Andante « Repos » et Final « Orage »)
Les Mouettes, opus 19
Les Gros Chars, opus 2
Concerto (Concertino no 2, opus 13) pour deux pianos (Allegretto, Andante et Final)

Frédéric Chopin

Trois préludes (opus 28)

Claude Debussy

Danseuses de Delphes (Prélude no 1, Livre I)
Doctor Gradus ad Parnassum (extrait de Children's Corner)
Le Petit Berger (The Little Shepherd de Children's Corner)
Golliwogg's Cakewalk (extrait de Children's Corner)

Jacques de la Presle

Images, extraits (« Dédicace », « Les moutons » et « Les poules »)

Jacques Ibert

Le Petit Âne Blanc

Vendredi,
3 novembre 1939

Québec,
Collège des Jésuites
Saint-Charles-Garnier

Programme inconnu

Samedi, 4 novembre 1939 Sillery, Collège Jésus-Marie Rodolphe Mathieu, piano 2	Études, opus 4, 1 et 3 Dans la nuit, opus 12 Procession d'éléphants, opus 5 Berceuse Les Abeilles piquantes, opus 17 Menuet (Hommage à Mozart enfant, opus 20) Danse sauvage, opus 8 Tristesse, opus 11 Les Vagues Suite pour deux pianos (« Dans les champs », « Repos » et « Orage ») Les Mouettes, opus 19 Les Gros Chars, opus 2 Concerto pour deux pianos (Concertino no 2, opus 13)
Dimanche, 5 novembre 1939 Québec, Université Laval	Programme inconnu
Lundi, 6 novembre 1939 Québec, Couvent Saint-Roch	Programme inconnu
Vendredi, 10 novembre 1939 Québec, Palais Montcalm	Études, opus 4, 1 et 3 Dans la nuit, opus 12 Procession d'éléphants, opus 5 Berceuse Les Abeilles piquantes, opus 17 Les Vagues Menuet (Hommage à Mozart enfant, opus 20) Danse sauvage, opus 8 Tristesse, opus 11 Les Mouettes, opus 19

Jeudi,
23 novembre 1939

Montréal,
Auditorium Le Plateau

Rodolphe Mathieu, piano 2

Études, opus 4, 1 et 3
Dans la nuit, opus 12
Procession d'éléphants, opus 5
Tristesse, opus 11
Les Abeilles piquantes, opus 17
Hommage à Mozart enfant, opus 20
Danse sauvage, opus 8
Berceuse
Les Vagues
Suite pour deux pianos
(« Dans les champs », « Repos » et « Orage »)
Les Mouettes, opus 19
Concertino no 2, opus 13 (Allegro, Andante et Final)

Louis-Claude Daquin

Le Coucou

Claude Debussy

Danseuses de Delphes (Prélude no 1, Livre I)
Doctor Gradus ad Parnassum (extrait de Children's Corner)
Le Petit Berger (The Little Shepherd de Children's Corner)
Golliwogg's Cakewalk (extrait de Children's Corner)

Jacques de la Presle

Images, extraits (« Dédicace », « Les Moutons » et « Les Poules »)

Jacques Ibert

Le Petit Âne Blanc

Franz Schubert

Impromptu, opus 90 no 2

Samedi,
25 novembre 1939, 14 h 30

Montréal,
Auditorium Le Plateau

Matinée pour les écoliers

Rodolphe Mathieu, piano 2

Même programme que le 23 novembre 1939

Dimanche,
14 décembre 1939
Sainte-Thérèse,
Salle du Séminaire

Rodolphe Mathieu, piano 2

Trois études, opus 4, 1 et 3
Dans la nuit, opus 12
Procession d'éléphants, opus 5
Tristesse, opus 11
Les Abeilles piquantes, opus 17
Hommage à Mozart enfant, opus 20
Danse sauvage, opus 8
Berceuse
Les Vagues
Suite pour deux pianos
(« Dans les champs », « Repos » et « Orage »)
Les Mouettes, opus 19
Concertino no 2, opus 13

Louis-Claude Daquin

Le Coucou

Claude Debussy

Danseuses de Delphes (Prélude no 1, Livre I)
Doctor Gradus ad Parnassum (extrait de Children's Corner)
Le Petit Berger (The Little Shepherd de Children's Corner)
Golliwogg's Cakewalk (extrait de Children's Corner)

Jacques Ibert

Le Petit Âne Blanc

Jacques de la Presle

Images, extraits (« Dédicace », « Les Moutons » et « Les Poules »)

Franz Schubert

Impromptu, opus 90 no 2

Jeudi,
11 janvier 1940

Montréal,
Auditorium Le Plateau

Rodolphe Mathieu, piano 2

Hommage à Mozart enfant, opus 20
Études, opus 4, 1 et 3
Dans la nuit, opus 12
Procession d'éléphants, opus 5
Tristesse, opus 11
Les Abeilles piquantes, opus 17
Les Cloches, opus 9
Danse sauvage, opus 8
Valse pour enfant, opus 14
Berceuse
Les Vagues
Suite pour deux pianos
Les Mouettes, opus 19
Concertino no 2, opus 13

Frédéric Chopin

Préludes opus 28, no 10, 3, 15, 14, 20 et 22

Claude Debussy

Clair de lune (Suite bergamasque)
Doctor Gradus ad Parnassum (extrait de Children's Corner)
Danseuses de Delphes (Prélude no 1, Livre I)
Le Petit Berger (The Little Shepherd de Children's Corner)
Golliwogg's Cakewalk (extrait de Children's Corner)

Jacques de la Presle

Les Poules

Jacques Ibert

Le Petit Âne Blanc

Maurice Ravel

Menuet (Sonatine, 2e mouvement)
Pavane de la Belle au bois dormant

Jeudi,
18 janvier 1940

St-Jérôme,
Théâtre Rex

Rodolphe Mathieu, piano 2

Études, opus 4, 1 et 3
Dans la nuit, opus 12
Procession d'éléphants, opus 5
Tristesse, opus 11
Les Abeilles piquantes, opus 17
Hommage à Mozart enfant, opus 20
Danse sauvage, opus 8
Berceuse
Les Vagues
Suite pour deux pianos
(« Dans les champs », « Repos » et « Orage »)
Les Mouettes, opus 19
Concertino no 2, opus 13

Louis-Claude Daquin

Le Coucou

Claude Debussy

Danseuses de Delphes (Prélude no 1, Livre I)
Doctor Gradus ad Parnassum (extrait de Children's Corner)
Le Petit Berger (The Little Shepherd de Children's Corner)
Golliwogg's Cakewalk (extrait de Children's Corner)

Jacques de la Presle

Images, extraits (« Dédicace », « Les Moutons », « Les Poules »)

Jacques Ibert

Le Petit Âne Blanc

Franz Schubert

Impromptu, opus 90 no 2

Jeudi,
25 janvier 1940

Sherbrooke,
Salle Immaculée-
Conception

Rodolphe Mathieu, piano 2

Études, opus 4, 1 et 3
Dans la nuit, opus 12
Procession d'éléphants, opus 5
Tristesse, opus 11
Les Abeilles piquantes, opus 17
Hommage à Mozart enfant, opus 20
Danse sauvage, opus 8
Berceuse
Les Vagues
Suite pour deux pianos
(« Dans les champs », « Repos » et « Orage »)
Les Mouettes, opus 19
Concertino no 2, opus 13

Louis-Claude Daquin

Le Coucou

Claude Debussy

Clair de lune (Suite bergamasque)
Doctor Gradus ad Parnassum (extrait de Children's Corner)
Danseuses de Delphes (Prélude no 1, Livre I)
Le Petit Berger (The Little Shepherd de Children's Corner)
Golliwogg's Cakewalk (extrait de Children's Corner)

Jacques de la Presle

Images (« Dédicace », « Les Moutons » et « Les Poules »)

Frédéric Chopin

Deux préludes (non identifiés)

Jacques Ibert

Le Petit Âne Blanc

Maurice Ravel

Menuet (Sonatine, 2e mouvement)

Franz Schubert

Impromptu, opus 90, no 2

Samedi,
27 janvier 1940

Montréal,
Auditorium Le Plateau

Rodolphe Mathieu, piano 2

Études, opus 4, 1 et 3
Dans la nuit, opus 12
Procession d'éléphants, opus 5
Tristesse, opus 11
Les Abeilles piquantes, opus 17
Hommage à Mozart enfant, opus 20
Danse sauvage, opus 8
Valse pour enfant, opus 14
Les Vagues
Les Mouettes, opus 19
Concertino no 2, opus 13
Suite pour deux pianos
(« Dans les champs », « Repos » et « Orage »)

Louis-Claude Daquin

Le Coucou

Claude Debussy

Clair de lune (Suite bergamasque)
Golliwogg's Cakewalk (extrait de Children's Corner)

Frédéric Chopin

Deux préludes (non identifiés)

Jacques Ibert

Le Petit Âne Blanc

Maurice Ravel

Menuet (Sonatine, 2e mouvement)

Samedi,
3 février 1940

New York,
Town Hall

Rodolphe Mathieu, piano 2

Études, opus 4, 1 et 3
Dans la nuit, opus 12
Procession d'éléphants, opus 5
Les Abeilles piquantes, opus 17
Hommage à Mozart enfant, opus 20
Danse sauvage, opus 8
Berceuse
Valse pour enfant, opus 14
Les Vagues
Les Mouettes, opus 19
Suite pour deux pianos (Dans les champs, Repos et Orage)
Concertino no 2, opus 13

Louis-Claude Daquin

Le Coucou

Claude Debussy

Clair de lune (Suite bergamasque)
Doctor Gradus ad Parnassum (extrait de Children's Corner)
Danseuses de Delphes (Prélude no 1, Livre I)
Golliwogg's Cakewalk (extrait de Children's Corner)

Jacques de la Presle

Les Poules (extrait des Images)

Frédéric Chopin

Préludes, opus 28, nos 15, 3, 20 et 22

Maurice Ravel

Menuet (Sonatine, 2e mouvement)

Jacques Ibert

Le Petit Âne Blanc

Mardi,
13 février 1940

Joliette,
Séminaire de Joliette,
Salle académique

Rodolphe Mathieu, piano 2

Études, opus 4, 1 et 3
Dans la nuit, opus 12
Procession d'éléphants, opus 5
Tristesse, opus 11
Les Abeilles piquantes, opus 17
Hommage à Mozart enfant, opus 20
Danse sauvage, opus 8
Berceuse
Les Vagues
Suite pour deux pianos
(« Dans les champs », « Repos » et « Orage »)
Les Mouettes, opus 19
Concertino no 2 opus 13

Louis-Claude Daquin

Le Coucou

Claude Debussy

Danseuses de Delphes (Prélude no 1, Livre I)
Doctor Gradus ad Parnassum (extrait de Children's Corner)
Le Petit Berger (The Little Shepherd de Children's Corner)
Golliwogg's Cakewalk (extrait de Children's Corner)

Jacques Ibert

Le Petit Âne Blanc

Franz Schubert

Impromptu opus 90, no 2

Jacques de la Presle

Images, extraits (« Dédicace », « Les Moutons » et « Les Poules »)

Février 1940

Valleyfield
Sous les auspices du Cercle Missionnaire Ste-Thérèse

Rodolphe Mathieu, piano 2

Études, opus 4, 1 et 3
Dans la nuit, opus 12
Danse sauvage, opus 8
Tristesse, opus 11
Les Gros Chars, opus 2
Les Abeilles piquantes, opus 17
Hommage à Mozart enfant, opus 20
Procession d'éléphants, opus 5
Berceuse
Les Mouettes, opus 19
Concertino no 2 opus 13
Les Vagues
Suite pour deux pianos

Claude Debussy

Clair de lune (Suite bergamasque)
Doctor Gradus ad Parnassum (extrait de Children's Corner)
La Fille aux cheveux de lin (Prélude no 8, Premier Livre)
Golliwogg's Cakewalk (extrait de Children's Corner)

Frédéric Chopin

Études opus 10, no 12, opus 25, nos 2 et 9

Maurice Ravel

Menuet (Sonatine, 2e mouvement)

Jeudi, 14 mars 1940

Montréal,
Auditorium Le Plateau

Rodolphe Mathieu, piano 2

Études, opus 4, 1 et 3
Hommage à Mozart enfant, opus 20
Danse sauvage, opus 8
Tristesse, opus 11
Les Vagues
Les Mouettes, opus 19
Concertino no 2, opus 13

Claude Debussy

Clair de lune (Suite bergamasque)

Frédéric Chopin

Deux Préludes (dont l'opus 28 no 15)

Franz Schubert

Impromptu, opus 90, no 2

Mercredi, 24 avril 1940

Louiseville,
Théâtre Royal

Programme inconnu

Lundi, 13 mai 1940 Ottawa, Château Laurier Symphonie La Salle dir, Wilfrid Charette	Études, opus 4, 1 et 3 Tristesse, opus 11 Danse sauvage, opus 8 Hommage à Mozart enfant, opus 20 Les Abeilles piquantes, opus 17 Les Mouettes, opus 19 Berceuse Les Vagues Concertino no 2, opus 13, pour piano et orchestre (Allegro, Andante, Final)
Dimanche, 19 mai 1940 Pawtucket, Rhode Island (États-Unis), Senior High School Rodolphe Mathieu, piano 2	Études, opus 4, 1 et 3 Dans la nuit, opus 12 Danse sauvage, opus 8 Tristesse, opus 11 Hommage à Mozart enfant, opus 20 Les Abeilles piquantes, opus 17 Les Mouettes, opus 19 Procession d'éléphants, opus 5 Berceuse Les Vagues Concertino no 2, opus 13
Jeudi, 11 juillet 1940 Montréal, Chalet de la Montagne Orchestre de la Société des Concerts Symphoniques de Montréal (SCSM) dir. Jean Morel	Concertino no 2, opus 13, pour piano et orchestre

Dimanche, 27 octobre 1940

Ottawa,
Théâtre Capitol

Rodolphe Mathieu, piano 2

Études, opus 4, 1 et 3
Dans la nuit, opus 12
Procession d'éléphants, opus 5
Tristesse, opus 11
Les Gros Chars, opus 2
Les Abeilles piquantes, opus 17
Hommage à Mozart enfant, opus 20
Danse sauvage, opus 8
Berceuse
Les Mouettes, opus 19
Suite pour deux pianos
(« Dans les champs », « Repos » et « Orage »)
Les Vagues

Claude Debussy

Clair de lune (Suite bergamasque)
Doctor Gradus ad Parnassum (extrait de Children's Corner)
Danseuses de Delphes (Prélude no 1, Livre I)
Golliwogg's Cakewalk (extrait de Children's Corner)

Jacques de la Presle

Les Poules (extrait des Images)

Frédéric Chopin

Études, opus 10, no 12, opus 25, nos 2 et 9
Préludes, opus 28, nos 15, 3, 10, 14, 20 et 22

Maurice Ravel

Menuet (Sonatine, 2e mouvement)

Mardi,
3 décembre 1940

Québec,
Château Frontenac
(Ladies' Morning Musical Club)

Études, opus 4, 1 et 3
Dans la nuit, opus 12
Danse sauvage, opus 8
Tristesse, opus 11
Les Gros Chars, opus 2
Les Abeilles piquantes, opus 17
Hommage à Mozart enfant, opus 20
Procession d'éléphants, opus 5
Berceuse
Les Mouettes, opus 19
Les Vagues

Claude Debussy

Clair de lune (Suite bergamasque)
Doctor Gradus ad Parnassum (extrait de Children's Corner)
La Fille aux cheveux de lin (Prélude no 8, Livre I)
Golliwogg's Cakewalk (extrait de Children's Corner)

Frédéric Chopin

Études, opus 10 no 12, opus 25, nos 2 et 9

Franz Liszt

Rhapsodie hongroise no 2

Maurice Ravel

Menuet (Sonatine, 2e mouvement)

Vendredi
10 janvier 1941

Montréal,
Radio-Canada

Émission radiophonique
La Petite Symphonie

programme inconnu

Mardi
4 mars 1941

Montréal,
Auditorium Le Plateau

Orchestre de la SCSM

Dir. Désiré Defauw

Concertino no 2, opus 13, pour piano et orchestre

Mardi
1er avril 1941

Montréal,
Collège Brébeuf

Études, opus 4 et 3
Dans la nuit, opus 12
Danse sauvage, opus 8
Tristesse, opus 11
Les Abeilles piquantes, opus 17
Hommage à Mozart enfant, opus 20
Procession d'éléphants, opus 5
Berceuse
Les Mouettes, opus 19
Les Vagues

Frédéric Chopin

Études, opus 10 no 12, opus 25, nos 2 et 9

Claude Debussy

Clair de lune (Suite bergamasque)
Doctor Gradus ad Parnassum (extrait de Children's Corner)
La Fille aux cheveux de lin (Prélude no 8, Livre I)
Minstrels (Prélude no 12, Livre I)

Samedi
5 avril 1941

Montréal,
Mont St-Louis

même programme que le 1er avril 1941

Mardi 22
et jeudi 24 avril 1941

Ottawa,
École de musique
de l'U. Ottawa,
Salle académique

Études, opus 4 et 3
Dans la nuit, opus 12
Danse sauvage, opus 8
Tristesse, opus 11
Les Abeilles piquantes, opus 17
Hommage à Mozart enfant, opus 20
Procession d'éléphants, opus 5
Berceuse
Les Mouettes, opus 19
Les Vagues

Frédéric Chopin

Études, opus 10 no 12, opus 25, nos 2 et 9

Claude Debussy

Clair de lune (Suite bergamasque)
Doctor Gradus ad Parnassum (extrait de Children's Corner)
La Fille aux cheveux de lin (Prélude no 8, Livre I)
Minstrels (Prélude no 12, Livre I)

Mercredi, 7 mai 1941

Rimouski,
Séminaire, Salle des Fêtes

Études, opus 4, 1 et 3
Dans la nuit, opus 12
Danse sauvage, opus 8
Tristesse, opus 11
Les Gros Chars, opus 2
Les Abeilles piquantes, opus 17
Hommage à Mozart enfant, opus 20
Procession d'éléphants, opus 5
Berceuse
Les Mouettes, opus 19
Les Vagues

Claude Debussy

Clair de lune (Suite bergamasque)
Doctor Gradus ad Parnassum (extrait de Children's Corner)
La Fille aux cheveux de lin (Prélude no 8, Livre I)
Minstrels (Prélude no 12, Livre I)

Frédéric Chopin

Études, opus 10 no 12, opus 25 nos 2 et 9

Franz Liszt

Rhapsodie hongroise no 2

Maurice Ravel

Menuet (Sonatine, 2e mouvement)

Mercredi, 4 juin 1941

Chicoutimi,
Théâtre Capitole

Études, opus 4, 1 et 3
Dans la nuit, opus 12
Danse sauvage, opus 8
Tristesse, opus 11
Les Gros Chars, opus 2
Les Abeilles piquantes, opus 17
Hommage à Mozart enfant, opus 20
Procession d'éléphants, opus 5
Berceuse
Les Mouettes, opus 19
Les Vagues

Frédéric Chopin

Études, opus 10 nos 5 et 12, opus 25 nos 2 et 9

Claude Debussy

Clair de lune (Suite bergamasque)
Doctor Gradus ad Parnassum (extrait de Children's Corner)
La Fille aux cheveux de lin (Prélude no 8, Livre I)
Minstrels (Prélude no 12, Livre I)

Franz Liszt

Rhapsodie hongroise no 2

Samedi,
7 juin 1941

Montréal,
Chapelle du Collège
Saint-Laurent

Matinée symphonique
pour la jeunesse

(Festivals de Montréal)

Orchestre des Festivals de
Montréal

dir. Sir Thomas Beecham

Concertino no 2 opus 13, pour piano et orchestre

Lundi,
29 septembre 1941

Montréal,
Collège Sainte-Marie

Étude, opus 4
Hommage à Mozart enfant, opus 20
Danse sauvage, opus 8
Les Abeilles Piquantes, opus 17
Berceuse
Les Mouettes, opus 19
Les Vagues

Frédéric Chopin

Études opus 10 nos 3, 5 et 12, opus 25 no 2

Claude Debussy

Clair de lune (Suite bergamasque)
Doctor Gradus ad Parnassum (extrait de Children's Corner)
La Fille aux cheveux de lin (Prélude no 8, Livre I)
Minstrels (Prélude no 12, Livre I)

Franz Liszt

Rhapsodie hongroise no 2

Dimanche,
11 janvier 1942

New York,
New York Public Library,
«Young Canadian
Composers»
(The League of Composers)

Étude (non identifiée)
Hommage à Mozart enfant, opus 20
Les Mouettes, opus 19

Samedi, 21 février 1942, 11h New York, Carnegie Hall Young People's Concerts New-York Philharmonic-Symphony Orchestra dir. Rudolf Ganz	Concertino no 2 opus 13, pour piano et orchestre
Mercredi, 18 mars 1942 New York, Carnegie Hall Music Festival of Allied Nations	Étude, no 4 Les Vagues
Vendredi, 10 avril 1942 New York, Savoy-Plaza Hotel (Gold Room) (Canadian Women's Club)	Les Mouettes, opus 19 **Claude Debussy** La Fille aux cheveux de lin (Prélude no 8, Livre I) **Frédéric Chopin** Études, opus 10 no 12, opus 25 no 9
Vendredi, 17 avril 1942 New York, The Plaza	Étude, no 3 Hommage à Mozart enfant, opus 20 Danse sauvage, opus 8 Les Mouettes, opus 19 **Franz Liszt** Rhapsodie hongroise no 2
Vendredi, 1er mai 1942 New York, Music Department of Brooklyn College Brooklyn College Orchestra dir. Jean Morel	Concertino no 2, opus 13, pour piano et orchestre

Mercredi,
10 juin 1942

Ottawa,
École technique
Ensemble universitaire de la Société Ste-Cécile

dir. Gilles Lefebvre

André Mathieu, piano et direction (Berceuse et Hommage)

Printemps canadien
Berceuse (arr. pour orchestre à cordes, Russ Hunter)
Hommage à Mozart enfant, opus 20
(arr. pour orchestre à cordes, Russ Hunter)

Frédéric Chopin

Études, opus 10 nos 3 et 5

Claude Debussy

La Fille aux cheveux de lin (Prélude no 8, Livre I)

Franz Lizst

Rhapsodie hongroise no 2

Mardi,
13 octobre 1942

Montréal,
École primaire
Querbes d'Outremont

Études, opus 1 et 3
Hommage à Mozart enfant, opus 20
Berceuse
Les Abeilles piquantes, opus 17
Les Vagues
Les Mouettes, opus 19
Été canadien

Frédéric Chopin

Études, opus 10 nos 5 et 12, opus 25 nos 2 et 9

Claude Debussy

Doctor Gradus ad Parnassum (extrait de Children's Corner)
La Fille aux cheveux de lin (Prélude no 8, Livre I)
Minstrels (Prélude no 12, Livre I)

Franz Liszt

Rhapsodie hongroise no 2

Jeudi,
5 novembre 1942

Montréal,
Centrale catholique

Études, opus 1 et 3
Menuet (Hommage à Mozart enfant, opus 20)
Berceuse
Les Abeilles piquantes, opus 17
Les Vagues
Les Mouettes, opus 19
Été canadien

Frédéric Chopin

Études opus 10 no 3 et 12, opus 25 no 2 et 9

Claude Debussy

La Fille aux cheveux de lin (Prélude no 8, Livre I)
Minstrels (Prélude no 12, Livre I)

Franz Liszt

Rhapsodie hongroise no 2

Lundi, 11 janvier 1943 New York, Carnegie Hall National Orchestral Association dir. Léon Barzin	Concertino no 2, opus 13, pour piano et orchestre
Samedi, 23 janvier 1943 Montréal, Auditorium Le Plateau SCSM, Matinées symphoniques dir. Désiré Defauw	**Ludwig van Beethoven** Concerto no 1, opus 15
Mardi, 26 janvier 1943 Montréal, Auditorium Le Plateau SCSM dir. Désiré Defauw	même programme que le samedi 23 janvier 1943
Mardi, 31 août 1943 Montréal, Chalet de la Montagne Soirée-vedettes en hommage à la jeunesse canadienne-française	Été canadien Printemps canadien **Frédéric Chopin** Études, opus 10 no 2 et 3 **Franz Liszt** Rhapsodie hongroise no 2
Dimanche, 31 octobre 1943 New York, CBS radio André Kostelanetz Orchestra Dir. André Kostelanetz	Concerto no 3, opus 25 (2e mouvement, Andante)

Jeudi, 3 février 1944 Sorel, Salle Notre-Dame (Orchestre Soréla) Rodolphe Mathieu, piano 2	Études, opus 1 et 3 Menuet (Hommage à Mozart enfant, opus 20) Procession d'éléphants, opus 5 Les Abeilles piquantes, opus 17 Les Mouettes, opus 19 Les Vagues Été canadien Berceuse Danse sauvage, opus 8 Concertino no 2, opus 13 **Frédéric Chopin** Études, opus 10, no 3 et 12, opus 25, no 2 et 9 **Claude Debussy** Minstrels (Prélude no 12, Livre I) Clair de lune (Suite bergamasque) **Franz Liszt** Rhapsodie hongroise no 2
Samedi, 5 février 1944 Montréal, Hôtel Windsor Chœur à six voix Dir. Paul-Émile Corbeil André Laurendeau, piano	Chant du Bloc populaire
Samedi, 22 avril 1944 Acton Vale Jacques Bertrand, violon solo de l'Orchestre de la Jeunesse	Dans les champs (pour violon et piano) Été canadien Introduction du concerto no 3 Valse Sonate pour violon et piano Bagatelle **J.-S. Bach** Arioso (arr. pour violon et piano) **Frédéric Chopin** Études, opus 10 no 3 et 12, opus 25 no 2 **Charles Gounod / J.-S. Bach** Ave Maria (arr. pour violon et piano)

Samedi,
14 octobre 1944

Montréal,
Salle du Christ-Roi

Hommage à Mozart enfant, opus 20
Berceuse
Deux études (non identifiées)
Les Abeilles piquantes, opus 17
Les Vagues
Bagatelle
Fantaisie
Printemps canadien
Été canadien
Prélude et fugue en sol majeur (du Clavier Bien Tempéré)

Frédéric Chopin

Études, opus 10 no 3 et 12, opus 25 no 2 et 9

Claude Debussy

La Fille aux cheveux de lin (Prélude no 8, Livre I)
Minstrels (Prélude no 12, Livre I)
Clair de lune (Suite bergamasque)

Franz Liszt

Rhapsodie hongroise no 2

Mardi,
24 octobre 1944

Shawinigan Falls,
Théâtre Cartier

Hommage à Mozart enfant, opus 20
Berceuse
Deux études (non identifiées)
Les Abeilles piquantes, opus 17
Le Mouettes, opus 19
Les Vagues
Bagatelle
Fantaisie
Printemps canadien
Été canadien

J.-S. Bach

Prélude et fugue en sol majeur (du Clavier Bien Tempéré)

Frédéric Chopin

Études, opus 10 no 3 et 12, opus 25 no 2 et 9

Claude Debussy

La Fille aux cheveux de lin (Prélude no 8, Livre I)
Minstrels (Prélude no 12, Livre I)
Clair de lune (Suite bergamasque)

Franz Liszt

Rhapsodie hongroise no 2

Jeudi,
8 mars 1945

Drummondville,
Théâtre Drummond

Hommage à Mozart enfant, opus 20
Berceuse
Deux études (non identifiées)
Les Abeilles piquantes, opus 17
Les Vagues
Les Mouettes, opus 19
Bagatelle
Fantaisie
Printemps canadien
Été canadien

J.-S. Bach

Prélude et fugue en sol majeur (du Clavier Bien Tempéré)

Frédéric Chopin

Études, opus 10 no 3 et 12, opus 25 no 2 et 9

Claude Debussy

La Fille aux cheveux de lin (Prélude no 8, Livre I)
Minstrels (Prélude no 12, Livre I)
Clair de lune (Suite bergamasque)

Franz Liszt

Rhapsodie hongroise no 2

Dimanche,
11 mars 1945

Sudbury,
Ontario

Gilles Levebvre, violon

Colombe Pelletier, piano

programme inconnu

Mardi,
8 mai 1945

St-Jérôme,
Théâtre Rex

Hommage à Mozart enfant, opus 20
Berceuse
Études, opus 1 et 4
Les Abeilles piquantes, opus 17
Les Vagues
Les Mouettes, opus 19
Bagatelle
Fantaisie
Printemps canadien
Été canadien

J.-S. Bach

Prélude et fugue en sol majeur (du Clavier Bien Tempéré)

Frédéric Chopin

Études, opus 10 no 3 et 12, opus 25 no 2 et 9

Claude Debussy

La Fille aux cheveux de lin (Prélude no 8, Livre I)
Clair de lune (Suite bergamasque)
Minstrels (Prélude no 12, Livre I)

Franz Liszt

Rhapsodie hongroise no 2

Mercredi,
13 juin 1945

Ottawa,
U. Ottawa,
Salle académique

Gilles Lefebvre, violon

Complainte (arr. pour violon et piano)
Ballade-Fantaisie (pour violon et piano)
Printemps canadien

Mercredi, 29 août 1945

Matane,
Salle paroissiale
avec Gilles Lefebvre, violon

Études, opus 1 et 4
Berceuse
Hommage à Mozart enfant, opus 20
Les Abeilles piquantes, opus 17
Les Mouettes, opus 19
Printemps canadien
Ballade-Fantaisie (arr. pour violon et piano)
Complainte (arr. pour violon et piano)

J.-S. Bach

Prélude et fugue en sol majeur (du Clavier Bien Tempéré)

Frédéric Chopin

Études, opus 10 no 3 et 12, opus 25 no 2 et 9

Claude Debussy

La Fille aux cheveux de lin (Prélude no 8, Livre I)
Minstrels (Prélude no 12, Livre I)
Clair de lune (Suite bergamasque)

Franz Liszt

Rhapsodie hongroise no 2

Dimanche, 18 novembre 1945

Montréal,
Hôtel Windsor

Gilles Lefebvre, violon

Études, opus 1 et 4
Hommage à Mozart enfant, opus 20
Berceuse
Danse sauvage, opus 8
Les Mouettes, opus 19
Les Abeilles piquantes, opus 17
Les Vagues
Complainte (arr. pour violon et piano)
Berceuse (arr. pour violon et piano)
Saisons canadiennes
- Printemps
- Automne
- Été

Sonate pour violon et piano (Allegro, Andante et Allegretto)
Dans les champs
Fantaisie
Laurentienne

Samedi
6 avril 1946

Montréal,
Demi-Pensionnat du
Sacré-Cœur

Études, opus 1 et 4
Hommage à Mozart enfant, opus 20
Les Abeilles piquantes, opus 17
Berceuse
Les Mouettes, opus 19
Printemps canadien
Fantaisie
Automne
Laurentienne

Frédéric Chopin

Études, opus 10 no 2, 3 et 8
Polonaise opus 53

Claude Debussy

Clair de lune (Suite bergamasque)

Franz Liszt

Rhapsodie hongroise no 2

Mardi
9 avril 1946

Québec,
Palais Montcalm
Gilles Lefebvre, violon

Les Mouettes, opus 19
Les Abeilles piquantes, opus 17
Danse sauvage, opus 8
Les Vagues
Printemps canadien
Été canadien
Automne canadien
Laurentienne
Dans les champs
Fantaisie
Sonate pour violon et piano
Complainte (arr. pour violon et piano)
Berceuse (arr. pour violon et piano)
Bagatelle
Valse

Frédéric Chopin

Polonaise opus 53
Étude, opus 10, no 12

Jeudi
10 octobre 1946

Paris,
Maison des étudiants
canadiens

programme inconnu

Dimanche **8 décembre 1946** Paris, Sorbonne, Amphithéâtre Richelieu Festival de musique et de danse de folklore international Marcel Turgeon, baryton	Chants folkloriques (harmonisés par A. Mathieu) - Youpe, Youpe, sur la rivière - À la claire fontaine - Marie, ta fille - V'là le bon vent Printemps canadien
Dimanche, **9 février 1947** Paris, Maison des étudiants canadiens Gilles Lefebvre, violon	Printemps canadien Été canadien Fantaisie brésilienne (pour violon et piano)
Samedi **22 février 1947** Paris, Salon de Madame Zinki Bianchini Gilles Lefebvre, violon	Sonate pour violon et piano Laurentiennes no 1 et 2
Jeudi **13 mars 1947** Paris, Studio de la Radio Française Gilles Lefebvre, violon	Laurentiennes no 1 et 2 Printemps canadien Été canadien Fantaisie brésilienne (pour violon et piano)
Dimanche **30 mars 1947** Caen, Fédération Normandie-Canada Gilles Lefebvre, violon	Printemps canadien Été canadien Fantaisie brésilienne (pour violon et piano)
Dimanche **6 avril 1947** Paris, Studio de la Radio Française Jean Gascon, voix	Deux chants folkloriques (harmonisés par A. Mathieu) Laurentiennes no 1 et 2

Dimanche 11 mai 1947 Lisieux, Fédération Normandie-Canada	Récital annulé : le piano est faux
Dimanche 25 mai 1947 Troye, Fédération Normandie-Canada	Programme inconnu
mars-juin 1947 Tournée Fédération Normandie-Canada	
Bonnebosq	Programme inconnu
Mézidon	Programme inconnu
Trouville-Deauville	Programme inconnu
Ablon	Programme inconnu
Méry-Corbon	Programme inconnu
Orbec	Programme inconnu
Bayeux	Programme inconnu
Samedi 7 juin 1947 Breteuil, Association Normandie-Canada Suzanne Lecomte, soprano	Deux bagatelles Deux mélodies : - Colloque sentimental - Le Ciel est si bleu
Vendredi 13 juin 1947 Lisieux, Association Normandie-Canada Suzanne Lecomte, soprano Gilles Lefebvre, violon	Deux mélodies : - Colloque sentimental - Le Ciel est si bleu Reste du programme inconnu
Juin 1947 Paris, Cercle Inter-Allié	Programme inconnu

Dimanche, 15 juin 1947

Deauville, Salle du Casino

Jacques Proche, violoncelle

Suzanne Lecomte, soprano

Fantaisie brésilienne (pour violoncelle et piano)
Deux mélodies :
- Colloque sentimental
- Le Ciel est si bleu

Reste du programme inconnu

Vendredi 27 juin 1947

Paris, Maison des étudiants canadiens en présence de Gabrielle Roy

Concerto no 3, opus 25 (dit Concerto de Québec) extrait
Reste du programme inconnu

juillet-août-septembre 1947

Tournée en Belgique

Programmes inconnus

Mercredi 8 octobre 1947

Montréal, Radio-Canada, « Radio Carabin »

Concerto no 4 (2e et 3e mouvements, Nocturne et Final)
Fantaisie
Laurentienne
Complainte (arr. piano solo, extrait des Scènes de ballet)

Samedi 18 octobre 1947

Montréal, École supérieure d'Outremont

Études, opus 1 et 4
Hommage à Mozart enfant, opus 20
Les Abeilles piquantes, opus 17
Les Mouettes, opus 19
Les Vagues
Été canadien
Automne canadien
Printemps canadien
Fantaisie no 2
Bagatelles no 1, 3 et 2
Dans les champs
Fantaisie normande
Laurentiennes no 1 et 2
Concerto no 4 (2e et 3e mouvements, Nocturne et Final)

Fin octobre 1947

Montréal, station de radio CKAC

25e anniversaire

Complainte pour piano solo

Lundi
3 novembre 1947

Montréal,
Radio-Canada,
« Radio-Concerts-
Canadiens »

Orchestre, dir. Jean
Deslauriers

Concerto no 3, opus 25 (dit Concerto de Québec)
Trois bagatelles

Dimanche
23 novembre 1947

Montréal.
Radio-Canada
Orchestre symphonique
de Radio-Canada
dir. Jean Beaudet

Concerto no 3, opus 25 (dit Concerto de Québec)

Mardi
17 février 1948

Trois-Rivières,
Auditorium de la Salle

Études, opus 1 et 4
Hommage à Mozart enfant, opus 20
Les Abeilles piquantes, opus 17
Été canadien
Automne canadien
Fantaisie no 2
Bagatelles no 1, 2 et 3
Dans les champs
Fantaisie normande
Laurentienne no 2
Concerto no 4 (2e et 3e mouvements, Nocturne et Final)
Concerto no 4 (1er mvt) en rappel

Frédéric Chopin
Polonaise opus 53

Claude Debussy
Clair de lune (Suite bergamasque)

Lundi
1er mars 1948

Montréal,
Radio-Canada,
« Radio-Concerts-
Canadiens »

Orchestre symphonique
de Radio-Canada

Dir. Jean Deslauriers

Printemps canadien
Été canadien
Concerto no 4 (2e mouvement, Nocturne (Largo))

Vendredi 9 avril 1948 Québec, Palais Montcalm Débat étudiant HEC-Laval	Été canadien Laurentienne no 2 Frédéric Chopin Polonaise opus 53
Jeudi, 7 octobre 1948 Montréal, CEOC de l'Université de Montréal (Union des Latins d'Amérique)	Programme inconnu
Mercredi, 27 juillet 1949 Val D'Or, Théâtre Capitol	Études, opus 4 et 3 Les Abeilles piquantes, opus 17 Berceuse Hommage à Mozart enfant, opus 20 Les Mouettes, opus 19 Printemps canadien Été canadien Laurentienne no 2 Bagatelles no 1, 2 et 3 Concerto no 4 (version pour piano seul) Fantaisie **Frédéric Chopin** Polonaise opus 53 Études, opus 10 no 5 et 12 **Claude Debussy** Clair de lune (Suite bergamasque) Minstrels (Prélude no 12, Livre I) La Fille aux cheveux de lin (Prélude no 8, Livre I)
Vendredi, 29 juillet 1949 Amos, Cinéma Royal	Même programme que le 27 juillet 1949
Samedi, 30 juillet 1949 Amos, Cinéma Royal	Même programme que le 27 juillet 1949
Vendredi, 5 août 1949 Rouyn-Noranda, Théâtre Noranda	Même programme que le 27 juillet 1949

Vendredi, 28 avril 1950 Washington, D.C., Toutorsky Studio	Études, opus 4 et 3 Les Abeilles piquantes, opus 17 Berceuse Danse sauvage, opus 8 Hommage à Mozart enfant, opus 20 Les Mouettes, opus 19 Printemps canadien Été canadien Deux bagatelles Laurentienne no 2 Fantaisie no 2 Concerto no 4 (version pour piano seul, 1er et 2e mouvements)
Jeudi, 7 décembre 1950 Montréal, Hôtel Ritz-Carlton Jean-Paul Jeannotte, ténor Georges Lapenson, violon Jean Belland, violoncelle	Fantaisie no 2 Les Mouettes, opus 19 Laurentienne no 2 Sonate pour violon et piano [Lieder] sur des poèmes de Verlaine - Les Chères Mains - Il pleure dans mon cœur - Le Ciel est si bleu - Colloque sentimental Trio pour violon, violoncelle et piano - Andante - Andantino - Allegro con fuoco Concerto no 4 (pour piano seul) - Allegro - Andante - Allegro con fuoco - Nocturne
Lundi 16 avril 1951 Washington, D.C., The Phillips Gallery	Études, opus 3 et 4 Les Abeilles piquantes, opus 17 Berceuse Danse sauvage, opus 8 Hommage à Mozart enfant, opus 20 Les Mouettes, opus 19 Printemps canadien Été canadien Deux bagatelles Laurentienne no 2 Fantaisie no 2 Concerto no 4 (version pour piano seul) - Allegro - Andante - Allegro con fuoco

Mardi,
8 mai 1951

Montréal,
Club Musical et Littéraire
de Montréal

Les Mouettes, opus 19
Fantaisie no 2
Laurentienne no 2
Concerto no 4 (version pour piano seul)

Lundi,
17 mars 1952

Montréal,
Cercle universitaire
(Soirée Mathieu)

Aline Dansereau,
mezzo-soprano

Georges Lapenson, violon

Jean Belland, violoncelle

Fantaisie no 2
Laurentienne no 2
[Lieder] sur des poèmes de Verlaine
- Les Chères Mains
- Il pleure dans mon cœur
- Le Ciel est si bleu
- Colloque sentimental

Trio pour violon, violoncelle et piano

février 1952

Montréal

Laurentienne no 2
Fantaisie romantique
Concerto no 3, opus 25 (dit Concerto de Québec)

Samedi,
10 mai 1952

Toronto,
Massey Hall

Études, opus 4 et 3
Les Abeilles piquantes, opus 17
Les Mouettes, opus 19
Laurentienne no 2
Fantaisie romantique

Juillet 1952

Théâtre des Nouveautés

Pièce de théâtre *L'impasse*
de Claude de Cotret et
Yves Trudeau
(André Mathieu au piano)

Musique de scène

Lundi,
10 novembre 1952

Rivière-du-Loup,
Hôtel Lapointe

Programme inconnu

Dimanche, 14 décembre
1952

Sept-Îles,
Salle paroissiale

Programme inconnu

Lundi, 20 février 1953 Sept-Îles, Salle paroissiale	Programme inconnu
Lundi, 20 février 1953 Sept-Îles, Église de Sept-Îles	Programme inconnu
Mardi, 21 février 1953 Sept-Îles, École de la Réserve indienne	Programme inconnu
Vendredi, 12 juin 1953 Matane, Studio, Station CKBL	Concerto no 4 (1er mouvement, Allegro) Scherzando Concerto no 4 (3e mouvement, Allegro con fuoco)
Mardi, 16 février 1954 Montréal, Centre paroissial Immaculée-Conception (Club musical «Inter Nos»)	Programme inconnu
Jeudi, 6 mai 1954 Montréal, Théâtre Odéon-Mercier	Deux œuvres non identifiées
Mercredi, 17 novembre 1954 Montréal, École Saint-Viateur	Études, opus 4 et 1 Les Abeilles piquantes, opus 17 Berceuse Danse sauvage, opus 8 Hommage à Mozart enfant, opus 20 Les Mouettes, opus 19 Fantaisie no 2 Concerto no 4 (version pour piano seul, 1er et 2e mouvements) Laurentienne no 2 Deux Bagatelles Printemps canadien Été canadien

Mercredi, 8 décembre 1954 Montréal, Palais du Commerce PIANOTHON	Intégrale de ses œuvres et improvisations **Calixa Lavallée** Ô Canada
Samedi, 11 décembre 1954 Montréal, Théâtre St-Denis Gala du jouet	Trois œuvres non identifiées
Vendredi, 11 février 1955 Montréal, Auditorium Le Plateau Georges Lapenson, violon Jean Belland, violoncelle Rodolphe Mathieu, piano 2	Deux études Berceuse Danse sauvage, opus 8 Prélude romantique Fantaisie pour la main droite Concertino no 2, opus 13 Sonate pour violon et piano Trio pour violon, violoncelle et piano Concerto no 4 (version intégrale pour piano solo)
Mardi 28 au jeudi 30 juin 1955 Montréal, Café St-Jacques Pianothon	Ses œuvres et improvisations
Lundi, 5 septembre 1955 Victoriaville, Centre civique Pianothon	Ses œuvres et improvisations
Dimanche, 11 septembre 1955, 15 h St-Sylvère, Domaine Claire-Vallée	Programme inconnu (récital possiblement annulé)
Mercredi 12 octobre 1955 Victoriaville, Collège du Sacré-Cœur	Programme inconnu (récital possiblement annulé)

Lundi, 28 mai 1956 Montréal, Studio de Radio-Canada émission *Premières* Quatuor de Montréal : Hymann Bress, violon 1 Mildred Goodman, violon 2 Otto Joachim, alto Walter Joachim, violoncelle	Quintette pour quatuor à cordes et piano
Vendredi, 9 mars 1956 Montréal, Théâtre Gesù Pièce de théâtre *Les Insolites* de Jacques Languirand (André Mathieu au piano à chaque représentation)	Musique de scène - Boogie Woogie - Mazurka […]
Samedi, 21 juillet 1956 Montréal, Café St-Jacques Pianothon Mathieu vs Byrd	Ses œuvres et improvisations
Samedi, 26 janvier 1957 Joliette, Séminaire de Joliette, Salle académique	Concerto no 3, opus 25 (dit Concerto de Québec) Printemps canadien Les mouettes, opus 19 Boogie Woogie Reste du programme inconnu
Été 1957 Montréal, Café St-Jacques Pianothon Mathieu vs Jim Montecino	Ses œuvres et improvisations
juin 1965 Montréal, Les Lacordaire	Programme inconnu

Jeudi, 25 janvier 1968 Montréal, Club musical et littéraire de Montréal, Ritz Carlton Danielle Madge Dubé, violon Arminè Alexanian, violoncelle	Les Mouettes, opus 19 Laurentienne Rhapsodie romantique (réduction pour piano solo) Trio pour violon, violoncelle et piano
Jeudi, 18 avril 1968 Montréal, Club musical et littéraire de Montréal, Ritz Carlton Danielle Madge Dubé, violon 1 Solange Asselin, violon 2 Katherine Boghie, alto Claude-André Lachance, violoncelle	Fantaisie romantique Sonate no 1, 1er mouvement (1er mouvement du Concerto no 4) Quintette pour quatuor à cordes et piano

ANNEXE VI
DISCOGRAPHIE SÉLECTIVE

Œuvres pour piano seul, André Mathieu, piano, Paris, 1939, Boîte à Musique, no 26.

Jeux de la XXIe Olympiade Montréal 1976, Musique originale des cérémonies officielles (cérémonies d'ouverture et de fermeture et marche des athlètes), thèmes d'André Mathieu arrangés par Victor Vogel, 1976, RCA COJO 76.

« *Concerto no 3 (Concerto de Québec)* » et « *Scènes de ballet* », Philippe Entremont, piano, Orchestre du Capitole de Toulouse, dir. Michel Plasson, 1978, transfert audio-numérique en 1995 par Analekta, AN 2 9803.

Leclerc, LeBlanc, Mathieu. Œuvres pour piano seul et violon et piano, Roger Shakespeare Lord, piano et Jean-Luc Plourde, violon. 1993, Disques Helios, Série patrimoine, DH-1-01.

« *Sonate pour violon et piano* », Angèle Dubeau, violon et Louise-Andrée Baril, piano, *Opus Québec*, 1999, Analekta, ANC 2 8710.

« *Concerto no 3 (Concerto de Québec)* », Alain Lefèvre, piano, Orchestre symphonique de Québec, dir. Yoav Talmi, 2003, Analekta, AN 29814.

« *Concerto de Québec* », Arthur Dulay, piano, Concert Orchestra, dir. Charles Williams, 2004, Guild Light Music, GLCD 5109.

Hommage à André Mathieu. Œuvres pour piano seul, Alain Lefèvre, 2005, Analekta, AN 2 9275.

Rhapsodies (André Mathieu, *Rhapsodie romantique*; Serge Rachmaninoff, *Rhapsodie sur un thème de Paganini*; George Gershwin, *Rhapsody in Blue*). Alain Lefèvre, piano, Orchestre symphonique de Montréal, dir. Matthias Bamert, 2006, Analekta, AN 2 9277.

« *Concerto no 4* », « *Scènes de ballet* » et « *Quatre chansons pour chœur et orchestre* », Alain Lefèvre, piano, Tucson Symphony Orchestra Chorus, dir. Bruce Chamberlain, Tucson Symphony Orchestra, dir. George Hanson, 2008, Analekta, AN 2 9281.

« *Concertino no 2, opus 13* », Alain Lefèvre, piano, London Mozart Players, dir. Matthias Bamert, 2009, Analekta, AN 2 9283.

« *Ballade-Fantaisie pour violon et piano* », Alain Lefèvre, piano, David Lefèvre, violon, 2009, Analekta, AN 2 9282.

ANNEXE VII
PENSÉES, RÉFLEXIONS ET APHORISMES

(suivis des Écrits d'André Mathieu)

Un seul Art se rapproche de la musique : c'est l'Architecture.

L'avenir est aux bâtards, parce qu'ils n'ont pas de nom derrière eux à honorer ou à déshonorer.

Nous nous intéressons plus souvent aux sentiments des autres qu'à nos propres sentiments. La raison en est que nous considérons les sentiments des autres moins dangereux que les nôtres. C'est ce qui nous permet d'explorer sans crainte.

- 30 mai 1953 -

Je suis pour la liberté contrôlée en toute chose, et contre la liberté actuelle, parce que cette dernière donne le droit à tous les imbéciles et à tous les intelligents de parler et d'agir à leur guise. Or, comme il y a beaucoup plus d'imbéciles que d'intelligents, ceux-ci sont trop souvent submergés par les flots de la Bêtise Humaine.

Le dictionnaire, c'est la bouée de sauvetage des ignorants. En un certain sens : les ignorants ont toujours à la bouche le dernier mot rare qu'ils viennent d'apprendre.

La force intellectuelle de la France réside dans son individualisme; et ce qui fait sa faiblesse politique, c'est encore son individualisme.

Les pédérastes et les lesbiennes recherchent toujours la compagnie d'êtres normaux, mais laids et médiocres. En agissant ainsi, ces infirmes renforcissent leurs penchants et se trouvent une meilleure excuse.

L'originalité de certains individus n'est souvent que le résultat de leurs premières erreurs.

Les premières amours sont comme les plus belles lueurs de l'aube. Mais il pleuvra toujours sur la terre.

L'homme supérieur doit se contenter de vivre et ne pas s'occuper des autres humains qui ne font qu'exister.

Les petits espoirs ne peuvent engendrer que de petites passions.

- 1951 -

La femme a toujours l'âge qu'elle ne voudrait pas avoir.

La femme est l'éminence grise de l'homme faible.

La musique est une adorable et puissante maîtresse. Ses amants sont nombreux et elle récompense toujours ceux qui l'ont bien servie et aimée. C'est ce qui fait leur immortalité.

- 18 juin 1953 -

La musique, c'est tout ce que la Nature a de beau, mais qu'elle fait interpréter par des sons.

C'est probablement parce que les femmes ne raisonnent pas beaucoup qu'elles sont plus raisonnables que les hommes.

- 1er septembre 1956 -

Les femmes peuvent déclencher une guerre pour une dentelle.

C'est peut-être par ignorance d'une doctrine qu'on apprend à en créer une autre !

- 20 octobre 1956 -

Pour que les femmes soient vraiment supérieures aux hommes, il leur faudrait un homme comme chef !

- 12 octobre 1956 -

Être un grand homme, c'est être petit devant Dieu !

- Septembre 1956 -

Quand l'orgueil d'une femme s'incline devant celui de l'homme, cela fait penser à un tigre qui se plie pour mieux attaquer sa proie.

Quand un homme habite, ne serait-ce qu'une journée, au monastère de Saint-Benoît-du-lac, il sent indéniablement la présence de Dieu l'envelopper ! Ces moines, convaincus de leur espoir, ne demandent rien au public qui est devant eux. Et le pèlerin sait très bien que le seul prix qu'il devra payer est celui que sa conscience lui chargera.

- 1er septembre 1956 -

Si nous, les hommes, laissons les féministes continuer ce qu'elles ont commencé, bientôt elles trouveront une épouse à Dieu !

- 18 novembre 1956 -

Un des rares moments où la femme fasse preuve de courage, c'est quand elle porte des jugements téméraires.

- 25 décembre 1956 -

Tout ce qu'une femme fait en musique, c'est de pousser des soupirs.

- 19 janvier 1957 -

La morale est une marchandise que notre conscience achète !

- 19 janvier 1957 -

L'oubli, c'est le passeport de notre conscience.

- 28 avril 1952 -

Si un homme ne croit qu'en sa valeur personnelle et ignore celle des autres, il sera toujours dans la position d'un homme sur une île déserte.

- 19 janvier 1957 -

Les bons souvenirs de gloire sont les meilleurs moments de la vie.

Une famille sans père, c'est comme un navire sans gouvernail ; une famille sans mère, c'est comme un navire sans voile.

Quand l'État se fait père Noël, le peuple se fait enfant.

- Mars 1952 -

En art, le véritable créateur a besoin du public pour lui faire accepter sa solitude.

- Mai 1962 -

La peur commande le respect.

- 19 avril 1952 -

Quand certaines femmes sont jolies, on les admire comme des tableaux. Quand on les connaît, ce sont des caricatures.

- 17 février 1952 -

Même en grammaire, le masculin l'emporte sur le féminin.

- 22 novembre 1952 -

Dieu a besoin des hommes, et le Diable a besoin des femmes.

- Saint-Sauveur, 29 juillet 1951 -

Mon Dieu ! Préservez-moi des femmes qui se croient intelligentes !

- 11 décembre 1965 -

Pour les femmes, une qualité est une attitude, et un défaut, un héritage !

- 14 avril 1954 -

Ce qui empêche la femme de penser vraiment, c'est son trop grand désir de plaire.

Tôt ou tard, la fausse poésie finira par s'essuyer les pieds.

- 27 septembre 1957 -

Je crois fermement que le seul homme qu'une femme aime vraiment d'une façon désintéressée, c'est son fils. Et la seule femme qu'un homme aimera toujours au même diapason, c'est sa mère.

Si les femmes ne tombent jamais en seconde enfance, c'est qu'elles n'ont jamais quitté la première.

Le meilleur argument en Art, c'est une œuvre !

La jeunesse n'est pas faite pour le plaisir, mais pour l'héroïsme !

Un nuage de désir se dirige vers toi en souriant. Accueille-le comme une tendresse que tes yeux n'ont pas su voir !

- Octobre 1960 -

Un homme de génie, c'est celui qui peut donner un nouveau parfum aux fleurs, de nouvelles branches aux arbres en désignant un horizon plus vaste, qui est l'image de Dieu.

- 21 mars 1960 -

Un homme qui ne croit pas en Dieu ne croit pas en lui-même ; il n'y a aucune autre alternative que celle de se jeter dans les bras du père de l'humanité.

L'amitié, c'est de l'amour platonique.

- Avril 1964 -

L'homme a tellement besoin de sa liberté qu'il accepterait la liberté de souffrir plutôt que de subir l'esclavage d'un faux bonheur.

- 19 avril 1967 -

Si un homme satisfait la curiosité féminine, il vient de se perdre !

- Janvier 1961 -

Le mariage, c'est la victoire de la femme et la défaite de l'homme.

- 2 août 1966 -

C'est le coq qui annonce le soleil, et non les poules !

- 12 octobre 1966 -

Les femmes ne sont fidèles qu'à leurs ambitions.

- Juillet 1966 -

Entre le doute et la certitude, la vérité est passée comme une ombre.

Comment un homme pourrait-il savoir si une femme est coupable ou innocente, puisque pour cacher sa culpabilité ou prouver son innocence, elle pleure de la même façon ?

Le rêve, c'est un parachute, la réalité, c'est un coup de marteau.

Ce que la femme craint le plus, ce n'est pas la mort, c'est la vieillesse.

La musique s'associe au rythme de l'humanité, car seule la musique peut combler l'infini qui sépare les âmes.

Ce qui fait la supériorité de la musique sur la littérature, c'est que la plupart des écrivains ont toujours décrit la Laideur de l'être humain, sans vouloir en souligner la Beauté ! La musique, elle, est au-dessus des bassesses et des saletés de l'Humanité ! Elle attire vers elle ce qu'il y a de plus pur dans notre âme !

- 20 juillet 1965 -

J'ai toujours pensé que l'amour était une fleur qui s'épanouissait dans l'amitié. En s'épanouissant dans l'amitié, elle perd ses épines.

Pauvres Anglais. Ils vivent sur une île avec l'illusion que leur île est un continent !

Quand je donne mes pantalons à ma femme, c'est pour qu'elle les presse et non pour qu'elle les porte.

En ce qui concerne les naissances, c'est toujours la femme qui est certaine de la paternité.

Je considère que si un homme a le courage de vouloir vraiment se connaître, c'est pour lui la meilleure façon de ne pas ressembler aux autres.

- 7 août 1965 -

Il y a des moments dans la vie où le murmure du vent vient bercer nos oreilles comme la caresse d'une femme.

Oh ! Nuits divines, éteignez ce soleil qui brûle dans nos âmes.

L'Amour et le Désir sont deux jumeaux qui n'ont pas le même âge !

En art comme en toutes choses, les individus qui sont continuellement à la recherche d'une personnalité ou de l'originalité, sont ceux qui ne possèdent ni l'une ni l'autre.

Si en art, la politique existait, je serais dictateur, car la liberté technique n'existe pas.

Le cabotin et le médiocre ont toujours cette devise : liberté de soi-même. Le véritable artiste, lui, doit avoir celle-ci : Dictature sur soi-même.

L'art n'a pas de frontières, mais il a des limites.

L'artiste n'a pas à s'occuper de l'humanité, mais doit faire en sorte que l'humanité s'occupe de lui.

L'artiste ne doit jamais se dire : « Je fais », mais plutôt : « J'essaie » !

Je crois que la plus grande joie et la plus grande peine du musicien créateur, c'est de réaliser qu'il est le seul à se comprendre vraiment.

ÉCRITS

Entre 1946 et 1954, André Mathieu publie quelques articles qui touchent de près ou de loin aux arts et à la musique. Avant son départ pour Paris, de juin à septembre 1946, *La Voix du Québec* accueillera quatre textes.

Après son retour de Paris, *Le Clairon de Saint-Hyacinthe* de Télésphore-Damien Bouchard (1881-1962), le fameux T. D. Bouchard, maire et député de Saint-Hyacinthe, va reprendre deux articles parus dans *La Voix du Québec* et une série de réflexions que nous avons incluses dans l'annexe appropriée.

Quelques articles, tous reproduits ici, suivront, puis à partir de 1954 les journaux ne sollicitent plus sa collaboration.

Dans La Voix du Québec, *volume 1, numéro 2, le 20 juillet 1946, dans la rubrique « Les Arts et les Lettres », André aborde un sujet qui est le fondement même de son esthétique :* André Mathieu, Le Romantisme Moderne, La Voix du Québec, le 20 juillet 1946, p. 5.

LE ROMANTISME MODERNE

par André Mathieu

Le réalisme et la fiction – Le rythme et l'harmonie – Certains compositeurs à la noix de coco et les autres qui nous font entendre des « cris de poules » – Est-ce cela la musique ?

Je viens vous parler aujourd'hui du romantisme moderne. Cela ne vous dira sans doute pas grand-chose, voilà pourquoi j'essaierai de vous donner une idée claire et nette de ce nouveau style de composition musicale

Le romantisme moderne exprimera en même temps le réalisme et la fiction. Le réalisme dans le rythme et l'harmonie, la fiction dans la ligne mélodique. Je veux dire par fiction dans la ligne mélodique, que le thème d'une œuvre musicale quelconque sera plus discernable et plus chantant que ces « cris de poule » que nous présentent certains compositeurs à la noix de coco (il y en a plusieurs chez nous) qui veulent nous faire passer leurs élucubrations géométriques pour de la musique. Même si ces gens-là sont gobés par plusieurs groupes de pseudo-intellectuels, ces pauvres musiciens n'en demeurent pas moins des fumistes ou bien des individus frappés d'aberration mentale.

Le modernisme d'il y a quinze à vingt ans a fourni de grands génies créateurs, mais celui d'aujourd'hui, avec la même matière, nous apporte une musique dénudée de ce feu sacré qui exprime le sentiment humain et de ce sensualisme pur qui doit exister dans tout art. Sous prétexte de faire de la simplicité, plusieurs musiciens ne réussissent qu'à faire d'insignifiants barbotages d'enfants ou bien des problèmes d'algèbre sortis d'un cerveau en ébullition volcanique.

Pourquoi ce nom de romantisme moderne, vous demanderez-vous ? Je répondrais que si j'ai choisi ce nom, c'est que premièrement je crois fermement à l'éternel recommencement des choses et que, deuxièmement, je considère qu'après l'existence du classicisme, du romantisme, et enfin de ce qu'on appelle communément le modernisme, mais que je considère comme le classicisme de la nouvelle époque artistique à venir, il faut absolument un romantisme et ce sera le romantisme moderne. Vous me direz que tous ces noms ne sont après tout que des mots : je rétorquerai qu'en tout temps les mots ont tout de même servi de précieux auxiliaires pour les idées des hommes, et que pour classifier ces mêmes idées, il a fallu des noms à chacune.

Ce qui m'a poussé à créer ce style de composition musicale c'est que je considère, sans pour cela vouloir les rejeter complètement, que toutes les nouvelles doctrines artistiques qui ont fleuri depuis vingt ans ont donné l'occasion à tous les cabotins et à tous les poseurs de trouver une excuse à leur médiocrité et à leur banalité, en s'inspirant de ces doctrines libres pour mieux faire à leur guise tout en suivant les élans de leur paresse. »

Un compositeur-pianiste qui arrive, tant bien que mal, à définir sa position et à se situer dans la musique de son époque en maniant des formules un peu grosses mais efficaces, qui font rire et comprendre son propos, cela ne court pas les rues, d'autant plus, notons-le bien, qu'il n'a que 17 ans !

Dans *La Voix du Québec*, volume 1, numéro 3, le 2 août 1946, André parle d'un des compositeurs dont il connaît l'œuvre en entier : Maurice Ravel. Comme il n'y a rien d'unique et d'original dans sa perception du compositeur, nous passons à autre chose.

Dernier article, toujours dans *La Voix du Québec*, volume 1, numéro 5, rubrique « Les Arts et les Lettres », quelques semaines à peine avant son départ pour Paris.

Un centre artistique à Montréal (par André Mathieu)

Je vais vous entretenir, dans cet article, d'un sujet qui intéressera toutes les personnes sensées, sauf apparemment celles capables d'agir en la matière. Cela fera bientôt dix ans que l'on parle de la création d'un centre artistique à Montréal, mais les seuls résultats que nous ayons eus à date sont de beaux banquets avec des tables bien garnies et des messieurs imposants de taille et courageux dans l'éloquence parlant du projet de création d'un centre artistique en ayant l'air d'avoir la certitude de sa réalisation prochaine.

Cela fait vraiment pitié de voir que Montréal, cité d'un million et demi d'habitants, deuxième ville française du monde, métropole du Canada, est incapable de recevoir les artistes étrangers et canadiens dans des endroits autres que des stades de balle-au-camp et de petites salles où [la] mauvais[e] acoustique et la température inclémente s'unissent souvent pour nous empêcher de goûter la musique ou le théâtre qui nous est présenté maintenant en si grande quantité. Plutôt que de passer leur temps à parler de Mazurette ou de plusieurs autres de nos musiciens morts depuis longtemps, et qui ne vivent que par leur plume, certains critiques de nos journaux hebdomadaires feraient mieux de commencer une campagne de presse qui obligerait les autorités compétentes à agir promptement.

Le centre artistique dont je rêve depuis longtemps se composerait à peu près comme suit : il y aurait d'abord une salle de cinéma climatisée qui, en plus de présenter des films ordinaires, mettrait à la disposition des enfants, une fois la semaine, des documentaires instructifs sur des sujets comme par exemple, l'Histoire de la Musique, de la Littérature, de la Peinture et enfin d'autres films sur la fonction des instruments de musique, leurs origines, etc.

C'est bien beau de montrer aux enfants le nombre formidable de poissons que l'on peut retirer de nos Grands Lacs ainsi que la couleur de nos tomates et la grosseur de nos betteraves nationales, mais il faudra aussi faire comprendre aux petits Canadiens français que le « reel du père Siméon », les illustrations de « La Presse » et les dessins de calendriers ne sont pas là les seules richesses musicales, littéraires et picturales que possède le Québec. Mais revenons au centre. Après la salle de cinéma, viendrait un vaste auditorium d'une capacité d'environ 3,500 places. Ce même auditorium, il va sans dire, serait doté d'un système d'éclairage moderne tout en ayant un[e] acoustique parfait[e] permettant de bien entendre les œuvres musicales qui y seraient présentées et de les y apprécier à leur juste valeur. Étant donné que la plupart des imprésarios considèrent les artistes comme de simples ouvriers dans leur grande industrie, cela ne leur ferait aucune différence d'organiser des concerts dans une salle appropriée. Au contraire, ils en seraient bien aise… et les artistes aussi.

Ensuite, j'imagine un théâtre, mais alors un vrai théâtre avec des loges belles et propres, où les comédiens pourraient se maquiller en paix sans se préoccuper de certains petits animaux rongeurs qui pullulent dans plusieurs des vieux théâtres de notre métropole. Je vois d'ici la figure épanouie d'un Père Legault ou d'un Pierre Dagenais en apercevant un vrai théâtre à leur entière disposition. Ces hommes de grande valeur font actuellement de grands et beaux efforts qui malheureusement ne reçoivent pas assez d'encouragement[s] de la part du public.

Pour la peinture, il y aurait une salle d'exposition qui ouvrirait ses portes gratuitement à tous les peintres de valeur. Ces mêmes peintres ne seraient pas obligés, durant l'année, d'essayer de vendre leurs tableaux pour être en mesure de payer la location d'une salle et, arrivés à leur but, ne plus avoir d'œuvres à exposer. Et dans ce même centre, il devrait y avoir une bibliothèque qui renfermerait un nombre important de partitions musicales, des livres sur le théâtre, la peinture, etc.

Toutes ces choses seraient à la disposition du public qui n'aurait pour se les procurer qu'à remplir les formules habituelles des bibliothèques.

Tel est, cher lecteur, le centre artistique que j'ai rêvé. Puisse ce rêve devenir une réalité, c'est là mon plus cher désir.

À noter que les articles du 2 août 1946 et du 6 septembre 1946 parus dans *La Voix du Québec* consacrés respectivement à « Maurice Ravel » et à « Un Centre Artistique à Montréal » seront reproduits à peu près mot pour mot dans le journal *Le Clairon* de Saint-Hyacinthe des 13 et 27 février 1948, au moment où André, à son retour de Paris, profite de son blason redoré grâce à *La Forteresse* pour s'imposer comme « jeune Maître » dans le milieu musical. Dans l'édition du 23 janvier 1948 du journal *Le Clairon* de Saint-Hyacinthe, André publie quelques « Réflexions sur l'Art » que nous reproduisons dans cette section.

Pour des raisons inconnues, la collaboration avec le journal de Saint-Hyacinthe prend fin et le prochain article d'André Mathieu sera publié dans la revue *Place Publique* de mars 1952. Nous retrouvons un jeune compositeur de 23 ans qui, sans aucune arrogance, sait qui il est, ce qu'il vaut et ce qu'il veut.

POUR UNE VÉRITABLE MUSIQUE CANADIENNE

« *Place Publique* a eu l'amabilité de me demander un article sur un sujet qui m'intéresse beaucoup : la musique. Si j'ai intitulé cet article : *Pour une véritable musique canadienne*, c'est parce que je veux m'efforcer de démontrer la très grande différence qui devrait exister entre le folklore canadien et la musique canadienne.

Le folklore canadien-français est une richesse nationale, voilà une vérité qui n'échappe à personne. Mais le folklore est une richesse populaire et spirituelle. Par le fait même, il devient l'expression naturelle d'un peuple. Or, le peuple est simple et c'est ce qui fait son charme. C'est également le charme du folklore en général. Si on introduit des éléments folkloriques dans une œuvre musicale d'envergure, le folklore perd cinquante pour cent de sa valeur parce qu'il perd sa simplicité. Il se trouve déguisé et maquillé. Tandis que l'œuvre musicale d'envergure constate avec dépit que cet intrus, le folklore, n'a rien à donner pour l'élaboration de son magnifique empire musical. Chacun à sa place !

Plusieurs musiciens canadiens ont accompli de très louables efforts pour mieux faire connaître chez les jeunes notre folklore et, par conséquent, détourner notre jeunesse des lamentables chansonnettes que nous entendons un peu trop souvent. Ces mêmes musiciens canadiens accomplissent là une œuvre d'apostolat devant laquelle je suis le premier à m'incliner. Par contre, le folklore ne doit pas être une source d'inspiration pour le véritable créateur. Un créateur n'est pas un interprète. Un véritable musicien, tout en admirant ce qui a déjà été fait, s'efforce toujours de se dégager des influences antérieures pour trouver enfin sa personnalité bien à lui. Ça aussi, c'est une œuvre d'apostolat !

Comment voulez-vous qu'un musicien, en adaptant d'anciennes mélodies ou d'anciens rythmes, puisse créer de nouvelles mélodies ou de nouveaux rythmes ? Cela est impossible. Pour un artiste créateur, il n'y a pas de plus grande joie que de constater qu'il a fait quelque chose de neuf et que cette chose est vraiment bonne. Pour que nous ayons une musique véritablement nationale, nous devons diriger nos efforts vers l'avenir et non pas nous pencher sur le passé, car il ne s'est rien passé. Nous devons être prudents, mais non retardataires. En art, ce n'est pas l'inspiration qui fait travailler l'auteur, c'est au contraire l'auteur qui fait travailler son inspiration.

Les compositeurs n'aiment pas mentionner leur parenté en art parce qu'il y a des critiques qui ont l'esprit de famille un peu trop développé. Ils s'emparent des généalogies et s'intéressent passionnément aux portraits de familles. Du point de vue du créateur en particulier, c'est absurde.[503] Il y a certes des artistes copieurs, mais le véritable artiste ne s'inquiète pas trop de ces choses. Il regarde en avant et son œuvre ne s'explique pas par telle ou telle ressemblance, mais au contraire par telle ou telle dissemblance qu'on ne reconnaît d'ailleurs pleinement qu'une fois l'œuvre du créateur achevée. C'est le seul point de vue valable à mon avis, à moins évidemment qu'on n'ait affaire à un artiste qui n'a rien à dire et qui se borne à redire.

---

503. On voit que les vieilles blessures ne sont pas encore refermées. Les doutes, quant à la paternité de ses œuvres, n'ont pas perdu de leurs épines. (Note de l'auteur.)

> Cessons de parcourir les sentiers battus. N'ayons pas peur de regarder en avant. La véritable musique canadienne ne doit pas être composée d'*arrangeurs* ou d'*harmonisateurs* : elle doit être composée de *musiciens créateurs*!
>
> André Mathieu

Décidément, en cette année 1952, André Mathieu est vraiment préoccupé par cette identité, cette couleur, cette saveur, cette chose impossible à cerner mais éminemment reconnaissable quand elle se présente, une langue à soi, un visage caractéristique, ce qui fait le génie d'un peuple, cette signature unique que quelques créateurs apposent sur l'inconscient collectif et manifestent dans leurs œuvres.

Dans un article paru dans *Amérique Française*, juillet-août 1952, p. 63-64, André Mathieu se demande si :

La Musique Canadienne
est-elle frappée d'Ostracisme ?
Par
André Mathieu

> Il est vraiment honteux de constater jusqu'à quel point certaines personnes compétentes ne font rien ou pratiquement rien pour encourager l'audition des œuvres de compositeurs canadiens devant le public canadien comme devant celui du monde entier. J'admets qu'il y ait un certain progrès depuis quelques années, mais si l'on compare la situation des compositeurs canadiens avec celle de leurs confrères des autres pays, nous n'avons rien ou presque rien. Nous connaissons tous l'encouragement que reçoivent les compositeurs américains de la part de leurs compatriotes. Mais il n'y a pas que les États-Unis. Vous prenez par exemple certains pays de l'Amérique du Sud comme l'Argentine et le Brésil, dont les gouvernements,

en plus de faire une propagande intense pour la propagation des œuvres de leurs compositeurs dans le monde entier, leurs servent assez souvent des allocations pour les tenir éloignés des soucis financiers et, par le fait même, leur permettre de travailler en paix. Je ne crois pas me tromper en disant que je me fais l'interprète de plusieurs de mes confrères qui sont dégoûtés, non pas de la musique, mais dégoûtés de constater le peu d'encouragement qu'ils reçoivent. Alors qu'arrive-t-il ? Un grand nombre de compositeurs découragés, pressés par des besoins financiers, se lancent dans l'enseignement ou dans le travail de routine, soit comme harmonisateurs, soit comme arrangeurs ou comme copistes. Ce n'est pas là le but que ces compositeurs voulaient atteindre, eux qui, pendant des années, ont étudié de peine et de misère avec des bourses insuffisantes mais aussi avec la légitime espérance que ces années d'études porteraient fruit un jour. Je dois ici rendre hommage au gouvernement provincial qui a sensiblement amélioré la situation de nos étudiants en augmentant les bourses d'études depuis quelques années. Malgré ce louable effort de notre gouvernement, la situation demeure grave. Pourquoi le gouvernement fédéral et les gouvernements provinciaux ne coopéreraient-ils pas pour créer un fonds musical qui permettrait aux compositeurs de faire publier et distribuer dans le monde entier leurs œuvres qui ne sont pas encore sorties de leurs tiroirs ? Il me semble aussi que les ambassades canadiennes, surtout celles des États-Unis, de France, d'Angleterre et d'Italie, pourraient organiser des concerts exclusivement composés d'œuvres canadiennes et interprétées par des artistes canadiens consciencieux, arrivés à leur pleine maturité. On nous parle souvent de la prospérité économique du Canada, c'est très bien. Et que fait-on de la prospérité intellectuelle ? Le rayonnement artistique d'un pays s'étend plus loin et dure plus longtemps qu'un rayonnement économique. Les mines, qu'elles soient de charbon ou de fer, finissent toujours par s'épuiser. L'art lui ne s'épuise jamais. Si les autorités compétentes daignaient porter quelque attention aux humbles suggestions que je viens de soumettre, je serais le plus heureux des hommes. Car il ne faudrait tout de même pas que, pour parodier un vieux dicton, l'on dise dans quelques années : la musique mène à tout en autant qu'on en sorte !

Ce même texte a été lu en ondes à la station radiophonique CHLP en mars 1952. Déjà dans ce texte André Mathieu pose les jalons et définit les buts que se fixeront les différents Conseils des Arts à tous les niveaux. Sa vision de l'artiste à l'intérieur d'une société, son porte-étendard auquel on doit la subsistance et le rayonnement, est le prolongement direct de la cellule familiale où on lui a assuré sa survie, tant affective que matérielle. À vingt-trois ans, Mathieu attend et s'attend à ce que ses concitoyens prennent la relève.

Enfin, André Mathieu sera à nouveau invité à être chroniqueur musical du *Progrès*, journal dont on n'a pu retrouver aucune trace. Dans l'édition du 10 mars 1954, André Mathieu parle de la conception de son métier.

LE COMPOSITEUR

Bien des gens considèrent la musique comme un divertissement et les compositeurs comme des auxiliaires. Quelle ingratitude envers ceux qui ont créé et parachevé leur satisfaction intellectuelle.

Plusieurs personnes s'imaginent recevoir un cadeau quand elles ont l'occasion d'écouter une œuvre musicale. Ces mêmes personnes ne savent-t-elles pas que le compositeur, en livrant son œuvre au public, ne fait que leur donner un passeport pour pénétrer quelques instants dans un royaume magnifique où il est roi ? La musique est un paradis où les fleurs sont toujours épanouies. Le jardinier est assez fort et sûr de son art pour savoir se débarrasser des parasites. Il n'ouvre ses portes qu'à ceux qu'il aime autant que ses fleurs.

Un compositeur est très dur pour lui-même, mais il est indulgent pour ceux qui écoutent son œuvre.

Depuis trop longtemps certains profanes s'imaginent que l'art de la composition musicale est une sinécure. Il est vrai que les difficultés n'apparaissent qu'à ceux qui ont le courage de les affronter.

On peut être profanes, mais il est interdit d'être profanateurs.

Rien n'est insultant pour un compositeur comme de s'entendre dire : « Mais, voyons ! Pour vous ce n'est pas difficile, vous avez un don ! » Comme si un don se développait tout seul. Dieu nous a donné des outils pour que nous nous en servions. La plus riche terre ne produirait rien si elle n'était pas cultivée par les solides et durs laboureurs. Pour le compositeur c'est la même chose. Ce n'est que dans le travail acharné qu'une œuvre véritable peut être créée. L'oisiveté intellectuelle, nous laissons ça aux génies incultes. »

André Mathieu, *Le Progrès,* 10 mars 1954.

Une semaine plus tard, André répond à un abondant courrier des lecteurs qui lui est parvenu. Il est évidemment le mieux placé pour répondre à la question :

VOTRE FILS SERA-T-IL MUSICIEN ?

J'ai reçu plusieurs lettres de lecteurs et de lectrices du *Progrès* qui ont bien voulu s'intéresser à mes derniers articles parus ces dernières semaines. Je remercie ces aimables correspondants. Je vais leur répondre dès aujourd'hui. Mais auparavant, je veux dire que je suis à la disposition de quiconque voudrait me poser des questions au sujet de la musique. Je répondrai au meilleur de mes connaissances et surtout d'après mon expérience personnelle.

Les lettres reçues portent surtout sur un sujet dont on prétend que je connais le secret. Quelles sont les possibilités musicales des enfants ?

Depuis que le monde est monde, les désirs des enfants ont toujours été dominés par un sentiment primordial : LA CURIOSITÉ. Il ne suffit pas, par exemple, à un enfant de contempler un tableau : il faudra qu'il y touche, qu'il le retourne en tous sens. Peut-on dire ce qui attire un enfant vers ce tableau ? Est-ce l'attrait des couleurs voyantes ou de celles moins prononcées ?

Peut-on dire que cet enfant deviendra un peintre à cause de ce penchant vers un tableau ? Nul ne peut le dire. Faites bien attention si l'enfant ne s'en tient qu'à une première contemplation.

Si en plus il veut prendre un crayon de son propre chef… si plus tard il cherche à imiter le dessin… si en plus il cherche à créer un dessin de son inspiration au lieu d'imiter seulement, s'il crée quelque chose qui lui vient à l'esprit, si surtout il continue par goût à s'intéresser au dessin et qu'il reproduit les objets qu'il a sous les yeux… alors il est bon d'observer cet enfant. Il est bon de le seconder dans ses aptitudes de peintre.

Il en est de même pour la musique. Un petit garçon de quatre ou cinq ans ne se dirigera pas de lui-même vers le piano s'il n'a pas entendu quelqu'un jouer de cet instrument, mais après une première audition l'enfant se dirigera vers le piano, guidé par la curiosité et le désir d'imiter les adultes. Il voudra s'asseoir sur le tabouret, il regardera ensuite le clavier, « pianotera » un peu et les premiers sons qu'il tirera de l'instrument le feront d'abord sourire. Sa curiosité satisfaite, il retournera à ses jouets. Mais si par la suite il retourne au piano, s'il y revient souvent le lendemain et les jours suivants, en essayant, non plus des barbouillages mais des airs qu'il inventera, des sonorités plus agréables à son oreille, cet enfant a indéniablement des dons musicaux. S'il est encouragé par des parents ou un professeur compréhensif, les aptitudes naturelles de votre enfant peuvent se développer et un jour, la technique aidant, il peut devenir un virtuose, un musicien.

J'ai passé par là… moi aussi je suis retourné au piano dès le lendemain !

André Mathieu, *Le Progrès,* le 17 mars 1954.

Un autre médium extrêmement puissant et capable de maintenir dans l'oreille publique le nom et la musique d'André Mathieu est la radio. Non seulement est-il invité régulièrement sur les ondes des différentes stations publiques et privées, mais à partir de 1950 et jusqu'en 1955 il est convié à titre d'annonceur à présenter de la musique enregistrée sur disques et à offrir ses commentaires et son point de vue sur les œuvres des compositeurs qu'il a choisis. Il a ainsi présenté les Variarions Symphoniques de César Frank le 4 décembre 1950 alors que le lendemain, 5 décembre, c'est la *Rhapsodie Espagnole* de Ravel qui prend l'antenne. Les mercredi 6 et le vendredi 8 décembre, sa programmation ne nous est pas parvenue mais le jeudi 7 décembre, *An American in Paris* de George Gershwin est à l'antenne.

Nous n'avons pas cru nécessaire de publier des textes de présentation d'André Mathieu. Ils reprennent les propos de l'annonceur standard et n'offrent pas de vue ou de commentaires qui jetteraient une lumière nouvelle sur les œuvres, leurs compositeurs ou André Mathieu lui-même.

La station radiophonique CKAC cinq ans plus tard, en septembre 1955, lui propose une série hebdomadaire. La première émission est entièrement consacrée à Ravel qu'André Mathieu connaît par cœur. Il fait tourner le *Sonatine* dont il a abondamment joué le deuxième mouvement, la *Pavane pour une Infante défunte*, le *Concerto en sol* et il termine l'émission avec la Deuxième Suite du ballet *Daphnis et Chloé*.

La semaine suivante, un voyage va de Corelli à César Franck. Un des *Concertos Grosso* ouvre l'émission et le poème symphonique *Psyché* et la *Symphonie en ré mineur* de César Franck composent la deuxième partie. Les textes n'étant ni uniques ni exceptionnels ne sont pas reproduits. Cependant, quelle vitrine pour André Mathieu que les ondes de la radio !

ANNEXE VIII
CITATIONS ORIGINALES

Chapitre III

p. 152

Noel Strauss, *The New York Times*, le 4 février 1940 :

« ANDRÉ MATHIEU, COMPOSER-PIANIST, ONLY NINE,
SCORES IN DEBUT HERE

By a most extraordinary display of musical precociousness André Mathieu [...] created a veritable sensation at his New York debut last night in Town Hall [...]. It was a unique experience to listen to a mere boy perform compositions of his own that no one would suspect any but a fully matured mind could conceive, and play them with a like ripeness as interpreter and executant [...]. When the youthful artist came on stage for his initial number, the audience saw a normal, slender, sturdily built and athletic–looking child in a white jersey and flannel shorts, whose appearance of vigorous healthiness was reflected in the sanity and animation of his playing as he dashed without a moment's delay into the first of the three etudes that headed the schedule.

COMPOSED WHEN HE WAS 4

The triad of studies was composed when André was but 4 years old, and probably in the whole history of music no other child ever wrote anything comparable to them at so early a period. Even Mozart the most talented musical prodigy on record, did not start composing until he was 5, and his first effusions were of a much simpler nature.

Like Mozart's early compositions, those of this later wonder child naturally were derivative, echoing the music of his own day, but at the same time showing a marked individuality. There was nothing childish in the three etudes. Like all the other compositions by this amazing boy presented last night, they were complicated in their dissonant harmonies, rich in texture and highly perfected in development and structure.

Even the most skeptical person in the audience must have been surprised at the qualities of the three studies [...]. The first of the studies [...] was a bold, exciting creation in rapidly moving, heavy, interlocked chords, which despite its brevity carried its energetically proclaimed message across the footlights with real conviction as Andre performed it with a fullness of rich fortissimo tone and a verve and power worthy of a veteran of the keyboard.

[...]

Tristesse, composed at six, was outstanding in its harmonic and melodic charm and, *Les Vagues*, written during the present year, proved to be one of the most extensive and deftly elaborated of these unusual works. Its surging chromatic basses, lyric middle episode and thundering final climax filled with interesting overtone effects was surely an achievement irrespective of the age of its composer [...].

[...]

Master Mathieu's pianism in his own works with its strength and delicacy as the mood demanded, its singing tone that never lost quality when stressed, its technical accuracy and unhesitating positiveness, was less convincingly employed in the compositions by Daquin, Chopin, Debussy and others scheduled. They were given in a straight forward, unblemished manner, but in them an immaturity on the interpretive side was noted that was entirely absent in the boy's bravura playing of his own vastly more difficult works. »

p. 153

Francis D. Perkins, *The New York Herald Tribune*, le 4 février 1940 :

« André Mathieu [...] lost no time in assuring a large audience that he possessed an extraordinary talent in both of the fields in which he had been announced, those of piano playing and composition [...]. As a pianist, one of the salient features of his playing was its remarkable energy, the volume of tone was fully of adult dimensions; proclamative notes in the base, especially, were sounded with an amazing vigor; his technique in his own music, in its deftness and confidence, seemed to be that of an adult artist. There was also an impression of musicianship and interpretative sensibility, a capacity for amazing momentum, clarity of medium, and detail and a tasteful command of dynamic shading.

The music in which he set forth these qualities was, perhaps, even more remarkable. [...] *Les Abeilles Piquantes* (which was encored); [...] the influences of Debussy and Stravinsky were the most apparent in a style already beginning to show individuality [...]. Curiously enough, the interpretative mastery shown by the boy in his music was much less strikingly in evidence in the works of his seniors. It was still remarkable playing in its vigor and technique, but the phrasing suggested a mainly external acquaintance with most of this music, lacking the sense of line shown earlier in the program.

But, if here the work of a talented child rather than giving the impression of interpretative maturity made in Andre's own music, it was still an exceptional accomplishment; shortcomings were noticeable only by the application of an adult standard. »

p. 168

Ross Parmenter, *The New York Times*, le 9 février 1941 :

« WHAT ARE PRODIGIES REALLY LIKE?

[...] The boy, according to his father, seems to live in the moon. He has a strong temper. He wants to direct everything and he will not take ideas from others. Everything he undertakes comes easily to him. He sometimes wants to work harder at his music than is good for his health, and it is the ambition of his young life to appear with a large symphony orchestra in New York. He is sturdy and big for his age, weighing already 108 pounds; he has a mop of thick black hair which occasionally flops into his dark eyes and he isn't interested in interviewers.

The boy was frankly and sometimes sullenly bored last week when a reporter went up to see him at 362 Riverside Drive, where he is staying for a month's visit with his father, mother and 9 year old sister, Camille [...].

But his boredom was not all his fault, for he understands little English. Whenever anything happened that interested him, he was a changed person. He became vivacious, he laughed with real heartiness and his face shone with real intelligence. Indeed, his transitions from unhappiness to a Puck-like delight were dazzling in their rapidity. He was sometimes very polite, but he seems to have a quick-darting, unruly spirit which always wants to be about its own business and which resents the least trammel on its freedom.

[…]

[He receives] the sort of education that he needs and that is not possible in Montreal where they live. Already, they have gone to as many concerts as they have been able to squeeze in […]. The boy plays the piano about three hours a day, Mr. Mathieu said. He plays his own compositions and those of other composers whose works he can read and memorize virtually at sight. He generally composes at the piano for often he will get ideas from the progression of chords. But he also composes away from the keyboard, writing all his music in pencil, for writing with pen and ink is too tiring. He has just finished a quintet for piano and stings. It is *Opus 42* […]. Mr. Mathieu is not afraid that the boy will develop a swelled head. He feels he will be saved from that by the fact that he lives inside himself and is without external pride or self-consciousness […]. André skates, swims and rides a bicycle, but he is not allowed to play tennis or football or to ski lest he should injure himself. He likes to play with boys of his own age, but he always organizes them when he does. He follows the movies closely, and he can play a demon game of checkers. He also likes to discuss music and foreign affairs with adults, for now that he can read he has become a close student of the newspapers. »

p. 170

Candide, journal inconnu, New York, le 5 mars 1941 :

« [André] was choking back his tears in front of the Broadway Theatre after being told there were no more seats left for *Fantasia* […]. “C’est impossible.” […] It was his tears, his French, his childish disappointment, his thick mop of black hair that inspired curiosity and an offer to be our guest at the following matinee. The next afternoon there was the rare experience of observing and talking to someone touched with genius, who was just a kid [...]. André is a quick, decisive youngster, who loves checkers, skating, his bicycle and the movies. In an empty lot near his house in Montreal, he and his friends erected two forts... "One for the Boches and the other for Les Alliés. We are finishing the war ourselves... It is nicer in Montreal than New York because it is quiet there. But there is Carnegie Hall and music, and one day perhaps I will play the piano in an orchestra that Toscanini will lead." »

Chapitre IV

p. 183

Lazare Saminsky, *The New York Times*, le 28 septembre 1941 :

« One still does not understand why a land that has managed to harmonize the flow of so many racial currents cannot turn the rivalry between the Franco and Anglo-Canadian musical forces in a fruitful interchange of their fine old cultures. Still, there are things on which the two factions agree.

11 YEAR-OLD COMPOSER

The sensation of the region and of all Canada, for that matter, is the boy composer, the eleven year-old André Mathieu, who played his own piano concerto recently under Sir Thomas Beecham. I acquainted myself with his compositions. They are what you would expect from a boy of this age, imitative and reminiscent; still, there is a charm of directness and of boyish enthusiasm in them, and they are very well made [...]. »

p. 184

Noel Strauss, *The New York Times*, le 12 janvier 1942 :

« It happened, however, that the works that were freest of this influence, notably [...] Mathieu's *Hommage à Mozart enfant* possessed the most communicative and ingratiating content [...]. Among the best of the works in the most radical vein were [...] Mathieu's Etude [...] and the greatly talented young André Mathieu, who was the only composer to appear in his own offerings played them in virtuoso fashion [...]. All of the music was warmly received by a large audience. »

p. 185

Journaliste inconnu, *The New York Herald Tribune*, février 1942 :

« [H]e said last night [...] that he would feel better if he could just listen while someone else did the playing [...]. André's English is no match for his piano playing. [...] "He reads everything", his father added. "All about the war and the international situation. He knows every minister of every country. A big reader – newspapers, books, everything." [...] There was an awkward pause. André wants to handle his own interview. [...] [H]e appears reserved to the point of bashfulness... [...] he appears reserved to the point of bashfulness... »

p. 187

Ross Parmenter, *The New York Times*, le 22 février 1942 :

« The second movement, which suggests an elegiac funeral march, is the most beautiful and has the most sustained and logical development. But the whole work is one of genuine inspiration and there is no doubt that the young composer has a voice of his own [...]. The boy, who was dressed as if for a tennis match in white shorts and a white shirt, played the work excellently. He had rhythmic firmness in the syncopated passages in the first and last movements, his tone was pure and unforced and he made the piano an integral part of the texture of the whole work. »

p. 189

Ross Parmenter, *The New York Times*, printemps 1942 :

« Every now and then, however, a child comes along that bowls them over. The last time this happened was the night of Feb. 3, 1940, when a sturdy, dark-eyed little boy named André Mathieu came to the grand piano at Town Hall and instantly electrified his audience by a bravura performance of an astonishingly mature etude [...]. By the end of the evening, André had created a sensation [...]. When I met him again this year, however, I found changes. He had gained twenty pounds and grown three or four inches so that he stood nearly five and a half feet tall [...]. the sprite-like quality was gone, replaced by heavy eyes. He seemed different in spirit. [...] He seemed sadder and more emotional, and yet at the same time more driven inside himself. I wasn't surprised when his parents told me he had strong outbursts of temper. They also told me that in the intervening year and a half he had lost his readiness in mingling with other children. In New York, he has become self-conscious about scarcely being able to speak English. […]When is the boy happiest? […] "When we take the car to go to Canada." »

p. 193

John Phillips, « French Canada » dans *Life Magazine*, le 19 octobre 1942, p. 103-112 :

« In the heart of North America, Protestant and English-speaking, flourishes a single province with 3,000,000 Catholic Frenchmen. That is Quebec. It is more foreign to Americans than is France; for it is essentially foreign also to the 20th Century […].

[…]

[Quebec] despised the France of the French Revolution and of the Third Republic. Now its youth admires the France of Pétain.

Quebec is a testament to the tolerance of Imperial Britain, which […] watched 65,000 conquered Frenchmen in Quebec expand between 1763 and 1942 to a total of about 6,000,000 […]. The test of British policy has come today in Quebec's contribution to a world war for all free men everywhere. In last April's plebiscite, Québec voted over 70% against conscription […].

[…]

The church and the farm dominate most of their lives. Sitting at the gateway to Canada, it is the most unprogressive of the settled provinces. Its infant mortality rate has been consistently high and one town (Trois-Rivières) has a rate higher than Bombay. Quebec City's diphtheria death rate has been the highest in the world.

[…]

Actually rural Quebec is run by the Catholic Church […]. The Church controls education in Quebec… Girls may marry at 14 but may not go to the movies until they are 16…

[…]

The people of Saint-Fidèle are not "radical"… They feel it is their sacred duty to combat "Communism or Bolshevism", which may include almost anything from State allowances for mothers to American atheism. This makes them more than a little troubled by a world war being fought by Russian Bolsheviks, Chinese Buddhists and English-speaking Protestants against, among other places, Rome, the home of the Church… The French Canadians really expect some day to be the vast majority in Canada… »

p. 195

Louis Biancolli, *The New York World-Telegram and Sun*, le 12 janvier 1943 :

« Canada's budding Beethoven […] reeled off his own [*Concertino*] […] in grown up style at the National Orchestral concert in Carnegie Hall last night…Young Mathieu was Mozart's junior by two summers on last night's program, though the concerto sounded a generation older. The boy played with an adult grasp of style and technic heaped up man-size.

Two years ago, Andre startled local observers with a mass of original music tinged with smart modernism. His piano playing was quite on par […]. The boy grew older and last night's playing was in brighter and bigger vein. While owing lots to a few composers, the [*Concertino*] is markedly fresh stuff, dashed off with elan and an impish sense of surprise. André Mathieu is going places. »

p. 207

Thomas Archer, *The Montreal Star*, le 27 janvier 1943 :

« The phenomenal talent of André Mathieu was again revealed here last night […]. Young Mr. Mathieu received a tremendous ovation from the audience. One felt that it was only the payment of a just tribute.

It is two years since this composer-pianist has been heard in Montréal […]. When he was here before, he was in short pants. Now he has grown into a tall lad, calm, self-possessed, courteous and dignified. His art has grown too.

He was there as solo pianist yesterday evening. But he proved himself something much more than just that. He proved himself an extraordinarily gifted musician, who young as he is, has all the elements of profundity and simplicity which furnish incontrovertible evidence of a musical mind of exceptional proportions.

The First Beethoven Concerto is no sinecure for a pianist […]. It demands style, rhythmic precision, and an expert sense of timing. And it is precisely what it got from the mind and hands of André Mathieu. The first movement was an example for all to take in regard to continuity of musical thinking, sense of rhythmic proportion, correct accent and that performer's personal touch […].

The second movement this lad took in such a way as to bring out its melodic beauties sufficiently to make it, in spite of its profuse ornamentation, a simple, manly song. The execution of the soft passage at the close of this largo was exceptionally sensitive. And André Mathieu, as would have been expected, delivered the concluding rondo with all the zest and downright musical sense that Beethoven put into it. It was a genuine thrill to have the initial theme delivered with all its beethovenian roughness and snap […]. »

Chapitre V

p. 231

C. C., *The Herald*, Montréal, le 19 novembre 1945 :

« SMALL AUDIENCE HEARS SUPERB MATHIEU RECITAL

Last night, we heard and saw a pitifully small audience applaud André Mathieu […]. It would be nice to convince M. Mathieu that his recital was superb, which it was ; it would be fine to impress upon his adolescent mind that he ranks in our estimation with the musical greats […] when a truly great artist is nurtured in the midst of a great metropolitan city, it seems all wrong that he should remain comparatively ignored within its gates […]. At sixteen years of age, young Mathieu is a master of the keyboard… At sixteen years of age, he is also a composer of no mean note, many of his works having a lyrical quality that many an artist [...] on the musical horizon would envy... »

Chapitre VII

p. 299

Script d'une émission radiophonique anglophone, Fonds famille Mathieu, Archives Nationales à Ottawa :

« It was rather typical of Mathieu and his genuine love for his country; not just phoney patriotism, but the kind of love that takes a person to the most remote parts, the small communities, mining towns and forgotten spots. He wanted to play for people who perhaps had never heard a concert pianist before [...]. In one town in the mining district of Abitibi, he gave a concert which lasted till two in the morning. They would not let go. He gave twenty-two encores [...]. »

p. 315

Paul Hume, *Washington Post*, le 18 avril 1951 :

« OWN WORKS PLAYED HERE BY MATHIEU

André Mathieu, Canadian composer-pianist, played a recital of his own works last night in the Phillips Gallery.

Mathieu is only 22. His piano technique is the big, flashy kind, able to encompass all demands. But he plays the piano just one way : fast and rather loud. There were few moments of pure, singing tone in the whole evening, a fault of both the pianist and composer.

The music is little more than over-romantic figurations of the most obvious clichés. Its chief flavors are those of the late 19th century from Liszt to Rimsky-Korsakoff, and into the 20th century with the usual imitations of Debussy and Rachmaninoff.

If Mathieu is interested in being considered a serious composer, he must submit himself to the discipline of some valid instruction. His salon style fails to command either interest or respect. »

Chapitre VIII

p. 346

Laurie Chisholm, *The Gazette*, le 7 décembre 1954 :

« André intends to play the 73 pieces he has composed. After that, he will do improvisations on his compositions and a few of the old masters. But he will not play any « pops ». The endurance record he intends to better was set by Carl Fletcher, an American G.I. who stayed at the piano (on a wager) for 19 hours, 1 minute and 30 seconds […]. Since the one time boy-wonder dropped entirely from the public's view eight years ago, he has kept on at the piano for pleasure […]. As a friend explained : "The piano is part of André's life. He knows no other." Yet, the young artist doesn't look the part […] André Mathieu looks and talks like many another young men native to the populous east end of Montreal… »

p. 353

Peter Desbarats, *The Gazette*, le 9 décembre 1954 :

« An estimated 8000 persons stood on their chairs in the Show Mart, shouted and applauded as André played his own *Quebec Concerto* theme melody on the marathon. His fingers stumbling over the chords, André sang with the crowd. It had been more than six years since […] he had heard such an ovation […]. André did it to "regain my public in one swoop". At the final note, André fell into the arms of his father, pianist-composer Rodolphe Mathieu and his mother and sister […]. Show Mart officials estimated that more than 25,000 persons had bought tickets for the performance. Women sitting in the front rows wept openly and several collapsed […]. Hundreds of telegrams from all parts of Canada and the United States poured into the Show-Mart. Bills of $10 and $20 were passed to the platform attached to notes of encouragement. André Lecomte, one of the show's organizers, told *The Gazette* a tentative arrangement with Ed Sullivan had been reached for a personal appearance on his *Toast of the Town* television show. A local night club was reported to have offered André $ 700 a week for a two week appearance. Charles Trenet, the Parisian singer sent André a telegram promising $ 500, organizers of the show said.

After arguing for several minutes with Dr. Jasmin, André quit the piano at 10.16 […]. Last night, even Mozart would have been overwhelmed. »

p. 355

Eric McLean, *The Montreal Star*, le 11 décembre 1954 :

« Although he is now only twenty-five years old, André has suffered the humiliating epiteth of "has been" for almost a decade. At the age of eight, he was a prodigy […]. Even New-York was impressed and for a brief time, he joined the list of things with which Americans associate Canada, along with the Monties, Mary Pickford, and the Dionne quintuplets […].

The last time I heard him play, was a few seasons ago. He played a program of his own works before a comparatively small audience at the Ritz Carlton. It was something less than a triumph. But there seems to be little doubt in most people's minds as to the success of his comeback this week.

While every paper and all the wire service carried reports of the "pianothon", I was unable to find a criticism of the performance. No one said whether Mathieu played well or badly or whether his compositions were likely to be included in the standard repertoire. It was enough he had kept the keys in motion for twenty one hours. The possibility of someone who peeled potatoes for the same length of time would deserve as much credit did not seem to enter anyone's mind. The suggestion that the pianothon had nothing to do with music, Mozart or child prodigies would probably be shouted down angrily by the ladies who wept in the front row as the endurance test drew to a close. Rodolphe Mathieu, Andrew's father and the one who launched the boy on his whirl-wind career as a pianist stood by as his son acknowledged the applause from the Show-Mart audience. THIS WAS THE CROWNING ACHIEVEMENT OF HIS CAREER. This was the fulfillment of the promise shown by the little tot in his Carnegie Hall recital. By the way, when Mathieu starts out on his tour of his, do you suppose he plans to play twenty-one hours in each performance ? »

ANNEXE IX
BIBLIOGRAPHIE

Archives publiques

Collection des partitions de Jean-Paul Jeannotte, Faculté de musique de l'Université de Montréal.

Fonds Arthur LeBlanc, Université de Moncton.

Fonds Arthur Prévost, Université de Montréal.

Fonds de la Famille Laurendeau, Centre de Recherche Lionel-Groulx.

Fonds de la Famille Mathieu, Bibliothèque et Archives nationales du Canada.

Fonds Gilles Lefebvre, Bibliothèque et Archives nationales du Canada.

Fonds Nicole Germain, Bibliothèques et Archives nationales du Québec.

Fonds Paul L'Anglais, Bibliothèques et Archives nationales du Québec.

Fonds Wilfrid-Pelletier, Bibliothèques et Archives nationales du Québec.

Archives privées

Fonds Cécile LeBel

Fonds André Morin

Fonds Éric Le Reste

Fonds Alain Lefèvre

Fonds Marie-Ange Mathieu

Fonds André Asselin

Ouvrages cités (sauf les articles publiés dans des revues ou journaux)

Asselin, André. *Le Rappel d'un songe ou la rançon du génie : André Mathieu, hommage posthume*, Montréal, inédit, 2004. 78 p.

Bergeron, Léandre. *Dictionnaire de la langue québécoise*, Montréal : VLB Éditeur, 1981.

Borduas Paul-Émile. *Refus Global et autres écrits*, Montréal : Éditions de l'Hexagone, 1990. 319 p.

Boucher, Denise. *Une Voyelle*, Ottawa : Leméac Éditeur, 2007. 313 p.

Brault, Julien. *Péladeau, une histoire de vengeance, d'argent et de journaux*, Montréal : Québec Amérique, 2008. 284 p.

Charton, J. M. *Les Années françaises de Serge Rachmaninoff*, Paris : Éditions de la Revue Moderne, 1969. 163 p.

Comeau, Paul André. *Le Bloc Populaire*, Montréal : Éditions Québec Amérique, 1982. 478 p.

Daveluy, R., R. Laurin, A. Lauber, *et al. Pour l'amour de la musique, Les Mélodistes indépendants*, Montréal : Éditions l'Essentiel, 1996. 175 p.

De Candé, Roland. *Dictionnaire des Musiciens*, Paris : Éditions du Seuil, 1964.

Deslauriers, Nicole. *Si mon père m'était conté…*, Montréal : Les Éditions Inedi.

Gauthier, Yves. *Monsieur livre : Henri Tranquille*, Sillery : Les éditions du Septentrion, 2005. 277 p.

Gavoty, Bernard. *Alfred Cortot*, Paris : Éditions Buchet/Chastel, 1977. 317 p.

Germain, Jean-Claude. *Le Cœur rouge de la bohème*, Montréal : Éditions Hurtubise HMH Ltée, 2008. 175 p.

Houle, Michel et Alain Julien. *Dictionnaire du Cinéma Québécois*, Montréal : Les Éditions Fides, 1978.

Lachapelle, Paul. *Temps passé*, Les Éditions Paulines et Apostolat des Éditions, 1975.

Lamarche, Gustave. *Textes et Discussions : I Sujets Nationaux*, Montréal : Éditions de L'Action Nationale, 1969. 320 p.

Lasalle-Leduc, Annette. *La Vie musicale au Canada français*, Québec : Ministère des Affaires culturelles, 1964. 103 p.

Lavertu, Yves. *L'affaire Bernonville*, Montréal : VLB Éditeur, 1994. 217 p.

Lefebvre, Gilles. *Terre des Jeunes*, Québec : Les Éditions Fides, 1999. 283 p.

Lefebvre, Marie-Thérèse. *Rodolphe Mathieu*, Sillery : Cahiers des Amériques, Les éditions du Septentrion, 2004. 280 p.

Maheu, Renée. *Arthur Leblanc, Le poète acadien du violon*, Montréal : Les Éditions du Boréal, 2004. 324 p.

Mathieu, Rodolphe. *Choix de textes inédits annotés par Marie-Thérèse Lefebvre*, Montréal : Guérin, 2000. 229 p.

Mousseau, Jacques, *Le Siècle de Paul-Louis Weiller, 1893-1993*, Stock, 1998, 588 p.

Paquette, Claude. *Jacques Languirand*, Montréal : Éditions Libre Expression, 1998.

Tomik, Lange, A. *Le Dernier Testament ou les Vérités révélées par les faits*, inédit, 1945/1953.

Turgeon, Marcel. *Journal d'un avocat québécois*, Le Livre de Chevet, 1991. 278 p.

Principaux ouvrages

Asselin, André. *Panorama de la musique canadienne*, Paris : Éditions de la Diaspora Française, 1962. 31 p.

Barbeau, Victor. *La tentation du passé*, Montréal : Ressouvenirs, Les Éditions La Presse, 1977. 179 p.

Bédard, S. et J.-P. Durocher, dir. *Le livre du siècle*, Montréal : Éditions Transcontinental/Entreprises Grolier, 1999. 368 p.

Blaise, Anik, dir. *Chronique de l'humanité*, Paris : Éditions Chronique S.A., 1986. 1279 p.

Chimènes, Myriam, dir. *La Vie musicale sous Vichy*, Bruxelles : Éditions Complexe, 2001. 420 p.

Comeau, R. et L. Beaudry, dir. *André Laurendeau : Un intellectuel d'ici*, Sillery : Presses de l'Université du Québec, 1990. 310 p.

Dagenais, Pierre. *…et je suis resté au Québec*, Montréal : Les Éditions La Presse, 1974. 204 p.

De Billy, Hélène. *Le Portrait d'André Mathieu*, Montréal : Les Éditions La Presse, 2007. 254 p.

Desrochers, Jeanne. *Françoise Gaudet-Smet*, Varennes : Les Éditions de Varennes, 1992. 197 p.

Duquette, J.-P. et A. Molin Vasseur. *Simone Aubry Beaulieu*, Montréal : Les Éditions du Lion Ailé, 1982. 155 p.

En Coll. *André Laurendeau, ces choses qui nous arrivent, Chroniques des années 1961-1966*, Montréal : Éditions HMH, 1970. 343 p.

Filion, Michel. *Radiodiffusion et société distincte*, Laval : Éditions du Méridien, 1994. 244 p.

Germain, Thérèse. *Les Ursulines de Trois-Rivières : Musique et musiciennes*, Québec : Éditions Anne Sigier, 2002. 189 p.

Gignac, Benoit. *Québec 68, l'année révolution*, Montréal : Les Éditions La Presse, 2008. 271 p.

Harvey, Jean-Charles. *La Peur*, Montréal : Boréal compact, Les Éditions du Boréal, 2000. 63 p.

Hébert, P., Y. Lever et K. Landry, dir. *Dictionnaire de la censure au Québec*, Montréal : Les Éditions Fides, 2006. 715 p.

Horton, Donald J. *André Laurendeau*, Montréal : Éditions Bellarmin, 1995. 361 p.

Kallmann, H., G. Potvin et K. Winters, dir. *Encyclopédie de la musique au Canada*, 2e édition sous la dir. de H. Kallmann et G. Potvin, Montréal : Les Éditions Fides 1993.

Lacoursière, J., J. Provencher et D. Vaugeois. *Canada-Québec 1534-2000*, Sillery : Les éditions du Septentrion, 2004. 591 p.

Lacoursière, J. et D. Vaugeois, dir. *Canada-Québec, synthèse historique*, Montréal : Éditions du Renouveau Pédagogique, 1970. 619 p.

Lamonde, Yvan et Denis Saint-Jacques, dir. *1937 : un tournant culturel*, Québec : Collection Cultures québécoises, Les Presses de l'Université Laval, 2009. 371 p.

Languirand, Jacques. *Presque tout Jacques Languirand : théâtre*, Paris : Les Éditions internationales Alain Stanké, 2001. 892 p.

Lapointe, Linda. *Maison des étudiants canadiens : Cité internationale universitaire de Paris, 75 ans d'histoire 1926-2001*, Saint-Lambert : Les Éditions Stromboli, 2001. 234 p.

Laporte, Pierre. *Le vrai visage de Duplessis*, Montréal : Les Éditions de l'Homme, 1960. 141 p.

Lavertu, Yves. *Jean-Charles Harvey : Le Combattant*, Montréal : Les Éditions du Boréal, 2000. 462 p.

Lavertu, Yves. *The Bernonville Affair*, Outremont : Robert Davies Publishing, 1994. 154 p.

Lefebvre, Marie-Thérèse. *André Mathieu : Pianiste et compositeur québécois (1929-1968)*, Montréal : Célébrités/Collection biographique, Lidec, 2006. 61 p.

Lefebvre, Marie-Thérèse. *Rodolphe Mathieu : Un compositeur remarquable*, Montréal : Célébrités/Collection biographique, Lidec, 2005. 62 p.

Mathieu, André. « Ma première œuvre… », *Brèves littéraires* (automne 2006 – numéro 74).

Mathieu, Rodolphe. *Parlons… musique*, Montréal : Éditions Albert Lévesque, 1932. 194 p.

Mayer, Jonathan. *Les échos du Refus global*, Montréal : Les éditions Michel Brûlé, 2008. 244 p.

Monière, Denis. *Le Développement des idéologies au Québec des origines à nos jours*, Montréal : Éditions Québec Amérique, 1977. 381 p.

Morin, Léo-Pol. *Musique*, Canada : Éditions Beauchemin, 1944. 440 p.

Pallascio-Morin, Ernest. *Sacré métier ! Mémoires d'un journaliste*, Montréal : Louise Courteau éditrice, 1990. 357 p.

Paradis, Raymond, dir. *Nous avons connu Duplessis*, Montréal-Nord : Les Éditions Marie-France, 1977. 93 p.

Pépin, Clermont. *Piccoletta : Souvenirs*, Montréal : Les Éditions Triptyque, 2006. 286 p.

Provencher, Jean. *Chronologie du Québec 1534-1995*, Bibliothèque québécoise, 1997. 373 p.

Roux, Jean-Louis. *En grève ! Radio-Canada 1959*, Montréal : Les Éditions du Jour, 1964. 116 p.

Rudel-Tessier, J. *André Mathieu : Un génie*, Montréal : Éditions Héritage, 1976. 365 p.

Sicotte, Anne-Marie. *Gratien Gélinas en images : Un p'tit comique à la stature de géant*, Montréal : VLB Éditeur, 2009. 173 p.

Timbrell, Charles. *French Pianism, Second Edition*, Portland, Oregon : Amadeus Press, 1999. 370 p.

Tranquille, Henri. *Des lettres sur nos Lettres*, Montréal : Éditions Bergeron, 1984. 147 p.

Trudeau, Pierre Elliott, dir. *La grève de l'amiante*, Montréal : Les Éditions du Jour, 1970. 430 p.

Valois, Marcel. *Variations sur trois thèmes : la musique*, Montréal : Les Éditions Fernand Pilon, 1946. 499 p.

Entrevues faites par l'auteur entre août 2006 et février 2010

André Asselin
Pierre Audet
André Bachand
Mireille Barrière
Marion Beauchemin
Denise Boucher
Laurent Chapdelaine
Aline Dansereau
Lyse Deschenaux
Maurice Dumas
Michel Dussault
Gilles Gagnon
Rachel Gagnon-Fradette
Pierre Gasse
Jean-Claude Germain
François Godbout
Marcelle Martin-Gratton
Suzanne Gravel
René Isabel
Jean-Claude Labrecque
Jean-Claude Lalonger
Anna Landry
Madeleine Langevin-Lippens
Jacques Languirand
Francine Laurendeau
Étienne LeBel
Roméo Leclerc
Claude Lefebvre
Marthe Lemay-Racine
Madeleine Lemieux-Lemaire
Clémence Lord
Denise Massé
Victor Massicotte
Yvan Massicotte

Marie-Ange Mathieu
Claire Mathieu-Langlois
Pierre Mercier-Gouin
Jeanne Moquin
François Morel
André Morin
Normand Pigeon
Huguette Oligny
Jacques Prénovost
Roger Rolland
Joseph Rouleau
Jean-Louis Roux
Marcel Tessier
Marcel Turgeon
Jean-Pierre Wilhelmy

INDEX